TAJEMNICE KODU

Nieautoryzowany przewodnik po sekretach KODU LEONARDA DA VINCI

WYBÓR I OPRACOWANIE
DAN BURSTEIN

Przekład
ROBERT SKIERSKI

Tytuł oryginału
SECRETS OF THE CODE
The Unauthorized Guide to the Mysteries Behind The Da Vinci Code

Redakcja stylistyczna
AGNIESZKA WESELI-GINTER

Redakcja techniczna
ANDRZEJ WITKOWSKI

Korekta
RENATA KUK
MARIA RAWSKA

Ilustracja na okładce
CORBIS/AGENCJA FOTOGRAFICZNA FREE

Ilustracje i mapy

Opracowanie graficzne okładki
STUDIO GRAFICZNE WYDAWNICTWA AMBER

Skład
WYDAWNICTWO AMBER

ISBN 83-241-1717-2

Dla Julii, która uosabia ducha żeńskiej świętości
w każdym dniu mojego życia
D.B.

Spis treści

Od redaktora wydania amerykańskiego 17
Wprowadzenie 19

Księga I
Historia napisana przez mężczyzn, historia napisana przez kobiety, historia herezji 31

Część I
Maria Magdalena i żeńska świętość 33

1. Maria Magdalena
Jak w historii napisanej przez mężczyzn uczciwa kobieta została ladacznicą 35

Maria Magdalena: święta czy grzesznica? 40
David Van Biema, za Lisą McLaughlin

Święty seks i boska miłość 45
Lynn Picknett

Kobieta z alabastrowym flakonem 52
Margaret Starbird

Maria Magdalena 56
Wywiad z Susan Haskins

Maria Magdalena 60
Susan Haskins

Maria Magdalena 73
Esther de Boer

„*Kod Leonarda da Vinci* wykorzystuje fikcję,
by wyjaśnić historyczne niejasności..." 81
Wywiad z Deirdre Good

Krytyka teorii „spisku Grzegorza Wielkiego" 85
Wywiad z Katherine Ludwig Jansen

Debata na stronie www.beliefnet.com 88
Kenneth Woodward kontra Karen King

Zupełnie inna Maria 88
Kenneth Woodward

Niech przemówi Maria Magdalena 93
Karen King

„Czy grzechem jest
utrzymywanie stosunków seksualnych w małżeństwie?" 98
Wywiad z wielebnym Richardem P. McBrienem

2. Żeńska świętość 100

Bóg nie wygląda jak mężczyzna 101
Wywiad z Margaret Starbird

Maria i Jezus 105
Margaret Starbird

Królewska krew i wino Marii 107
Margaret Starbird

Tradycja gnostyczna i Boska Matka 108
Elaine Pagels

Bóg mężczyzna i Bogini 111
Wywiad z Timothym Frekiem

Podróż Sofii 112
Timothy Freke i Peter Gandy

Puchar i ostrze 123

Część II
Echa zaginionej przeszłości 125

3. Zaginione ewangelie 127

Zadziwiające odkrycie 128
Elaine Pagels

Co teksty z Nag Hammadi mówią nam o „wyzwolonym" chrześcijaństwie 138
Wywiad z Jamesem M. Robinsonem

Co zaginęło, zostało odnalezione 141
Wywiad z Elaine Pagels

Wstęp do *Ewangelii Tomasza* 146
Helmut Koester

Ewangelia Tomasza 147

Wstęp do *Ewangelii Filipa* 148
Wesley W. Isenberg

Ewangelia Filipa 149

Wstęp do *Ewangelii Marii Magdaleny* 151
Karen King

Ewangelia Marii Magdaleny 152

Wstęp do *Sofii Jezusa Chrystusa* 154
Douglas M. Parrott

Sofia Jezusa Chrystusa 154

4. Wczesna historia chrześcijaństwa 157

Misteria pogańskie u podłoża wczesnego chrześcijaństwa 162
Timothy Freke i Peter Gandy

Wczesne chrześcijaństwo nie polegało po prostu na naśladowaniu Chrystusa 167
Lance S. Owens

Zróżnicowanie poglądów na mityczne początki 169
Stephan A. Hoeller

5. Umocnienie czy tuszowanie prawdy? Ustanowienie jednej prawdziwej wiary 175

Misteria Jezusa 177
Timothy Freke i Peter Gandy

Czy Jezus istniał naprawdę? 180
Wywiad z Timothym Frekiem

Słowo Boże czy ludzkie? 182
Elaine Pagels

Bitwa o Pismo i wiary, których nigdy nie poznaliśmy 190
Wywiad z Bartem D. Ehrmanem

Heretycy, kobiety, czarnoksiężnicy i mistycy 193

Dlaczego gnostyków uważano za tak wielkie zagrożenie? 203
Lance S. Owens

Złamanie kodu Leonarda da Vinci 205
Collin Hansen

6. Tajne stowarzyszenia 208

Wspomnienia z mszy gnostycznej 210
John Castro

Historia templariuszy 214
Lynn Picknett i Clive Prince

Najbardziej mroczne tajemnice zachodniej cywilizacji 219
Wywiad z Lynn Picknett i Clive'em Prince'em

Święty Graal, święta krew 224
Michael Baigent, Richard Leigh i Henry Lincoln

Opus Dei w Stanach Zjednoczonych 236
Ks. James Martin (Towarzystwo Jezusowe)

Reakcja Opus Dei na *Kod Leonarda da Vinci* 244
Stanowisko prałatury Opus Dei w Stanach Zjednoczonych

Część III
Tajne kody 247

7. Tajemnica kodów 249

Da Vinci: ojciec kryptografii 251
Michelle Delio

Czy Bóg jest matematykiem? 254
Wywiad z Brendanem McKayem

8. Leonardo i jego tajemnice 257

Tajny kod Leonarda da Vinci 258
Lynn Picknett i Clive Prince

Wychodząc daleko poza ramy... 269
Lynn Picknett

Próba odczytania „wyblakłej plamy" Leonarda 272
Wywiad z Denise Budd

Nie wierzę, że w *Ostatniej Wieczerzy* bierze udział kobieta... 277
Wywiad z Diane Apostolos-Cappadoną

Rozważania nad manuskryptami Leonarda da Vinci 280
Sherwin B. Nuland

9. Świątynie symboli, katedry kodów
Tajemna mowa architektonicznego symbolizmu 288

Paryż 289
David Downie

„Symbologia" *Kodu Leonarda da Vinci* 293
Wywiad z Diane Apostolos-Cappadoną

Księga II
Kod Leonarda da Vinci odszyfrowany 303

Część I
24 godziny, dwa miasta i przyszłość kultury Zachodu 305

10. Apokryfy i rewelacje 307

Nieścisłości i intrygujące szczegóły w *Kodzie Leonarda da Vinci* 308
David A. Shugarts

Po linii róży z Rosslyn do... Florencji? 341
Dan Burstein

Część II
Recenzje i komentarze na temat
Kodu Leonarda da Vinci 345

11. Komentarze, krytyki, uwagi 347

Prawdziwy kod Leonarda da Vinci 349
Lynn Picknett i Clive Prince

Fikcja z podtekstem religijnym 354
David Klinghoffer

Kod... czy kant? 357
Laura Miller

Francuski specjał 360
Amy Bernstein

Co Francuzi mówią o *Kodzie Leonarda da Vinci*? 367
David Downie

Filozoficzne spojrzenie na *Kod Leonarda da Vinci* 369
Glenn W. Erickson

Zderzenie Indiany Jonesa i Josepha Campbella 375
Wywiad internetowy Craiga McDonalda z Danem Brownem

Słowa łacińskie lub wywodzące się z łaciny w *Kodzie Leonarda da Vinci* 381
David Burstein

Część III
Pod Piramidą 387

12. Biblioteka Sofii 389

Róża pod jakimkolwiek innym imieniem 389
David A. Shugarts

Glosariusz 396

Źródła internetowe 448
Betsy Eble

Autorzy i współautorzy 454

Podziękowania 462

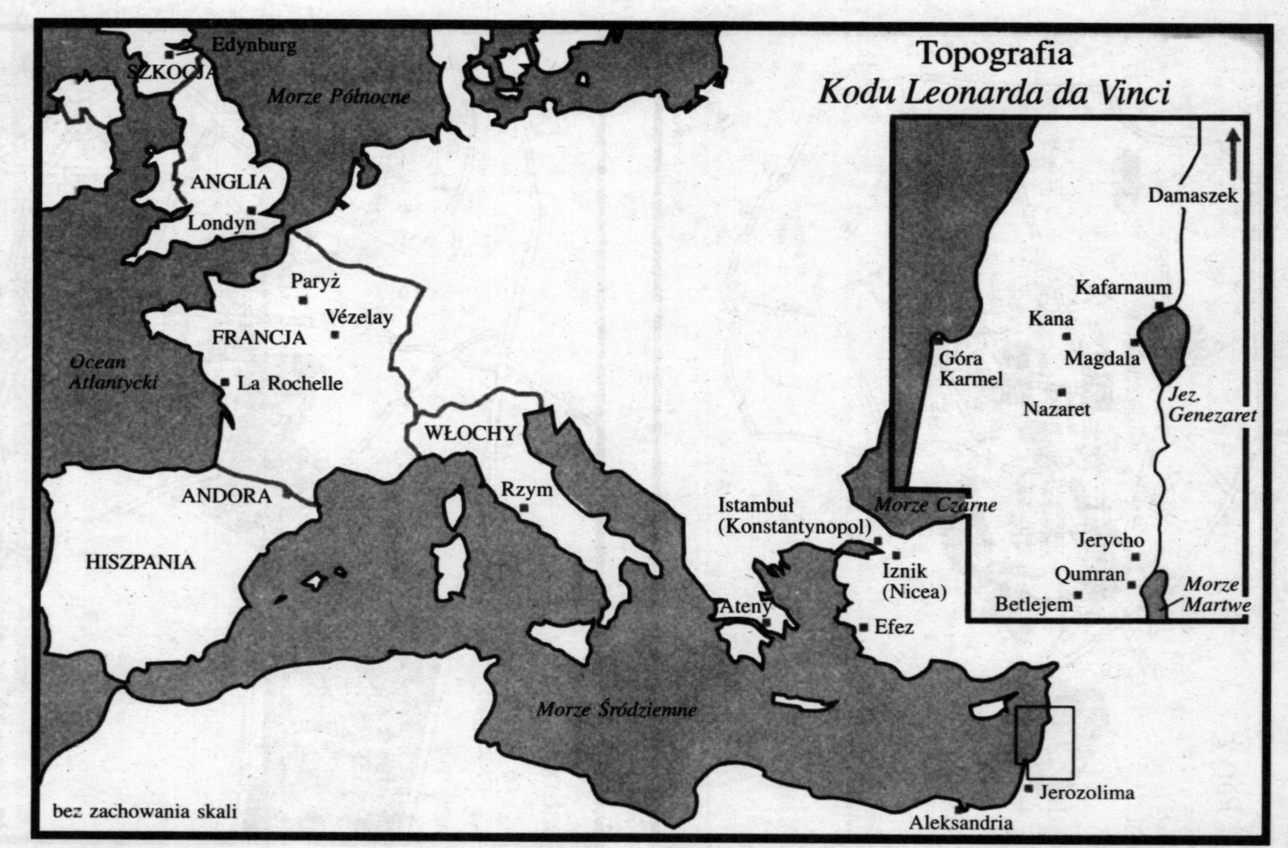
Topografia
Kodu Leonarda da Vinci
Edynburg
SZKOCJA
Morze Północne
ANGLIA
Londyn
Paryż
Vézelay
FRANCJA
Ocean Atlantycki
La Rochelle
WŁOCHY
ANDORA
Rzym
HISZPANIA
Istambuł (Konstantynopol)
Morze Czarne
Iznik (Nicea)
Ateny
Efez
Morze Śródziemne
Jerozolima
Aleksandria
bez zachowania skali
Damaszek
Kafarnaum
Kana
Magdala
Góra Karmel
Nazaret
Jez. Genezaret
Jerycho
Qumran
Betlejem
Morze Martwe

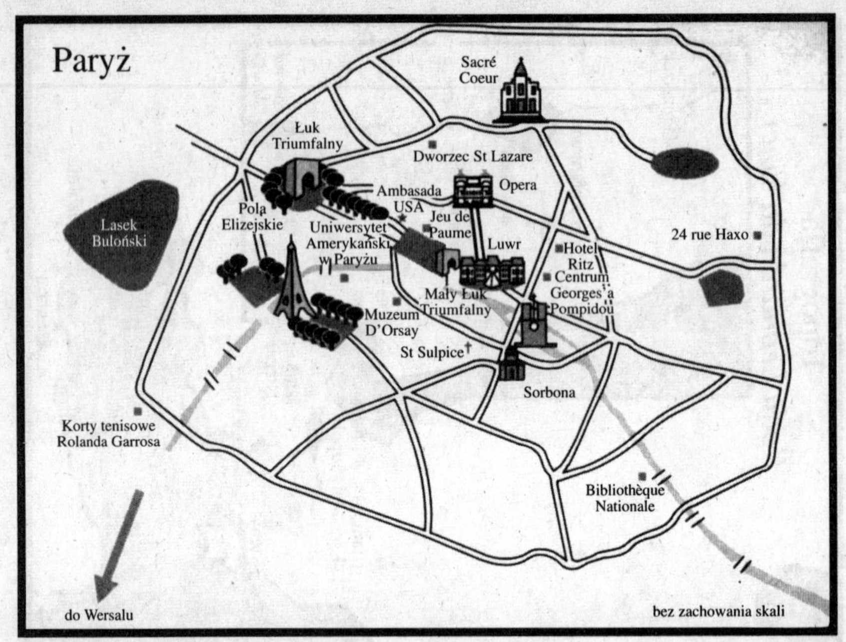
Paryż
Sacré
Coeur
Łuk
Triumfalny
Dworzec St Lazare
Lasek
Buloński
Ambasada
USA
Opera
Pola
Elizejskie
Jeu de
Paume
Uniwersytet
Amerykański
w Paryżu
Luwr
24 rue Haxo
Hotel
Ritz
Centrum
Georges'a
Pompidou
Mały Łuk
Triumfalny
Muzeum
D'Orsay
St Sulpice
Sorbona
Korty tenisowe
Rolanda Garrosa
Bibliothèque
Nationale
do Wersalu
bez zachowania skali

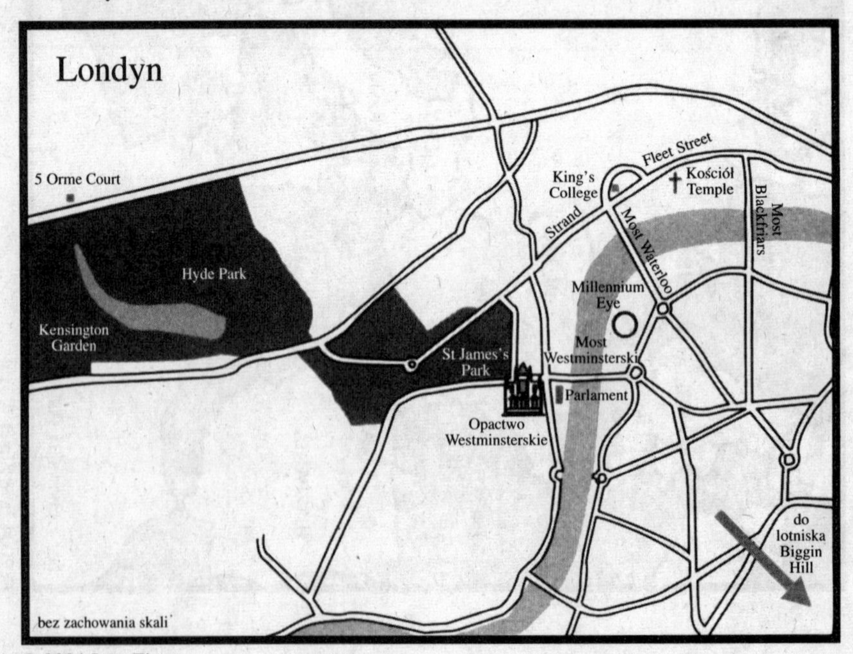
Londyn
Fleet Street
5 Orme Court
King's
College
Kościół
Temple
Most
Blackfriars
Strand
Most Waterloo
Hyde Park
Millennium
Eye
Kensington
Garden
Most
Westminsterski
St James's
Park
Parlament
Opactwo
Westminsterskie
do
lotniska
Biggin
Hill
bez zachowania skali

Od redaktora wydania amerykańskiego

Tajemnice kodu. Nieautoryzowany przewodnik po sekretach Kodu Leonarda da Vinci to zbiór myśli i tekstów, fragmentów z licznych książek, stron internetowych, czasopism oraz wywiadów z najbardziej znanymi pisarzami i naukowcami. Pracując z tak rozmaitymi źródłami – obejmującymi także transkrypcje starożytnych tekstów – dążyliśmy do ujednolicenia pisowni i nazw w części pochodzącej od redakcji, równocześnie bez zmian pozostawiając pisownię i zasady występujące w wyjątkach, jakie zaczerpnęliśmy z innych książek lub materiałów. W kilku przypadkach dla wygody czytelnika przenumerowaliśmy przypisy.

Tam, gdzie to możliwe, staraliśmy się nie ingerować w oryginalny materiał, nawet jeśli miałoby to oznaczać powstanie niekonsekwencji.

Bardzo dbaliśmy o staranne oddzielanie poszczególnych typów materiału, aby fragmenty już opublikowanych prac odróżniały się od naszego tekstu i opinii. Czytelnik powinien wiedzieć, że wypowiedzi redaktorów pojawiają się we wstępach do rozdziałów, przerwach w dyskusjach, jako pytania w wywiadach, na marginesach, w ramkach, podpisach i wyjaśnieniach w nawiasach. Wypowiedzi gości, wywiady i fragmenty już opublikowanych materiałów są wyraźnie oddzielone podkreśleniami i/lub informacjami o prawach autorskich czy zgodzie na przedruk. Z góry przepraszamy, jeśli nieumyślnie opuściliśmy jakiekolwiek informacje o pochodzeniu materiału lub w inny błędny sposób opisaliśmy fragmenty książki.

Tworząc tę książkę, staraliśmy się z większych prac wybrać krótkie fragmenty, aby dać czytelnikowi pojęcie o zawartości konkretnej pracy lub o poglądach eksperta. Były to niezmiernie trudne decyzje redaktorskie i wiele wycinków na zawsze spoczęło na podłodze naszego gabinetu. Chcemy podziękować wszystkim autorom, wydawcom, czasopismom, twórcom stron internetowych i ekspertom, którzy tak hojnie udostępnili nam swoje teksty do tego tomu. Zachęcamy również czytelników do kupienia książek, z których fragmenty przytaczamy, odwiedzenia wymienionych stron internetowych i zapoznania się z całym bogactwem oryginalnych źródeł.

Napięty plan produkcyjny uniemożliwił nam wykorzystanie niektórych wywiadów i fragmentów; zabrakło też czasu na sporządzenie bibliografii, tablic chronologicznych oraz indeksów. Część z nich umieścimy na naszej stronie: www.secretsofthecode.com.

Wprowadzenie
W poszukiwaniu Sofii

Jak wielu z was, przeczytałem *Kod Leonarda da Vinci* Dana Browna latem 2003 roku. Zajmował on już wtedy pierwsze miejsce na liście bestsellerów „The New York Times". Początkowo leżał przy moim łóżku, podobnie jak tuziny innych nieprzeczytanych książek, stosy czasopism, raportów ekonomicznych, które musiałem przejrzeć, i innych papierów domagających się choćby odrobiny uwagi w tym naszym złożonym, chaotycznym i wypełnionym szumem informacyjnym życiu.

Pewnego dnia wziąłem do ręki *Kod Leonarda da Vinci* i zacząłem lekturę. Zafascynowany czytałem aż do rana. Dosłownie nie mogłem się oderwać. Kiedyś, zanim przekroczyłem pięćdziesiątkę, zdarzało mi się to dosyć często, lecz w ostatnich czasach, coraz rzadziej. W pewnym momencie, około czwartej w nocy, kiedy dotarłem do momentu, gdy Leigh Teabing wyjaśnia Sophie Neveu, jak i dlaczego ujrzał Marię Magdalenę w *Ostatniej Wieczerzy*, wyskoczyłem z łóżka i wyciągnąłem album z dolnej półki biblioteki. Spojrzałem na malowidło Leonarda, które, rzecz jasna, podziwiałem już setki razy. Tak, rzeczywiście postać siedząca obok Jezusa wygląda jak kobieta, pomyślałem.

Rano, gdy skończyłem lekturę, poczułem, że ta książka, jak żadna inna od długiego czasu, postawiła przede mną intelektualne wyzwanie. Chciałem się dowiedzieć, co jest prawdą, a co nie, rozróżnić fakty, fikcję, naukowe spekulacje i czystą fantazję. Gdy tylko otwarto księgarnię w sąsiedztwie, natychmiast tam poszedłem i, sącząc *latte*, przekopywałem się przez stosy książek, które zostały wspomniane lub wykorzystane w *Kodzie Leonarda da Vinci*: *Święty Graal, święta krew, Templariusze. Tajemni strażnicy tożsamości Chrystusa*, *Gnostic Gospels* (Ewangelie gnostyczne), *The Woman with the Alabaster Jar: Mary Magdalen and the Holy Grail* (*Kobieta z alabastrowym flakonem: Maria Magdalena i święty Graal*), *The Nag Hammadi Library* (Biblioteka z Nag Hammadi) i wiele innych. Ku swemu zdziwieniu odkryłem, że ostatnio wydano dziesiątki prac o Marii Magdalenie, kulturze Bogini, żeńskiej świętości, powstaniu Biblii i zakodowanych w niej informacjach oraz o ewangeliach gnostycznych i apokryficznych. Odnalazłem półki wypełnione tajemniczymi książkami o tradycjach templariuszy, tajnych stowarzyszeniach i takich miejscach wspomnianych w *Kodzie Leonarda da Vinci*, o których nigdy przedtem nie słyszałem, jak Rennes-le-Château we Francji i kaplica Rosslyn w Szkocji. Opuściwszy sklep z książkami wartymi setki dolarów, wróciłem do domu, by chłonąć ten materiał. Dopiero później dowiedziałem się, że na stronie Dana Browna znajduje się pełna bibliografia.

Przez całe tygodnie wciąż kupowałem książki, których treść, jak odkryłem, miała związek z *Kodem Leonarda da Vinci*. Pochłonąłem *Beyond Belief: The Secret Gospel of Thomas* (Nie do wiary: Tajna ewangelia Tomasza)), najnowszą pracę Elaine Pagels, chociaż już jej pionierska praca z 1979 roku, *Gnostic Gospels*, otworzyła mi oczy na świat alternatywnych ksiąg biblijnych. Poznałem krąg uczonych znawców koptyjskiego, greki, hebrajskiego i łaciny, którzy skrupulatnie przełożyli i przeanalizowali starożytne dokumenty, by wydobyć nowe informacje i na nowo zinterpretować wydarzenia opisane w Biblii. Przeczytałem wszystkie książki Baigenta, Leigha i Lincolna, Lynn Picknett i innych, latami zgłębiających ten sam materiał, na którym opierał się Dan Brown. Pochłonąłem szczegółową pracę Susan Haskins o Marii Magdalenie, dokumentującą narastające od 2000 lat mity i metafory dotyczące kobiety, która – według Dana Browna – była oblubienicą Chrystusa.

Ponownie sięgnąłem do pozycji już mi znanych: poruszającej biografii Mojżesza pióra Jonathana Kirscha, który próbował wyłuskać szczegóły życia proroka z zawoalowanych aluzji Starego Testamentu i wysunął fascynujący pomysł, że Miriam nie była siostrą Mojżesza, jak mówi Biblia, ale kapłanką własnego kultu i odegrała ważną rolę w uwolnieniu żydowskich niewolników z Egiptu. Przypomniałem sobie następujący fragment: „Niektórzy uczeni utrzymują, że Miriam żyła naprawdę, a Mojżesz to wymysł. Inni twierdzą, iż oboje istnieli, ale nie byli rodzeństwem – Miriam, jak sądzą, jako kapłanka i prorokini przewodziła własnemu kultowi", ostatecznie zaś znalazła się w Biblii jako „siostra" Mojżesza, co dowodzi, że starożytni autorzy postępowali według zasad *political correctness*. Być może ten odwieczny nawyk redaktorów Biblii – którzy zmieniali stosunki pokrewieństwa opisywanych postaci, łączyli czyny kobiet z postępkami mężczyzn, wprowadzali zmiany do wcześniejszych wersji opowieści, by pasowały one do późniejszych potrzeb politycznych – ujawniła się w sposobie, w jaki redaktorzy Nowego Testamentu przerobili historię Jezusa, Marii Magdaleny i ich najbliższych.

Sięgnąłem powtórnie po *Wahadło Foucaulta* Umberto Eco (literacki pastisz i parodię tych samych tajemniczych źródeł i wątków, jakie wykorzystał w *Kodzie Leonarda da Vinci* Brown). Eco powiedział później w wywiadzie *Jesus, Mary, and da Vinci* (Jezus, Maria [Magdalena] i da Vinci) (w specjalnym programie kanału ABC News, poświęconym tezom Dana Browna), że *Kod Leonarda da Vinci* opiera się na XIX-wiecznych bajkach, takich jak ta o Pinokiu i Czerwonym Kapturku – „błędnych teoriach", równie fałszywych jak pogląd, że Ziemia jest płaska.

Powróciłem do klasycznej książki Normana O. Browna z lat 60., *Love's Body* (Ciało miłości), ulubionej lektury mojej młodości, której autor dokonuje błyskotliwej syntezy mitów i archetypów żeńskiej świętości oraz roli mitów w kreowaniu świadomości Zachodu. Wiele nawiązań Normana O. Browna do badań interdyscyplinarnych i różnic kulturowych wydaje się w prostej linii kontynuacją rozważań Roberta Langdona na temat symboli. Langdon uważa „kielichy" i „ostrza" za uniwersalne symbole męskości i kobiecości, a widzi je dosłownie wszędzie: od sześcioramiennej gwiazdy Dawida, przez zarys, jaki tworzą sylwetka Jezusa i sąsiedniego biesiadnika na *Ostatniej Wieczerzy*, do skierowanych w górę i w dół piramid w Luwrze, zaprojektowanych przez I.M. Peia. Norman O. Brown twierdzi: „Wszystkie metafory są seksualne; penis to każdy obiekt wypukły, a wagina – każdy wklęsły". Langdon doceniłby także rozważania Browna nad świętą jednością, która podzielona na męskie i żeńskie może pewnego dnia powrócić do stanu jedności, ozdobione cytatami z Yeatsa: „Bo nic nie może być stałe i całe, co wprzód nie było rozdarte*".

Odgrzebałem też bestseller z 1965 roku, *The Passover Plot* (Spisek paschalny**), który czytali i nad którym dyskutowali jeszcze moi rodzice. Skrzydełko obwoluty kupionego przez mnie wiekowego egzemplarza głosi: „*The Passover Plot* opowiada – i szczegółowo udowadnia na podstawie Biblii i niedawno odkrytych zwojów znad Morza Martwego – jak to Jezus zaplanował swe aresztowanie, ukrzyżowanie i zmartwychwstanie, a następnie zaaranżował przybicie do krzyża i udawał śmierć, by później zostać bezpiecznie uwolnionym, a tym samym dopełnić mesjanistycznych przepowiedni (...). Nigdy wcześniej tak poważany autorytet nie wysunął tak kontrowersyjnej tezy – ani nie poparł jej tak niezbitymi dowodami". Po takiej lekturze czytelnicy bestsellera Dana Browna 40 lat później niewątpliwie doznają déjà vu.

* *Głupia Jane rozmawia z biskupem* w: W.B. Yeats *Poezje wybrane*, wybr. J. Żuławski, tł. S. Barańczak, Warszawa 1987 (przypisy z gwiazdką pochodzą od redakcji wyd. pol.).
** Autorstwa Hugh Schonfielda.

Przeczytałem *Ostatnie kuszenie Chrystusa* Nikosa Kazantzakisa sprzed pół wieku i obejrzałem po raz pierwszy filmową adaptację w reżyserii Martina Scorsese. Oba te dzieła z pewnością odmalowują żywy obraz ewentualnego związku uczuciowego pomiędzy Jezusem a Marią Magdaleną.

Przekopywałem się przez te wszystkie książki i materiały, nieustannie dyskutując z przyjaciółmi o ich przemyśleniach na temat *Kodu Leonarda da Vinci*. Wreszcie przyszło mi do głowy, że mógłbym spróbować zebrać te oderwane strzępy w jeden tom, by inni czytelnicy i wielbiciele *Kodu Leonarda da Vinci* mogli skorzystać z wiadomości i wyników badań, które udało mi się odkryć. Tak narodził się pomysł tej książki.

Kiedy już zabierałem się do pracy nad nieautoryzowanym przewodnikiem po powieści, dowiedziałem się, że w całym kraju co najmniej 90 książek poprawiło swą sprzedaż ze względu na taki czy inny związek z *Kodem Leonarda da Vinci*. Zrozumiałem, że inni czytelnicy także prowadzą studia, co utwierdziło mnie jeszcze mocniej w moim zamiarze. Na szczęście Gilbert Perlman i jego koledzy z CDS podzielili mój entuzjazm i gotowi byli poruszyć niebo i ziemię, by doprowadzić do wydania tej książki w możliwie krótkim czasie, dzięki czemu tysiące czytelników co dzień kupujących *Kod Leonarda da Vinci* otrzymałoby użyteczną pomoc.

Jako inwestor kapitału wysokiego ryzyka często słyszę o interesujących, ale dziwacznych technologiach i wynalazkach. Nasza firma z „należytą starannością" sprawdza takie pogłoski. Sprawdzamy, czy pod krzykliwą reklamą nie kryje się okazja zrobienia prawdziwego biznesu. Zwykle zaczynamy wtedy od listy pytań.

Moje poszukiwania związane z *Kodem Leonarda da Vinci* wyglądały podobnie. Oto wstępna lista pytań:

△ Co naprawdę wiemy o Marii Magdalenie? Czy była nierządnicą, jak przedstawia ją tradycja chrześcijańska? Jeśli nie, to dlaczego tak długo Watykan podtrzymywał ten wizerunek, by zmienić go dopiero w latach 60. XX wieku?

△ Czy istnieją prawdziwe dowody na to, że Jezus i Maria Magdalena byli małżeństwem? Kiedy w Nowym Testamencie mowa o kobiecie namaszczającej Jezusa aromatycznym olejkiem z alabastrowego flakonu i osuszającej jego stopy własnymi włosami – czy jest to Maria Magdalena, czy też inna Maria, może nawet nawrócona prostytutka? A jeśli Maria Magdalena, czy chodziło o opis okazania szacunku, czy o metaforę stosunków seksualnych?

△ Czy *Ewangelia Filipa* odnaleziona w Nag Hammadi naprawdę mówi, że Jezus często całował Marię Magdalenę w usta – a jeśli przekład jest prawidłowy i tak brzmi ów tekst, to czy mamy do czynienia z kolejną metaforą? Czy też z jeszcze jedną aluzją do romantycznego związku?

△ Czy jest możliwe, że Jezus i Maria Magdalena mieli dziecko, a ich ród przetrwał do czasów współczesnych? Na ile prawdziwe są legendy o ucieczce Marii Magdaleny do Francji? Czy jej potomek założył dynastię Merowingów? Jak interpretować kult Czarnej Madonny rozpowszechniony we Francji i innych krajach? Czy Maria Magdalena mogła być czarnoskórą kobietą z Egiptu lub Etiopii?

△ Czy historyczny Jezus był żydowskim rabbim, nauczycielem lub duchowym przywódcą, a jako taki zapewne najprawdopodobniej miał żonę? Czy też istniał wówczas wśród żydowskich przywódców zwyczaj zachowywania celibatu i ascezy?

△ Czy to możliwe, że Maria Magdalena była ukochaną towarzyszką i/lub żoną Jezusa i osobą wyznaczoną przez niego do kierowania ruchem po jego śmierci? Czy istnieją historyczne źródła mówiące o sporach oraz o zazdrości części apostołów mężczyzn o pozycję Marii Magdaleny? Czy teza Browna, nazywającego Jezusa pierwszym feministą, jest wiarygodna?

△ Czy ewangelie gnostyczne i inne apokryfy są źródłem wiarygodnym – a w każdym razie co najmniej tak wiarygodnym jak ewangelie kanoniczne? Czy rzeczywiście opowiadają zupełnie inną historię? W jaki sposób wzbogacają naszą wiedzę na temat intelektualnego i filozoficznego fermentu, jaki panował w pierwszych stuleciach nowej ery?

△ Czy przywódcy Kościoła rzymskiego, od cesarza Konstantyna Wielkiego do papieża Grzegorza Wielkiego, starali się zniszczyć alternatywne wierzenia i pisma? Czy redagując powszechnie przyjmowany kanon, kierowali się względami politycznymi? Czy celowo połączyli Marię Magdalenę z inną Marią, która faktycznie była prostytutką?

△ Czy pierwsi ojcowie kościołą nie tylko zniesławili Marię Magdalenę, nazywając ją prostytutką, ale uczynili to w ramach szerszego planu ukrycia archaicznego dziedzictwa kultów Bogini, jakie przejęło chrześcijaństwo, i w celu zmniejszenia roli kobiet w Kościele?

△ Czy gnostycy praktykowali święte rytuały religijne? Czy istnieje tradycja *hieros gamos*, żywa w Egipcie i Grecji we wczesnym chrześcijaństwie, a wreszcie wśród templariuszy i członków Zakonu Syjonu?

△ Kim byli templariusze i co mogli odkryć, rozkopując w okresie wypraw krzyżowych Wzgórze Świątynne w Jerozolimie?

△ W jaki sposób templariusze zdobyli władzę i wpływy i jak je utracili? Czy posiadamy dowody, że odnaleźli świętego Graala?

△ Czy templariusze lub członkowie innych tajnych stowarzyszeń naprawdę wierzyli, że nazwa „święty Graal" określa nie kielich czy czarę na wino, lecz

Marię Magdalenę, jej relikwie, dokumenty dotyczące jej roli w początkach Kościoła, jej potomstwa oraz przyszłości rodu Jezusa i Marii?

△ Czy Zakon Syjonu istniał naprawdę? Jeśli tak, to czy nadal działa we współczesnej Francji? Czy kiedyś należały do niego wielkie postacie europejskiej kultury i czy jako wielcy mistrzowie przewodzili mu: Leonardo da Vinci, Isaac Newton, Wiktor Hugo, Claude Debussy, Jean Cocteau?

△ Jakie działania podejmuje dziś Kościół, by ponownie ocenić swoją doktrynę, na nowo rozważyć fundamentalne zasady i przemyśleć rolę kobiet? Dlaczego filmy takie jak *Pasja* wzbudzają tyle namiętności? W jaki sposób Kościół odpowiada na przypadki molestowania seksualnego przez księży i inne skandale, i co może się jeszcze wydarzyć, jeśli weźmiemy pod uwagę jego dotychczasową historię? Czym jest Opus Dei i jaką rolę odgrywa w Kościele katolickim?

△ Czy Leonardo da Vinci zawarł tajemnicze symboliczne przekazy w *Ostatniej Wieczerzy* i innych swych dziełach? I czy w *Ostatniej Wieczerzy* przedstawił po prawicy Chrystusa nie apostoła Jana, lecz kobietę – Marię Magdalenę?

W tym tomie czytelnik znajdzie materiały dotyczące wszystkich powyższych i wielu innych kwestii. Są tu fragmenty książek, czasopism, zawartości stron internetowych, artykuły, komentarze i wywiady z naukowcami, ekspertami i myślicielami, którzy przez lata pracowali nad tymi zagadnieniami. Mam szczerą nadzieję, że – podobnie jak ja – czytelnicy uznają te materiały za istotną pomoc w formułowaniu własnych wniosków.

Zanim pozwolę czytelnikowi zanurzyć się między regały „Biblioteki Sofii", jak nazwaliśmy zawartość tej książki, chciałbym opowiedzieć, dlaczego – moim zdaniem – *Kod Leonarda da Vinci* wzbudził tyle poruszenia wśród odbiorców i odbił się tak szerokim echem w dzisiejszym świecie.

1. *Kod Leonarda da Vinci* to powieść o ideach. Dan Brown może pisze niezdarne dialogi i tworzy nieprawdopodobne fabuły, wzniósł jednak w swej awanturniczo-przygodowo-kryminalnej książce olbrzymi gmach idei, pełen fascynujących szczegółów i fragmentów intrygujących myśli. Przedstawiciele naszej kultury pragną, by ich zbiorowy umysł nakarmiono wreszcie czymś innym niż intelektualny fast food. Nawet ambitniejsi, lepiej piszący twórcy rzadko poruszają kwestie wielkich koncepcji filozoficznych, kosmologicznych lub historycznych. Ci nieliczni, którzy mierzą się z takimi tematami, wydają książki zbyt trudne w odbiorze dla przeciętnie inteligentnego, wykształconego czytelnika. Dan Brown przedstawił nam niewiarygodny wachlarz fascynujących idei i pomysłów, które możemy zrozumieć bez jakichkolwiek akademickich rekwizytów.

Otwieramy książkę na pierwszej stronie, gdy o 22.46 Saunière zatacza się w Wielkiej Galerii Luwru, i dajemy się wciągnąć w zapierającą dech podróż po zakamarkach historii cywilizacji Zachodu. Jeśli nie chcemy, nie musimy dokonywać skomplikowanej gimnastyki umysłowej, ale tym, którzy chcieliby tropić idee, powieść na każdym kroku dostarcza interesujących wskazówek.

2. Jak *Ulissess* Jamesa Joyce'a, *Kod Leonarda da Vinci* rozgrywa się w ciągu 24 godzin. Jak *Finnegan's Wake*, kończy się tam, gdzie się zaczął. Jasne jest, że Dan Brown poważnie podchodzi do formy literackiej. Być może szybciej i swobodniej niż inni żongluje faktami, jednak jego zdolność do wpasowywania rozbudowanych argumentów intelektualnych i religijnych w przystępną, wartką fabułę niewątpliwie stanowi formę sztuki. Nie chcę przez to powiedzieć, że *Kod Leonarda da Vinci* to „wielka literatura". Nie jestem pewien, czy zniesie próbę czasu i pozostanie równie popularny jak dzisiaj. Jednak nasze społeczeństwo powinno wreszcie docenić, w znacznie większym niż dotychczas stopniu, artyzm autorów horrorów, thrillerów szpiegowskich i powieści sensacyjno-przygodowych. Dan Brown, jak się okazuje, jest właśnie takim typem współczesnego artysty.

3. Nasza materialistyczna, stechnicyzowana, naukowa, przesycona informacją kultura tęskni nie tylko za intelektualnym urokiem wielkich idei, ale również za poczuciem misji i wyjątkowości. Pragniemy odrodzenia duchowej wrażliwości albo przynajmniej nowego kontekstu, w którym moglibyśmy umieścić swe życie. *Kod Leonarda da Vinci*, podobnie jak cykl o Harrym Potterze, zajmujący w naszych czasach podobne miejsce, to klasyczna opowieść o podróży bohatera (tyle że w tym przypadku bohaterka jest nie tylko równoprawną partnerką wędrowca mężczyzny, ale właściwie okazuje się nawet ważniejsza od niego). *Kod Leonarda da Vinci* można odczytywać – poprzez mity, archetypy, symboliczny język i praktyki religijne – jako współczesną *Odyseję*. Bohaterowie nie tylko ocalają tajemnicę i nie pozwalają jej wpaść w niepowołane ręce, ale równocześnie zyskują samoświadomość, tożsamość i miejsce w świecie.

4. W naszej epoce – jak w legendarnych czasach króla Artura, okresie wypraw krzyżowych, XIX stuleciu – odradzają się romantyczne poszukiwania świętego Graala. Objawia się to przyrostem nowych prac o świętym Graalu i historii chrześcijaństwa. Dan Brown szeroko korzysta z dzieł okultystycznych, New Age i poświęconych tajemnicom. Jednak święty Graal posiada też szersze, bardziej metaforyczne znaczenie. Próby rozszyfrowania ludzkiego genomu, wysłania człowieka na Marsa, zrozumienia Wielkiego Wybuchu i stworzenia nowych form komunikacji – to wszystko poszukiwania świętego Graala. Być może są to nieco spóźnione przejawy gorączki nowego tysiąclecia: kiedy rozpoczynało się nowe milenium, wielu obserwatorów dziwiło się, że jeszcze jej nie odczuwamy. Potem nadszedł

szok 11 września, apokaliptyczny akt terroryzmu, wojny w Afganistanie i Iraku, szaleństwo przemocy na Bliskim Wschodzie, której towarzyszy retoryka religijnych ekstremistów, nawołujących do krucjaty w obronie wiary przed niewiernymi. *Kod Leonarda da Vinci* trafia w ten trend, budując fabułę z elementów sprzed 1000 i 2000 lat – z początków ery chrześcijańskiej i wypraw krzyżowych. W doskonałej książce, wydanej krótko po bestsellerze Browna, *The Holy Grail: Imagination and Belief* (Święty Graal: wyobraźnia i wiara), wybitny brytyjski mediewista Richard Barber śledzi obecność świętego Graala w dziełach artystów od Wagnera przez T.S. Eliota do Monty Pythona. Bada również częstotliwość i kontekst, w jakich największe gazety, zwykle niepoświęcające religii wiele uwagi, używają określenie „święty Graal". Według Barbera „The New York Times" w latach 1995–1996 wzmiankował Graala zaledwie 32 razy, ale już 140 razy w latach 2001–2002. Londyński „Times" zwiększył częstotliwości wykorzystywania tego słowa z 14 przypadków w latach 1985–1986, do 171 w okresie 2001–2002; „Le Figaro" zaś z 56 w latach 1997–1998 do 113 w okresie 2001–2002.

5. Znaczącą część czytelników *Kodu Leonarda da Vinci* stanowią kobiety, zaś książka ta na wiele sposobów ma związek z nowym postrzeganiem kobiet w naszej kulturze. Dan Brown uwolnił Marię Magdalenę od brzemienia grzechu, kary i prostytucji. W powieści nawet bystra, wykształcona Sophie Neveu uważa Marię Magdalenę za prostytutkę, dopóki Langdon i Teabing nie sprostują tej opinii. Pokuszę się o stwierdzenie, że dzięki lekturze tej powieści znacznie więcej osób dowie się, iż od lat 60. XX wieku Maria Magdalena nie jest już uznawana przez Kościół za prostytutkę. Trudno zatrzeć liczącą 1400 lat tradycję, jednak Brown postawił sprawę Marii Magdaleny w centrum uwagi. Ale to nie wszystko. Brown stwierdza, że Maria Magdalena była kimś więcej niż tylko „nie prostytutką". Przedstawia ją jako silną, niezależną osobowość, opiekunkę Jezusa, współzałożycielkę jego ruchu, jedyną prawdziwą wyznawczynię w godzinie najtrudniejszej próby, autorkę własnej ewangelii, uczuciową partnerkę i matkę jego dziecka. Milionom kobiet, które czują się znieważane, dyskryminowane lub niemile widziane w kościołach wszystkich wyznań, powieść pozwala ujrzeć początki religii w zupełnie nowym świetle. Przez ostatnie 30 lat kobiety odkrywały swoje bohaterki we wszystkich dziedzinach – od nauki przez sztukę do sportu. Teraz *Kod Leonarda da Vinci* otwiera nam oczy na całkowicie nowy pogląd o znaczącej roli kobiet w narodzinach chrześcijaństwa. Temat ten bywał już dyskutowany na wydziale teologicznym Harvardu i w innych centrach intelektualnych, jednak to *Kod Leonarda da Vinci* zwrócił nań uwagę wykształconych kobiet (i mężczyzn) spoza ośrodków akademickich. Szczególnie katoliczkom – z których wiele od dawna odczuwa gorycz z powodu stanowiska Kościoła w kwestii aborcji, kontroli urodzeń, rozwo-

dów i kapłaństwa kobiet – książka ta pomaga dostrzec, w jaki sposób głos żeńskiej połowy ludzkości został celowo stłumiony przez zinstytucjonalizowaną, scentralizowaną potęgę Kościoła rzymskiego, kierującego się względami politycznymi. Fakty przedstawione w *Kodzie Leonarda da Vinci* – prawdziwe, dające się sprawdzić fakty – ujawniają historię nieznaną większości ludzi. We wczesnym okresie istnienia Kościoła nikt nie zakazywał kobietom pełnienia funkcji kapłańskich, a celibat księży stał się obowiązującą zasadą dopiero w VI wieku. Co więcej, w ewangeliach kanonicznych nie tylko Maria Magdalena była ważną postacią. Z imienia wymieniają one cały szereg kobiet, z których większość przez wieki pozostawała dla wiernych zagadką. Jest wśród nich, rzecz jasna, Dziewica Maryja, matka Jezusa, od dawna otaczana czcią. Ostatnio jej rola w Kościele jeszcze bardziej wzrosła, co zawdzięczamy wpływowi Jana Pawła II. Jednak nowa wizja Marii Magdaleny odmalowana przez Dana Browna – potężnej, silnej, niezależnej, mądrej, niosącej sztandar chrześcijaństwa długo po śmierci Jezusa, a przy tym pociągającej jako kobieta – czyni Marię Magdalenę jeszcze bliższą, jeszcze bardziej ludzką niż powściągliwa, święta i doskonała Maryja Dziewica.

6. W czasach narastającego fundamentalizmu i religijnego ekstremizmu *Kod Leonarda da Vinci* stanowi ważny przyczynek do rozważań nad historią Zachodu. Po pierwsze, rzuca światło na zróżnicowanie i ferment, jakie panowały w świecie judeochrześcijańskim 2000 lat temu, a zostały stłumione przez kościelną kampanię przeciwko herezji. Po drugie, podpowiada, że pewne pogańskie i wschodnie idee, które przeniknęły do wschodniej części basenu Morza Śródziemnego, mogą mieć dużą wartość, a co więcej – wiele ich aspektów przetrwało do dziś. Przypominając o krucjatach i inkwizycji, jak również ideologicznych sporach, w przeciwieństwie do *Pasji* Mela Gibsona z 2004 roku, która jest próbą rekonstrukcji prawdziwej wersji wydarzeń na podstawie znanych faktów, *Kod Leonarda da Vinci* rzuca czytelnikowi wyzwanie, by wyobraził sobie, że to, w co zawsze wierzył lub o czym słyszał, może nie być prawdą. Powieść sugeruje istnienie licznych spisków: starań hierarchów kościelnych, by zatrzeć dowody istnienia Zakonu Syjonu i zniszczyć tę organizację, konspiracji samego Zakonu, spisku Opus Dei zmierzającego do przejęcia władzy w Kościele czy wreszcie spisku Nauczyciela, który pragnie zamordować przeciwników i narzucić światu własną wersję prawdy. W ten sposób *Kod Leonarda da Vinci* staje się zawoalowaną krytyką nietolerancji i szaleństwa w imię Boga, krytyką tych wszystkich, którzy wierzą, że istnieją tylko jeden prawdziwy Bóg, jedna prawdziwa wiara i jeden prawdziwy sposób jej wyznawania.

7. Odwołując się do ostatnich odkryć archeologicznych – takich jak teksty z Nag Hammadi czy znad Morza Martwego – jak również do analizy dzieł Leonarda i innych malarzy, interpretacji symbolicznej i kryptografii, Brown wykorzystuje wyniki

współczesnych badań archeologicznych i naukowych. Żyjemy w epoce odkrywania dowodów ludzkiego pochodzenia, jak również korzeni wielu idei i wierzeń. Podróż Sophie ku samopoznaniu jest analogiczna do podróży ludzkości. Sophie być może pochodzi bezpośrednio od Jezusa; my wszyscy na pewno pochodzimy od ludzi, którzy stąpali po ziemi w jego czasach, myśleli jak Jezus, zachowywali te same obyczaje. Poznając spostrzeżenia, jakich gnostycy mogli dokonać na egipskiej pustyni 16 lub 18 wieków temu, przeżywamy niezwykłe doświadczenie. Jednocześnie „łamiemy kody" naszego biologicznego i kulturowego DNA. Dzięki nowym badaniom i nowym narzędziom nauki możemy dowiedzieć się, co próbował przekazać nam Leonardo – o ile w ogóle chciał nam coś powiedzieć.

8. Robert Langdon jest symbologiem – tę specjalność naukową Dan Brown wymyślił – i posiada szczególny dar wyjaśniania znaków i symboli. Dzięki niemu opuszczamy epokę Gutenberga i wchodzimy w świat interaktywnych mediów – ze świata zhierarchizowanego, dosłownego, uporządkowanego przechodzimy do futurystycznej zupy obrazów, idei, ruchu, emocji, przypadkowości i wzajemnych powiązań. W pewnym sensie cofamy się do czasów, kiedy największe znaczenie miały znaki i symbole wizualne. Ikony na monitorach komputerów to reinkarnacja malowideł z francuskich jaskiń. Dan Brown potrafi odebrać wielość znaczeń i bodźców, jakie płyną do nas z niedosłownych, nieracjonalnych źródeł, a lektura *Kodu Leonarda da Vinci* przypomina doświadczenie Langdona, kiedy doszedł on do wniosku, iż dla niego oglądanie filmu Disneya jest niczym „toczenie się z lawiną aluzji i metafor". Langdon to pociągająca kombinacja Indiany Jonesa i Josepha Campbella*. Brown po całej książce rozsypał kody, symbole i anagramy, przydając jej atrakcyjności i czyniąc ją dziełem interaktywnym z nami jako uczestnikami eksperymentu.

9. Spiski, tajemnice, sekrety, kradzież tożsamości, technologia oto tematy powieści Dana Browna: tematy jak najbardziej aktualne. Lektura *Kodu Leonarda da Vinci* zachęca do rozmyślania nad tymi problemami i dyskutowania o nich. Współczesny amerykański Kościół od lat skrywa ohydne przypadki molestowania seksualnego; prezydent Stanów Zjednoczonych może rozpocząć inwazję na inny kraj na podstawie sfałszowanych doniesień o broni masowego rażenia; szefowie korporacji takich jak Enron i Worldcom mamią akcjonariuszy i rady nadzorcze miliardami nieistniejących dolarów. Czytając *Kod Leonarda da Vinci*, nie sposób nie usłyszeć echa ostatnich skandali związanych z kłamstwem i zatajaniem prawdy. Jednak ostatecznie prawda i tak wypływa na wierzch.

---

* Joseph Campbell (1904–1987) był antropologiem, religioznawcą, myślicielem, jednym z najwybitniejszych znawców problematyki mitów w czasach współczesnych.

Czy *Kod Leonarda da Vinci* to prawda, czy fikcja? Moim podstawowym celem było przedstawienie czytelnikowi materiałów, by mógł on wyrobić sobie własną opinię. Chciałbym tu mocno podkreślić, że nie dążę do dogłębnej analizy tematów poruszonych w *Kodzie Leonarda da Vinci*. Zagadnienia te żywo mnie zainteresowały i pobudziły moją ciekawość, jednak brak mi naukowych i religijnych podstaw, by je oceniać. Przypominam w tym większość czytelników powieści. Odnalazłem jednak ekspertów, z którymi mogłem przeprowadzić wywiady, odszukałem najważniejsze źródła oraz opracowania i zebrałem materiały w poręcznym tomie, który, mam nadzieję, przyda się zainteresowanym, dociekliwym czytelnikom.

Jako biznesmen winien jestem moim czytelnikom przynajmniej wstępne podsumowanie problematyki, jaką porusza niniejsza książka. Według mnie powieść Browna to fascynujące, sprawnie napisane dzieło, którego autor wykorzystuje mało znane fakty i dopuszcza się stymulujących, chociaż mocno hipotetycznych, prowokacji. Najlepiej czytać ją jako książkę o ideach i metaforach – jakby notatnik Leonarda, który pomaga czytelnikowi przewartościować własną filozofię, kosmologię lub poglądy religijne.

Przy tych wszystkich zastrzeżeniach pozwolę sobie pokrótce przedstawić moje wnioski. Odpowiedź na pytanie, czy *Kod Leonarda da Vinci* to prawda czy fikcja, składa się z co najmniej dwóch skomplikowanych części.

Po pierwsze, według mnie, im bardziej Dan Brown cofa się w czasie, tym po solidniejszym gruncie stąpa. Wielu antropologów, archeologów i innych specjalistów potwierdzi większość jego pomysłów dotyczących kwestii żeńskiej świętości. W poważnych dziełach naukowych czytamy, iż przed pojawieniem się judeochrześcijańskiego monoteizmu w większości pogańskich systemów wierzeń politeistycznych boginie miały większe znaczenie niż bogowie, a to ze względu na duchową i boską naturę seksu, prokreacji, płodności i narodzin.

Liczne niezależne prace naukowe oraz badania religioznawców i teologów potwierdzają również, że Maria Magdalena nie była prostytutką i odegrała ważniejszą rolę w tworzeniu chrześcijaństwa niż to się dotychczas przyznawało. Oczywiście, poważni uczeni nie wyciągają wniosków, których nie można w pełni udowodnić, dlatego też niewielu najbardziej znanych naukowców uważa, iż Jezus i Maria Magdalena byli małżeństwem. Niektórzy wszakże poważni, szanowani badacze – a nawet teolodzy – dopuszczają możliwość, że łączył ich związek uczuciowy.

Tak więc informacje na temat żeńskiej świętości w prehistorii, Marii Magdaleny, wczesnego chrześcijaństwa, rozbieżności poglądów 2000 lat temu i późniejszej konsolidacji instytucji Kościoła rzymskiego, które Dan Brown zawarł w swej książce, potwierdzają prace szanowanych naukowców i strzępy dowodów, na przykład pisma z Nag Hammadi. Dan Brown interpretuje ten materiał w najbardziej dramatyczny, przejaskrawiony i intrygujący sposób. To oczywiste – w końcu pisze powieść. Jednak podstawy, na których ją oparł, są, według mnie, solidne.

W miarę jednak jak zbliżamy się do współczesności, *Kod Leonarda da Vinci*, pozostając, co prawda, fascynującą opowieścią, coraz bardziej oddala się od wiedzy naukowej. Prezentowana w nim wizja pierwszych krucjat i templariuszy nie przystaje do ustaleń historyków. Twierdząc, że święty Graal to synonim Marii Magdaleny i królewskiego rodu Jezusa, że Zakon Syjonu nadal czci ducha żeńskiej świętości, że w *Ostatniej Wieczerzy* Leonardo zakodował wiedzę o prawdziwych dziejach Jezusa i Marii Magdaleny, że Zakon Syjonu przetrwał do dziś, a nieprzerwany szereg wielkich mistrzów wiedzie od Leonarda do Pierre'a Plantarda, Dan Brown całkowicie odchodzi od ogólnie przyjętej wiedzy. Zanurza się w świat mitów średniowiecza i New Age, niemal wszystkich, które inni autorzy odzyskali w ostatnich czasach z legend i tradycji. Większość z nich tak bardzo odstaje od kryteriów historycznej wiarygodności, że nie są warte dyskusji. Dla niektórych to stek okultystycznych bzdur. Dla mnie jednak i dla wielu innych czytelników jest to wspaniały materiał baśniowy i folklorystyczny, pobudzający nieustannie do dyskusji nad mitem, metaforą i naszym „kulturowym DNA".

Wielu komentatorów nie zgadza się ze sposobem, w jaki Dan Brown przedstawił doktrynę religijną i historię chrześcijaństwa. Powstało już kilkanaście książek krytykujących *Kod Leonarda da Vinci* z punktu widzenia religii. Zachęcam również do ich lektury. Niniejsza praca nie ma jednak rozstrzygać, czy teologia Dana Browna jest słuszna, czy nie, chociaż powyżej przedstawiliśmy kilka argumentów w tej kwestii. Zamiast tego wolałem położyć nacisk na idee, metafory i ich wzajemne związki wyłaniające się podczas dyskusji nad tą powieścią. Nie chcę wchodzić w polemiki, nie chcę krytykować ani znieważać czyichkolwiek poglądów religijnych. Nie jest moim celem ani popieranie, ani dyskredytowanie prac, które dostarczyły materiału źródłowego do *Kodu Leonarda da Vinci*, a których fragmenty przedrukowujemy. To, że prezentujemy ten materiał, nie znaczy, iż według mnie zawarte w nim argumenty są prawdziwe. Oznacza to jedynie, że moim zdaniem czytelnik powinien poznać te argumenty i wyrobić sobie własną opinię.

Niniejsza książka jest więc kompilacją pomysłów i opinii wielu autorów. Ma ona pomóc czytelnikowi w osobistym poszukiwaniu wiedzy i zrozumienia – Sofii/Mądrości, jeśli wolicie ją tak nazywać.

Niech to będzie całkowicie jasne: *Kod Leonarda da Vinci* jest powieścią. Rozrywką, którą trzeba się cieszyć. Dla mnie część tej rozrywki stanowi podążanie za wątkami i ideami, śledzenie ich wzajemnych powiązań. O tym właśnie traktuje ta książka.

Dan Burstein
kwiecień 2004

Księga I

Historia napisana przez mężczyzn, historia napisana przez kobiety, historia herezji

Część I

Maria Magdalena i żeńska świętość

1. Maria Magdalena

Jak w historii napisanej przez mężczyzn uczciwa kobieta została ladacznicą

[Chrystus kochał] ją bardziej niż [wszystkich] uczniów [i zwykł był] całować ją [często] w u[sta]. (...) [Uczniowie] mówili mu: „Czemu miłujesz ją bardziej niż nas wszystkich?" Zbawiciel odpowiedział (...): „Dlaczego nie miłuję was jak ją?"

Ewangelia Filipa

Maria Magdalena jest, pod wieloma względami, gwiazdą *Kodu Leonarda da Vinci* i dlatego należy właśnie od niej rozpocząć podróż, jaką odbędziemy w tej książce, zgłębiając wątki i tajemnice powieści Dana Browna. Ale kim była owa kobieta, odgrywająca kluczową rolę w krytycznych momentach tradycyjnych ewangelii? Najwyraźniej należała do kręgu najbliższych towarzyszy Jezusa podczas jego wędrówek. Nowy Testament wymienia ją z imienia aż 12 razy. Jako jedna z nielicznych zwolenników Jezusa widziała ukrzyżowanie i nie opuściła mistrza również po śmierci. To właśnie ona wróciła do jego grobu trzy dni później i właśnie jej jako pierwszej ukazał się zmartwychwstały Jezus. To Marii Magdalenie polecił rozpowszechnić wieść o zmartwychwstaniu – wręcz zobowiązał do tego, czyniąc ją tym samym najważniejszym z apostołów, jako że miała zanieść chrześcijańskie przesłanie pozostałym apostołom i całemu światu.

To wszystko wiemy z ksiąg uznanych przez Kościół za kanon Nowego Testamentu. Jeśli przestudiujemy jednak alternatywne relacje – różnorodne księgi i ewangelie gnostyczne – szybko znajdziemy wskazówki, iż Jezusa i Marię Magdalenę łączył wyjątkowo bliski związek: intymny związek kobiety i mężczyzny. Przekonamy się, że mogła ona być samodzielnym przywódcą i myślicielem, a Jezus być może powierzył jej tajemnice, którymi nie dzielił się nawet z apostołami mężczyznami. Możliwe, że uwikłała się w wynikającą z zawiści rywalizację z innymi apostołami, z których część – zwłaszcza Piotr – pogardzała nią ze względu na płeć i nie potrafiła zaakceptować ani jej roli w społeczności, ani jej związku z Jezusem. Być może reprezentowała ona bardziej humanistyczną, zindywidualizowaną myśl, bliższą tej nauce, którą rzeczywiście głosił Jezus, niż tej, która została powszechnie przyjęta w Cesarstwie Rzymskim w czasach Konstantyna jako oficjalny, obowiązujący nurt myśli chrześcijańskiej.

W historii Maria Magdalena jest chyba najlepiej znana jako prostytutka. Ale czy naprawdę oddawała się nierządowi? Czy Jezus po prostu wybaczył jej – a ona odpokutowała i zmieniła swoje postępowanie – aby zilustrować tradycyjne chrześcijańskie pojęcia grzechu, przebaczenia, pokuty i odkupienia? A może w ogóle nie była nierządnicą, lecz potężną patronką finansową i stronniczką ruchu Jezusa, i dopiero później, w VI wieku, papież Grzegorz ogłosił, że jest ona identyczna z opisaną w ewangeliach zupełnie inną Marią, rzeczywiście prostytutką? I kiedy papież Grzegorz połączył w jedną postać trzy różne Marie z ewangelii, czy uczynił tak, aby celowo naznaczyć Marię Magdalenę piętnem prostytucji? Czy też może to tylko pomyłka w interpretacji, do której doszło w mrocznej epoce, kiedy dostępne były tylko nieliczne oryginalne dokumenty i próbowano odczytać święte księgi zapisane w językach hebrajskim, aramejskim, greckim i łacińskim? Czy Kościół potrzebował uproszczenia i kodyfikowania ewangelii, czy wykorzystywał wątki grzechu, pokuty i odkupienia? A może prowadził znacznie bardziej makiaweliczną grę (na 1000 lat przed Machiavellim), mającą na celu zrujnowanie historycznej reputacji Marii Magdaleny i tym sposobem zniszczenie ostatnich śladów wpływu pogańskich kultów Bogini żeńskiej świętości na wczesne chrześcijaństwo, podważenie roli kobiet w Kościele i pogrzebanie bardziej humanistycznego aspektu religii chrześcijańskiej?

A może i to nie wszystko? Kiedy papież Grzegorz napiętnował szkarłatną literą nierządu Marię Magdalenę, która na 14 następnych stuleci oficjalnie została nawróconą ladacznicą – czy zapoczątkował w ten sposób wielkie kłamstwo zaprzeczające historyczności małżeństwa Jezusa i Marii Magdaleny, a ostatecznie również królewskiej, świętej krwi ich potomstwa?

Ich potomstwa? Ależ tak. Jeśli Jezus i Maria Magdalena byli małżeństwem, a przynajmniej pozostawali w bliskim związku, to mogli mieć jedno lub więcej dzieci. A co się stało z Marią Magdaleną po ukrzyżowaniu? Biblia milczy na ten temat, lecz w świecie śródziemnomorskim, od Efezu po Egipt, krążą legendy i podania, według których Maria Magdalena i jej dziecko (lub dzieci) uciekli z Jerozolimy, by zamieszkać przy jednym z ewangelistów. Według najbardziej interesujących legend resztę życia Maria Magdalena spędziła we Francji. Ten właśnie wątek podchwycił Dan Brown i uczynił kluczowym elementem fabuły *Kodu Leonarda da Vinci*.

Nic dziwnego, że Maria Magdalena – symbolizująca idee grzechu i odkupienia, Madonny i nierządnicy, pokuty i cnoty, wiary i upadku – zawsze była wyjątkową postacią w literaturze i kulturze. Mężczyźni wstępowali na scenę, aby odgrywać jej rolę w widowiskach pasyjnych, pierwszych sztukach teatralnych pisanych w Europie Zachodniej ponad 1000 lat temu. Od zawsze także jej postać pojawia się w sztuce kościelnej.

W bliższych nam czasach Dan Brown nie jest pierwszym autorem, którego zafascynowała Maria Magdalena, ani pierwszym, który podjął wątek jej małżeństwa z Jezusem. Nikos Kazantzakis opisał ich romantyczny związek w powieści *Ostatnie kuszenie Chrystusa* ponad 50 lat temu (na długo przed tym, zanim Martin Scorsese w latach 80. nakręcił na jej podstawie film i na nowo poruszył ten problem). Podobne wątki ponad 30 lat temu zawarł William E. Phipps w książce *Was Jesus Married? The Distortion of the Christian Tradition* (Czy Jezus był żonaty? Zniekształcenie tradycji chrześcijańskiej). Rockowa opera *Jesus Christ Superstar*, kolejne dzieło sprzed ponad 30 lat, również przedstawia romantyczny związek pomiędzy Jezusem i Marią Magdaleną. Biorąc pod uwagę współczesne zainteresowanie problemami równości płci, kobietami w roli przywódców i wszelkimi możliwymi odmianami związków, miłości i seksu, nietrudno zrozumieć, że opowiadający na nowo historię Marii Magdaleny *Kod Leonarda da Vinci* pojawił się w najbardziej odpowiednim momencie.

Na stronach tego rozdziału niektórzy z najwybitniejszych znawców postaci i legendy Marii Magdaleny będą dyskutować i rozważać różne wersje jej pozycji w historii oraz jej roli w tradycyjnych ewangeliach i zastanawiać się, w jaki sposób ewangelie gnostyczne i inne alternatywne pisma mogą dzisiaj pomóc nam ją lepiej zrozumieć. Niektórzy z ekspertów próbują zrozumieć jedynie to, co na temat Marii Magdaleny zostało napisane w Biblii. Inni starają się pogłębić i wzbogacić dyskusję nowymi dowodami i nowymi interpretacjami. Jeszcze inni koncentrują się nie tyle na tym, co mówią teksty, ile na znaczeniu Marii Magdaleny w kontekstach archetypu, mitu i metafory.

We współczesnej debacie na temat Marii Magdaleny pojawiły się wszystkie problemy, nad którymi można dyskutować. Czy urodziła się w Magdali nad jeziorem Genezaret i, co za tym idzie, najprawdopodobniej była Żydówką? A może pochodziła z miasta o takiej samej nazwie, leżącego w Egipcie lub w Etiopii? Czy miała jasną cerę i rude pukle, jak często wyobrażano ją sobie w średniowieczu, czy może raczej czarną skórę i czarne włosy? Czy przyjmowała za swoje tradycje i zwyczaje Ziemi Świętej, czy też była autsajderką, podobnie jak się niekiedy przedstawia Jezusa? Czy posiadała wielki majątek i mogła z własnych środków finansować ruch Jezusa? Skąd wiemy o jej bogactwie? Stąd, że pochodziła z dobrze prosperującego miasta rybackiego? Stąd że spikanard, pachnidło, którego użyła do namaszczenia Jezusa, uważano za produkt luksusowy i kosztowny? Stąd że prawdopodobnie dbała o pożywienie i mieszkanie dla Jezusa i jego zwolenników, którzy wyrzekli się dóbr doczesnych? Jest tylko jedną z kilku kobiet, które – jak się wydaje – wspierały Jezusa; a co z innymi, z których parę zostało wymienionych z imienia? Czy pochodziła z rodu Beniamina i, jako że niektóre źródła sugerują, że Jezus był potomkiem rodu Dawida, ich małżeństwo posiadało znaczenie polityczne, gdyż połączyło dwa potężne klany? Czy gdyby wypadki potoczyły się normalnym torem, Jezus i tak by się ożenił? Przecież większość żydowskich rabbich (uczonych przywódców) w tamtych czasach miała żony, a do Jezusa – według Nowego Testamentu – Maria Magdalena i wielu jego zwolenników zwracało się *rabbuni* (nauczycielu). Jeśli był żydowskim rabbim, czy nie powinniśmy oczekiwać, że się ożenił? Czy o Piotrze i kilku innych apostołach nie mówi się wprost jako o żonatych? Dlaczego Jezus miałby pozostawać w celibacie, skoro język biblijny tak często odwołuje się do płodności i rozmnażania?

Czy w biblijnej scenie, w której Maria Magdalena namaszcza Jezusa pachnidłem z alabastrowego flakonu, obmywa jego stopy własnymi łzami i osusza włosami, została naprawdę przedstawiona ona sama, czy też zupełnie inna Maria? Jeśli to Maria Magdalena, czy takie poczynania są oznakami ceremonialnego szacunku, czy też może stanowią metaforę związku seksualnego? A jeśli tak, to czy mamy tu do czynienia z aluzją do jej poprzedniego życia nierządnicy? Czy jest to wskazówka, że Jezus i Maria Magdalena rzeczywiście byli małżeństwem? A może ta metafora nie odnosi się tylko do stosunków seksualnych, lecz do szczególnych sakralnych praktyk seksualnych, takich jak rytuał *hieros gamos* (świętego małżeństwa) pochodzący z kultur starożytnych Greków, Minojczyków i Egipcjan? W niektórych starożytnych kulturach mężczyźni praktykowali akty seksualne z „prostytutkami świątynnymi", aby dostąpić ekstatycznych, mistycznych przeżyć religijnych. Czy opisane w Nowym Testamencie wesele w Kanie to w rzeczywistości metaforyczny opis zaślubin Jezusa Chrystusa i Marii Magdaleny, wywodzący się ze starotestamentowej *Pieśni nad pieśniami*? Te zaś opowieści czy nie wywodzą się z jeszcze bardziej zamierzchłej przeszłości, z tego, co Carl Jung* i Joseph Campbell uważają za uniwersalne archetypy świętego związku mężczyzny i kobiety, potrzebę osiągnięcia pełni i potrzebę miłości – nie tylko miłości w znaczeniu nowotestamentowym, ale również w znaczeniu cielesnym, erotycznym, humanistycznym?

Czy istnieją święte teksty i inne dokumenty, które rzucają pełniejsze światło na to, co zdarzyło się w Palestynie w czasach Jezusa, i na to, co zaszło między Jezusem, Marią Magdaleną i ich zwolennikami? Czy związane z tymi wydarzeniami dokumenty i pamiątki mogły zostać zakopane pod Wzgórzem Świątynnym w Jerozolimie i stać się świętym Graalem, którego poszukiwali krzyżowcy? Czy templariusze odnaleźli te pamiątki i potajemnie wywieźli je z Ziemi Świętej do Francji? A jeśli zostaną one kiedykolwiek odnalezione – czy to w kaplicy Rosslyn w Szkocji, pod piramidą Luwru, czy gdziekolwiek indziej – czy ich treść zmieni nasze spojrzenie na historię i tradycję Kościoła chrześcijańskiego, tak jak to było w przypadku ewangelii gnostycznych i zwojów znad Morza Martwego?

Dan Brown, pisząc *Kod Leonarda da Vinci*, poruszył wiele z tych kwestii. Na kilkuset stronach detektywistyczno-sensacyjnej opowieści zdołał się zająć wieloma z powyższych problemów, a przede wszystkim możliwością, iż Leonardo da Vinci znał i rozumiał prawdziwą historię Jezusa Chrystusa i Marii Magdaleny – i właśnie dlatego w *Ostatniej Wieczerzy* namalował Marię Magdalenę. Co więcej, według *Kodu Leonarda da Vinci* postać Piotra, wyciągającego groźnym gestem dłoń ku Marii Magdalenie, sugeruje spór pomiędzy nimi na temat przyszłości Kościoła. W powieści Sophie Neveu pyta swoich nauczycieli, Teabinga i Langdona:

– Mówicie, że Kościołowi chrześcijańskiemu miała przewodzić kobieta?

– Taki był plan – odpowiada Teabing. – Jezus był pierwszym feministą.

Chciał oddać przyszły Kościół w ręce Marii Magdaleny.

Nietrudno zrozumieć, dlaczego problemy opisane w *Kodzie Leonarda da Vinci* skłaniają ludzi do dyskusji, sporów i poszukiwań – niezależnie od tego, jak nieprawdopodobne mogą wydawać się pewne wątki fabuły i jak dalece w książce została zniekształcona historia religii. W niniejszym rozdziale poznamy wypowiedzi wielu ekspertów na temat różnych aspektów dyskusji o Marii Magdalenie. Niektórym z nich, jak na przykład Margaret Starbird, *Kod Leonarda da Vinci* zawdzięcza powstanie części oryginalnego materiału źródłowego. Ich tezy mogą jawić się jako skrajne i kontrowersyjne, niemniej jednak stanowią wyzwanie dla umysłu, skłaniają do myślenia. Susan Haskins, Esther de Boer, Deirdre Good, Karen King i Richard McBrien, cenieni naukowcy, przez całe lata studiowali

---

* Carl Gustav Jung, szwajcarski psycholog (1875–1961), był twórcą psychologii analitycznej, tzw. psychologii podświadomości.

najbardziej zagadkowe szczegóły wszystkich dostępnych informacji na temat Marii Magdaleny. Wszyscy oni sądzą, że Maria Magdalena została źle potraktowana przez historię. Odrzucają najbardziej skrajne teorie na jej temat, lecz nieustannie pracują nad stworzeniem nowego, nie tak jednostronnego, i subtelniejszego wizerunku Marii Magdaleny i przywróceniem jej należnego miejsca w dziejach. Katherine Ludwig Hansen i Kenneth Woodward reprezentują poglądy bardziej konserwatywne. Jednak dzisiaj nawet konserwatyści gotowi są przyznać Marii Magdalenie znacznie poważniejszą rolę w historii niż ta, jaką tradycyjnie przypisał jej Kościół.

Maria Magdalena: święta czy grzesznica?

DAVID VAN BIEMA, ZA LISĄ MCLAUGHLIN

Fragmenty aktykułu, który ukazał się w magazynie „Time" 11 sierpnia 2003 roku. Copyright © 2003 by Time Inc. Wykorzystano za zgodą wydawcy.

Olśniewająca pani kryptolog i przystojny profesor college'u uciekają z miejsca okrutnego morderstwa, którego nie popełnili. W pewnej chwili podczas ucieczki, w której wykorzystają opancerzony samochód, prywatny odrzutowiec i elektroniczne urządzenia naprowadzające, a także użyją dość przemocy, by fabuła trzymała w napięciu, muszą znaleźć osobę, która może nie tylko udowodnić ich niewinność, ale również odsłonić największą tajemnicę historii. Aby im wszystko wyjaśnić, kaleki, jowialny i bajecznie bogaty historyk, sir Leigh Teabing, wskazuje postać przedstawioną na słynnym malowidle.

– Kto to jest? – zapytała Sophie.

– To, moja droga – odparł Teabing – jest Maria Magdalena.

Sophie odwróciła się.

– Ta prostytutka?

Teabing sapnął, jakby to określenie dotknęło go osobiście.

– Magdalena nie była prostytutką. To nieszczęsne nieporozumienie jest dziedzictwem kampanii oszczerstw, którą rozpętał wczesny Kościół.

Przypadkowi czytelnicy zazwyczaj unikają zagłębiania się w detale historii Kościoła w VI wieku. Ich strata. *Kod Leonarda da Vinci* Dana Browna (...) to jedno z owych przeładowanych spiskowymi teoriami, sztucznie napędzanych powieścideł o dwustronicowych rozdziałach, których bohaterowie mają włosy w kolorze „burgunda". Lecz Brown, który – zręcznie i raczej bezczelnie – wplótł osobę Marii Magdaleny w fabułę swej książki, przemyślnie znalazł w jej osobie oś spisku. Nie tylko sięgnął po jedną z nielicznych postaci Nowego Testamentu, którą czytelnik może sobie wyobrazić w kostiumie kąpielowym (w końcu całe pokolenia mistrzów malowały ją topless). Wybrał osobę, której prawdziwa tożsamość nie jest oczywista, zarówno w teologii, jak i w kulturze popularnej.

Trzydzieści lat temu Kościół katolicki przyznał – na co liczni krytycy zwracali uwagę od stuleci – że lektura Biblii nie potwierdza powszechnie spotykanego wizerunku Marii Magdaleny jako prostytutki. Uwolnieni od tych mylnych, narzucających ograniczenia założeń, posługując się w różnym stopniu nauką i fantazją, akademicy i entuzjaści prezentowali nam różne wersje Magdaleny: bogatą i czcigodną patronkę Jezusa, pełnoprawną apostołkę, matkę dziecka Mesjasza, a nawet prorokinię – jego sukcesorkę. Bogactwo możliwości stało się inspiracją dla całej fali literatury, zarówno naukowej, jak popularnej, do której należy bestsellerowa powieść historyczna Margaret George z 2002 roku, *Mary, Called Magdalene* (Maria zwana Magdaleną). Dzięki temu zjawisku Maria Magdalena zyskała wielu nowych zwolenników wśród katolików, którzy dostrzegli w niej potężny wzorzec roli kobiety i argument na rzecz dopuszczenia kobiet do kapłaństwa. Kobieta, która – co do tego są zgodne trzy ewangelie – była pierwszym świadkiem zmartwychwstania Jezusa, sama przeżywa swego rodzaju odrodzenie. Jak mówi Ellen Turner, która urządzała alternatywne obchody na cześć Marii Magdaleny w dniu jej tradycyjnego święta 22 lipca: „Maria [Magdalena] została wyrugowana przez Kościół, a jednak wciąż dla nas istnieje. Jeśli uda nam się odtworzyć jej historię, możemy wrócić do tego, kim naprawdę był Jezus".

W 1988 roku książka *Mary Magdalene: A Woman Who Showed Her Gratitude* (Maria Magdalena: kobieta, która okazała wdzięczność), wydana w serii biblijnych książek dla dzieci i będąca typowym produktem swoich czasów, wyjaśniała, że jej bohaterka „nie była wielka przez to, co mówiła lub robiła, lecz przeszła do historii jako kobieta, która prawdziwie kochała Jezusa i nie wstydziła się tego okazywać, choć ją krytykowano". Z pewnością jest to część jej tradycyjnego wizerunku. Przedstawiciele wielu chrześcijańskich Kościołów dodaliby też, że Magdalena stanowi przykład pokutnicy, a także siły miłości Jezusa, który zbawiał nawet ludzi upadłych. Na przestrzeni stuleci edukacji katolickiej ukształtował się też popularny wizerunek Marii Magdaleny: złej dziewczyny, która stała się nadzieją dla innych złych dziewczyn, zbawionej syreny pojawiającej się nie tylko w nadmiernie wybujałej wyobraźni uczniów szkół parafialnych, ale będącej również patronka instytucji dla upadłych kobiet, takich jak prowadzone przez posępne zakonnice pralni, o których opowiada film *Siostry magdalenki*.

Problem polega tylko na tym, że – jak się okazuje – wcale nie była ona zła, a tylko interpretowano jej postać w taki sposób. Maria Magdalena (jej imię nawiązuje do Magdali, miasta w Galilei) po raz pierwszy występuje w Ewangelii według św. Łukasza jako jedna z kilku bogatych kobiet, którą Jezus wyleczył z opętania (wypędził z niej złych duchów) i która przyłączyła się do niego i apostołów, „usługując ze swego mienia"*. Później jej imię nie pojawia się aż do chwili ukrzyżowania, kiedy po ucieczce uczniów mężczyzn u stóp krzyża zostały tylko ona i inne kobiety. Rankiem w Niedzielę Wielkanocną udaje się do grobu Jezusa – sama lub z innymi kobietami – i odkrywa, że jest on pusty. Dowiaduje się – według trzech ewangelii od aniołów, według jednej od niego samego – że Jezus zmartwychwstał. Relacja Jana jest najbardziej dramatyczna. Maria znajduje się sama przy pustym grobie. Zawiadamia Piotra i drugiego, niewymienionego z imienia ucznia; dopiero ten drugi wydaje się pojmować, że Jezus zmartwychwstał, ale ostatecznie obaj odchodzą. Maria zwleka i spotyka Jezusa, który mówi jej, aby go nie dotykała, lecz udała się „do moich braci" i powiedziała im: „Wstępuję do Ojca mego (...) oraz do Boga Mego (...)"**. W wersji Marka i Łukasza sytuacja ta ma w sobie coś z farsy: Magdalena i inne kobiety starają się powiadomić mężczyzn, lecz „słowa te wydały im się czczą gadaniną i nie dali im wiary"***. W końcu jednak przyszli do grobu.

Niezależnie od rozbieżności, otrzymujemy obraz intrygującej kobiety, dzielnej, mądrej i oddanej, kluczowej – być może nie dającej się zastąpić – postaci w chwili decydującej dla chrześcijaństwa. Skąd więc wzięły się wszystkie pikantne szczegóły? Wizerunek Marii Magdaleny został zniekształcony przez połączenie jej osoby z kilkoma innymi, mniej ważnymi kobietami, których Biblia nie wymienia z imienia lub nie określa żadnym przydomkiem. Jedną z nich jest „grzesznica" z Ewangelii według św. Łukasza, która obmywa stopy Jezusa własnymi łzami, wyciera włosami, całuje i namaszcza pachnidłem. „Odpuszczone są jej liczne grzechy, ponieważ bardzo umiłowała"**** – oznajmia Jezus. Inne to Maria z Betanii i trzecia, bezimienna kobieta, które również, przy innych okazjach, namaszczają Jezusa. Połączenie tych postaci w jedną usankcjonował oficjalnie papież Grzegorz Wielki w 591 roku: „Uważamy, że ta, którą Łukasz nazywa grzeszną kobietą, a którą Jan nazywa Marią [z Betanii], była tą samą Marią,

---

* Łk 8,3; wszystkie cytaty ze Starego i Nowego Testamentu za *Biblią Tysiąclecia*, wyd. III poprawione, Warszawa–Poznań 1983).

** J 20,17.

*** Łk 24,11.

**** Łk 7,47.

z której według Marka zostało wypędzonych siedem złych duchów" – ogłosił Grzegorz w kazaniu. To stwierdzenie legło u podstaw oficjalnego stanowiska Kościoła katolickiego, choć nie przejęli go ani prawosławni, ani protestanci.

Jakimi motywami kierował się Grzegorz? Jedna z teorii sugeruje, że próbował zredukować liczbę Marii w ewangeliach – podobny los spotkał kilka postaci o imieniu Jan. Inna głosi, że postać grzesznicy dołączono po to, by ważna bohaterka ewangelii miała swoją historię, przeszłość. Jeszcze inne widzą w tym przejaw mizoginii. Niezależnie od prawdziwej przyczyny, skutek okazał się drastyczny i, z feministycznej perspektywy, tragiczny. Fakt, iż Magdalena była świadkiem zmartwychwstania, zamiast stać się dowodem jej znaczenia, którym pod wieloma względami przewyższała mężczyzn, zredukował się do ostatniego aktu poruszającej, lecz drugorzędnej opowieści o odkupieniu pokutującej grzesznicy. „Jest to dobrze znany schemat – pisze Jane Schaberg, profesor studiów kobiecych i religijnych na University of Detroit Mercy i autorka książki *The Resurrection of Mary Magdalene* (Zmartwychwstanie Marii Magdaleny). – Potężna kobieta została pozbawiona znaczenia i przeszła do historii jako dziwka". Dla wygody Schaberg ukuła termin „sprostytuowanie" (*harlotization*).

W 1969 roku, dokonując swego rodzaju liturgicznej erraty, Kościół katolicki w ramach generalnej rewizji mszału oficjalnie oddzielił grzeszną kobietę z Ewangelii według św. Łukasza od Marii z Betanii i Marii Magdaleny. Długo jednak trwało, zanim informacja ta dotarła do zwykłych śmiertelników. (Nie pomógł w jej rozpropagowaniu fakt, że liturgia Niedzieli Wielkanocnej wciąż omija rolę Magdaleny przy grobie). Tymczasem coraz więcej naukowców dostarcza argumentów tym, którzy w zepchnięciu Marii Magdaleny na dalszy plan chcą widzieć szowinistyczny spisek. Historyków chrześcijaństwa coraz bardziej fascynuje grupa wczesnych wyznawców Chrystusa, znanych pod ogólnym określeniem gnostyków, których święte teksty odkryto zaledwie 55 lat temu. Gnostyków z kolei fascynowała Maria Magdalena. Tak zwana *Ewangelia Marii Magdaleny*, która mogła powstać około 125 roku n.e. (czyli mniej więcej 40 lat po Ewangelii według św. Jana), opisuje, że Magdalena otrzymała od Jezusa specjalne objawienie, które następnie przekazała innym uczniom. Tym samym uzurpowała sobie status pośrednika, który kanoniczne ewangelie przypisują Piotrowi. Ten ostatni w *Ewangelii Marii Magdaleny* pyta rozwścieczony: „Czy naprawdę [Jezus] rozmawiałby z kobietą bez naszej wiedzy [i] niejawnie?" W jej obronie występuje Lewi, mówiąc: „Piotrze, zawsze byłeś niecierpliwy. (...) Z pewnością Zbawiciel znał ją bardzo dobrze. Dlatego kochał ją bardziej niż nas".

Mamy tu do czynienia z ostrą walką na słowa; przypomnijmy sobie, że papieże wywodzą swoją władzę od Piotra. Oczywiście ewangelie gnostyczne to nie

Biblia. Co więcej, istnieją dowody na to, że kanon biblijny powstał przede wszystkim w celu wyłączenia tych właśnie ksiąg, które przywódcy wczesnego Kościoła uważali za heretyckie z wielu powodów, nie tylko ze względu na sposób, w jaki przedstawiono w nich Marię Magdalenę. Feministki chętnie cytują *Ewangelię Marii Magdaleny* jako dowód na wielkie znaczenie Marii, przynajmniej w niektórych wspólnotach, i ślad zapomnianej walki płci, w jakiej ojcowie kościoła ostatecznie zwyciężyli nad kobietami, które nigdy nie miały szansy stać się matkami kościoła. „Uważam, że to była walka o władzę – pisze Schaberg – i teksty kanoniczne, jakie znamy [dzisiaj], są dziełem zwycięzców".

Schaberg posuwa się jeszcze dalej. W swoich książkach, analizując Ewangelię według św. Jana w świetle pism gnostycznych, znajduje przesłanki pozwalające sądzić, iż Jezus uważał Magdalenę za swoją następczynię. Taka opinia jest odosobniona, jednak dobrze ilustruje sposób, w jaki wszelkie rewizje spojrzenia na Marię Magdalenę mogą wstrząsnąć naszymi wyobrażeniami na temat męskiego przywództwa w Kościele. Papież Jan Paweł II zabronił wręcz w 1995 roku prowadzenia wszelkich dyskusji na temat kapłaństwa kobiet, powołując się na „opisany w Piśmie Świętym przykład, że Chrystus wybierał swych apostołów tylko spośród mężczyzn (...)". Nie jest to najszczęśliwszy argument w świetle nowego wizerunku Marii Magdaleny, którą sam papież określił niemodnym niegdyś tytułem apostołki apostołów. Chester Gillis, dziekan Wydziału Teologii w Georgetown University, twierdzi, że katoliccy tradycjonaliści wciąż uważają iż fakt, że Maria Magdalena, inaczej niż mężczyźni, nie brała udziału w wielu biblijnych wydarzeniach, przede wszystkim w rytuale Ostatniej Wieczerzy, nie pozwala uznać jej przypadku za precedens kapłaństwa kobiet. Gillis uważa jednak, że jej nowy wizerunek „z pewnością daje uzasadnia zwiększenie roli kobiet w Kościele".

Tymczasem na skutek zmiany wizerunku Marii Magdaleny w oczach katolików i ujawnienia niekanonicznych ewangelii gnostycznych powstał klimat, w którym zaczęły kwitnąć coraz dziksze spekulacje na temat Marii Magdaleny, na przykład teoria, jakoby była ona małżonką Jezusa. („Żadna inna postać biblijna – pisze Schaberg – nie prowadzi tak ożywionego i niezwykłego życia pozabiblijnego"). Gnostyczna *Ewangelia Filipa* nazywa Marię Magdalenę towarzyszką Chrystusa, zapewniając, że [Jezus zwykł był] całować ją [często] w u[sta]". Większość uczonych odrzuca teorię związku Jezusa i Magdaleny, ponieważ znajduje ona niewielkie potwierdzenie w kanonicznych ewangeliach, jeśli usuniemy z nich „fałszywe Magdaleny". Zaspokaja jednak najgłębsze oczekiwania: samiec alfa powinien mieć partnerkę, jang Jezusa powinno zyskać uzupełnienie w postaci żeńskiego jin; bogu – jak twierdzą niektórzy neopoganie – powinna towarzyszyć bogini. Marcin Luter, podobnie jak później mormoński patriarcha Brigham Young, uważał, że Jezusa i Marię Magdalenę łączył związek małżeński.

Przekonanie, iż Maria Magdalena była w ciąży z Jezusem w chwili jego ukrzyżowania, szczególnie mocno zakorzeniło się we Francji, gdzie już wcześniej istniały legendy, jakoby przypłynęła do tej krainy w łodzi bez wioseł, wioząc świętego Graala – kielich, którego Jezus używał w czasie Ostatniej Wieczerzy i do którego później zebrano jego krew. Niektórzy francuscy królowie głosili, iż potomkowie Marii Magdaleny założyli dynastię Merowingów. Historię tę podjął Ryszard Wagner w swojej operze *Parsifal*. Później została przypomniana w związku z księżną Dianą, w której żyłach podobno płynęła merowińska krew (...). Teorię, iż sama Maria Magdalena była świętym Graalem – pojemnikiem, w którym została przechowana krew Jezusa – podjęli w 1986 roku autorzy bestsellera *Święty Graal, święta krew*, który stał się inspiracją dla *Kodu Leonarda da Vinci* Browna. Kiedy Dan Brown powiedział ostatnio: „Maria Magdalena to postać historyczna, której czas właśnie nadszedł", miał na myśli postać o skomplikowanej i subtelnej mitologii (...).

Święty seks i boska miłość

Maria Magdalena w radykalnie nowej perspektywie

Lynn Picknett

Lynn Picknett jest pisarką, badaczką i wykładowczynią, zajmuje się zjawiskami paranormalnymi oraz tajemnicami religii i historii.

Kim była tajemnicza Maria Magdalena, tak starannie zepchnięta na sam margines Nowego Testamentu przez autorów kanonicznych ewangelii? Skąd pochodziła i co sprawiło, że męscy członkowie rodzącego się Kościoła rzymskiego uważali ją za tak niebezpieczną?

W książce *Templariusze. Tajemni strażnicy tożsamości Chrystusa* opisywałam kontrowersje, jakie od dawna otaczały tę kluczową postać biblijną:

Utożsamienie Marii Magdaleny, Marii z Betanii (siostry Łazarza) i „bezimiennej grzesznicy", która namaszcza Jezusa w Ewangelii według św. Łukasza, zawsze stanowiło przedmiot gorącej dyskusji. Kościół katolicki bardzo wcześnie zadecydował, że te trzy kobiety są jedną i tą samą postacią; dopiero w 1969 roku zmienił zdanie. Utożsamienie Marii z prostytutką wywodzi się z wygłoszonej w 591 roku przez papieża Grzegorza I homilii, w której oznajmił:

„Uważamy, że ta, którą Łukasz nazywa grzeszną kobietą, a którą Jan nazywa Marią [z Betanii], była tą samą Marią, z której według Marka zostało wypędzonych siedem złych duchów. A cóż oznaczają owe złe duchy, jeśli nie wszelkie rodzaje rozpusty? (...) Jest oczywiste, bracia, że kobieta owa wcześniej używała pachnidła do perfumowania swego ciała w czasie zakazanych aktów".

Kościół wschodni zawsze traktował Marię Magdalenę i Marię z Betanii jako dwie odrębne postacie.

Kościół katolicki w bardzo chytry sposób przedstawiał Marię Magdalenę, doceniając jej rolę jako wzorca dla pozbawionych nadziei kobiet, nad którymi sprawował kontrolę, na przykład w pralniach sióstr magdalenek. David Tresemer i Laura-Lea Cannon napisali w przedmowie do gnostycznej *Ewangelii Filipa* w tłumaczeniu Jean-Yvesa Leloupa z 1997 roku:

Dopiero w 1969 roku Kościół katolicki oficjalnie odrzucił przypisaną Magdalenie przez papieża Grzegorza etykietkę dziwki, tym samym przyznając się do błędu – chociaż wizerunek Marii Magdaleny jako pokutującej nierządnicy pozostał obecny w publicznych naukach wszystkich chrześcijańskich wyznań. Niczym maleńkie sprostowanie zagubione na ostatnich stronach gazety, errata owa przeszła niezauważona, zaś pierwotny, błędny dogmat wciąż wywiera wpływ na czytelników.

Ale być może byłoby błędem odcinanie Magdaleny, na fali współczesnego dążenia do jej rehabilitacji, od wszelkich jej związków z „prostytucją". Wielu naukowców zwracało uwagę, że „siedem złych duchów", które z niej ponoć wypędzono, może stanowić aluzję do siedmiu odźwiernych świata podziemnego z pogańskich wierzeń, co stanowiłoby cenną wskazówkę na temat jej rzeczywistej tożsamości. Rzeczywiście, w świecie pogańskim istniały tak zwane „prostytutki świątynne" – kobiety, które dosłownie ucieleśniały i przekazywały świętą „mądrość dziwki" przez transcendentalny seks. Oczywiście poza własnym kręgiem kulturowym byłyby one uważane za zwyczajne ladacznice, zwłaszcza w Ziemi Świętej, gdzie mężczyznom wpajono surowe moralne i seksualne zasady żydowskiego prawa (...).

Bardzo interesujące jest słowo, jakiego użył Łukasz, opisując ją: brzmi ono *harmartolos* i określa osobę, która dopuściła się występku przeciwko żydowskiemu prawu, choć niekoniecznie prostytutkę. Jest to termin zaczerpnięty z łucznictwa, oznaczający „chybienie celu" i może dotyczyć kobiety, która z jakiegoś powodu nie dopełniła zaleceń religijnych – lub nie płaciła podatków, na przykład dlatego, że nie była Żydówką.

W biblijnych opisach Maria z Betanii również nosi długie, rozpuszczone i odkryte włosy. Nigdy nie pozwoliłaby sobie na to szanująca się żydowska kobieta, gdyż rozplecione włosy sugerowały rozpustę, podobnie jak wśród współczesnych ortodoksyjnych Żydów i muzułmanów na Bliskim Wschodzie. Maria ociera stopy Jezusa własnymi włosami. Tak intymny gest w miejscu publicznym musiałby się wydać obrazoburczy. Z całą pewnością uczniowie mężczyźni uznaliby to za skandal (...).

Jeśli kobieta pokazała się publicznie z rozpuszczonymi włosami, uważano to za podstawę do rozwodu. I oto Maria z Betanii, *harmartolos*, która z jakiegoś powodu nie przestrzega żydowskiego prawa lub mu nie podlega, wydaje się całkowicie nieświadoma oburzenia, jakie musiało wzbudzić jej postępowanie. Co jeszcze ważniejsze, Jezus nie tylko nie potępia jej za pogwałcenie żydowskiego prawa, ale wręcz wspiera ją, atakując tych, którzy krytykowali jej zachowanie.

W obu przypadkach mamy do czynienia z postępowaniem typowym dla cudzoziemców w obcym kraju: nic dziwnego, że oboje pozostali nierozumiani, zwłaszcza przez Dwunastu, którzy – jak czytamy – wielokrotnie nie mogli pojąć nauk Jezusa i celu jego misji. Maria z Betanii być może była obca, ale najwyraźniej z Jezusem łączy ją wspólny sekret – i oboje są autsajderami.

Jeśli namaszczanie nie należało do żydowskich zwyczajów, to z jakiej tradycji mogło się wywodzić? W tamtych czasach istniał szczególny, święty, pogański rytuał, w którym kobieta namaszczała wybranemu mężczyźnie stopy i głowę – a także genitalia – w bardzo specyficznym celu. Kapłanka wybierała jednego spośród mężczyzn i namaszczała go na świętego króla, po czym dopełniała jego przeznaczenia w rytuale *hieros gamos* (świętych zaślubin). Namaszczenie stanowiło część rytuału przygotowującego do penetracji – która nie miała takich samych emocjonalnych i prawnych konsekwencji jak zwyczajne małżeństwo. Podczas świętych zaślubin namaszczenia na kapłana-króla spływała moc boga, zaś w kapłankę-królową wstępowała wielka bogini. Bez mocy kobiecości wybrany król byłby bezsilny i nie mógłby panować (...). Takie było pierwotne znaczenie „świętych zaślubin" (*hieros gamos*) (...).

Koncepcja świętych zaślubin posiada kluczowe znaczenie dla właściwego zrozumienia Jezusa i jego misji oraz związku z najważniejszą kobietą w jego życiu – nie wspominając związku z dwoma niezwykle ważnymi mężczyznami (...). Uporczywie powracający wizerunek Marii z Betanii/Marii Magdaleny jako nierządnicy zacznie nabierać sensu, kiedy zdamy sobie sprawę, że rytuał ten jest ostatecznym wyrazem tego, co wiktoriańscy historycy nazywali „prostytucją świątynną" – oczywiście wobec ich aroganckiego i pełnego hipokryzji purytanizmu nie powinno nas to dziwić – choć pierwotnie kapłankę oddającą się takim aktom określano mianem *hierodule*, czyli „świętej służebnicy". Tylko za sprawą takiej kapłanki mężczyzna mógł posiąść wiedzę o samym sobie i o bogach. W zwieńczeniu dzieła świętych służebnic, rytuale *hieros gamos*, król doznawał uświęcenia, po czym natychmiast schodził na dalszy plan. W Biblii bezpośrednio po namaszczeniu Judasz zdradza Jezusa i cała machina jego przeznaczenia zostaje wprawiona w ruch (...).

Święte małżeństwo było koncepcją dobrze znaną poganom w czasach Jezusa: różne jego wersje regularnie odprawiali członkowie innych kultów umierających i zmartwychwstających bogów, takich jak Tammuz (którego świątynia znajdowała się wówczas w Jerozolimie) czy egipski bóg Ozyrys, którego małżonka Izyda tchnęła życie w jego ciało na dostatecznie długi czas, by począć z nim magiczne dziecko, sokołogłowego boga Horusa. Tresemer i Cannon stwierdzają jednoznacznie: „To, że [Maria Magdalena] rozmaitymi olejami namaszczała Jezusa, umieszcza ją w tradycji kapłanów i kapłanek Izydy, która za pomocą pachnideł pomagała przekroczyć próg śmierci i jednocześnie zachować świadomość"[1]. Rzeczywiście, pozwala to postrzegać ją w specyficznym kontekście szamańskiego dziedzictwa Egiptu, z której istnienia dopiero zaczynamy zdawać sobie sprawę (...).

We wszystkich wersjach rytuału świętego małżeństwa przedstawicielka bogini, w osobie jej kapłanki, wstępuje w seksualny związek z wybranym królem przed jego rytualną śmiercią. Trzy dni później bóg zmartwychwstaje i ziemia na powrót staje się urodzajna (...).

Najwyraźniej kobieta, która namaściła Jezusa, była wielką kapłanką jakiejś starożytnej pogańskiej tradycji – ale czy jest identyczna z Marią Magdaleną, jak twierdził Kościół przed 1969 rokiem? (...) Przyjrzyjmy się wskazówkom, które pomogą nam ustalić prawdziwą tożsamość tajemniczej kobiety, znanej jako Maria Magdalena.

---

[1] Leloup, s. xx-xxi.

Gdzie leżała Magdala?

Tajemnicza kobieta, w tak oczywisty sposób stanowiąca najważniejszy wątek misji Jezusa, w Biblii bywa nazywana „Marią Magdaleną" lub po prostu „Magdaleną", co pozwala wyciągnąć wniosek, że autorzy ewangelii spodziewali się, że jest to postać znana czytelnikom, którą ci natychmiast rozpoznają. (...) Przytoczona poniżej analiza z początków XX wieku przedstawia konwencjonalną interpretację, która do dziś jest powszechnie akceptowana:

> Imię Marii Magdaleny pochodzi prawdopodobnie od miasta Magdala lub Magadan (...), dzisiaj Medjdel, co podobno znaczy „wieża". Miasteczko to leżało niedaleko Tyberiady i jest wspominane (...) w związku z cudem rozmnożenia chleba. Do dzisiaj wznosi się tam starożytna wieża strażnicza. Według żydowskich autorytetów miasto słynęło z bogactwa i zarazem z moralnego zepsucia mieszkańców (...)[2,3].

W rzeczywistości nigdzie w Nowym Testamencie nie znajdujemy informacji, skąd pochodziła Maria Magdalena, co pozwalało naukowcom i wiernym domyślać się tylko, że urodziła się gdzieś nad brzegami jeziora Genezaret – choć trzeba zwrócić uwagę, że istnieją także poważne przesłanki każące przypuszczać, iż mogła przybyć z zupełnie innego, odległego, egzotycznego miejsca. W gruncie rzeczy (...) posiadamy przekonujące dowody na to, że i sam Jezus nie pochodził z tych okolic, choć założenie, że był Żydem z Galilei, zakorzeniło się tak mocno, iż wydaje się niepodlegającym dyskusji faktem (...).

W rzeczywistości nie ma potrzeby wtłaczania Magdaleny na siłę w galilejską scenerię, gdyż możemy wymienić co najmniej dwa inne prawdopodobne i intrygujące miejsca jej pochodzenia. Choć w jej czasach nie istniało w Judei miasto o nazwie Magdala, lecz znamy Magdolum w Egipcie – tuż za granicą – prawdopodobnie identyczne z Migdol, wspomnianym przez Ezechiela. W Egipcie mieszkała i doskonale prosperowała spora społeczność żydowska, skupiona przede wszystkim w wielkim portowym mieście Aleksandrii – kosmopolitycznym tyglu, w którym mieszały się najróżniejsze rasy, narodowości i religie, gdzie nauczał Jan Chrzciciel i dokąd najprawdopodobniej dotarła Święta Rodzina, uciekając przed ludźmi Heroda (...). Jeśli Magdalena rzeczywiście pochodziła z egipskiego miasta Magdolum, to tłumaczyłoby, dlaczego była tak wyalienowana

---

[2] Edersheim, tom I, s. 571.

[3] *A Dictionary of the Bible: Dealing with its language, literature and contents including the Biblical theology*, red. J. Hastings, Edynburg 1900, str. 284.

– w końcu, mimo iż ówczesna Galilea stanowiła fascynującą mieszankę narodów i religii, ludzie z natury nieufnie podchodzą do cudzoziemców; w ewangeliach czytamy o niezwykle – przynajmniej z początku – aroganckim zachowaniu Szymona Piotra (...).

Jednakże gdyby Magdalena była egipską kapłanką, to żydowscy mężczyźni traktowaliby ją tysiąckroć bardziej wrogo – jako kobietę nie tylko bogatą i niezależną, ale również związaną z najwyższymi szczeblami pogańskiej hierarchii! (...) Z pewnością mieliby poważne zastrzeżenia co do cudzoziemskiej kapłanki, która dołączyła do nich i nieustannie im towarzyszyła (...).

Możliwe, że istniała też inna przyczyna tak złego traktowania Marii Magdaleny przez mężczyzn z otoczenia Jezusa. Niewykluczone, iż choć mieszkała w Egipcie – wiemy przecież, że i Jan Chrzciciel, i Jezus spędzili tam kilka lat – nie pochodziła z tego kraju. Być może nie bez znaczenia jest fakt, że przez wiele lat w Etiopii istniało miejsce o nazwie Magdala (...). Dzisiaj ów skalisty występ nosi nazwę Amra Mariam; wprawdzie mieszkańcy Etiopii większą czcią otaczają Maryję Pannę niż Marię Magdalenę, te dwie nazwy wskazują jednak, iż miejsce to silnie kojarzy się z Magdaleną. Możliwe wręcz – co wielu może się wydać niewyobrażalne – że właśnie tam się urodziła.

Etiopskie pochodzenie z pewnością czyniłoby ją postacią egzotyczną i niepokojącą dla szowinistów z otoczenia Jezusa, takich jak Szymon Piotr. Mimo tego, co obecnie twierdzą politycznie poprawni rewizjoniści, to nie w Imperium Brytyjskim zrodził się rasizm: jeśli Maria Magdalena była czarnoskórą, bogatą, otwartą pogańską kapłanką – i najbliższą sojuszniczką Jezusa (jeżeli nie kimś więcej) – to dwunastu apostołów mogło na jej widok odczuwać lęk przed tym, co obce i nieznane (...).

Oblubienica Chrystusa?

Czy ewidentnie zażyłe stosunki Jezusa z Marią Magdaleną wynikały z tego, że byli oni legalnym małżeństwem, jak twierdzili niektórzy – przede wszystkim Baigent, Leigh i Lincoln w swojej książce *Święty Graal, święta krew* z 1982 roku? Jeśli tak, to bardzo tajemnicze wydaje się, że Nowy Testament milczy na ten temat, gdyż – wbrew temu, co sądzą dzisiaj chrześcijanie (a zwłaszcza katolicy) – od kapłana i rabbiego w Ziemi Świętej oczekiwano w owych czasach, że pojmie żonę, gdyż powstrzymywanie się od prokreacji uważano (i wciąż uważa się wśród ortodoksyjnych Żydów) za obrazę Boga. Co więcej, celibat potępiała starszyzna synagogi; prawdopodobnie stąd wzięły się oskarżenia o nienaturalnych żądze pod adresem zwolenników Jezusa. Dla żydowskiego rabbiego byłoby czymś nadzwyczaj dziwnym, gdyby Jezus nie był żonaty, lecz jeśli miał żonę, to powinna ona zostać wspomniana – na przykład „Miriam, żona Zbawiciela" lub „Maria, żona Jezusa". Nigdzie jednak nie znajdujemy słów, które można by interpretować jako wzmiankę o jego legalnej małżonce. Czy taki brak informacji wynika z tego, że się nigdy nie ożenił, czy też może z tego, że jego małżonkę otaczała tak silna niechęć, iż autorzy kanonicznych ewangelii postanowili o niej nie wspominać? A może małżeństwo zostało zawarte podczas ceremonii, której Żydzi nie mogli uznać za zaślubiny? Lecz jeżeli – jak jednoznacznie sugerują ewangelie gnostyczne – Jezus i Magdalena byli oddanymi sobie kochankami, to dlaczego nie mieliby nadać swemu związkowi oficjalnego statusu? (...)

Jeżeli ich miłość nie napotkała jakiegoś rodzaju bariery prawnej – na przykład bliskie pokrewieństwo lub związki małżeńskie z innymi osobami – nie wydaje się, aby mogły istnieć poważne przyczyny niepozwalające im usankcjonować związku. A może niechęć do zawarcia małżeństwa wynikała z tego, że w rzeczywistości oboje nie byli Żydami i dlatego nie mogli wziąć ślubu w synagodze? Nie bez znaczenia może być też fakt, że pogańskie kapłanki, nawet te, które brały udział w rytuałach seksualnych, często musiały poza nimi zachowywać celibat i pozostawać niezamężne (...).

Francuski łącznik

Według niektórych legend Maria Magdalena po ukrzyżowaniu Chrystusa udała się do Francji (wówczas Galii). Towarzyszyć jej miało kilka wybranych osób, wśród nich czarna służąca imieniem Sara, Maria Salome i Maria Jakubowa – domniemane ciotki Jezusa – a także Józef z Arymatei, bogaty człowiek, właściciel grobu, do którego został złożony Jezus przed zmartwychwstaniem, oraz święty Maksymin, jeden z 72 najbliższych uczniów Jezusa i pierwszy biskup późniejszego miasta Aix-en-Provence. Wprawdzie szczegóły tej historii różnią się zależnie od wersji, lecz wydaje się, że Maria Magdalena i jej bliscy musieli uciekać z Palestyny w warunkach dalekich od komfortu – ich łódź przeciekała, nie miała wioseł, steru ani żagla, ponoć na skutek sabotażu, jakiego dokonał ktoś w ojczyźnie, z ktorej wyruszyli. Nawet jeśli weźmiemy pod uwagę, że tego rodzaju opowieści często cechuje przesada – tak rozpaczliwy stan ich łodzi wydaje się mało prawdopodobny – biorąc pod uwagę opis napiętych stosunków między Marią Magdaleną a Szymonem Piotrem, jaki znajdujemy w ewangeliach gnostycznych, nie musimy długo się zastanawiać, kto mógł pragnąć, aby uciekinierzy nie dotarli do celu, lecz na dno morza. W świetle legendy o przeciekającej łodzi o dreszcz przyprawić mogą słowa Marii Magdaleny, zapisane w traktacie *Pistis Sofia*, iż Piotr groził jej i nienawidzi jej (czyli kobiecej) płci. Niezależnie jednak od tego, kto próbował ich zabić, uciekinierzy ocaleli i ponoć przybyli na dzikie wybrzeże dzisiejszej Prowansji (...).

Dalej legenda głosi, że wylądowali (niewątpliwie czując ogromną ulgę po tygodniach spędzonych na morzu) w miejscu, gdzie dziś znajduje się miasteczko Saintes-Maries-de-la-Mer w Camargue, na mokradłach przy ujściu Rodanu do Morza Śródziemnego. Trzy Marie – Maria Magdalena, Maria Salome i Maria Jakubowa – czczone są tam obecnie w kościele, który wznosi się niczym żaglowiec nad otaczającymi go bagnami. W jego krypcie znajduje się ołtarz poświęcony Sarze Egipcjance, czarnej służącej Magdaleny, ukochanej patronce Cyganów, którzy tłumnie zjeżdżają do miasta na jej doroczne święto 25 maja. W otoczeniu tysięcy pobożnych pielgrzymów posąg Sary jest niesiony nad morze, gdzie zostaje uroczyście zanurzony w wodzie. Ponieważ według średniowiecznej etymologii Cyganie (*gypsies*) pochodzą z Egiptu (*egypsies*), wydaje się całkowicie uzasadnione, iż oddają cześć młodej kobiecie, która przybyła z ich kraju. Rzeczywiście, kolor jej skóry i fakt, że Egipt nazywano krajem Kem (czyli czarnym), mogą mieć duże znaczenie. Jeśli weźmiemy pod uwagę, że Nowy Testament „dzieli" jedną kobietę na trzy postacie – Marię Magdalenę, Marię z Betanii i bezimienną „grzesznicę" – możemy dojść do wniosku, że wszystkie kobiety w przeciekającej łodzi były tylko różnymi aspektami jednej i tej samej osoby (...).

Kobieta z alabastrowym flakonem

Maria Magdalena i święty Graal

MARGARET STARBIRD

Margaret Starbird ukończyła studia magisterskie na Chrześcijańskim Uniwersytecie Albrechta w Kilonii w Niemczech oraz w Vanderbilt Divinity School. Jest również autorką książki *The Goddess in the Gospels: Reclaiming the Sacred Feminine* (Bogini w ewangeliach: odzyskanie żeńskiej świętości).

Zaczęłam podejrzewać, że Jezus mógł zawrzeć potajemne dynastyczne małżeństwo z pochodzącą z plemienia Beniamina Marią z Betanii, której dziedzictwem były ziemie otaczające Święte Miasto Dawida, Jerozolimę. Dynastyczne małżeństwo Jezusa z kobietą z królewskiego rodu Beniamina mogło być postrzegane jako źródło nadziei dla ludu Izraela w trudnych czasach okupacji*.

Pierwszy namaszczony król Izraela, Saul, pochodził z rodu Beniamina. Dawid pojął za żonę córkę Saula, Michol. Przez całą historię Izraela plemiona Beniamina i Judy były najbliższymi i najwierniejszymi sojusznikami. Ich losy wciąż się splatały. Dynastyczne małżeństwo dziedziczki rodu Beniamina z mesjanistycznym Synem Dawida mogło mieć spore znaczenie dla fundamentalistycznej żydowskiej frakcji zelotów. Być może widzieli w nim znak nadziei i błogosławieństwa w najmroczniejszych godzinach Izraela.

W wydanej w 1946 roku powieści *King Jesus* (Król Jezus) Robert Graves sugeruje, że pochodzenie i małżeństwo Jezusa były trzymane w ścisłej tajemnicy przed wszystkimi z wyjątkiem najściślejszego kręgu „rojalistów". Aby chronić królewską krew, małżeństwo to należało zataić przed Rzymianami i tetrarchami z dynastii Heroda, zaś po ukrzyżowaniu Jezusa opieka nad jego rodziną stała się świętym obowiązkiem dla tych, którzy znali jej sekret. Wszelkie wzmianki o małżeństwie zawartym przez Jezusa ukryto lub zatarto. Jednak ciężarna żona Syna Dawida była nosicielką nadziei Izraela – nosicielką Sangraala, królewskiej krwi.

Magdal-eder, Wieża Trzody

W Księdze Micheasza znajdujemy piękne proroctwo dotyczące odnowienia Jerozolimy, które nastąpi, gdy wszystkie narody przekują miecze na lemiesze i zapanuje pokój w Bogu.

A ty, Wieżo Trzody [Magdal-eder],
Góro Córy Syjonu,
Do ciebie dawna władza powróci,
Władza królewska – do Córy Jeruzalem.
Czemu teraz tak szlochasz?
Czy nie masz króla,
Czy zginęli twoi doradcy,

* Chodzi oczywiście „okupację" rzymską, podczas której doszło do wielu krwawych incydentów. W 63 roku p.n.e. Gnejusz Pompejusz Magnus podbił Judeę, która miała odtąd płacić trybut Cesarstwu Rzymskiemu, i podporządkował ją nowo utworzonej prowincji Syrii (przyp. red.).

Że chwycił cię ból jak rodzącą?
Wij się z bólu i jęcz
Jak rodząca, Córo Syjonu,
Bo teraz musisz wyjść z miasta
I w polu zamieszkać*.

Możliwe, że wzmianki o Marii Magdalenie w tradycji ustnej, w perykopach** Nowego Testamentu, były błędnie rozumiane, zanim jeszcze zostały spisane. Przypuszczam, że epitet „Magdalena" może być aluzją do określenia Magdal-eder, użytego przez Micheasza, i obietnicą odnowienia Syjonu po wygnaniu. Być może najwcześniejsze ustne wzmianki dodające epitet „Magdalena" do imienia Marii z Betanii nie miały nic wspólnego ze skromnym miasteczkiem w Galilei, lecz stanowiły celowe nawiązanie do cytowanego fragmentu Księgi Micheasza, do „wieży" Córy Syjonu, zmuszonej do udania się na polityczne wygnanie.

Nazwa Magdal-eder, znacząca dosłownie „wieża trzody", określa wzniesienie, na którym pasterz może stanąć i obserwować swoje stado. Hebrajskie słowo *magdala* tłumaczy się jako „wieża" lub „wspaniała, wielka, wywyższona". Takie znaczenie tego słowa wydaje się szczególnie na miejscu, gdyby Maria, której dotyczyło, była żoną Mesjasza. Byłby to hebrajski odpowiednik określenia „Maria Wielka", równocześnie nawiązujący do przepowiedzianego powrotu panowania „Córy Syjonu" (Mi 4,8).

W starej francuskiej legendzie wypędzoną „Magdal-eder", uciekinierką Marią, która znajduje schronienie na południu Francji, jest Maria z Betanii, Magdalena. Według tej francuskiej opowieści Maria „Magdalena", podróżując z Martą i Łazarzem z Betanii, wylądowała na wybrzeżu Prowansji we Francji. Inne legendy twierdzą, że Józef z Arymatei był strażnikiem Sangraala, którego moim zdaniem należy interpretować raczej jako królewską krew Izraela niż rzeczywisty kielich. Naczyniem zawierającym tę krew, archetypem pucharu ze średniowiecznych mitów, musiała być małżonka namaszczonego króla Jezusa.

Z naszej historii wyłania się zatem wizerunek Jezusa jako charyzmatycznego przywódcy wypełniającego role proroka, uzdrowiciela i mesjasza-króla; przywódcy, który został stracony przez rzymską armię okupacyjną i którego żona została przez lojalnych przyjaciół potajemnie wywieziona z Izraela do Europy Zachodniej, gdzie jego ród miał czekać na dopełnienie się czasu i spełnienie proroctwa. Przyjaciele Jezusa, którzy tak gorąco wierzyli, że jest on Mesjaszem,

---

* Mi 4,8–10.
** Perykopa to ustęp z ewangelii, czytany i objaśniany podczas nabożeństwa.

Pomazańcem Bożym, mogli uważać ocalenie jego rodziny za swój święty obowiązek. Naczyniem, pucharem ucieleśniającym milenium, Sangraalem ze średniowiecznych legend, była – do takiego wniosku dochodzę – Maria Magdalena (...).

Lecz tradycja wywodząca się z [innej] starofrancuskiej legendy z wybrzeża Morza Śródziemnego mówi nam, że (...) Józef z Arymatei był opiekunem „Sangraala" i że dziecko w łodzi było Egipcjaninem, co znaczy było „urodzone w Egipcie". Wydaje się zupełnie prawdopodobne, że po ukrzyżowaniu Jezusa Maria Magdalena uznała za konieczne uciec ze swoim nienarodzonym dzieckiem w najbliższe bezpieczne miejsce. Opieką mógł ją wówczas otoczyć wpływowy przyjaciel Jezusa, Józef z Arymatei.

Jeśli nasza teoria jest słuszna, to dziecko rzeczywiście urodziło się w Egipcie. Egipt był tradycyjnym miejscem ucieczki dla Żydów, którzy nie czuli się bezpiecznie w Izraelu. Aleksandria leżała blisko Judei i mieszkała tam w czasach Jezusa duża społeczność żydowska. Wydaje się więc bardzo prawdopodobne, że miejscem schronienia dla Marii Magdaleny i Józefa z Arymatei stał się właśnie Egipt. Później zaś – wiele lat później – opuścili oni Aleksandrię i znaleźli jeszcze bezpieczniejszą przystań na wybrzeżu Francji.

Archeolodzy i lingwiści dowodzą, że nazwy miejsc i legendy nierzadko skrywają „skamieliny" z zamierzchłej przeszłości. Rzeczywistość może być upiększana, historie mogą ulegać zniekształceniu w czasie przekazywania z ust do ust, lecz ślady prawdy pozostają ukryte w imionach ludzi i nazwach miejsc. W miasteczku Les-Saintes-Maries-de-la-Mer we Francji co roku w dniach 23–25 maja odbywa się święto Sary Egipcjanki, zwanej też Sara Kali, „Czarną Królową". Po dokładnej analizie okazuje się, że festiwal ten został po raz pierwszy zorganizowany w średniowieczu na cześć „egipskiego" dziecka, które towarzyszyło Marii Magdalenie, Marcie i Łazarzowi w łodzi, którą przybyli tu około 42 roku n.e. Ludzie najwyraźniej zakładali wówczas, że dziecko, skoro było „egipskie", musiało mieć ciemną skórę i – przez dalszą interpolację – musiało pełnić służebną rolę przy rodzinie z Betanii, ponieważ inaczej nie umieli sobie wytłumaczyć jego obecności.

Imię Sara znaczy po hebrajsku „księżniczka" lub „królowa". Miejscowe legendy opisują Sarę jako dziecko. Mamy więc odbywające się co roku na wybrzeżu Francji uroczystości na cześć młodej, ciemnoskórej dziewczynki imieniem Sara. Z legendy tej wynika też, że dziecko nazywano po hebrajsku księżniczką. Dziecko Jezusa, urodzone już po ucieczce Marii do Aleksandrii, liczyłoby w momencie podróży do Galii około 12 lat. Podobnie jak księżniczka z rodu Dawida, jest symbolicznie czarne (Lm 4,8). Sama Magdalena była Sangraalem – „pucharem" lub naczyniem zawierającym królewską krew *in utero*. Symboliczna czerń dawidowej księżniczki z lamentacji Jeremiasza została przeniesiona na ukrytą Marię i jej dziecko (...).

Podsumowując, dwie królewskie uciekinierki z Izraela, matka i córka, mogły być nie bez słuszności przedstawiane jako ciemnoskóre, ciemne, ukryte. Czarne Madonny we wczesnych sanktuariach Europy (od V do XII wieku) byłyby więc czczone jako symbole owej drugiej Marii i jej dziecka, które Józef z Arymatei przewiózł bezpiecznie na wybrzeże Francji. Mężczyznę z królewskiego rodu Dawida symbolizowała kwitnąca różdżka, kobietę kielich – naczynie zawierające królewską krew Jezusa. I właśnie tym miał być według legend święty Graal!

Maria Magdalena
Wzór dla kobiet w Kościele

WYWIAD Z SUSAN HASKINS

Susan Haskins jest autorką książki *Mary Magdalene. Myth and Metaphore* (Maria Magdalena. Mit i metafora), wydanej w 1993 roku. Fragment książki został przytoczony po wywiadzie.

Kim, pani zdaniem, była prawdziwa Maria Magdalena?

Prawdziwa Maria Magdalena jest postacią z ewangelii: najważniejszą z kobiet – zwolenniczek Chrystusa, która wraz z innymi kobietami wymienionymi w Ewangelii według św. Łukasza wspierała wędrowną grupę i pokrywała część jej wydatków na życie. Była obecna przy ukrzyżowaniu, a według Jana należała do nielicznych uprzywilejowanych osób, obok Maryi Panny, żony Kleofasa i świętego Jana, które znalazły się pod krzyżem. Widziała, jak składano ciało w grobie należącym do Józefa z Arymatei; przyszła tam o świcie z jedną lub dwiema innymi Mariami, aby przynieść pachnidła. Jan opisuje, że to właśnie jej jako pierwszej Chrystus ukazał się po zmartwychwstaniu i jej jako pierwszej przekazał przesłanie nowego życia. Ewangelia według św. Marka w później dodanym fragmencie stwierdza, że Jezus wypędził z niej siedem złych duchów. Nie wiemy, jak wyglądała. W średniowiecznej i późniejszej sztuce była przedstawiana z długimi rudymi lub złocistymi włosami, zgodnie z ówczesnym ideałem kobiecej urody. Nie wiemy też, jak żyła. Ponieważ – podobnie jak kilka innych kobiet – wspierała Jezusa i jego towarzyszy „ze swoich własnych środków", zakłada się, że była dojrzała – kilka pozostałych kobiet z tej samej grupy miało mężów lub pozostawało w separacji – niezależna i stosunkowo dobrze sytuowana. Zgadzam się więc z tymi, którzy widzą w niej stronniczkę i patronkę Jezusa.

Jak wyglądają wizerunki Marii Magdaleny, które powstawały na przestrzeni dziejów? Czy którykolwiek z nich pasuje do teorii Dana Browna przedstawionej w Kodzie Leonarda da Vinci, *głoszącej, że mogła być małżonką Jezusa i mieć z nim dziecko?*

Teoria ta nie powstała w ostatnich czasach. Spopularyzowała ją zwłaszcza książka *Święty Graal, święta krew*, a podchwycił biskup Spong i inni. Jak się wydaje, Luter już w XVI wieku sądził, że Maria Magdalena pozostawała w związku z Jezusem! Ale ponieważ żadne dowody nie potwierdzają ani zawarcia małżeństwa, ani narodzin dziecka, nie byłabym skłonna zaakceptować tej hipotezy.

Dlaczego Kościół przez tak wiele lat przedstawiał Marię Magdalenę jako prostytutkę? Czy po prostu padła ona ofiarą niefortunnej pomyłki, skojarzenia jej ze wszystkimi innymi Mariami opisanymi w Nowym Testamencie, czy też mamy do czynienia z oszustwem?

Kościół przedstawiał Marię Magdalenę jako prostytutkę na podstawie komentarzy do ewangelii, które sporządzali, począwszy od III wieku, pierwsi ojcowie kościoła, próbujący ustalić, kim były wszystkie opisywane w ewangeliach postacie. W Nowym Testamencie występuje kilka kobiet noszących imię Maria, co stało się przyczyną nieporozumień. Ponieważ po pierwszej wzmiance u Łukasza o Marii Magdalenie, która podąża za Jezusem z Galilei wraz z innymi kobietami i mężczyznami, następuje relacja o niewymienionej z imienia kobiecie określonej jako grzesznica, której Jezus przebaczył w domu faryzeusza, papież Grzegorz Wielki (w 595 roku n.e.)* połączył w jedną postać te dwie osoby, a także trzecią, Marię z Betanii. Wprawdzie kobieta ta została nazwana tylko „grzesznicą", lecz założono, że jej grzech był grzechem cielesnym, chociaż użyte w odniesieniu do niej słowo *porin* wcale nie oznacza prostytutki. Uczynienie z Marii Magdaleny pokutującej nierządnicy umniejszyło jej rolę jako pierwszego apostoła – rolę niezmiernie ważną. Nie możemy być pewni, czy doszło do celowego oszustwa, lecz z całą pewnością sprawa miała związek z polityką Kościoła. W początkach chrześcijaństwa kobiety pełniły funkcję kapłanów i biskupów, lecz do V wieku pozbawiono je tego prawa, chociaż pomniki nagrobne z południowej Italii dowodzą, że kobiety nadal bywały tam kapłanami. Sprowadzenie Marii Magdaleny do pokutnicy i prostytutki zrównało ją z Ewą, której płeć i seksualność

* Inni badacze podają datę 591 rok n.e.

zostały potępione przez męską hierarchię kościelną jako główne przyczyny upadku człowieka.

Czy sądzi pani, że Jezus i Maria Magdalena mogli być małżeństwem?

Nie, nie zgadzam się z tą teorią. Nie ulega wątpliwości, że łączył ich ważny związek, lecz czy chodziło o coś więcej niż fakt, że była ona najważniejszą z jego uczennic? Hipoteza o małżeństwie brzmi przekonująco z wielu powodów: ten zagadkowy związek opisano w ewangeliach – a zwłaszcza w ewangeliach gnostycznych – więc na swój sposób logiczny następny krok to małżeństwo. Wielu rabbich było żonatych, sugeruje to więc, że również Chrystus musiał mieć żonę, choć ewangelie nic o tym nie mówią. Nie posiadamy też żadnych dowodów narodzin dziecka, a pochodzenie Merowingów od potomka Jezusa jest bardzo mało prawdopodobne.

Co wspólnego ma postać Marii Magdaleny z Kodu Leonarda da Vinci *z innymi postaciami z wcześniejszych systemów wierzeń religijnych?*

Interesujący jest wątek *Kodu Leonarda da Vinci* dotyczący postaci Bogini, odsuniętej przez wczesny Kościół. Motyw zmartwychwstania można znaleźć w religiach egipskiej, sumeryjskiej i chrześcijańskiej: Izyda i Ozyrys, Isztar i Tammuz, Maria Magdalena i Chrystus. Marię Magdalenę można uznać za chrześcijańską boginię.

Co, pani zdaniem, Ewangelia Filipa *mówi nam o związku między Jezusem i Marią Magdaleną i o jej rywalizacji z Piotrem o władzę w Kościele?*

Naukowcy odczytują *Ewangelię Filipa* jako alegorię związku między Chrystusem a jego Kościołem. Elaine Pagels uważa konflikt między Piotrem a Marią Magdaleną za – o ile dobrze pamiętam – alegorię antagonizmu pomiędzy wczesnym Kościołem II i III wieku, będącym hierarchiczną strukturą gromadzącą biskupów, diakonów i kapłanów, a gnostykami, którzy cenili indywidualną inspirację czy też wiedzę uzyskaną bez pośrednictwa Kościoła. Zazdrość Piotra o Marię Magdalenę miała też podłoże seksistowskie.

Dlaczego Maria Magdalena była jedną z nielicznych osób obecnych przy ukrzyżowaniu? Dlaczego mogła być pod krzyżem, a inni uczniowie nie? I jakie znaczenie posiada fakt, że Maria Magdalena jako pierwsza zobaczyła Jezusa po zmartwychwstaniu?

To bardzo ciekawe, że Maria Magdalena była jedną z nielicznych osób obecnych przy ukrzyżowaniu. Ale wspomina o tym tylko Jan; w pozostałych ewangeliach Maria Magdalena, podobnie jak inne kobiety, przygląda się wydarzeniom z daleka. Nie wiemy, kto redagował teksty ewangelii ani dlaczego są one tylko zbliżone w treści, przypuszczalnie jednak wywodzą się z różnych tradycji ustnych. Zwolenniczki Jezusa były obecne pod krzyżem, a mężczyźni nie, ponieważ ci drudzy przestraszyli się – przede wszystkim Piotr, który trzykrotnie wyparł się Jezusa.

Dla chrześcijan niesłychanie ważne jest – a przynajmniej powinno być – to, że właśnie Marii Magdalenie jako pierwszej Jezus ukazał się po zmartwychwstaniu, ponieważ klucz do chrześcijaństwa stanowi obietnica wiecznego życia – przesłanie, które Jezus polecił jej zanieść całemu światu. To męskie uprzedzenia, żywe zarówno w społeczeństwie żydowskim, jak i hellenistycznym, pozbawiły kobiety możliwości dawania świadectwa i pozwoliły mężczyznom zawłaszczyć prawo rozgłaszania nowiny o zmartwychwstaniu. Ale oczywiście można uznać, że równie istotne – z punktu widzenia redakcji kanonu, chrześcijańskich apologetów i kościelnej polityki – było dla Kościoła pozbawienie kobiet tego prawa i uznanie zasady, że „Ty jesteś Piotr (czyli Skała) i na tej Skale zbuduję Kościół mój (...)"*.

Dlaczego motyw Marii Magdaleny sam w sobie jest tak pociągający?

Maria Magdalena to niezależna kobieta, która podąża za charyzmatycznym nauczycielem i oferuje jego zwolennikom etyczny i teologiczny układ odniesienia. Jest też postacią dynamiczną, przywódczynią i wzorem wierności. Jest – w przeciwieństwie do uczniów – świadkiem ukrzyżowania. Jest odważna. Udaje się sama, lub z innymi, o świcie do grobowca. Spotyka Chrystusa. Chrystus, egalitarysta, uwalniał kobiety od dolegliwości, wybaczał im ich słabości, nie krytykując ich i nie piętnując – „grzesznicę" u Łukasza, Samarytankę, kobietę cierpiącą na krwotok, kobietę dopuszczającą się cudzołóstwa, Marię Magdalenę z jej siedmioma złymi duchami. Po zmartwychwstaniu jako pierwszej ukazuje się kobiecie, Marii Magdalenie, i tej samej kobiecie powierza zadanie głoszenia chrześcijańskiego przesłania o życiu wiecznym.

Maria Magdalena, od VI wieku przedstawiana jako pokutująca grzesznica, stała się wzorem dla wszystkich chrześcijan, mężczyzn i kobiet. Daje im nadzieję. Jej bliskość z Chrystusem była przedmiotem fascynacji od wczesnych dni chrześcijaństwa; jej kult rozkwitał od XI wieku. Symbolizuje odkupioną kobiecość, a także kobiece pośrednictwo między Bogiem a człowiekiem. Odrodzenie zainteresowania jej postacią w ostatnich czasach, będące po części zasługą feminizmu, widoczne jest zwłaszcza w nowoczesnych badaniach roli kobiet w religii, które dążą do przywrócenia im prawa pełnienia funkcji kapłańskich, jakiego

* Mt 16,18.

odmawiano im przez 17 stuleci. Maria Magdalena, jako pierwsza apostołka i uczennica Jezusa, jest wzorem dla kobiet w Kościele, zarówno katolickim, jak i protestanckim, a także w judaizmie.

Cztery fragmenty przełomowej książki Susan Haskins *Mary Magdalen: Myth and Metaphor* reprezentują poglądy autorki na temat roli kobiet apostołów, przedstawienia związku między Marią Magdaleną a Jezusem w *Ewangelii Filipa*, prawdziwej natury tego związku oraz losów Marii po ukrzyżowaniu. Autorka opowiada też o tym, jak w małych francuskich miasteczkach wokół kultu Marii Magdaleny rozwinął się cały przemysł. Haskins wyraża swoją opinię wprost:

> I tak transformacja Marii Magdaleny dokonała się. Z postaci ewangelicznej pełniącej aktywną rolę głosicielki Nowego Życia – apostoła pomiędzy apostołami – stała się odkupioną ladacznicą i chrześcijańskim wzorcem pokuty: dającą się kontrolować i pozwalającą sobą manewrować postacią, skuteczna bronią i instrumentem propagandowym wymierzonym przeciwko jej własnej płci.

Maria Magdalena
Mit i metafora

SUSAN HASKINS

De Unica Magdalena (O jednej Magdalenie)

Bardzo niewiele wiemy o Marii Magdalenie. Najczęściej wyobrażamy ją sobie jako opłakującą swoje grzechy piękną kobietę o długich złocistych włosach – prawdziwe wcielenie trzech równoważnych pojęć: piękna, seksualności i grzechu. Przez prawie 2000 lat tradycyjnie uważano Marię Magdalenę za prostytutkę, która usłyszawszy słowa Jezusa Chrystusa, postanowiła odpokutować grzeszną przeszłość i odtąd całe swoje życie i całą miłość poświęciła wyłącznie jemu. Przedstawiają ją niezliczone obrazy religijne – w szkarłatnych szatach, z rozpuszczonymi włosami, klęczącą pod krzyżem lub siedzącą u stóp Chrystusa w domu Marii i Marty z Betanii, albo właśnie jako piękną prostytutkę w domu faryzeusza, która leży u stóp Jezusa z naczyniem pełnym pachnidła. Samo jej imię kojarzy się z pięknem i zmysłowością. A jednak jeśli chcielibyśmy znaleźć taką postać w Nowym Testamencie, szukalibyśmy na próżno. Wszystko, co naprawdę o niej wiemy, pochodzi z czterech ewangelii – to zaledwie kilka krótkich wzmianek składających się na niejasny obraz, niekiedy wręcz wzajemnie sobie zaprzeczających. Lakoniczne i niespójne relacje są jednak zgodne w czterech punktach: Maria Magdalena należała do grona kobiet towarzyszących Jezusowi i stała pod krzyżem podczas ukrzyżowania: była świadkiem – a według Jana wręcz najważniejszym świadkiem – jego zmartwychwstania: jej jako pierwszej została powierzona najważniejsza misja – misja głoszenia chrześcijańskiego przesłania. Przekazywała wieść o tym, że dzięki zwycięstwu Chrystusa nad śmiercią wszyscy, którzy uwierzyli, otrzymali wieczne życie (...).

Tym, co najbardziej uderza w ewangelicznych relacjach, jest rola, jaką przypisują one towarzyszkom Chrystusa – rola stronniczek i świadków wydarzeń tamtej pierwszej Wielkanocy. Wcześni komentatorzy docenili ich wiarę i poświęcenie, lecz później zostały one odsunięte na drugi plan, gdy stopniowo zyskiwały na znaczeniu nowe idee i interpretacje. Prawdziwy sens ich świadectwa najczęściej ignorowano, a sama Maria Magdalena została pod koniec VI wieku przekształcona w zupełnie inną postać, dostosowaną do nowych potrzeb kościelnej hierarchii. Takie modyfikacje wprowadzone przez ojców kościoła niekorzystnie wpłynęły na nasze wyobrażenie o Marii Magdalenie i innych kobietach z otoczenia Jezusa; dlatego powinniśmy sięgnąć do ewangelii, aby poznać ich prawdziwy wizerunek.

Marek mówi nam, że Maria Magdalena była wśród kobiet, które w czasie pobytu Jezusa w Galilei „towarzyszyły Mu i usługiwały" (Mk 15,41, patrz także Mt 27,55). Użyte tu słowo „usługiwać" jest tłumaczeniem greckiego czasownika *diakonein*, co znaczy „służyć" lub „posługiwać". Od tego samego czasownika pochodzi słowo „diakon" oznaczające funkcję przydzielaną kobietom w grupie uczniów i uczennic. Łukasz, od którego dowiadujemy się również, że grupa ta towarzyszyła Jezusowi przez dłuższy czas przed ukrzyżowaniem (Łk 8,1–4), potwierdza też ich służebną rolę, dodając, że kobiety „usługiwały ze swego mienia". Często zakładano, że ich rola sprowadzała się do czynności gospodarczych, ponieważ życie kobiet w społeczeństwie żydowskim w I wieku n.e. tradycyjnie ograniczało się do gospodarstwa domowego. Wykonywały takie zajęcia, jak mielenie mąki, gotowanie, pranie, karmienie dzieci, przygotowywanie posłań i przędzenie wełny. Aż do niedawna uważano, że kobiety w otoczeniu Chrystusa również oddawały się tylko zajęciom domowym, a zatem ich rola była mniej ważna – założenie to dopiero niedawno zakwestionowali naukowcy. Lecz sformułowanie „usługiwały ze swego mienia" wskazuje, że kobiety dostarczały środków umożliwiających wędrownym kaznodziejom wykonywanie ich pracy. Chociaż wiadomo, że kobiety wspierały rabbich pieniędzmi, dobrami i pożywieniem, ich udział w praktykach religijnych judaizmu był niemal żaden. Wprawdzie mogły czytać Torę w czasie zgromadzeń wiernych, ale nie pozwalano im recytować publicznie, aby „chronić honor kongregacji".

W I wieku n.e. rabbi Eliezer miał podobno powiedzieć: „Raczej niechby słowa Tory zostały spalone niż powierzone kobiecie![1]"

W synagogach kobiety były oddzielone od mężczyzn. Mogły przebywać tylko w górnej galerii, nie wolno im było nosić filakterii – małych skórzanych pojemniczków zawierających wersety ze Starego Testamentu, przywiązywanych rzemieniami do ramienia i głowy – ani wykonywać żadnych czynności liturgicznych. Ich wyłączenie z pełnienia funkcji kapłańskich wynikało z nieczystości w czasie menstruacji, co określały prawa Świątyni (Kpł 15); do tego samego tabu odwoływał się również Kościół chrześcijański, jeszcze do niedawna używający go jako potężnego argumentu przeciwko dopuszczeniu kobiet do funkcji kościelnych. Kapłan, według Księgi Kapłańskiej (Kpł 21 i 22), musiał pozostawać w stanie czystości i świętości za każdym razem, gdy składał ofiarę. Niemniej jednak kobiety mogły być prorokiniami, a nawet bywały nimi – jak Anna córka Fanuela – jeszcze w czasach Chrystusa (Łk 2,36–38).

W takim kontekście fragment Ewangelii według św. Łukasza nabiera szczególnego znaczenia, ponieważ sugeruje, że towarzyszące Chrystusowi kobiety miały wielkie znaczenie dla całej grupy, jako że przeznaczały swój majątek i dochody na utrzymanie Chrystusa i jego uczniów, kiedy wędrowali po kraju, nauczając i uzdrawiając. To z kolei rzuca nowe światło na pozycję kobiet, ponieważ fakt, że mogły dysponować pieniędzmi, wskazuje na ich niezależność finansową i prawdopodobnie dojrzały wiek, co dodatkowo potwierdza wzmianka, że jedna z Marii była „matką Jakuba" – przypuszczalnie apostoła (Mk 15,40 i 16,1). Jeszcze ważniejsza jest wysunięta niedawno sugestia, iż wbrew powszechnemu przekonaniu, że kobiety towarzyszące Jezusowi nie nauczały i tym różniły się od uczniów mężczyzn – mogły również nauczać, ponieważ terminu „towarzyszyć" użytego przez Marka w odniesieniu do osób obecnych przy ukrzyżowaniu („kiedy przebywał w Galilei, one towarzyszyły Mu i usługiwały" –

[1] Miszna Sota 3,4; cytat za: Leonard Swidler *Biblical Affirmations of Women*, Filadelfia 1979, s. 163.

Mk 15,41) używano dla wyrażenia pełnego uczestnictwa, zarówno w wierze, jak i działaniu wędrownych kaznodziejów. To samo wynika z relacji na temat działalności kobiet, zawartych w Dziejach Apostolskich i listach Pawła. Nic nie wskazuje, aby Chrystus uważał kobiety za mniej ważne lub podrzędne wobec mężczyzn. Co więcej, można wręcz twierdzić, że kobiety zarówno w czasie ukrzyżowania, jak i po nim wykazały się większym zdecydowaniem i odwagą – choć niekoniecznie większą wiarą – niż mężczyźni, którzy wszak uciekli. W przeciwieństwie do 11 uczniów, którzy lękali się o własne życie, kobiety towarzyszyły Jezusowi, były obecne przy ukrzyżowaniu, uczestniczyły w pogrzebie, odkryły pusty grób i jako prawdziwe uczennice zostały nagrodzone nowiną o zmartwychwstaniu, a w przypadku Marii Magdaleny – pierwszym spotkaniem ze zmartwychwstałym Chrystusem.

Obojętność Chrystusa wobec konwencji panujących w jego czasach i pragnienie radykalnej odmiany obyczajów przejawiały się szczególnie wyraźnie w sposobie traktowania przez niego kobiet, między innymi dlatego, że stanowiły one część jego otoczenia. Choć kobiety mogły wspierać rabbich finansowo, z pewnością nie było rzeczą powszednią, by towarzyszyły jako uczennice wędrownym kaznodziejom. Chrystus przyjmował również do swej grupy kobiety, które Łukasz opisuje jako uwolnione „od złych duchów i od słabości" (Łk 8,2–3) – kobiety, które w innej sytuacji mogły być uznane za wyrzutki społeczeństwa. Spośród nielicznych kobiet wymienionych z imienia i należących do wspólnoty jedna, Joanna, jest lub była żoną Chuzy, zarządcy Heroda, a zatem musiała opuścić swoją rodzinę i dwór królewski, aby podążyć za Chrystusem. Warto też zauważyć, że wzmianki o statusie społecznym Joanny jako kobiety zamężnej miały też poważny wpływ na późniejsze określenie statusu Marii Magdaleny; spośród wszystkich opisanych kobiet tylko ona nie została przypisana żadnemu mężczyźnie jako małżonka, matka czy córka. Jest ona też jedyną, którą określa się nazwą wywiedzioną od miejsca urodzenia. A zatem została przedstawiona jako kobieta niezależna: to oznacza, że musiała również posiadać środki, aby móc podążać za Chrystusem i go wspierać (...).

„Siedem złych duchów" Marii Magdaleny, o których wspominają Łukasz i Marek, stanowiło przedmiot intensywnych dociekań wczesnochrześcijańskich komentatorów; ich skojarzenie ze „złymi duchami i słabościami", które przypisywano niektórym kobietom, mogło doprowadzić do identyfikacji z siedmioma grzechami śmiertelnymi. Sugerowano, że Maria Magdalena stała się znana, ponieważ „jej uzdrowienie było najbardziej dramatyczne", bowiem „siedem złych duchów" może wskazywać na „opętanie o niezwykłej sile"[2]. Jednakże nigdzie

[2] Ben Witherington III *Women in the Ministry of Jesus*, Cambridge 1984, s. 117.

w Nowym Testamencie opętanie przez demony nie jest uznane za jednoznaczne z grzechem[3]. Najdawniejsi komentatorzy Biblii najwyraźniej nigdy nawet nie brali pod uwagę, że stan Marii Magdaleny mógł mieć podłoże psychologiczne – czyli być raczej rodzajem szaleństwa – niż moralne lub seksualne, chociaż takie wyjaśnienie bardzo często rozpatrywali tłumacze i interpretatorzy począwszy od XIX wieku. Pomijając wszystko inne, nic nie wskazuje, aby „zły duch" człowieka opętanego przez diabły miał jakikolwiek związek ze sferą seksualną (Łk 8,26–39). Pani Balfour, wybitna XIX-wieczna ewangeliczka, jako jedna z pierwszych odrzuciła możliwość, aby schorzenie Marii Magdaleny mogło mieć jakikolwiek inny charakter niż psychologiczny; a w bliższych nam czasach J.E. Fallon napisał, że najprawdopodobniej cierpiała ona na „gwałtowne i chroniczne zaburzenia nerwowe", a nie pozostawała w stanie grzechu.

Kolejny problem, oprócz zagadkowych „siedmiu złych duchów", stanowiło miejsce jej urodzenia; drugie imię Marii Magdaleny, po grecku *Magdalini*, oznaczało pochodzenie z el Mejdel, kwitnącej osady rybackiej na północno-zachodnim brzegu jeziora Genezaret, około 6 kilometrów na północ od Tyberiady. Zła sława tej osady w pierwszych wiekach chrześcijaństwa – wieś została zniszczona w 75 roku n.e. z powodu haniebnego i rozpustnego postępowania jej mieszkańców – mogła później wpłynąć na reputację samej Marii Magdaleny[4]. Dzisiaj zardzewiały drogowskaz przy jeziorze oznajmia przechodzącym turystom, że Magdala – lub Migdol – była kwitnącym miastem w okresie Drugiej Świątyni i miejscem urodzenia Marii z Magdali, która „towarzyszyła i usługiwała Jezusowi".

Można dojść do wniosku, że żaden z opisanych powyżej elementów nie daje dostatecznych podstaw do uznania Marii Magdaleny za grzesznicę czy prostytutkę. Co więcej, takie twierdzenia nigdy nie zostałyby przyjęte – a w każdym razie nie tak powszechnie, jak to się stało – gdyby swego czasu nie pomylono Marii Magdaleny z innymi postaciami kobiet z ewangelii, spośród których kilka opisywanych było wprost jako grzesznice, i z jedną, która – jak można wywnioskować z jej historii – przypuszczalnie rzeczywiście oddawała się prostytucji. Dla późniejszych komentatorów i środowiska kościelnego, które stopniowo coraz bardziej zasklepiało się w swoim przywiązaniu do ideału celibatu, jej płeć tylko dodawała wiarygodności tej błędnej identyfikacji. W ten sposób „siedem złych duchów", przez które była opętana, mogło przybrać społeczny i moralny

[3] Chociaż w Ewangelii według św. Jana (J 8,46–49) grzesznik został wprost porównany z opętanym przez złego ducha.

[4] J.E. Fallon *Mary Magdalen*, NCE, t. 9, s. 387.

stygmat – i to o monstrualnych proporcjach – rozpusty i pokuszenia: tych słabości ludzkiego charakteru, które wcześni chrześcijańscy komentatorzy Księgi Rodzaju tradycyjnie kojarzyli z kobiecością. Maria Magdalena, najważniejsza uczennica, pierwszy apostoł i umiłowana przyjaciółka Chrystusa, przekształciła się w pokutującą nierządnicę (...).

Towarzyszka Zbawiciela

Jej bliskie związki z Chrystusem podkreśla *Ewangelia Filipa*, gdzie została przedstawiona jako jedna z kobiet, jakie „chodziły z Panem zawsze: Maryja, Jego matka, Jej siostra i Magdalena (sic!), ta, którą nazywa się Jego towarzyszką". Greckie słowo *koinonôs* użyte w odniesieniu do Marii Magdaleny, choć często tłumaczone jako „towarzyszka", znaczy raczej „partnerka" lub „małżonka" – kobieta, z którą mężczyzna utrzymuje stosunki seksualne. Dalej znajdujemy kolejny fragment, który jeszcze silniej podkreśla opisane już wcześniej seksualne konotacje:

> [Chrystus kochał] ją bardziej niż [wszystkich] uczniów [i zwykł był] całować ją [często] w u[sta] (...). [Uczniowie] mówili mu: „Czemu miłujesz ją bardziej niż nas wszystkich?" Zbawiciel odpowiedział (...): „Dlaczego nie miłuję was jak ją?"

Miłość erotyczna często bywa sposobem wyrażania przeżyć mistycznych, czego najlepszym chyba przykładem może być wielka „duchowa pieśń weselna", *Pieśń nad pieśniami*, za pomocą zmysłowej, wręcz lubieżnej symboliki opisująca – według Żydów – miłość Jahwe do Izraela, a według chrześcijańskich komentatorów miłość Chrystusa do Kościoła, do chrześcijańskiej duszy – niekiedy w osobie Marii Magdaleny – i do Maryi Panny. W *Ewangelii Filipa* duchowy związek pomiędzy Chrystusem a Marią Magdaleną został przedstawiony w kategoriach ludzkiej seksualności; jest też metaforą połączenia Chrystusa z Kościołem, odbywającego się w sali weselnej, miejscu pełni. O ile sam traktat dotyczy spraw sakramentalnych i etycznych, jego główny wątek to temat wspólny dla wielu tekstów gnostycznych i późniejszych chrześcijańskich – iż wszystkie niedole ludzkości są wynikiem zróżnicowania płci spowodowanego przez rozdzielenie Adama i Ewy. Rozdzielenie to zniszczyło pierwotną androgyniczną jedność – i opisaną w Księdze Rodzaju (Rdz 1,27) – do której gnostycy zawsze tęsknili. Jak wyjaśnia autor *Ewangelii Filipa*: „Gdyby kobieta nie oddzieliła się od mężczyzny, nie umarłaby z mężczyzną. Jego oddzielenie stało się początkiem śmierci i dlatego przyszedł Chrystus, aby oddzielenie, które było na początku, ponownie oddalić, a ich dwoje połączyć; zmarłych w oddaleniu obdarzyć życiem i połączyć" (EwF 78). *Ewangelia Filipa* używa metafory sali weselnej w odniesieniu do ponownego połączenia „Adama" i „Ewy", w którym zostaną zniesione przeciwieństwa pierwiastków męskiego i żeńskiego; nadejście Chrystusa, Oblubieńca, spowoduje powrót androgynii, czyli stanu duchowego[5]. Związek pomiędzy Chrystusem a Marią Magdaleną symbolizuje takie doskonałe duchowe połączenie. O niektórych gnostykach jednak opowiadali ich adwersarze, że próbują wcielać podobne erotyczne koncepcje w życie i uczestniczą w seksualnych orgiach, będących fizyczną realizacją chrześcijańskiego rytuału. Według Epifaniusza gnostycy posiadali księgę zatytułowaną *Pytania Marii* [*Magdaleny*], głoszącą, że Chrystus objawił Marii Magdalenie obsceniczne ceremonie, które sekta miała odprawiać dla osiągnięcia zbawienia. Epifaniusz pisał, dysząc świętym oburzeniem:

> Bowiem w *Pytaniach Marii*, które nazywają „Wielkimi" (...) zapewniają, że on [Jezus] dał jej [Marii] objawienie, zabierając ją na górę i nauczając; i wziął z boku kobietę i zaczął się z nią łączyć, i zaiste, zebrawszy swą wydzielinę, pokazał, że „tak musimy czynić, abyśmy żyli"; a gdy Maria padła na ziemię zawstydzona, podniósł ją i powiedział: „Dlaczego wątpisz, małej wiary?"[6].

Fragment *Ewangelii Filipa* można rozpatrywać na dwóch poziomach; jeden z nich symbolizuje miłość Chrystusa do Kościoła – w osobie Marii Magdaleny – drugi zaś opisuje historyczną sytuację, w której Maria Magdalena jest symbolem żeńskiego pierwiastka w Kościele. Jak mogliśmy się przekonać, szczególne traktowanie Marii Magdaleny przez Chrystusa, opisane w *Ewangelii Marii Magdaleny* i *Ewangelii Filipa*, stało się powodem zawiści innych uczniów, przede wszystkim Piotra. W *Pistis Sofia*, jednym z kilku traktatów znalezionych wśród pism z Nag Hammadi, dochodzi do sporu między Marią a Piotrem, który narzeka w imieniu innych uczniów mężczyzn, że Maria zdominowała rozmowę o upadku Pistis Sofia z królestwa Światła i nie pozwoliła im się wypowiedzieć. Jezus zganił go. Później Maria wyznaje Jezusowi, że lęka się Piotra, „ponieważ on zwykł mi grozić i nienawidzi naszej płci". (Jezus odpowiada jej, że każdy, kto jest natchniony przez Bożego Ducha, może wystąpić i przemawiać, stwierdzając

[5] Wesley W. Isenberg *Gospel of Philip*, *The Nag Hammadi Library*, s. 131.
[6] Epifaniusz (*Haer* 26,8 2–3). Cytat za: H.-Ch. Puech *Gnostic Gospels and Related Documents*, NTA, t. 1, s. 338–339.

w ten sposób, że natchnienie niweluje różnice między płciami, i powracając do wątku androgynii, znanego nam z *Ewangelii Filipa*). Sugerowano, że nieprzychylne nastawienie Piotra do Marii Magdaleny może odzwierciedlać ambiwalencję przywódców ortodoksyjnej wspólnoty wobec roli kobiet w Kościele. Jednak pod koniec II wieku egalitarne zasady, obecne w Nowym Testamencie i w tym kontekście wyznawane również przez świętego Pawła, zostały zarzucone na rzecz powrotu do wcześniejszego, patriarchalnego systemu judaistycznego. Tak więc na poziomie interpretacji historycznej teksty gnostyczne mogą się odnosić do napięć politycznych istniejących we wczesnym Kościele. Możemy się domyślać na podstawie przesłanek – takich jak niedowierzanie uczniów wobec relacji kobiet o zmartwychwstaniu czy pomijanie przez Pawła ich świadectwa na ten temat – tego, o czym źródła historyczne nie mówiły nigdy wprost: począwszy od II wieku żeński element w Kościele był stopniowo spychany na margines i usuwany.

Oczerniona Magdalena

Ludzka natura Chrystusa, a co za tym idzie, jego seksualność, były przedmiotem kilku poważnych studiów prowadzonych w ciągu ostatnich trzech dziesięcioleci. W przeciwieństwie do renesansowych artystów, którzy podkreślając jego genitalia, zwracali uwagę na ludzką naturę Jezusa, ostatnio badacze zajęli się problemem seksualnością Chrystusa w kontekście jego ludzkiej egzystencji. Przypuszczenie, że Chrystus był żonaty, jak najprawdopodobniej byłby ówczesny rabbi w jego wieku, pozwoliło – jak mogliśmy się przekonać – jednemu z autorów wysunąć hipotezę, że jego małżonką mogła być Maria Magdalena. Twierdził tak protestancki teolog William E. Phipps w swojej książce *Was Jesus Married? The Distortion of the Christian Tradition*, opublikowanej po raz pierwszy w 1970 roku i wznowionej w 1989. Jego zdaniem Jezus zawarł małżeństwo z Marią Magdaleną w drugiej dekadzie życia; Phipps posunął swą hipotezę jeszcze dalej, przypuszczając, że Maria Magdalena go zdradziła, a Chrystus, niezachwiany w miłości, wybaczył jej. To przeżycie, według Phippsa, pozwoliło Jezusowi lepiej pojąć charakter zdrady i miłości, *agape*, i przekonało go do odrzucenia koncepcji rozwodu. Maria Magdalena wywarła więc pewien wpływ na poglądy Chrystusa na temat związków; ten sam wątek podchwycili ostatnio, choć mniej profesjonalnie, autorzy bardziej popularnych książek. W opublikowanej w 1992 roku książce doktor Barbara Thiering *Jesus the Man* (Jezus mężczyzna) posuwa się wręcz do twierdzenia, że Maria Magdalena nie tylko była zamężna z Jezusem, lecz opuściła go po ukrzyżowaniu (po którym żył on jeszcze 30 lat), urodziwszy mu córkę i dwóch synów. Chrystus potem miał się ożenić jeszcze raz. Autorka, wykładająca na Sydney University, opiera swoje twierdzenia na nowej interpretacji zwojów znad Morza Martwego.

Pomysł, iż Maria Magdalena mogła być żoną Chrystusa i matką jego dzieci, został odświeżony w książce [Baigenta, Leigha i Lincolna] *Święty Graal, święta krew*, jednym z najdziwniejszych przejawów powszechnego pod koniec XX wieku zainteresowania zarówno historią Chrystusa, jak i teorią spiskową. Po zainscenizowanym ukrzyżowaniu, kiedy Jezus albo został zdjęty z krzyża w stanie odurzenia narkotykiem, albo zastąpił go Szymon Cyrenejczyk, rodzina Jezusa musiała uciekać przed tymi, którzy nie byli wtajemniczeni w spisek – ze świętym Piotrem na czele – i starali się bronić reputacji Chrystusa Mesjasza. Maria Magdalena, podróżująca wraz z bratem Łazarzem i innymi towarzyszami, dotarła na południe Francji, unosząc ze sobą *Sang Raal*, czyli świętego Graala: świętą krew Chrystusa w ciele jego dziecka lub dzieci. Rodzina osiadła w żydowskiej społeczności na południu Francji, połączyła się przez małżeństwa z królami z dynastii Merowingów. Następnie święta krew była przekazywana z pokolenia na pokolenie, przez Godfryda de Bouillon (władcy Królestwa Jerozolimskiego), dynastię lotaryńską, Habsburgów i pozostający w cieniu, lecz zawsze obecny Zakon Syjonu. Ten ostatni, broniący sekretu, niezależnie od tego, czego dotyczy, zamierzał stworzyć zjednoczone państwo europejskie z potomkiem Jezusa, i oczywiście Marii Magdaleny, na tronie. Tajemnicę ukryto gdzieś w pobliżu miasteczka Rennes-le-Château, którego proboszcz Saunière odnalazł w swoim kościele zaszyfrowane dokumenty i zbudował tajemniczą Tour de Magdala, mieszczącą jego bibliotekę. Autorzy naginają do swojej hipotezy wszelkie informacje, jakie udało im się znaleźć; nie przedstawiają żadnych nowych opinii na temat historycznej postaci Marii Magdaleny, lecz, wychodząc z założenia, że nie ma dymu bez ognia, koncentrują się wyłącznie na próbach sklecenia dowodów potwierdzających jedną z najbardziej wymyślnych legend, jakie narosły wokół Marii na przestrzeni stuleci (...).

[W dogłębnej, kompleksowej i błyskotliwej analizie Susan Haskins przypomniała, w jaki sposób kult Marii Magdaleny zyskał aż tak wielkie znaczenie we Francji. Prześledziła rozliczne mity i legendy, według których po opuszczeniu Jerozolimy Maria Magdalena udała się bądź to do Efezu, gdzie od dawna istniał kult greckiej bogini Artemidy i dokąd miała też podążyć Maryja Panna (turystom do dzisiaj pokazuje się dom, w którymi rzekomo mieszkała); bądź na egipską pustynię, gdzie spędziła 30 lat jako pustelnica; bądź do Northumbrii w Anglii, gdzie ona, Józef z Arymatei i święty Graal trafili do cyklu arturiańskiego. Szczególnie dużo legend dotyczących Marii Magdaleny powstało w średniowiecznej Francji. Fascynująca opowieść o tworzeniu przez ludzi mitów, o oszustwie i łatwowierności, jaką snuje Haskins, bez wątpienia zasługuje na uwagę czytelników *Kodu Leonarda da Vinci*. Jeśli sądzicie, że Pierre Plantard to oszust, a *Dossiers Secrets* są fałszerstwem, lub jeśli wydaje się wam, że Baigent, Leigh i Lincoln – albo na przykład Dan Brown – zbyt daleko odchodzą od faktów, powinniście się przyjrzeć opatom, biskupom i przedsiębiorczym szlachcicom, którzy w czasach krucjat fabrykowali relikwie związane z Marią Magdaleną – pukiel jej włosów, kilka kropel łez. Przywozili z Ziemi Świętej święte rzekomo obiekty, czerpali wielkie zyski z handlu relikwiami i wymieniali je na wężowy olej, mający podobno właściwości lecznicze. Urządzali procesje, pielgrzymki, święta i jedne z pierwszych przedstawień teatralnych pod gołym niebem – wszystko to sprawiało, że do małych francuskich miasteczek napływał strumień pieniędzy od pobożnych wędrowców, a handel rozkwitał. Imię Marii Magdaleny i jej wizerunek jako pokutnicy zazwyczaj stanowiły przykrywkę dla rozpusty. Jak to ujęła Haskins:]

Pielgrzymki do Vézelay

W XII i XIII wieku do sławnych sanktuariów napływały ogromne rzesze pielgrzymów. Tłumy przybywały w nadziei uleczenia z choroby, uwolnienia od demonów lub pragnąc innego rodzaju boskiej interwencji. Nie tylko to jednak stanowiło cel organizowania takich uroczystości, gdyż procesjom z relikwiami często towarzyszyły rozpusta i rozwiązłość (...). Uwiedzenia zdarzały się nagminnie, a prostytutki zarabiały krocie. Jednak (...) rady miejskie nadzwyczaj niechętnie zrezygnowałyby z urządzania pielgrzymek, ponieważ przynosiły one miastom wielkie zyski, jako że pielgrzymów trzeba było nakarmić i przenocować, a przy tym wydawało się, że taka dekadencja jest nieodłączną towarzyszką uroczystości.

Pielgrzymi z całej Francji przybywali do grobu Marii Magdaleny w Vézelay; niektórzy wędrowali aż z Anglii, poszukując w świętym miejscu uzdrowienia, przebaczenia lub uwolnienia od diabłów. Wraz z wiernymi pojawiali się również kupcy, zawsze gotowi czerpać profity z pobożnych (...).

[Kult Marii Magdaleny był tak potężny, a jej dusza miała mieć tak wielką moc pośredniczenia u Boga, że przypisywano jej rozmaite a liczne cuda: od przyniesienia pokoju dla Burgundii po ożywianie zabitych rycerzy. Bulle Lucjusza III, Urbana III i Klemensa III potwierdzały, że ciało Marii Magdaleny rzeczywiście spoczywa w Vézelay we Francji. Ale w jaki sposób dostała się ona z Jerozolimy do Francji i co się z nią działo przez lata, które tam spędziła? Haskins tak przedstawia tę historię:]

Zawsze jednak powracało trudne pytanie, w jaki sposób doszło do tego, że ciało Marii Magdaleny spoczęło w Burgundii, tak daleko od miejsca jej urodzenia w Judei. Choć zapewniano, że ciało „błogosławionej Magdaleny" leży w przyklasztornym kościele, nikt nigdy go nie widział ani też nie istniała żadna wiarygodna relacja o jej przybyciu z Palestyny po wniebowstąpieniu Chrystusa. W XI wieku prostą odpowiedź na te kłopotliwe pytania można było „streścić w kilku słowach", jak to ze zniecierpliwieniem ujmuje autor pewnego dokumentu spisanego w Vézelay. „Wszystko jest możliwe dla Boga, który czyni to, co Mu się podoba. Nic nie jest dla Niego niemożliwe, jeśli postanowi coś uczynić dla dobra ludzkości". Ponieważ taka odpowiedź okazała się niesatysfakcjonująca, narrator opowiedział, jak to ukazała mu się obok grobu sama Maria Magdalena, która oznajmiła: „Ja tutaj jestem, tak jak wielu ludzi wierzy". Tym, którzy powątpiewali w obecność ciała Marii Magdaleny w grobie w Vézelay, przypominano o bożej klątwie, która spadła na niedowiarków. Wyjaśnienie, dlaczego nigdy nie pokazano ciała, pojawiło się w manuskrypcie z końca XII wieku. Czytamy w nim, co zdarzyło się, kiedy sam Godfryd (opat Vézelay) postanowił wyjąć szczątki Magdaleny z małej krypty, w której zostały znalezione, aby umieścić je w drogocennym relikwiarzu. Kościół nagle pogrążył się w nieprzeniknionych ciemnościach, część świadków uciekła w przerażeniu, a ci, którzy zostali, rozchorowali się; od tamtej chwili zdecydowano nigdy więcej nie otwierać świętego grobu, ponieważ najwyraźniej taki czyn wzbudzał gniew Boga. Wiara jest wszystkim, czego potrzebujemy, mówili mnisi z Vézelay wątpiącym pielgrzymom.

W XIII wieku opactwo wydało wiele dokumentów potwierdzających, że klasztor jest w posiadaniu relikwii Marii Magdaleny, co wskazuje, że wiara pielgrzymów mocno się zachwiała i mnisi musieli w jakiś sposób uwiarygodnić swoje twierdzenia. Z opactwa popłynął istny potop materiału hagiograficznego, w którym pojawiły się nowe elementy legendy Magdaleny. Zaczęły krążyć – często zaprzeczające sobie wzajemnie – historie o tym, jak ciało Marii Magdaleny przybyło nie bezpośrednio z Palestyny, lecz z jakiegoś miejsca w Prowansji, gdzie pochowano ją między 882 a 884 rokiem, i o tym, jak pewien Aléaume popełnił „świętą kradzież", aby sprowadzić święte szczątki do ostatecznego miejsca ich spoczynku (...).

W poszukiwaniu straconego czasu

Słynne francuskie ciastka, magdalenki, ściśle związane z Marią Magdaleną, tradycyjnie przyrządza się z jajek, mąki, masła i cukru. To właśnie od pierwszego kęsa magdalenki, przywołującego nostalgiczne wspomnienia, rozpoczyna się wielotomowa powieść Marcela Prousta *W poszukiwaniu straconego czasu*. Legenda głosi, że zakonnice z konwentu Marii Magdaleny w mieście Commercy wymyśliły lub udoskonaliły przepis na magdalenkę, później zaś sprzedały go piekarzom za bajońską sumę, aby utrzymać się po rozwiązaniu zakonu w czasie rewolucji francuskiej. Magdalenek, które są lubianym przez francuzów przysmakiem, najwięcej wypieka się w święto Marii Magdaleny, 22 lipca.

Najczęściej jednak opowiadana wersja głosiła, że Maria Magdalena przypłynęła łodzią, podobnie jak wielu innych świętych i apostołów, którzy dotarli do Francji, i że towarzyszył jej Maksymin – według pierwszej relacji – jeden z 72 uczniów (ponieważ, jak kąśliwie zauważa Duchesne, „kobieta nie mogłaby podróżować sama, gdyż zawsze potrzebuje wsparcia"). Wylądowali w Marsylii (Massalii) i tam głosili ewangelię. Według tej legendy nasza święta jeszcze raz stała się *apostola apostolorum*: pierwsza wśród apostołów w ewangeliach, po przybyciu do Francji zaczęła nauczać, w ten sposób kontynuując apostolską karierę, i z czasem nawróciła pogańskiego księcia Marsylii*. (Późniejszy mnich narrator najwyraźniej czuł się jednak zobowiązany wyjaśnić dyskretnie, jak było możliwe, aby kobieta brała udział w apostolskich, a więc z definicji męskich zajęciach, jako że nauka Kościoła nie popiera apostolstwa kobiet. Napisał więc, że po przybyciu do Francji Maria Magdalena nie nauczała, lecz żyła w odosobnieniu[7]). Według tej samej legendy Maksymin później został pierwszym biskupem Aix-en-Provence. Maria Magdalena umarła wcześniej

* W I wieku n.e. Massalia należała – jako miasto wolne i sprzymierzone – do Cesarstwa Rzymskiego.

[7] Baudouin de Gaiffier *Hagiographie bourguignonne*, „Analecta Bollandiana", t. 69, 1951, s. 140.

niż jej towarzysz, który pochował ją, a potem sam spoczął obok niej. W kościele Świętego Zbawiciela w Aix-en-Provence specjalny ołtarz poświęcono Maksyminowi i Marii Magdalenie jako założycielom miasta, które szczyciło się też tym, że zostało zewangelizowane w I wieku. Konsekrację kościoła opisuje sfałszowany dokument noszący datę 7 sierpnia 1103 roku, w rzeczywistości napisany pod koniec XII wieku przez biskupa i kanoników, by uwiarygodnić ich twierdzenie, że kości słynnych założycieli wciąż znajdują się w grobowcu.

Późniejsza wersja legendy, przywołująca rodzinne więzy Magdaleny, Łazarza i Marty, opisuje losy rodziny od ucieczki z Betanii w Palestynie w czasie żydowskich prześladowań – których, jako bliscy towarzysze Chrystusa, byliby głównym celem – przez podróż morską do przybycia do Aix-en-Provence. Według tej wersji Łazarz miał zostać pierwszym biskupem Marsylii, Marta osiadła w Tarasconie, gdzie pokonała straszliwego smoka, po czym wszyscy pomarli; kości Łazarza i Marii Magdaleny zostały zabrane do Burgundii, lecz szczątki Marty zostały w Prowansji, gdzie „odkryto" je w 1187 roku.

W XIII wieku istniało niepokojąco dużo sprzecznych opowieści o podróży Marii Magdaleny; w niektórych z nich występował Maksymin, w innych pojawiali się Łazarz i Marta, a niekiedy Sydoniusz i Marcelina, służąca Marty, którzy, jak czasem zapewniano, nauczali w Marsylii i dolnej Galii. Tak czy inaczej wszystkie historie prowadziły do jednego finału: relikwie znajdują się w Vézelay, dokąd sprowadził je Badilon, który dokonał „świętej" kradzieży (...).

Gdyby nie średniowieczna rywalizacja między klasztorami i pielgrzymki do Vézelay, Maria Magdalena mogłaby nigdy nie zyskać tak wielkiej popularności; gdyby nie mnisi od świętego Maksymina i późniejsze przejęcie ich pomysłu przez dominikanów, koncepcja pokutującej Marii Magdaleny, która spędziła 30 lat na pustyni, mogłaby nigdy nie przedostać się do Italii, gdzie, począwszy od XIII wieku, znalazła wyraz w liturgii i freskach zdobiących kościoły i klasztory całego półwyspu. Za sprawą Karola Andegaweńskiego, XIII-wiecznego króla Sycylii i Neapolu, legenda o Marii Magdalenie dotarła do Neapolu, a dzięki związkom małżeńskim jego dynastii i hiszpańskiej rodziny królewskiej trafiła również na Półwysep Iberyjski. Gdyby nie zapewnienia duchownych z Vézelay, że posiadają relikwie najsłynniejszej i najbardziej kochanej pokutnicy chrześcijaństwa, nie zrodziłby się może w 1225 roku w Niemczech ruch moralnego uzdrawiania prostytutek i upadłych kobiet, który rozkwitł w średniowieczu i w różnych formach przetrwał aż do początków XX wieku*.

* Tzw. domy magdalenek, prowadzone przez siostry zakonne dla upadłych dziewcząt, istniały w całej Europie, także w Polsce. Ostatni zamknięto w roku 1996 w Irlandii.

[W następnym cytowanym fragmencie Esther de Boer podejmuje skrupulatną i pieczołowitą analizę dotyczących Marii Magdaleny fragmentów ewangelii i innych źródeł historycznych. De Boer wysuwa wiele hipotez na temat tego, kim mogła być Maria Magdalena i jakiego rodzaju związek łączył ją z Jezusem. Na koniec jednak dochodzi do wniosków znacznie ostrożniejszych niż inni eksperci, których poglądy prezentujemy w tej książce, nie posuwając się za daleko tam, gdzie brak pewnych i jednoznacznych dowodów].

Maria Magdalena

Poza mitem

ESTHER DE BOER

Fragmenty z książki *Mary Magdalene: Beyond the Myth* (Maria Magdalena: poza mitem) Esther de Boer. Wykorzystano za zgodą Trinity Press International. Copyright © 1996 by Meinema. Tłumaczenia angielskie Copyright © 1997 by John Bowden. Esther de Boer studiuje obecnie teologię na Wolnym Uniwersytecie w Amsterdamie i pełni służbę duszpasterską w Holenderskim Kościele Reformowanym w Ouderkerk aan de Amstel.

Czy Maria została w średniowieczu celowo odsunięta w cień również ze względu na to, że była kobietą? Warto przypomnieć, w którym dokładnie momencie Maria Magdalena została pokutnicą.

Przed soborem trydenckim (1545–1563) wciąż istniały kalendarze świętych, w których bądź nie opisywano Marii Magdaleny, bądź wspominano ją wyłącznie jako pierwszego świadka zmartwychwstania Pana. Jej święto obchodzono w różne dni, zależnie od lokalnych zwyczajów. Jednakże na mocy postanowień soboru trydenckiego sporządzono księgi liturgiczne, przeznaczone do użytku w całym Kościele rzymskokatolickim. I tak w 1570 roku pojawił się *Mszał Rzymski*. W tym pierwszym obowiązkowym mszale Marii Magdalenie nadano określenie „pokutnica". Autorzy mszału nie tylko posłużyli się wizerunkiem Marii Magdaleny, jaki był rozpowszechniany przez Grzegorza Wielkiego. Koncepcja

Marii Magdaleny była pochodną sytuacji w Kościele czasów kontrreformacji. W przeciwieństwie do reformacji, z jej doktryną łaski, kontrreformacja podkreślała znaczenie pokuty i zasług. Maria Magdalena mogła odegrać ważną rolę jako pokutnica i osoba faworyzowana par excellence.

Drugi sobór watykański (1962–1965) nakazał naniesienie poprawek do *Mszału Rzymskiego*; jego nowa wersja ukazała się w roku 1970. W zmienionym wydaniu mszału na dzień Marii Magdaleny przewidziane zostało czytanie z Ewangelii według św. Jana (J 20,1–18). Głównym wątkiem tego fragmentu jest spotkanie Marii Magdaleny ze zmartwychwstałym Panem. Zrezygnowano z użycia słowa „pokutnica". Obecnie prezentowany przez mszał komentarz brzmi następująco:

> Maria Magdalena jest jedną z kobiet, które towarzyszyły Chrystusowi w jego wędrówkach. Była przy nim obecna, kiedy umarł, i jako pierwsza zobaczyła go po zmartwychwstaniu (Mk 16,9). Jej kult rozpowszechnił się w Kościele zachodnim przede wszystkim w XII wieku[8].

Można więc powiedzieć, że Maria Magdalena spędziła na zesłaniu jako pokutnica całe 400 lat (...). Każdy badacz, który stara się poznać tę postać, musi czuć swego rodzaju rozczarowanie tym, jak niewiele światła rzucają na nią najwcześniejsze źródła. Kim była Maria Magdalena, zanim spotkała Jezusa, jakie życie prowadziła, ile miała lat, w jakich okolicznościach się nawróciła, co stało się z nią później? Najdawniejsze świadectwa pozwalają nam tylko snuć przypuszczenia.

Tu docieramy do pierwszego skrzyżowania na naszej drodze. Jakie wnioski możemy wyciągnąć z faktu, że ewangeliści mówią nam tak niewiele? (...). Najbardziej oczywista odpowiedź byłaby taka, że zdaniem ewangelistów wszelkie dokładniejsze informacje na jej temat nie miałyby żadnego znaczenia dla historii wiary w Jezusa, którą chcieli przekazać (...).

Przeglądając wzmianki o narodzinach i zgonach w gazetach trudno znaleźć imię „Magdalena". Pojawiają się jednak pochodzące od niego imiona „Magda" i „Madeleine"*. Moglibyśmy więc dojść do wniosku, że Magdalena jest imieniem. Nic dalszego od prawdy. Również cztery ewangelie Nowego Testamentu nigdy nie używają formy Maria Magdalena, do jakiej wszyscy przywykliśmy, lecz mówią o Marii z Magdali lub Marii „Magdalenie" (co znaczy w gruncie rzeczy to samo). Łukasz ujmuje rzecz jeszcze dobitniej, wspominając o Marii „zwanej Magdaleną" (Łk 8,2). Określenie „Magdalena" zostało dodane do imienia, aby było zupełnie jasne, o jakiej Marii mowa – o Marii, która pochodzi z Magdali.

---

[8] Duńska Krajowa Rada Liturgii *Altaarmissal voor de Nederlandse kerkprovincie*, 1978, s. 864.

* Oczywiście w polskich gazetach czytelnik znalazłby niejedną Magdalenę.

O mieście Magdala nie wspomina Nowy Testament, a w każdym razie nie tekst Nowego Testamentu, z jakim zazwyczaj mamy do czynienia. Lecz Nowy Testament przetrwał w formie bardzo licznych manuskryptów i w niektórych z nich można znaleźć Magdalę: w jednej z wersji Ewangelii według św. Marka (Mk 8,10) i w jednej z wersji Ewangelii według św. Mateusza (Mt 15,39). Nazwa Magdala pojawia się tam w miejscach, gdzie w oficjalnej wersji występują odpowiednio Dalmanuta i Magadan. Są to nazwy miejscowości, których naukowcom nie udało się dokładniej zidentyfikować. Jeśli Mateuszowi i Markowi rzeczywiście chodziło o Magdalę, byłoby to miejsce, do którego Jezus i jego uczniowie wyruszyli drogą wodną po tym, jak nakarmili 4000 ludzi siedmioma chlebami i kilkoma rybami.

Tam, w regionie Magadanu/Dalmanuty, faryzeusze prosili go o znak z nieba, aby go „wystawić na próbę" (Mt 16,1–4, Mk 8,11–13). Zatem jeśli na podstawie Nowego Testamentu możemy wyciągnąć jakieś wnioski, to tylko takie, że w okolicy Magdali żyli faryzeusze i że można tam było dotrzeć statkiem.

Od dawna trwała dyskusja na temat położenia Magdali. Z literatury rabinicznej wynika jasno, że powinniśmy szukać Magdali w okolicy Tyberiady, nad jeziorem Genezaret.

Dzisiaj na północ od Tyberiady leży małe miasteczko Meidel. Jego nazwa może nawiązywać do Magdali. Takie przypuszczenie doskonale pasuje do opisów dawnych pielgrzymek, które umieszczają Magdalę między Tyberiadą a położonym na północ Kafarnaum. W relacjach pielgrzymów od VI do XVII wieku Magdala zawsze leży w równej odległości od Tyberiady i od Tabgi, miejscowości w pobliżu Kafarnaum. Pielgrzymi opowiadali o domu Marii Magdaleny i o kościele, który cesarzowa Helena (IV wiek) kazała zbudować na jej cześć. Ricoldus de Monte Crucis w swojej relacji z podróży (1294) wspominał, że pod koniec XIII wieku kościół nie był już używany. Napisał:

> Potem przybyliśmy do Magdali (...) miasta Marii Magdaleny nad jeziorem Genezaret. Zalaliśmy się łzami i rozpaczaliśmy, ponieważ znaleźliśmy wspaniały kościół, zupełnie nienaruszony, używany jako stajnie. Zaśpiewaliśmy więc w tym miejscu i odczytaliśmy z ewangelii fragment o Marii Magdalenie[9].

Jeśli Magdala rzeczywiście leżała w tym samym miejscu co Meidel, to Jezus musiał ją odwiedzić. Miasteczko znajduje się na drodze z Nazaretu (małej wioski, w której dorastał, około 30 kilometrów od Magdali) do Kafarnaum, gdzie później przebywał.

---

[9] Manns, „Magdala" (nr 4), s. 335.

Kafarnaum dzieli od Magdali około 10 kilometrów. Jest nie do pomyślenia, aby to miasteczko nie było Jezusowi dobrze znane. Bardzo możliwe, że nauczał tam i uzdrawiał ludzi, ponieważ w Ewangelii według św. Marka czytamy:

> I chodził po całej Galilei, nauczając w ich synagogach i wyrzucając złe duchy (Mk 1,39, por. Mt 4,23, Łk 8,1–3).

Z literatury rabinicznej wydaje się też wynikać, że w Magdali istniała synagoga. Przy niej działał (w każdym razie na początku II wieku, a być może i wcześniej) *betz ha-midrasz*, szkoła, w której zajmowano się wyjaśnianiem i zastosowaniem świętych pism.

W midraszu na temat fragmentu lamentacji zaczynającego się od słów „Zburzył Pan bez litości wszystkie siedziby Jakuba" (Lm 2,2) Magdalę podaje się jako przykład pobożności. Znajdowało się tam 300 straganów, w których kupcy handlowali ptakami niezbędnymi do rytualnych puryfikacji. Należności z podatku religijnego, który przekazywano do Jerozolimy, były tak wielkie, że przewożono je wozem. A jednak miasto zostało zniszczone. Dlaczego? O ile w przypadku dwóch innych miast wspomnianych w tym przykładzie jako powód podano „niezgodę" i „czary", przyczyną zniszczenia Magdali jest „rozwiązłość" (*Ika Rabba* II, 2,4). Tak więc Magdalę kojarzono nie tylko z pobożnością, ale i z rozpustą (...).

Czy wolno nam zatem sądzić, że Maria z Magdali starała się zaspokoić mężczyzn przybywających z bliska i z daleka? Jedyna wzmianka o seksualnej rozwiązłości w Magdali pochodzi z cytowanego wyżej komentarza do Lamentacji. Mędrcy wskazywali rozpustę jako powód zniszczenia Magdali. Jednakże rozpustę wspomniano w kontekście pobożności: mimo pobożności mieszkańców Magdala została zniszczona z powodu rozpusty. Nie ma żadnego oczywistego powodu, by uważać Marię Magdalenę za rozpustnicę, podobnie jak nie ma żadnego powodu, by uznać ją za szczególnie pobożną tylko dlatego, że Magdala słynęła z pobożności.

Możemy jednak przyjąć, że imię Marii Magdaleny przywodzi na myśl ogólną atmosferę miasta, z którego pochodziła. Była to atmosfera kupieckiego miasteczka leżącego na międzynarodowym szlaku handlowym, miejsca, gdzie na rynku mogli się spotykać ludzie reprezentujący najróżniejsze religie i obyczaje; atmosfera dobrze prosperującego miasta, które cierpiało w wyniku okupacji i oporu wobec niej, w wyniku przemocy i niepokojów politycznych, które pojawiły się wraz z okupacją; atmosfera tolerancyjnego miasta, w którym rozwijały się obok siebie kultury żydowska i hellenistyczna.

Imię Marii Magdaleny pochodzi od hebrajskiej nazwy tego miasta. Nazywano ją Marią z Magdali, a nie Marią z Tarychei. Pozwala to przypuszczać, że urodziła sie jako Żydówka.

Ewangelie Nowego Testamentu są zgodne co do tego, że Maria Magdalena była jedną z osób podążających za Jezusem, lecz nie jedyną kobietą wśród nich. Ewangelie nie mówią nam dokładnie, jak do tego doszło (...).

Wybór, by zostać uczniem Jezusa i dołączyć do jego małej grupki stałych towarzyszy, miał daleko idące konsekwencje w codziennym życiu, a z pewnością miał je dla kobiety. Towarzyszenie Jezusowi oznaczało wędrowanie po kraju, życie w ubóstwie i prostocie, spotkanie z innymi uczniami, bogatymi i biednymi, z miast i wsi, z zelotami, poborcami podatkowymi czy rybakami; oznaczało też powstrzymanie się od seksu i niosło za sobą zagrożenie, zarówno ze strony Żydów, jak i Rzymian. Maria Magdalena musiała to wszystko zaakceptować, decydując się pójść za Jezusem (...).

Co skłoniło Marię Magdalenę, by dołączyć do Jezusa? Musiała, podobnie jak inni, ulec czarowi jego osobowości. Lecz w świetle tego, czego dowiedzieliśmy się o niej do tej pory, możemy powiedzieć znacznie więcej.

Wychowała się w mieście, w którym wyraźnie dawały się odczuć skutki rzymskiej okupacji i opozycji wobec niej, a także cierpienie, jakie niosła za sobą taka sytuacja. Mogło to uczynić Marię Magdalenę szczególnie wrażliwą na naukę o wyrzeczeniu się przemocy, na uduchowienie i uzdrawiającą wizję Królestwa Bożego.

Wyrosła w miejscu, w którym współistniały obok siebie kultury hellenistyczna i żydowska. Wychowywała się wśród ludzi z różnych krajów, różnych religii, którzy przybyli do Magdali w celach handlowych. Mogło to uwrażliwić ją na nacisk, jaki Jezus kładł na charakter człowieka, życie wewnętrzne, autentyczne reakcje, a nie na zewnętrzne różnice. Dzięki temu też być może łatwiej trafiało do niej przesłanie, że Bóg jest miłosierny wobec wszystkich, bez żadnych różnic, ponieważ jest Bogiem wszystkich stworzeń; Bóg istot ludzkich jest również Bogiem całej natury – a wokół Magdali przyroda wyróżniała się szczególnym bogactwem i różnorodnością (...).

Maria Magdalena urodziła się w mieście Magdala nad jeziorem Genezaret; w tym kupieckim miasteczku na targowisku spotykali się ludzie najróżniejszych religii i obyczajów. Było to kwitnące miasto, w którym handlowano solonymi rybami, tkaninami i rozmaitymi produktami rolnymi; miasto tolerancyjne, w którym rozwijały się kultury i żydowska, i hellenistyczna; ufortyfikowane miasto położone w strategicznym punkcie, na obszarze, który wiele wycierpiał w wyniku rzymskiej okupacji i opozycji wobec niej. Okoliczna przyroda charakteryzowała się wyjątkowym bogactwem. Maria Magdalena najprawdopodobniej pochodziła z rodziny żydowskiej, jednak – zamiast określić ją poprzez związki rodzinne, jak w przypadku innych Marii wymienianych w czterech ewangeliach – zidentyfikowano ją, dodając do jej imienia nazwę miasta. Od najmłodszych lat widziała przemoc, bogactwo i biedę, niesprawiedliwość, poznała różne religie i kultury, a wszystko to w pięknej i nadzwyczaj urodzajnej okolicy. W pewnym momencie postanowiła dołączyć do Jezusa. Niewykluczone, że spotkała go w synagodze w Magdali. Łukasz jako jedyny z ewangelistów mówi, że za sprawą Jezusa Marię opuściło siedem złych duchów. Nie wiemy dokładnie, co przez to rozumieć, lecz widać, że kontakt z Jezusem musiał jej przynieść wielką ulgę i podnieść na duchu. Jan przedstawia ją jako jedną z osób najbliższych Jezusowi, wraz z którego rodziną stała tuż pod krzyżem podczas kaźni. Na podstawie uwag Marka na temat kobiet zgromadzonych pod krzyżem, na podstawie tego, co ewangelie mówią nam o stosunku Jezusa do kobiet, i na podstawie opisu zmartwychwstania w ewangeliach Łukasza i Jana możemy dojść do wniosku, że Maria Magdalena należała do wąskiego kręgu uczniów, którzy stale towarzyszyli Jezusowi. Pozostawała pod wielkim wrażeniem jego osobowości i jego przesłania o nadchodzącym Królestwie Bożym. Wielki wpływ wywarły na nią jego nauki: waga, jaką przywiązywał raczej do dobrego charakteru ludzi niż do poprawnego zachowania, a także nacisk, jaki kładł na nieskończoną dobroć Boga, nie ograniczoną do nielicznych, lecz rozciągającą się na wszystkich.

Mary, Mary

Mary (Maria) jest najczęściej nadawanym imieniem kobiecym w Stanach Zjednoczonych. Według statystyk spisu ludności ponad 3 000 000 amerykańskich kobiet – niemal 3% wszystkich kobiet – ma na imię Mary*.

Ewangeliści wspominają o Marii Magdalenie w swoich opowieściach o Jezusie, ponieważ była ona najważniejszym świadkiem jego śmierci i pogrzebania jego ciała; ona także jako pierwsza widziała grób i usłyszała nowinę o zmartwychwstaniu. Jak mogliśmy się przekonać, jej obecność przy grobie Jezusa wymagała odwagi w obliczu zarówno żydowskich, jak i rzymskich władz.

Można odnieść wrażenie, że Marek, Łukasz i Jan wręcz zachęcają czytelnika, by porównał Marię Magdalenę z Piotrem. W Ewangelii według św. Marka jej

* W Polsce Maria to drugie w kolejności najczęściej nadawane imię kobiece (na pierwszym miejscu znajduje się Anna). Według rejestru PESEL (stan na 31 marca 2001) imię Maria nosi w Polsce 928 460 kobiet.

status jest taki sam jak Piotra; u Łukasza Piotr jest wyraźnie ważniejszy od Marii Magdaleny, natomiast u Jana Piotr przedstawia się zdecydowanie gorzej (...).

O ile późniejsi ojcowie kościoła i doktryny Kościołów wschodniego i zachodniego podkreślają dystans pomiędzy Jezusem i Marią Magdaleną, z innych pism wynika, że łączyły ich bliskie stosunki.

Informacje na ten temat znajdujemy już w Listach Apostolskich. Podobnie jak w Ewangelii według św. Łukasza, kobiety opowiadające o zmartwychwstaniu Jezusa spotkały się z niedowierzaniem. Jednak w przeciwieństwie do tego, co twierdził Łukasz, przemówić rozkazał im sam Pan. Wysłał kolejno Marię Magdalenę i Marię, siostrę Marty. Kiedy i im nie uwierzono, Pan ukazał się 11 uczniom, jednak nie sam, lecz wziąwszy ze sobą obie Marie. W ten sposób udowodnił, że mówiły prawdę. W *Ewangelii Tomasza* Jezus obiecuje dać Marii Magdalenie szczególne przewodnictwo. W odpowiedzi na prośbę Piotra, aby wykluczył ją z kręgu uczniów, mówi:

> Oto poprowadzę ją, by uczynić ją mężczyzną, aby stała się ona sama duchem żywym, podobnym do was, mężczyzn. Gdyż każda kobieta, która uczyni się mężczyzną, wejdzie do królestwa niebios (EwTm, logion 114).

W *Ewangelii Filipa* czytamy, że Marię Magdalenę nazywano towarzyszką Jezusa. Ona, Maryja, matka Jezusa, i jej siostra, zawsze były przy nim. Autor *Ewangelii Filipa* pisze:

> [Chrystus kochał] ją bardziej niż [wszystkich] uczniów [i zwykł był] całować ją [często] w u[sta] (EwF 63, 34–35).

„Całowanie" nie ma znaczenia erotycznego, lecz duchowe, nawiązuje do łaski, która sprawia, że ci, którzy wymieniają pocałunek, rodzą się na nowo. Wspomina o tym wcześniej ta sama ewangelia:

> Jeśli dzieci Adama są liczne, chociaż umierają, o ileż liczniejsze są dzieci doskonałego człowieka, które nie umierają, lecz nieustannie rodzą się na nowo (...). Karmią się obietnicą wejścia do miejsca, które jest na górze. Obietnica pochodzi z ust, bowiem Słowo przyszło stamtąd i było karmione z ust i stało się doskonałe. Doskonały poczyna przez pocałunek i rodzi. Z tego powodu my także całujemy się wzajemnie. Poczynamy z łaski, którą mamy wśród nas (EwF 58,20–59,6).

Maria Magdalena stała się płodna dzięki łasce, która jest w Chrystusie. Przyjęcie tej łaski sprawiło, że narodziła się na nowo.

Dystans między Jezusem i Marią Magdaleną u późniejszych ojców kościoła jest dystansem pomiędzy grzeszną kobietą a Bogiem. Zażyłość widoczna we wspomnianych tu pismach jest zażyłością nauczyciela i uczennicy (...).

Maria Magdalena była odważną i zdecydowaną uczennicą, o czym świadczy fakt, że najwyraźniej jako jedna z nielicznych przyglądała się ukrzyżowaniu i brała udział w pogrzebie, a także to, że później poszła zobaczyć grób (...).

Płeć Marii Magdaleny okazała się w istotny sposób wpływać na nasze poszukiwania, począwszy od najdawniejszych źródeł. Zwróciliśmy uwagę, że przede wszystkim trzy pierwsze ewangelie Nowego Testamentu wyrażają się niejasno na temat uczniów kobiet. Nie można było o nich nie wspomnieć jako o świadkach, lecz wzmianki takie pojawiają się nagle i są bardzo lakoniczne. Porównaliśmy taki sposób prezentacji z raczej nieprzychylnym podejściem do kobiet jako świadków, jakie prezentowali zarówno Rzymianie, jak i Żydzi. Przekonaliśmy się też, że fakt, iż wśród uczniów Jezusa znajdowały się kobiety, nie był dobrze przyjmowany. Zarówno w tradycji żydowskiej, jak i rzymskim prawie macierzyństwo jest jedynym godnym celem życia kobiety. Nigdzie też ewangelie nie nazywają Marii Magdaleny ani innych kobiet prawdziwymi uczennicami, chyba że znalazły się w grupie osób określonych zbiorowo rzeczownikiem rodzaju męskiego w liczbie mnogiej – „uczniowie". Jednakże słowo rodzaju żeńskiego, „uczennica", występuje u ojców kościoła i w pozabiblijnej literaturze ewangelicznej.

Ojcowie kościoła przedstawiali Marię Magdalenę jako odpowiednik Ewy, kobiety, która sprowadziła na świat grzech. Maria Magdalena była „nową Ewą", która może przynieść przesłanie odkupienia. Wydaje się więc, że powinna być bliska Chrystusowi, uważanemu za nowego Adama. Tymczasem od Orygenesa po Augustyna – zawsze podkreślano wielki dystans dzielący tych dwoje (...).

W niektórych pismach Piotr personifikuje ortodoksyjne poglądy na kwestię kobiecą. Maria Magdalena obawia się go, ponieważ „on nienawidzi naszej płci", a on boi się Marii; lęka się, że ta „nowa Ewa" może zyskać zbyt silne wpływy. „Niech Maria nas opuści – mówi – kobiety nie są godne życia" i pyta swoich braci: „Czyż mamy się wszyscy odwrócić i słuchać jej? Czy on wybrał ją przed nami?"

Możemy zadać sobie pytanie, na ile fakt, że Maria Magdalena była kobietą, okazał się istotny dla niej samej. Czy do Jezusa przyciągnęła ją między innymi jego otwartość w postępowaniu z kobietami? Nie natrafiłem na żadne źródła, które mogłyby potwierdzić takie przypuszczenie. Co więcej, w *Dialogu Zbawiciela* jest ona bezsprzecznie partnerką w dyskusji doktrynalnej na temat „prac kobiecych", które należy zarzucić. Nie reaguje, kiedy Mateusz cytuje jako słowa Pana: „Módlcie się, gdzie nie ma kobiet". Od stuleci ludzie zastanawiają się, czy Maria Magdalena pociągała Jezusa jako kobieta. Nie znaleźliśmy żadnego tekstu, który by dawał odpowiedź na to pytanie (...).

„Kod Leonarda da Vinci wykorzystuje fikcję, by wyjaśnić historyczne niejasności..."

WYWIAD Z DEIRDRE GOOD

Deirdre Good wykłada Nowy Testament w seminarium teologicznym Kościoła Episkopalnego w Nowym Jorku. Tytuł doktora uzyskała w Harvard Divinity School. Ostatnio wygłosiła wiele wykładów na temat Marii Magdaleny i *Kodu Leonarda da Vinci*.

Kim była prawdziwa Maria Magdalena i jak wyglądało jej życie?

W Ewangelii według św. Łukasza czytamy, że była bogatą zwolenniczką i uczennicą Jezusa, który wypędził z niej siedem złych duchów. Jej imię wskazuje, skąd pochodziła: z Magdali, miasta na wybrzeżu Galilei, w czasach rzymskich słynącego z solonych ryb. Migdal leżała niedaleko na północ od Tyberiady. Maria Magdalena jako jedna z grupy kobiet przyszła do grobu wczesnym rankiem trzeciego dnia po śmierci Jezusa, aby namaścić ciało wonnościami. Według kilku relacji ewangelicznych kobiety spotkały tam anioła, który oznajmił im, że Chrystus zmartwychwstał. Zdaniem świętego Jana miała wizję wskrzeszonego Jezusa. To wszystko czyni ją prorokinią i apostołką. Nie wiemy, jak naprawdę wyglądała, lecz w sztuce chrześcijańskiego Wschodu i Zachodu oraz w średniowiecznych widowiskach misteryjnych istnieje wiele jej wizerunków.

Jako uczona zajmująca się początkami chrześcijaństwa mogę stwierdzić, że Maria Magdalena pojawia się w ewangeliach Łukasza i Jana, w dłuższym tekście Marka oraz w pozakanonicznych ewangeliach Tomasza, Marii, Filipa i Piotra, a także w późniejszych *Pistis Sofia* i *Psalmach manichejskich*. Według najwcześniejszych tekstów do odwiedzenia grobu skłania ją, i dwie inne kobiety, przywiązanie do Jezusa. W kilku późniejszych źródłach jest apostołką i prorokinią, której ukazuje się zmartwychwstały Jezus. O jej przenikliwości opowiadają relacje dotyczące jej wizji Jezusa (Ewangelia według św. Jana 20, *Ewangelia Marii Magdaleny*). W Ewangelii według św. Jana (J 20) Jezus zwraca się do niej jej hebrajskim imieniem: „Mariam!" Ona rozpoznaje go i odpowiada po hebrajsku: „*Rabbuni!*" Kilka tekstów (dodane zakończenie Ewangelii według św. Marka, *Ewangelia Marii Magdaleny*, *Ewangelia Tomasza*, *Pistis Sofia*) wspomina, że spotkała się z wrogością ze strony innych apostołów (zwłaszcza Piotra), którzy nie uwierzyli jej świadectwu. Jednakże niektórzy stanęli po jej stronie. Tak więc w tradycji chrześcijańskiej Maria Magdalena jest apostołką apostołów. W *Psalmach manichejskich* Jezus przypomina jej o spotkaniu, jakie miało miejsce po zmartwychwstaniu, i poleca pójść do innych uczniów, przede wszystkim do Piotra.

Co pani sądzi o obrazie Marii Magdaleny, jaki przedstawia Kod Leonarda da Vinci?

Kod Leonarda da Vinci wykorzystuje fikcję, by wyjaśnić historyczne niejasności i wypełnić luki. Jest to więc takie samo podejście, jakie przyjęli inni – i to lepsi – pisarze, na przykład Charles Dickens. Nie ma też w takim podejściu nic złego, o ile odrzucimy założenie Browna, który twierdzi, że pisze prawdę. Pomysł, iż Jezus i Maria Magdalena byli małżeństwem, jest więc fikcją, mającą wyrazić szczególny charakter ich związku. Jednak Jezusa łączyły wyjątkowe więzi z wieloma osobami – na przykład z „umiłowanym uczniem" z Ewangelii według św. Jana, z Piotrem i innymi. Musimy zatem zadać sobie pytanie, czy twierdzenie Browna, że Jezus i Maria Magdalena zawarli małżeństwo, w odpowiedni sposób opisuje szczególny związek, jaki łączył mężczyznę imieniem Jezus z kobietą imieniem Maria Magdalena. Jeśli założymy, że byli małżonkami, to będziemy się doszukiwać świadectw takiego związku zawsze i wszędzie. Nie ma ich jednak w *Ostatniej Wieczerzy* Leonarda da Vinci, ponieważ historycy sztuki, oglądając szkice artysty do tego malowidła, zidentyfikowali postać po prawej stronie Jezusa jako Jana, którego przedstawiano zawsze jako młodego człowieka, a zatem bez brody.

Jak pani sądzi, czemu współcześnie zainteresowanie Marią Magdaleną jest aż tak wielkie?

Zjawisko to zbiegło się w czasie z pojawieniem się studiów feministycznych – obecnie uznanych już za samodzielną i pełnoprawną dyscyplinę nauki – nad rolą kobiety i problematyką płci jako zjawiska w kulturze chrześcijańskiej. W tym kontekście odkrycie i opublikowanie oryginalnych koptyjskich tekstów z Nag Hammadi stało się impulsem, który rozbudził wśród badaczy zajmujących się tematyką kobiet i płci zainteresowanie wczesnymi źródłami niewłączonymi do kanonu. Sukces książki Elaine Pagels *The Gnostic Gospels* i udostępnienie tekstów z Nag Hammadi w Internecie umożliwiło dostęp do obszernego nowego materiału. Badanie wszystkich źródeł historycznych dotyczących Marii Magdaleny nasunęło pytania o rolę kobiet we wczesnym ruchu chrześcijańskim. Marię Magdalenę odkryto ponownie jako wybitną apostołkę i prorokinię.

Pracowała pani nad porównaniem imion i znaczenia postaci Marii Magdaleny z Nowego Testamentu i Miriam ze Starego Testamentu. Do jakich wniosków pani doszła?

Jestem przekonana, że istnieje związek, zarówno w imieniu, jak i funkcji, między Miriam ze Starego Testamentu a Marią Magdaleną i Maryją, matką Jezusa. Staram się tego dowieść w mojej nowej książce, *Mariam, the Magdalen, and the Mother* (Mariam, Magdalena i Matka), która zostanie opublikowana w 2005 roku przez Indiana University Press. Imię Miriam w greckim tłumaczeniu Starego Testamentu brzmi Mariam. Imię w tej formie nosiła kobieta, z którą rozmawiał archanioł Gabriel w Ewangelii według św. Łukasza (Łk 1), oraz kobieta, której Jezus ukazał się w ogrodzie według Ewangelii według św. Jana (J 20). Poza tym, podobnie jak prorokini Miriam, matka Jezusa wychwala Boga (w pieśni znanej jako *Magnificat* – Łk 1) z powodu odmiany losu, jakiej Bóg dokonał w przeszłości. Przewiduje też to, czego Bóg dokona przez działalność jej syna Jezusa, a co opisuje Łukasz. Profetyczna rola matki Jezusa znajduje kontynuację w *Protoewangelii Jakuba* (Narodzinach Maryi), jednym z pozakanonicznych opisów narodzenia.

Marii Magdalenie, podobnie jak Miriam, nie uwierzono, kiedy opowiedziała o swojej wizji zmartwychwstałego Pana – niewątpliwie dlatego, że była kobietą. W końcu jednak doczekała się sprawiedliwości. Ta historia odzwierciedla przeżycia większości kobiet, które odczuły powołanie do posługi duchownej.

Co może pani powiedzieć na temat sporu o celibat i małżeństwo w czasach biblijnych?

W Ewangelii według św. Mateusza (Mt 19,12), w dyskusji na temat małżeństwa i rozwodu, Jezus mówi swoim uczniom:

> Bo są niezdatni do małżeństwa, którzy z łona matki takimi się urodzili, i są niezdatni do małżeństwa, których ludzie takimi uczynili, a są także

bezżenni, którzy ze względu na królestwo niebieskie sami zostali bezżenni. Kto może pojąć, niech pojmuje!

Niektórzy komentatorzy interpretują ten fragment jako pochwałę celibatu. Kiedy w późniejszej tradycji chrześcijańskiej celibat został uznany za stan doskonalszy niż małżeństwo, Hieronim mógł zrozumieć, że słowa Ewangelii według św. Mateusza (Mt 19,10–12) znaczą tyle, iż „Chrystus kocha dziewice bardziej niż innych".

Współcześni komentatorzy zazwyczaj podzielają tę opinię i interpretują cytowany fragment jako zachętę do przestrzegania celibatu lub łączą go bezpośrednio ze słowami Pawła z Pierwszego Listu do Koryntian (1 Kor 7), w których wyraża wyższość celibatu nad małżeństwem. Lecz zgodnie z Ewangelią według św. Mateusza eunuchowie, podobnie jak każdy, kto dobrowolnie sam siebie poniża, muszą zrezygnować z bycia „wielkimi" czy ze sprawowania władzy nad innymi. Ponieważ Mateusz (Mt 20,26–27) porównuje status członka wspólnoty chrześcijańskiej do stanu sługi bądź niewolnika, możemy wysunąć tezę, że eunuch we wspólnocie opisywanej przez Mateusza byłby doskonałym sługą. Eunuchowie, ponieważ dobrowolnie zrezygnowali ze wszystkich zaszczytów płynących z posiadania rodziny, własności i majątku, są oddani wyłącznie sprawom Królestwa. W odpowiedzi na pytanie Piotra: „Oto my opuściliśmy wszystko i poszliśmy za Tobą, cóż więc otrzymamy?", Jezus obiecuje pozycję i potęgę nie w tym, lecz w innym świecie: „Zaprawdę, powiadam wam: przy odrodzeniu, gdy Syn Człowieczy zasiądzie na swym tronie chwały, wy, którzy poszliście za Mną, zasiądziecie również na dwunastu tronach, aby sądzić dwanaście szczepów Izraela. I każdy, kto dla mego imienia opuścił dom, braci, siostry, ojca, matkę, dzieci lub pole, stokroć tyle otrzyma i życie wieczne odziedziczy" (Mt 19,27–30).

Wielu ludzi wierzy, że według fragmentarycznie zachowanej Ewangelii Filipa *Jezus często całował Marię Magdalenę w usta. Czy pani zdaniem to prawda? A jeśli tak, to co to znaczy?*

Ewangelia Filipa w rzeczywistości zachowała się znacznie lepiej niż *Ewangelia Marii Magdaleny*! Wprawdzie oba teksty zostały opublikowane po angielsku w tym samym zbiorze, *The Nag Hammadi Library*, opisują one zupełnie różne symboliczne światy. Na przykład nie powinniśmy zakładać, że skoro *Ewangelia Filipa* mówi o mężczyznach i kobietach, chodzi o rzeczywistych mężczyzn i kobiety. Według *Drugiej apokalipsy Jakuba* Jezus miał nazwać Jakuba swoim umiłowanym i dać mu głębsze zrozumienie rzeczy, o których inni nie wiedzieli. Zarówno w *Drugiej*, jak i *Trzeciej apokalipsie Jakuba* Jezus i Jakub obejmują się i całują, co świadczy o szczególnym charakterze związku, jaki ich łączył. W tak zwanej *Tajnej księdze Marka* Jezus wyjawia tajemnicę Królestwa Bożego młodemu człowiekowi, którego kocha. W koptyjskim tekście z IV wieku, zatytułowanym *Pistis Sofia*, Filip, Jan, Jakub i Mateusz, podobnie jak Mariamne (Maria), są nazywani umiłowanymi Jezusa. Prawdopodobnie oznacza to szczególną predyspozycję do duchowego zrozumienia. Nietrudno sobie wyobrazić, że inni towarzysze mogli być zazdrośni o „umiłowanych".

Krytyka teorii „spisku Grzegorza Wielkiego"

WYWIAD Z KATHERINE LUDWIG JANSEN

Katherine Ludwig Jansen wykłada historię na Catholic University. Jest też autorką książki *The Making of the Magdalen: Preaching and Popular Devotion in the Later Middle Ages* (Tworzenie Magdaleny: kazania i religijność ludowa w późnym średniowieczu).

Podobnie jak Esther de Boer, Katherine Ludwig Jansen wyciąga wnioski z tekstu kanonicznych ksiąg biblijnych i oficjalnej historii Kościoła. Wypowiada się przeciwko teorii konspiracji, a także broni papieża Grzegorza Wielkiego i dostojników Kościoła w sprawie Marii Magdaleny, jej grzechu i pokuty. Z drugiej strony dochodzi też do wniosku, że wieki ciemne mogły być znacznie bardziej oświecone niż nasze czasy pod co najmniej jednym względem: Maria Magdalena, choć kobieta, była wówczas uważana za pełnoprawnego apostoła, podczas gdy dzisiaj różne grupy religijne wciąż spierają się o to, czy kobiety mogą stać na ich czele.

Kim, pani zdaniem, była Maria Magdalena?

Jako historyka, nauczono mnie opierać swoje opinie na analizie źródeł historycznych. W przypadku Marii Magdaleny jedynymi świadectwami dokumentującymi jej istnienie, jakimi dysponujemy, są informacje zawarte w Nowym Testamencie. W sumie cztery ewangelie zawierają zaledwie 12 wzmianek o tej kobiecie, a 11 z nich ma bezpośredni związek z relacjami o ukrzyżowaniu i zmartwychwstaniu. Tylko Łukasz (Łk 8,2–3) dodaje, że „Maria zwana Magdaleną" była kobietą, z której Jezus wypędził siedem złych duchów. Od tamtej chwili Maria Magdalena stała się jedną z najgorliwszych zwolenniczek Jezusa i wspierała go ze swoich środków finansowych (Łk 8,3). W oparciu o te źródła można dojść do wniosku, że Maria Magdalena, kobieta finansowo niezależna, wykorzystywała swój majątek, aby wspomagać Jezusa i grupę jego uczniów.

Dlaczego Kościół przez tak wiele lat przedstawiał Marię Magdalenę jako prostytutkę? Czy sądzi pani, że taka dezinformacja przyniosła Kościołowi jakieś korzyści?

Moim zdaniem nie należy tu mówić o „dezinformacji" czy „konspiracji". Oprócz Maryi Panny i Marii Magdaleny w Nowym Testamencie występuje pięć kobiet noszących imię Maria – już tylko ten fakt stwarza dostatecznie dużo możliwości powstania nieporozumień. Niemniej jednak wcześni autorzy kościelni starali się rozróżniać te kobiety w swoich dyskusjach na temat Marii Magdaleny – podobnie jak teologowie Kościoła wschodniego, którzy nigdy nie pomylili Marii z Magdali z Marią z Betanii, a już tym bardziej z nieznaną z imienia grzesznicą z Ewangelii według św. Łukasza (Łk 7,37–50). Co więcej, w Kościele wschodnim obchodzi się osobne święta na cześć każdej z tych kobiet.

Dopiero pod koniec VI wieku postać Marii Magdaleny zlała się w jedno z Marią z Betanii i bezimienną grzesznicą Łukasza. Papież Grzegorz Wielki błędnie połączył w jedną osobę trzy odrębne postacie z ewangelii. W chwili gdy uznał grzesznicę Łukasza za tożsamą z Marią Magdaleną, Maria z Magdali przekształciła się w prostytutkę, głównie dlatego, że kobiece grzechy w sposób nieunikniony kojarzono ze sferą seksualną. Gdyby Maria Magdalena miała męża, jej grzechem mogłoby być cudzołóstwo. Ponieważ jednak była kobietą samotną, jej grzech wyjaśniono jako rozwiązłość, a stąd już tylko krok do prostytucji.

Jakie motywy kierowały Grzegorzem Wielkim, kiedy połączył postacie grzesznicy i Marii Magdaleny?

Popełnilibyśmy błąd, sądząc, że był to element celowej kampanii dezinformacji lub akt złej woli z jego strony. Musimy widzieć Grzegorza w kontekście jego czasów, w okresie poważnych niepokojów. Najazdy Germanów, epidemie, głód – to tylko niektóre z niebezpieczeństw, jakim musiał on stawić czoło w czasie swojego pontyfikatu; sytuacja kryzysu wymagała, by stał się przywódcą nie tylko duchowym, ale i politycznym. W tych niespokojnych i niepewnych czasach Grzegorz starał się zapewnić swojej wspólnocie stabilizację i bezpieczeństwo.

Nową tożsamość Marii Magdaleny, stworzył w kazaniu, w którym najwyraźniej wyjaśniał wątpliwości dotyczące Magdaleny wysunięte przez członków jego społeczności, szukających jasności wiary, która mogłaby posłużyć jako ostoja w walącym się w gruzy świecie schyłku Cesarstwa Rzymskiego. „Stworzona" przez Grzegorza Magdalena łączyła w sobie odpowiedzi na wszystkie pytania dotyczące relacji między różnymi Mariami, jakie wysuwali członkowie chrześcijańskiej wspólnoty.

Nowa „wersja" Magdaleny przyjęła się, ponieważ – z teologicznego punktu widzenia – zaspokajała od dawna odczuwaną i palącą potrzebę wiernych. Maria Magdalena, teraz przekształcona w wielką grzesznicę, miała zostać wielką świętą. Grzegorz sugerował, że osiągnęła to dzięki pokucie – w jej przypadku dzięki pokutnemu aktowi obmycia stóp Chrystusa łzami i osuszenia ich włosami. Ponieważ w średniowieczu i na początku epoki nowożytnej do sakramentu pokuty przykładano coraz większą wagę, wraz z nim rosło również znaczenie wizerunku Marii Magdaleny jako grzesznicy-świętej. Obraz grzesznicy-świętej zyskiwał na znaczeniu w tych momentach historii, kiedy sakrament pokuty wysuwał się na pierwszy plan. Moim zdaniem wizerunek grzesznicy-świętej był z całą pewnością jedną z przyczyn, dla których na przestrzeni wieków Maria Magdalena zdobyła tak wielu zwolenników. Zwyczajnym grzesznikom – zarówno mężczyznom, jak i kobietom – dawała nadzieję, że również oni mogą zostać odkupieni.

Dlaczego Maria Magdalena była jedną z nielicznych osób obecnych przy ukrzyżowaniu? Dlaczego ona mogła tam być, a inni uczniowie nie? Jakie znaczenie ma to, że Maria Magdalena jako pierwsza zobaczyła Jezusa po zmartwychwstaniu?

Po aresztowaniu Jezusa większość uczniów ukryła się z obawy, że może ich spotkać taki sam los. Maria Magdalena i inne kobiety nie bały się zatrzymania – czy było tak dlatego, że Rzymianie nie uważali kobiet za niebezpieczne, czy dlatego, że lojalność kobiet wobec Jezusa okazała się silniejsza, pozostaje pytaniem bez odpowiedzi. W każdym razie ich wiara nie uległa zachwianiu: to kobiety oglądały ukrzyżowanie. Moim zdaniem najważniejszą rolą Marii Magdaleny była rola pierwszego świadka zmartwychwstania Jezusa. W tym właśnie momencie zyskała tytuł, jakim obdarzali ją przez całe średniowiecze komentatorzy Biblii: *apostolorum apostola* – apostołka apostołów. Tak więc jeden z najważniejszych dogmatów chrześcijaństwa – zmartwychwstanie – zostało poświadczone i oznajmione przez kobietę. Tytuł apostołki apostołów dzisiaj tak samo trafnie określa rolę Marii Magdaleny w historii chrześcijaństwa, jak czynił to w średniowieczu.

Debata na stronie www.beliefnet.com

Kenneth Woodward kontra Karen King

Twórcy i użytkownicy www.beliefnet.com określają się mianem „wieloreligijnej e-społeczności", której celem jest pomagania ludziom w zaspokojeniu ich duchowych i religijnych potrzeb. Od chwili opublikowania *Kodu Leonarda da Vinci* na www.beliefnet.com pojawiło się wiele artykułów i wypowiedzi dotyczących postaci Marii Magdaleny oraz problemów poruszanych w tej książce. Poniżej przytaczamy najważniejsze argumenty z dyskusji Kennetha Woodwarda i Karen King. Kenneth Woodward współredaguje magazyn „Newsweek". Karen King wykłada historię kościelną w Harvard Divinity School.

Zupełnie inna Maria

Kenneth Woodward

Podobnie jak Jezus, Maria Magdalena jest obecnie bohaterką kulturowej stylizacji. O co chodzi feministycznym naukowcom?

Skąd to nagle zainteresowanie Marią Magdaleną? Tak, wiem o dwóch czy trzech nowych książkach na ten temat, no i oczywiście o bestsellerze *Kod Leonarda da Vinci* oraz o filmie *Siostry magdalenki*. Ale czy coś nowego zostało powiedziane o tej dobrze znanej biblijnej postaci?

W gruncie rzeczy nie. Naukowcy wiedzą od dziesięcioleci, jeśli nie dłużej, że Maria Magdalena nie była prostytutką i że w tradycji wczesnochrześcijańskiej została błędnie połączona z pokutującą kobietą z Ewangelii według św. Łukasza, która krótko przed ukrzyżowaniem namaściła stopy Jezusa i osuszyła je własnymi włosami. Z pewnością nie jest nowiną to, że otrzymała od Chrystusa zadanie przekazania apostołom wieści o zmartwychwstaniu. Takie „rewelacje" na jej temat można znaleźć już w poświęconym jej haśle w *New Catholic Encyclopaedia* (Nowej encyklopedii katolickiej) z 1967 roku – dobrze znanej i łatwo dostępnej każdemu dziennikarzowi.

To, że Jezus miał żonę – prawdopodobnie właśnie Marię Magdalenę – także już słyszeliśmy, i to znacznie wcześniej niż w 1970 roku, kiedy ukazała się bulwersująca książka Williama E. Phippsa *Was Jesus Married?* Odpowiedź Phippsa – że najprawdopodobniej tak, jak większość żydowskich mężczyzn w tamtych czasach – nie brzmi przekonująco. Podobnie zresztą jak nie jest nowa przeciwna opinia – iż Jezus był homoseksualny i coś łączyło go z Janem, „umiłowanym uczniem"; zetknąłem się z tym pomysłem w latach 60., w kręgach egzystencjalistów, którzy uważali Jezusa za skrajnego autsajdera, a to ze względu na jego pochodzenie „z nieprawego łoża" i ze środowiska wiejskiego. Anglikański biskup Hugh Montefiore dodał do tej mieszanki wątek homoseksualny, aby dopełnić wizerunek autsajdera. Podobnie jak Jezus, również Maria Magdalena stanowi obecnie obiekt rozmaitych interpretacji.

Jeśli idzie o postacie biblijne, nie wystarczy powiedzieć, że każde pokolenie przyjmuje ich wyobrażenia odrzucone przez poprzednią generację. W przypadku Marii Magdaleny nowością nie jest to, co się o niej mówi, lecz kontekst, w jakim się ją umieszcza – a także to, kto tego dokonuje i dlaczego. Innymi słowy, Maria Magdalena stała się projektem badawczym dla pewnego rodzaju ideologicznie ukierunkowanego feministycznego nurtu w nauce. I to jest prawdziwą nowością (...).

W XIII wieku sam Piotr Abelard wygłosił kazanie, w którym wskazywał podobieństwa między Miriam i Marią Magdaleną jako głosicielkami dobrej nowiny. (Już wtedy Maria Magdalena była nazywana „apostołką apostołów"). Znajdowanie paralel między postaciami ze Starego i Nowego Testamentu stanowiło ważny element średniowiecznej egzegezy Biblii. W obecnym kontekście niektórzy egzegeci koncentrują się na słowach Księgi Wyjścia (Wj 15,20–21), w których Miriam jest nazwana „prorokinią" i prowadzi izraelskie kobiety do śpiewu i tańca. Dla tych feministek, które szukają wszelkich śladów przywództwa kobiet w Biblii hebrajskiej (nie wspominając o powodach do urządzenia swoich własnych śpiewów i tańców), fragment ten stał się podstawą do stworzenia zupełnie nowej historii. W historii tej Miriam była prorokiem, podobnie jak jej brat Mojżesz, co doprowadziło wśród starożytnych Izraelitów do konfliktu między zwolennikami Mojżesza a stronnikami Miriam.

Jednakże – głosi dalej ta opowieść – męscy redaktorzy Biblii zepchnęli na margines kwestię przywództwa Miriam, która z całą pewnością istniała w starszej tradycji ustnej. Co więcej, niektórzy feministyczni naukowcy uparcie twierdzą, że starożytni Izraelici tworzyli egalitarne społeczeństwo, zanim doszli do władzy królowie mężczyźni. Tak więc mamy klasyczny przykład patriarchatu – będącego dla feministek ekwiwalentem grzechu pierworodnego – którego przedstawiciele usunęli wszelkie ślady nie tylko sprawowania władzy przez kobiety, ale i występowania kobiet w roli proroków. Podobnie biblijny mit o ogrodzie Edenu został zastąpiony feministyczną wizją pierwotnego egalitarnego społeczeństwa, która później została zatarta przez męskich redaktorów Biblii w chwili, gdy rodził się judaizm.

Czy te pomysły są prawdą – albo czy są choćby prawdopodobne – nie prostemu dziennikarzowi oceniać. Niemniej jednak dziennikarz może zauważyć, że niewielu uczonych biblistów – mężczyzn i kobiet – uważa te spekulacje za wiarygodne. Po prostu nie istnieją żadne dowody na ich poparcie i właśnie dlatego ich zwolennicy opierają się na czymś, co nazywają „analizą retoryczną" tekstów biblijnych, a nie na świadectwach archeologicznych czy historycznych. Dziennikarz może też zwrócić uwagę, że dla feminizmu religijnego prawdziwość lub fałszywość tych spekulacji nie ma znaczenia. I tak, co najmniej od końca lat 70., niektóre feministki żydówki organizują feministyczne sedery*, w których oprócz tradycyjnego kubka dla Eliasza zostawia się także kubek dla Miriam. Nie postępują tak, ponieważ wierzą, iż Miriam, podobnie jak Eliasz, została żywcem wzięta do nieba i wróci, kiedy dopełni się czas, lecz dlatego, aby było... sprawiedliwie.

Ten sam model znajdujemy w feministycznej interpretacji Marii Magdaleny. Tutaj ramy narracji są następujące: wczesny ruch, na którego czele stał Jezus, był egalitarny i nie wprowadzał zróżnicowania ze względu na płeć (chociaż obecnie niektóre żydowskie feministki drugiej fali odrzucają taką możliwość, ponieważ czyniłaby ona Jezusa wyjątkiem wśród żydowskich mężczyzn tamtych czasów i byłaby przejawem antysemityzmu). Wśród kobiet, które towarzyszyły Jezusowi, Maria Magdalena to postać najwybitniejsza: jest wspominana znacznie częściej (12 razy) niż inne kobiety, z wyjątkiem matki Jezusa. Najważniejsza ze wzmianek znajduje się w Ewangelii według św. Jana (J 20,11–18), gdzie zmartwychwstały Jezus ukazuje się tylko Marii i poleca jej przekazać nowinę swoim apostołom (mężczyznom). Stąd jej tradycyjny tytuł „apostołki apostołów".

Dla każdego czytelnika Nowego Testamentu powinno być jasne, że kobiety z otoczenia Jezusa często postępowały bardziej jak uczniowie niż niektórzy z wybranych Dwunastu Jezusa. Na przykład według ewangelii synoptycznych (Marka, Mateusza i Łukasza) tylko kobiety były obecne u stóp krzyża. (Ewange-

* Seder to uroczysta wieczerza obrzędowa, spożywana w pierwsze dwa dni święta Paschy w diasporze, upamiętniająca wyjście Żydów z niewoli egipskiej.

lista Jan dodaje jeszcze Jana, umiłowanego ucznia). Lecz niewielka grupa feministycznych uczonych – zwłaszcza tych, które zostały wykształcone w Harvard Divinity School – posuwa się jeszcze dalej. Głoszą, że we wczesnym Kościele istniało stronnictwo Marii Magdaleny i stronnictwo Piotra – znowu opozycja kobieta–mężczyzna, jak w przypadku Miriam i Mojżesza – oraz że zwolennicy Piotra nie tylko wygrali, ale też skutecznie zatarli w Nowym Testamencie wszelkie ślady istnienia stronnictwa Magdaleny, a także zrujnowali reputację samej jego przywódczyni. Często cytuje się tutaj jako przykład kazanie wygłoszone przez papieża Grzegorza Wielkiego w 591 roku, zupełnie jakby to on wynalazł „antykobiecą tradycję" i spowodował, że zaczęła działać wstecz. „Oskarżanie papieża" doskonale pasuje do feministycznego programu, ponieważ słychać w nim ton antyhierarchiczny. Krótko mówiąc, znowu wszystkiemu winien jest patriarchat.

Ale jest różnica między dwiema Mariami – Miriam i Magdaleną. Aby dowieść swego, feministyczni obrońcy Marii Magdaleny musieli podmienić talię kart. Podobnie jak feministyczna hermeneutyka przypuszczenia – nauka o Biblii oparta na domniemaniu męskiego autorstwa – zapewnia, że tekst Nowego Testamentu, będący dziełem mężczyzn, już tylko z tego powodu nie jest wiarygodny, również feministyczna hermeneutyka odzyskania – w tym przypadku odzyskania ukrytych śladów stronnictwa Marii Magdaleny – musi sięgać do innych źródeł. Źródłami tymi są różne teksty, które nie weszły do kanonu Nowego Testamentu, jaki ukształtował się w IV wieku. Sam fakt wykluczenia tych dodatkowych tekstów przez zmaskulinizowaną hierarchię kościelną czyni je cennymi źródłami dla naukowców starających się dowieść, że patriarchat zwalczył ideę kobiecego przywództwa w Kościele. Najważniejszym z tych tekstów jest *Ewangelia Marii Magdaleny*; brzmi ona tak, jakby jej autor sam ukończył Harvard Divinity School.

Jako dokumenty z II wieku, *Ewangelia Marii Magdaleny, Ewangelia Filipa* (w której Jezus całuje Marię Magdalenę) i inne teksty apokryficzne są zbyt późne, by stanowić wiarygodne źródło informacji o Jezusie, Piotrze czy Marii Magdalenie. Mogą jednak dostarczać interesujących wskazówek co do tego, w jaki sposób pewne grupy – przede wszystkim gnostycy – rozumiały historię Jezusa i jego uczniów (...).

Karen King, profesor w Harvard Divinity School, twierdzi, że istnieje związek między *Ewangelią Marii Magdaleny*, podkreślającą rolę Marii Magdaleny, a Pierwszym Listem do Tymoteusza, w którym Piotr zaleca kobietom milczeć w Kościele (1 Tm 2,11). Jej argumenty opierają się na tym, że oba teksty powstały mniej więcej w tym samym czasie – w 125 roku n.e. – i oba odzwierciedlają zaciekłą walkę płci, jaka toczyła się we wczesnym Kościele. King pozwala sobie na pewną swobodę w datowaniu tekstów. Nikt nie wie dokładnie, kiedy zostały one napisane, lecz niektórzy naukowcy datują Drugi List do Tymoteusza na 90 rok*, część uczonych zaś umieszcza powstanie *Ewangelii Marii Magdaleny* pod koniec II wieku. Karen King naciąga daty powstania obu tekstów do maksimum, aby dostosować je do swojej tezy. Krótko mówiąc, nowa Maria Magdalena jest starą gnostyczką.

Na ile wiarygodne jest twierdzenie, że odrzucenie przez Kościół gnostycyzmu we wszystkich jego formach było przejawem i wynikiem walki płci? W swoim wyważonym *Introduction to the New Testament* (Wprowadzeniu do Nowego Testamentu) nieżyjący już uczony Raymond E. Brown omawia dzieje przechowywania przez chrześcijan ksiąg biblijnych i przyjmowania ich za kanoniczne – podaje też kryteria, jakie przy tym stosowano. Chrześcijanie kierowali się tym, czy autor księgi był – rzeczywiście lub w domniemaniu – apostołem, a także tym, czy tekst jest zgodny z zasadami wiary. Kwestie płci nie stanowiły kryterium wyboru. Co więcej, nie mam powodu wierzyć, że cała społeczność chrześcijańska uważała *Ewangelię Marii Magdaleny* czy *Ewangelię Filipa* za wiarygodne księgi. Owszem, krążyły one między wiernymi, lecz i w mojej własnej bibliotece jest mnóstwo książek, wśród nich wiele dotyczących gnostycyzmu, co nie czyni mnie jeszcze gnostykiem (...).

Przez kilka lat trzymałem na półce antologię cytatów ze świętych ksiąg różnych religii; tekst na okładce zachęcał czytelnika, aby wybrał sobie te fragmenty, które najbardziej mu się podobają, i „stworzył własną świętą księgę". Pomyślałem sobie że to, iż właściwie każdy mógł zebrać taki materiał, jest symptomatyczne dla klimatu panującego obecnie w amerykańskiej religii. Przyjęto robocze założenie, że wszystkie teksty religijne mają taką samą wartość i czytelnik może swobodnie wybrać to, co mu się w nich najbardziej podoba (...). Religia skrajnie zorientowana na konsumenta posiada tę kolosalną zaletę, że pozwala uniezależnić się od decyzji jakiejkolwiek wspólnoty co do tego, który tekst jest święty, a który nie.

Coś podobnego dzieje się, jak sądzę, z tekstami gnostycznymi, których interpretatorzy umacniają biedną Marię Magdalenę w narzuconej jej roli przywódczyni Kościoła – i, jeżeli wierzyć Lynn Picknett, „ukrytej bogini chrześcijaństwa". Przynajmniej część feministycznych uczonych, uważających teksty gnostyczne za równie wiarygodne, jak księgi Nowego Testamentu, może twierdzić, że we wczesnym okresie chrześcijaństwa były one dostępne i czasami czytane. Z tego ma rzekomo wynikać, że jeśli nie podoba nam się ustalony kanon, możemy stworzyć sobie własny. Jeżeli *Ewangelia Marii Magdaleny* jest tak samo wiarygodna, jak – powiedzmy – Ewangelia według św. Marka, to oczywiście

* Według autorów polskich powstał on między 63 a 67 rokiem n.e.

Marii Magdalenie można przypisać każdą rolę, w jakiej chcą ją widzieć współczesne feministki.

Gdybym chciał napisać powieść o Marii Magdalenie, sądzę, że można by ją streścić tak: mała grupka wykształconych kobiet postanawia poświęcić się studiowaniu fragmentów literatury gnostycznej, odkrytych w ubiegłym stuleciu; znalezisko to rokowało nadzieje na powstanie nowej specjalności badań biblijnych. Zostają ekspertkami w dziedzinie tej literatury, tak jak inni są ekspertami w biologii kraba pustelnika. Jednak – w przeciwieństwie do naukowców badających życie morskich skorupiaków – niektóre z tych kobiet identyfikują się z obiektem swoich studiów. Niekiedy być może dzieje się tak dlatego, że poza społecznością połączoną wspólnym przedmiotem badań akademickich nie ma żadnej wspólnoty religijnej, z którą mogłyby się zidentyfikować; niekiedy zaś wynika to przede wszystkim z buntu wobec wszelkich posiadających autorytet społeczności religijnych (...).

A następny krok? Już się dokonał, w postaci najnowszej książki Karen King, *What Is Gnosticism?* (Czym jest gnostycyzm?). Autorka pragnie dowieść wielkiej różnorodności poglądów wśród gnostyków – pokazać prawdziwy i pluralistyczny gnostycyzm – ale także pozbawić gnostyków charakteru opozycyjnego wobec ortodoksyjnego chrześcijaństwa, co powoduje rozmycie samej definicji herezji. Krótko mówiąc, jeśli nie ma błędu, to wszystko może być prawdą. Jakież to amerykańskie. Jakie pluralistyczne i nieosądzające. I to w naszej postmodernistycznej epoce. W takim środowisku nawet postać Marii Magdaleny można sprostytuować dla potrzeb polemiki.

Niech przemówi Maria Magdalena

Karen King

Tradycja nie jest niezmienna. Niech nowo odkryte teksty, takie jak Ewangelia Marii Magdaleny, *pozwolą nam usłyszeć głosy dawnej dyskusji w łonie chrześcijaństwa.*

W artykule na temat rozbudzonego na nowo zainteresowania postacią Marii Magdaleny Kenneth Woodward pisze: „Nowością nie jest to, co się o niej mówi, lecz kontekst, w jakim się ją umieszcza – a także to, kto tego dokonuje i dlaczego". Jak słusznie zauważa, naukowcy już w latach 60. zgodzili się, że nie była prostytutką. Podobnie spekulacje, że Jezusa i Marię Magdalenę łączył związek małżeński, nie są niczym nowym. „Prawdziwą nowość" – twierdzi – można znaleźć w „pewnego rodzaju ideologicznie ukierunkowanym feministycznym nurcie w nauce" – i z tym stwierdzeniem zgadzam się całkowicie.

Reszta artykułu jest jednak raczej wyrazem niesmaku, jakim napawa Woodwarda feminizm, niż opinią na temat tego nurtu w nauce. Być może czytelnicy zechcą sami zapoznać się z najlepszymi dziełami retorycznej krytyki i nauki feministycznej na temat Marii z Magdali, takimi jak klasyczne dzieło Elisabeth Schussler Fiorenzy, *In Memory of Her* (Na jej pamiątkę), czy ostatnia książka Jane Schaberg, *The Resurrection of Mary Magdalene* (Zmartwychwstanie Marii Magdaleny).

Wzrost zainteresowania postacią Marii Magdaleny ma po części związek z odkryciem w Egipcie nieznanych wcześniej wczesnochrześcijańskich tekstów, takich jak *Ewangelia Marii Magdaleny, Dialog Zbawiciela* czy *Ewangelia Tomasza*. Piątowieczna papirusowa księga z *Ewangelią Marii Magdaleny* w 1896 roku pojawiła się na kairskim rynku antykwarycznym i została nabyta przez niemieckiego uczonego, który zabrał ją do Berlina, gdzie została opublikowana w 1955 roku. W roku 1945 dwaj egipscy wieśniacy, którzy w poszukiwaniu nawozu kopali u podnóża Dżabal at-Tarif, skalnego zbocza niedaleko miasteczka Nag Hammadi w środkowym Egipcie, znaleźli zapieczętowane gliniane naczynie zawierające zbiór papirusowych manuskryptów. Te papirusy z IV wieku n.e., znane jako kodeksy z Nag Hammadi, zawierały dzieła starożytnej literatury chrześcijańskiej, łącznie 46 tekstów, w większości wcześniej nieznanych. Te i inne teksty rzucają zupełnie nowe światło na początki chrześcijaństwa, dowodząc, że wczesne chrześcijaństwo było znacznie bardziej zróżnicowane, niż to sobie kiedykolwiek wyobrażaliśmy.

Dawni chrześcijanie gorąco dyskutowali na takie tematy, jak treść i znaczenie nauk Jezusa, natura zbawienia, autorytet proroków, rola kobiet i niewolników, a także konkurencyjne wizje idealnego społeczeństwa. Pierwsi chrześcijanie nie mieli Nowego Testamentu, nicejskiego wyznania wiary ani składu apostolskiego; nie istniał żaden oficjalnie ustanowiony porządek Kościoła ani hierarchia władzy, ani budowle kościelne, ani nawet jedna powszechnie obowiązująca interpretacja przesłania Jezusa. Wszystkie elementy, które my moglibyśmy uznać za niezbędne dla samookreślenia Kościoła, jeszcze wówczas nie powstały. Nicejskie wyznanie wiary i Nowy Testament bynajmniej nie były punktem wyjścia w tych sporach i dyskusjach, lecz ich produktem końcowym. Zrodziły się jako połączenie doświadczenia i eksperymentów – a także, w niemałym stopniu, w wyniku walk i konfliktów.

Zwycięzcy mogli napisać historię tamtych czasów ze swojej perspektywy. Wersja przegranych zaginęła, ponieważ ich idee przetrwały jedynie w denuncjujących ich dokumentach. Aż do teraz. Ostatnie odkrycia dostarczyły nam znacznej liczby źródeł, które ilustrują pluralistyczny charakter wczesnego chrześcijaństwa i pozwalają usłyszeć inne głosy w dyskusji na temat jego kształtu. Pomagają nam też lepiej zrozumieć zwycięzców, ponieważ ich doktryna i praktyki ukształtowały się w tyglu tych pierwszych chrześcijańskich debat (...).

Umieszczenie postaci Marii Magdaleny w nowym kontekście pozwala nam zrozumieć, jak powstał jej fałszywy obraz jako prostytutki i dlaczego – mimo braku jakichkolwiek dowodów na jego potwierdzenie – utrzymał się w zbiorowej wyobraźni Zachodu przez ponad 1000 lat. Kilka spośród nowo odkrytych dzieł przedstawia ją jako umiłowaną uczennicę Jezusa i apostołkę po jego zmartwychwstaniu. W *Ewangelii Marii Magdaleny*, na przykład, uspokaja ona innych uczniów, kiedy są przestraszeni, i wygłasza specjalną naukę, którą Jezus przekazał tylko jej. Tekst stwierdza, że Jezus znał ją bardzo dobrze i kochał bardziej niż innych. Porusza też kwestię konfliktu między Piotrem a Marią – problem wyczerpująco omówiony przez Anne Brock w jej nowej książce *Mary Magdalene, the First Apostle: The Struggle for Authority* (Maria Magdalena, pierwszy apostoł: walka o władzę).

Lecz w owych nowo odkrytych księgach Maria Magdalena jest gwarantką stanowiska teologicznego, które zaginęło w czasie walki o ortodoksję. Na przykład *Ewangelia Marii Magdaleny* prezentuje radykalną interpretację nauk Jezusa jako drogi do wewnętrznej wiedzy duchowej, a nie apokaliptyczne objawienie; akceptuje autentyczność śmierci Jezusa i jego zmartwychwstania, lecz odrzuca cierpienie i śmierć jako drogę do wiecznego życia. Odrzuca też nieśmiertelność fizycznego ciała, zapewniając, że tylko dusza zostanie ocalona. Prezentuje najprostsze i najbardziej przekonujące we wczesnochrześcijańskich tekstach argumenty na poparcie idei kobiecego przywództwa. Dokonuje ostrej krytyki bezprawnej władzy i utopijnej wizji duchowej doskonałości; podważa naszą romantyczną wizję harmonii wczesnego chrześcijaństwa i każe nam przemyśleć na nowo podstawy, na jakich opiera się władza Kościoła. A wszystko to zostało napisane w imieniu kobiety.

Ewangelia Marii Magdaleny pozwala nam zrozumieć, że czyniąc z Marii Magdaleny pokutującą prostytutkę, przywódcy Kościoła mogli osiągnąć równocześnie dwa cele. Udało im się zarówno podważyć wiarygodność tych, którzy odwoływaliby się do Marii Magdaleny, by poprzeć ideę kobiecego przywództwa w Kościele, a równocześnie zdyskredytować nurt teologiczny, którego była patronką – nurt, który ojcowie kościoła uznali za herezję.

Pan Woodward ma rację, pisząc, że odkrycie takich źródeł stawia pod znakiem zapytania tradycyjną wizję dziejów chrześcijaństwa – wersję historii głoszącą, że Jezus udzielał prawdziwych nauk tylko mężczyznom apostołom, którzy z kolei przekazali je swoim następcom, biskupom. Gwarantem czystości ewangelii mają być przede wszystkim nicejskie wyznanie wiary i ortodoksyjna interpretacja kanonu biblijnego.

Choć te nowe teksty nie odzwierciedlają „zaciekłej walki płci" we wczesnym Kościele, niemniej jednak dostarczają dowodów, że prowadzono wówczas dyskusję na temat kobiecego przywództwa. W *Ewangelii Marii Magdaleny* Piotr został przedstawiony jako człowiek porywczy – to samo wynika z wielu epizodów opisanych w kanonicznych księgach Nowego Testamentu. Zazdrosny o Marię Magdalenę, nie chciał uwierzyć, że Jezus przekazał jej jakieś specjalne nauki. Wydaje się więc, że chrześcijanie, którzy – podobnie jak Piotr – odmawiali kobietom prawa do nauczania, czynili to z zazdrości i braku zrozumienia (...).

Maria Magdalena, święta patronka elitarnej edukacji

Zarówno w Oksfordzie, jak i Cambridge, czołowych angielskich uniwersytetach, znajdują się kolegia nazwane imieniem Marii Magdaleny.

Oksfordzkie Magdalen College, założone w 1448 roku, było jednym z pierwszych na świecie kolegiów, w których wykładano nauki ścisłe. Magdalen Choir (Chór Magdaleny) – którego historia sięga początków kolegium – bierze udział w majowych uroczystościach pod wieżą, przedstawioną w filmie *Cienista dolina*, opowiadającym o życiu C.S. Lewisa. Część ekspertów, których prace prezentujemy w tej książce, bez wątpienia dostrzegłoby intrygujące związki pomiędzy wiosennymi rytuałami o przedchrześcijańskiej tradycji, wieżą Magdalen College (przypomnijmy, że etymologicznie nazwa Magdala pochodzi od starożytnego słowa oznaczającego wieżę) i zainteresowaniami C.S. Lewisa religią, teologią, symboliką i mitami. Dziewięciu spośród studentów i profesorów Magdalen College zostało laureatami Nagrody Nobla.

Nazwę Magdalene College z Cambridge, założonego w 1542 roku, pisze się z końcowym *e* dla odróżnienia od kolegium oksfordzkiego. Wcześniej wymowa tej nazwy brzmiała „maudleyn", co zawiera w sobie podwójne znaczenie (uwaga, fani Dana Browna!), nawiązując do nazwiska jego założyciela, lorda Audleya. Również angielskie słowo *maudlin* (rzewny, łzawy) wywodzi się ze sposobu, w jaki w renesansie wymawiano imię Marii Magdaleny, której łzy należą do najsłynniejszych w historii.

Ewangelia Marii Magdaleny pozwala nam usłyszeć jeszcze jeden głos w starożytnej debacie – głos, który zamilkł na blisko 2000 lat. Choć poszerza ona nasze zrozumienie dynamiki wczesnego chrześcijaństwa, również ten głos w dyskusji może stać się przedmiotem krytyki. Na przykład *Ewangelia Marii Magdaleny* odrzuca ideę ciała jako prawdziwego „ja", co stanowi poważny problem dla współczesnego feminizmu, podkreślającego godność ludzkiego ciała.

Oczywiście problem kobiecego przywództwa jest wciąż aktualny. W naszych czasach feministki starają się doprowadzić do tego, by prawdziwą historię Marii Magdaleny i starożytne źródła poznali nie tylko czytelnicy *New Catholic Encyclopaedia* z 1967 roku, ale także szersze grono odbiorców. Z drugiej strony naukowcy i inne osoby, którym trudno zaakceptować te nowe dzieła, odrzucają je jako herezję i starają się zmarginalizować ich znaczenie w toczącej się obecnie debacie. Mogłoby się więc wydawać, że zamieszanie wokół Marii Magdaleny jest tylko kolejnym epizodem w długiej historii wewnętrznych konfliktów chrześcijaństwa. Po co więc poświęcać mu baczniejszą uwagę?

Oto dlaczego: ponieważ tak wiele aspektów wierzeń i praktyk chrześcijaństwa opiera się na twierdzeniach historycznych, poznanie pełnego obrazu historii ma dla chrześcijan kluczowe znaczenie. Uczciwi historycy uwzględniają wszystkie dostępne źródła, nie dopuszczają do marginalizowania informacji niewygodnych i powstrzymują się od popierania jednej ze stron kosztem innych. Niezależnie od tego, czy wspólnoty religijne zaakceptują nauki zawarte w nowo odkrytych tekstach, dążąc do poznania adekwatnego obrazu początków chrześcijaństwa, chrześcijanie mogą lepiej zrozumieć swoją własną tradycję.

Co więcej, biorąc pod uwagę znaczenie religii we współczesnym świecie – widoczne szczególnie tam, gdzie religia wiąże się z przemocą – jestem przekonana, że zarówno dla niechrześcijan, jak i dla chrześcijan miałoby ogromne znaczenie, gdyby przyjęli do wiadomości, że wszystkie tradycje religijne składają się z licznych głosów i wszystkie wyrażają różne możliwości podejścia do skomplikowanych problemów współczesności. W tym znaczeniu tradycja nie jest niezmienna, lecz ulega nieustannym przekształceniom, gdy wierzący sięgają w przeszłość, aby odnieść ją do teraźniejszości (...). Dlatego religia nie została nam po prostu dana – jak coś, co można po prostu zaakceptować lub odrzucić. Religie są nieustannie interpretowane (...). Wierna relacja historyczna nie zagwarantuje, że Maria Magdalena nie będzie już nigdy więcej przedstawiana jako prostytutka, jednak pozwoli przywrócić tej ważnej uczennicy Jezusa choć część należnej jej godności.

„Czy grzechem jest utrzymywanie stosunków seksualnych w małżeństwie?"

Wywiad z wielebnym Richardem P. McBrienem

Richard McBrien jest profesorem teologii na Uniwersytecie Notre Dame. W 2003 roku podczas wystąpienia w programie kanału ABC News pod tytułem *Jesus, Mary and da Vinci* (Jezus, Maria [Magdalena] i da Vinci) wzbudził wiele kontrowersji, logicznie wyjaśniając, dlaczego Jezus mógł być żonaty. W przytoczonym poniżej wywiadzie mówi szerzej o tej kwestii oraz o Marii Magdalenie jako bohaterce historii chrześcijaństwa.

Co pan sądzi o hipotezie, że Maria Magdalena została przedstawiona na Ostatniej Wieczerzy*?*

Ja osobiście nie mam nic przeciwko twierdzeniu, że się tam znalazła. Jednak w Nowym Testamencie nie znajdujemy dowodów, że brała udział w tej wieczerzy, pytanie brzmi zatem, czy naprawdę da Vinci ją tam umieścił. I nie jest to wykluczone, biorąc pod uwagę kobiece rysy osoby siedzącej obok Jezusa.

Dlaczego Kościół przez tak wiele lat przedstawiał Marię Magdalenę jako prostytutkę?

Może dlatego, iż niektórzy przywódcy Kościoła nie potrafili poradzić sobie z faktem, że była ona jednym z najważniejszych uczniów Jezusa, Jego bliską przyjaciółką i głównym świadkiem zmartwychwstania.

W programie telewizji ABC Jesus, Mary and da Vinci *wspomniał pan, że gdyby Jezus miał żonę, nie umniejszałoby to jego boskości. Mógłby pan to wyjaśnić?*

Nie zamierzałem żartować z poważnych spraw, ale właściwie dlaczego nie? W Liście do Hebrajczyków (Hbr 4,15) czytamy, że Jezus był podobny do nas we wszystkich rzeczach, z wyjątkiem grzechu. Czy grzechem jest utrzymywanie stosunków seksualnych w małżeństwie?

Powiedział pan też, że jeśli Jezus był żonaty, to najprawdopodobniej z Marią Magdaleną. Dlaczego właśnie z nią?

Ponieważ za jego życia była ona najbliższą mu uczennicą. W przeciwieństwie do tchórzliwych mężczyzn, ona i inne kobiety pozostały przy nim aż do samego końca. To właśnie ona jako pierwsza, przynajmniej według trzech przekazów Nowego Testamentu, zobaczyła go po zmartwychwstaniu. To ona też miała go „nie dotykać", ponieważ Jezus jeszcze nie wstąpił do swego Ojca w niebie.

Czy wszyscy najważniejsi przywódcy religijni tamtych czasów byli żonaci?

Być może nie wszyscy, ale z całą pewnością większość. Wiemy, że niektórzy apostołowie, na przykład Piotr, mieli żony.

Dlaczego dla tak wielu ludzi dzisiaj postać Marii Magdaleny jest tak bardzo fascynująca?

Być może dlatego, że została ona wykluczona przez Kościół ze względu na jego negatywne, rygorystyczne i cenzorskie podejście do ludzkiej seksualności. Rozmyślania o Marii Magdalenie przywodzą na myśl kwestię seksualności Jezusa i skłaniają do refleksji nad miejscem kobiet w Kościele. Jeśli Jezus był żonaty, podważałoby to zasadność trwającej od stuleci niechęci wobec seksualności.

Czym wyjaśniłby pan wzrost zainteresowania Marią Magdaleną?

Na pewno wywołały go najnowsze dzieła wybitnych naukowców i działaczek ruchu kobiecego. Ale oczywiście na popularność Marii Magdaleny najlepiej wpłynął *Kod Leonarda da Vinci*.

2. Żeńska świętość

Żeńska świętość jest tym innym obliczem Boga, które nie było czczone przez 2000 lat chrześcijaństwa – a w każdym razie nie jako równoprawna partnerka.

Margaret Starbird

W tym rozdziale zapoznamy się z pojęciem „żeńskiej świętości", która jest jednym z najwyraźniejszych tematów *Kodu Leonarda da Vinci.* Jak pamiętają czytelnicy tej książki, niemal w chwili przybycia w środku nocy do zamku Villette, należącego do sir Leigha Teabinga, Sophie Neveu zostaje zasypana wyjaśnieniami i teoretycznymi rozważaniami Teabinga i Langdona na temat świętego Graala. Langdon tłumaczy Sophie:

> Święty Graal symbolizuje żeńską świętość i Boginię (...). Siła kobiety, jej zdolność dawania życia były niegdyś wielką świętością, ale stanowiły zagrożenie dla coraz silniejszej dominacji mężczyzn w Kościele, i dlatego żeńska świętość została zdemonizowana i nazwana nieczystą (...). Pojawiło się chrześcijaństwo, lecz stare pogańskie religie nie umierały łatwo. Legendy o rycerskich wyprawach w poszukiwaniu zagubionego Graala były w rzeczywistości historiami zakazanych wypraw w poszukiwaniu zagubionej żeńskiej świętości. Rycerze, twierdzący, że „szukają kielicha", przemawiali zakodowanym językiem, aby uniknąć prześladowań ze strony Kościoła, który podporządkował sobie kobiety, skazał na banicję Boginię, palił innowierców i zabronił oddawania pogańskiej czci żeńskiej świętości.

Przedstawiona przez Langdona i Teabinga analiza żeńskiej świętości – wygnanej Bogini – Marii Magdaleny przywodzi na myśl niektóre z najbardziej fascynujących pytań, jakie pojawiają się w powieści. Uczciwie trzeba powiedzieć, że wiele jej aspektów jest zupełnie nieprawdopodobnych, zwłaszcza fabuła, w jaką ów zbiór tajemnic został opakowany. Niemniej jednak książka pozostaje niezmiernie interesująca. Prowadząc swoje nocne rozważania, fikcyjny Langdon obficie czerpie z dzieł kilku ekspertów, których opinie są prezentowane w tym rozdziale – Margaret Starbird, Elaine Pagels, Timothy'ego Freke'a, Petera Gandy'ego, Riane Eisler i innych.

Na następnych stronach przedstawią oni swoje poglądy na temat miejsca żeńskiej świętości w rozwoju kultury, umysłowości, polityki, filozofii i religii Zachodu. Przypomną kulty Bogini wywodzące się z Egiptu, Grecji, Krety i Rzymu oraz role płci w judeochrześcijańskiej epoce biblijnej. Opowiedzą o doświadczeniach wczesnego i średniowiecznego Kościoła. Zbadają duchowość, mity, legendy i tradycje, które przypisują szczególne sakralne znaczenie kobietom w ogóle – a Marii Magdalenie w szczególności.

Czytelnicy powinni pamiętać, że większość prezentowanego tu materiału ma z definicji charakter mistyczny, mitologiczny i poetycki; znaczna część oryginalnego materiału źródłowego zachowała się do naszych czasów we fragmentach, w różnych językach i różnych przekładach. W wielu przypadkach jeden krótki fragment biblijnego lub gnostycznego tekstu był przedmiotem obszernych analiz i wyczerpujących komentarzy, opublikowanych w innym miejscu. Tutaj możemy je tylko pokrótce streścić.

Bóg nie wygląda jak mężczyzna

WYWIAD Z MARGARET STARBIRD

Dwie z książek Margaret Starbird przyciągnęły uwagę Sophie Neveu w bibliotece Leigha Teabinga w zamku Villette: *Kobieta z alabastrowym flakonem* oraz *The Goddess in the Gospels: Reclaiming the Sacred Feminine* (Bogini w ewangeliach: odzyskanie żeńskiej świętości). W zamieszczonym poniżej wywiadzie, przeprowadzonym specjalnie dla potrzeb niniejszej książki, Margaret Starbird krótko prezentuje swoje poglądy na temat żeńskiej świętości. Oznajmia też, że „nazwanie Marii Magdaleny apostołką równą Piotrowi, a może nawet od Piotra ważniejszą, to jeszcze nie wszystko, co można powiedzieć na jej temat". Wywiad ten może stanowić wprowadzenie do przemyśleń badaczki. Po wywiadzie prezentujemy krótkie fragmenty ze wspomnianych wyżej książek.

Czym koncepcja żeńskiej świętości różni się od koncepcji męskich bóstw, w większości religii uważanych za wyższe?

W coraz większym stopniu uświadamiamy sobie, że Boskość, którą nazywamy „Bogiem", wcale nie wygląda jak patriarcha przedstawiony na sklepieniu Kaplicy Sykstyńskiej w Watykanie. Przez 2000 lat chrześcijanie przypisywali Bogu wyłącznie męskie atrybuty i mówiąc o nim, używali zaimków rodzaju męskiego. W sensie intelektualnym zdajemy sobie sprawę jednak, że Bóg nie jest mężczyzną. Bóg wykracza poza kategorię płci i poza naszą możliwość pojmowania Boga. Zatem przypisując „mu" jakiekolwiek atrybuty, ograniczamy „go". Bóg nie jest ani mężczyzną, ani kobietą, i właśnie dlatego Żydzi nie pozwalali wykonywać jego wizerunków. Chrześcijanie jednak porzucili ten zakaz i nazwali Boga i Jezusa „Ojcem" i „Synem". Greckie wyrażenie „Duch Święty" po przetłumaczeniu na łacinę również ma rodzaj męski: *Spiritus Sanctus*. W V wieku w Europie Zachodniej Duch Święty, Bóg Ojciec i Syn Boży stali się mężczyznami.

Żeńska świętość jest tym innym obliczem Boga, które nie było czczone przez 2000 lat chrześcijaństwa – a w każdym razie nie jako równoprawna partnerka. Maryja Panna z pewnością uosabia jeden z aspektów „Boga" jako kobiety: jest Błogosławioną Matką, naszą orędowniczką przy tronie jej Syna. Lecz w chrześcijaństwie paradygmat partnerstwa, życiodajnej zasady Ziemi, nigdy nie był ani czczony, ani uznawany.

Jestem przekonana, że należy dążyć do odzyskania żeńskiej świętości na wszystkich poziomach: fizycznym, psychicznym, emocjonalnym i duchowym. Zostaliśmy poważnie zubożeni przez utratę oblubienicy i mandali świętego partnerstwa, która miała być przywilejem chrześcijan. Boleśnie przeżyliśmy utratę partnerstwa i głębokiego związku z kobiecością – z ciałem, emocjami, intuicją, pokrewieństwem ze wszystkimi żywymi istotami, błogosławieństwami pięknej i urodzajnej planety.

Kim jest „utracona oblubienica" z chrześcijańskiej tradycji? Jaki ma związek z koncepcją kobiecej świętości?

Istnieje tylko jeden model życia na Ziemi – i modelem tym jest „święty związek". W starożytnych kulturach tę fundamentalną prawdę wysławiały kulty czczące wzajemność i „symbiozę" męskości i żeńskości jako partnerów. Przykładami boskich par mogą być Tammuz i Isztar, Baal i Astarte, Adonis i Wenus, Ozyrys i Izyda. Radość płynąca z ich weselnej komnaty rozprzestrzeniała się na uprawy i stada, a także lud ich królestwa. Podobne rytuały występowały w różnych religiach na całym Bliskim Wschodzie. *Pieśń nad pieśniami* to wariant starożytnej poezji liturgicznej rytuałów *hieros gamos* Ozyrysa i Izydy. Za każdym razem król zostaje zabity, a jego oblubienica poszukuje go, opłakuje jego śmierć i w końcu na powrót się z nim łączy. W *Pieśni nad pieśniami* zapachem oblubienicy jest nard (spikanard, wschodnie pachnidło), którym okadza się oblubieńca przy stole weselnym. W Nowym Testamencie zaś właśnie olejkiem nardowym namaszcza Jezusa Maria Magdalena (J 12,3).

W siedmiu z ośmiu list kobiet z otoczenia Jezusa Maria Magdalena została wymieniona jako pierwsza. Jednak później pozbawiono ją tego wyjątkowego statusu. Ojcowie kościoła z IV wieku woleli – co lepiej pasowało do ich założeń – oficjalnie wywyższyć matkę Jezusa jako *Theotokos* (Matkę Boga), a zignorować jego oblubienicę i ukochaną. W rezultacie doszło do zniekształcenia podstawowego wzorca życia na naszej planecie – „świętego połączenia" oddanych sobie partnerów.

Wspomniała pani przed chwilą o hieros gamos. *W* Kodzie Leonarda da Vinci *przetłumaczono ten zwrot jako „święte małżeństwo". Ale co to naprawdę znaczy? I jaki ma związek z Jezusem?*

Jestem przekonana, że Jezus był ucieleśnieniem archetypu świętego oblubieńca i że wraz ze swoją oblubienicą stanowili manifestację mitologii *hieros gamos*. Ich związek stanowił, moim zdaniem, kamień węgielny wczesnochrześcijańskiej wspólnoty, radykalnie nowy sposób życia w partnerstwie. W Pierwszym Liście do Koryntian (1 Kor 9,5) Paweł wspomina, że bracia Jezusa i inni apostołowie podróżowali ze swoimi „niewiastami siostrami"; określenie to, choć często tłumaczone jako „żony chrześcijanki", dosłownie brzmi „niewiasty siostry". W Biblii jeszcze w jednym miejscu pojawia się podobna fraza. W *Pieśni nad pieśniami* oblubieniec wzywa swoją ukochaną: „siostro ma, oblubienico" (Pnp 4,10). Słowa te wskazują na bliski i intymny związek, znacznie silniejszy niż zaaranżowane małżeństwo, związek oparty na wzajemnym zainteresowaniu, uczuciu i bliskości. Według Pawła apostołowie podróżowali w parach małżeńskich, a nie jako dwójki mężczyzn, jak chcielibyśmy wierzyć. Jestem głęboko przekonana, że wzorem dla takich związków był Jezus wędrujący ze swoją ukochaną. To właśnie do tej intymnej bliskości nawiązuje *Ewangelia Filipa* w słowach: „Trzy chodziły z Panem zawsze: Maryja, Jego matka, Jej siostra i Magdalena, ta, którą nazywa się Jego towarzyszką" i dalej wspomina, że Jezus zwykł całować Marię Magdalenę w usta, o co inni uczniowie byli zazdrośni.

Jakie znaczenie ma symbolika kielicha – Graala?

Kielich lub naczynie jest powszechnie spotykanym symbolem „kobiecego pojemnika". Naczynie ozdobione piersiami, pochodzące z około 6000 roku p.n.e., symbolizuje kobietę jako karmicielkę. Marija Gimbutas [archeolog i naukowiec, badająca symbole bogini i kultury oddające cześć Bogini w prehistorycznej Europie i na Bliskim Wschodzie] zwróciła uwagę na prehistoryczne symbole w kształcie litery V na ścianach jaskiń. Skierowany wierzchołkiem w dół trójkąt jest powszechnie rozpoznawanym symbolem kobiecego trójkąta łonowego, a heksagram to starożytny symbol kosmicznego tańca ostrza i pucharu, męskiego i żeńskiego trójkąta symbolizujących Siwę i Śakti w Indiach.

Jaką rolę odgrywały kobiety w najwcześniejszych dniach Kościoła chrześcijańskiego?

Zanim jeszcze zostały spisane ewangelie, kobiety najprawdopodobniej były mocno zaangażowane w kierowanie pierwszymi wspólnotami chrześcijańskimi. W swoich listach, napisanych około 50 roku n.e., Paweł wspomina różne kobiety, między innymi Febę, diakonisę, Pryskę i Junię, które kierowały wspólnotami wczesnochrześcijańskimi. W Liście do Rzymian (1Rz 16,6–16,12) Paweł chwali kilka kobiet – Marię, Tryfenę, Tryfozę, Persydę – za ich ciężką pracę. Bogate kobiety od samego początku wspierały działalność Jezusa i pozostały mu wierne do samego końca, stojąc u stóp krzyża, kiedy mężczyźni tchórzliwie się ukryli. Kobiety udostępniały swoje domy jako miejsca spotkań i wspólną przestrzeń dla grup wiernych. W najdawniejszych dniach niektóre z nich były diakonisami, a nawet kapłankami. Doktor Dorothy Irvin odkryła i opublikowała liczne malowidła ścienne i mozaiki z wczesnochrześcijańskich budowli, przedstawiające kobiety w kapłańskich szatach i z symbolami kapłaństwa. Później, zgodnie z zasadami przedstawionymi w Pierwszym Liście do Tymoteusza, hierarchowie odmówili kobietom prawa do publicznego nauczania.

Co pani sądzi o dążeniu współczesnych feministek, by przywrócić Marii Magdalenie pozycji wybitnej apostołki?

Choć jestem gorącą zwolenniczką badań, które wskazują, że Maria Magdalena była najwierniejszą z osób, jakie towarzyszyły Jezusowi w czasie jego działalności, uważam za niesłuszne przedstawianie jej jedynie jako apostołki równej statusem Piotrowi lub wręcz ważniejszej od niego. Nie ulega wątpliwości, że Maria Magdalena wykazała się pełnym oddaniem i wiernością wobec Jezusa. Lecz ewangelie przekazują nam też inną historię. We wczesnochrześcijańskich tekstach Maria Magdalena nie jest po prostu równa statusem Piotrowi. Nazywana oblubienicą wiecznego oblubieńca, stanowi wzorzec dla dążenia ludzkiej duszy (a także całej ludzkiej społeczności) do zjednoczenia się z Bogiem, wzorzec drogi serca. Wraz ze swoim oblubieńcem tworzy paradygmat przedstawiania

Boskości jako partnerów. W porównaniu z tym jej rola apostołki, czy też emisariuszki, wydaje się mniej istotna.

Niektórzy ludzie, rozumiejąc to zbyt dosłownie, sądzą, że przedstawianie Marii Magdaleny jako żony Jezusa może ją w jakiś sposób deprecjonować. Wydaje się, że ich zdaniem w ten sposób definiuje się ją w kategoriach jej związku z mężczyzną, co w jakimś stopniu umniejsza jej własne znaczenie. Jestem przekonana, że się mylą. Musimy zdać sobie sprawę, że „święte małżeństwo", o którym tutaj dyskutujemy, nie sprowadzało się wyłącznie do związku żydowskiego rabbiego z I wieku i jego żony. W rzeczywistości chodzi o archetyp całości, harmonii przeciwieństw i logosu/sofii (rozumu/mądrości), symbolizujących Boskość jako połączenie przeciwieństw.

We wszystkich ewangeliach Jezus jest przedstawiany jako oblubieniec, lecz obecnie twierdzi się, że nie miał on żadnej oblubienicy. W starożytnych rytuałach *hieros gamos* królewska narzeczona ogłaszała lub wręcz przekazywała władzę królewską, namaszczając swojego oblubieńca. Najwyraźniej kobieta z alabastrowym flakonem, która namaściła Jezusa, ucieleśniała ten starożytny archetyp, łatwo rozpoznawalny w każdym zakątku Imperium Rzymskiego. Nie było nic poniżającego w mitycznym akcie uznania, jakiego dokonała Maria Magdalena, namaszczając Jezusa w starożytnym rytuale *hieros gamos*.

Maria i Jezus

Odtwarzanie starożytnych kultów płodności?

Margaret Starbird

Fragment książki *The Goddess in Gospels: Reclaiming the Sacred Feminine*.

Wczesnochrześcijańskie przedstawienia Madonny i jej dziecka były wzorowane na znacznie starszych wizerunkach egipskiej bogini Izydy, siostry-żony Ozyrysa, trzymającej na kolanach święte dziecko, Horusa, boga światła. Rytualne poematy związane z kultem Izydy i Ozyrysa przypominają *Pieśń nad pieśniami*, niekiedy słowo w słowo. W starożytnym świecie boginie Księżyca i Ziemi często przedstawiano z ciemną skórą, co symbolizowało żeńską zasadę, przeciwieństwo Słońca/zasady męskiej. Taki dualizm powszechnie spotykamy w dawnych cywilizacjach basenu Morza Śródziemnego. Wiele bogiń, na przykład: Inanna, Izyda, Kybele i Artemida, by wymienić tylko kilka z nich, miało czarną skórę. Dla najdawniejszych chrześcijan Boginią z ewangelii była Maria Magdalena, której epitety brzmiały „wywyższona" lub „wieża strażnicza/twierdza" (...). Wyjątkowe znaczenie Marii Magdaleny, którego szczytowy moment w Europie Zachodniej przypadł na XII wiek, zaczęło się powoli zmniejszać w połowie XIII wieku – w tym samym czasie, gdy doszło do krucjaty przeciwko katarom i wyznawcom „Kościoła Miłości". Szczególnie gwałtowny wzrost aktywności inkwizycji nastąpił w południowej Francji, co stanowiło odpowiedź na pojawienie się kilku inspirowanych ewangeliami wersji chrześcijaństwa, ludowych sekt heretyckich, które poważnie zagrażały hegemonii Kościoła rzymskiego. Z pomocą króla Francji papież zorganizował krucjatę przeciwko heretyckim albigensom – ta krwawa wojna trwała przez całe pokolenie, starła z powierzchni ziemi liczne miasta i położyła kres rozkwitowi kultury w Langwedocji.

W tym samym okresie piękne i bardzo znaczące epitety, którymi dotychczas obdarzano Marię Magdalenę, przeniesiono na Błogosławioną Dziewicę Maryję. Kościoły budowane na cześć „Naszej Pani" wysławiały matkę Jezusa jako ucieleśnienie archetypowej kobiecości – „jedyną wśród całej jej płci". Powstawały niezliczone posągi i malowane wizerunki Maryi Panny, najczęściej z dzieckiem na kolanach, żywo przypominające starożytne egipskie podobizny Izydy z Horusem. W drugiej połowie XIII wieku „głos oblubienicy" ostatecznie ucichł, choć niektórzy powiadają, że europejscy mistrzowie murarscy dochowali prawdziwej wiary i umieścili jej symbole na kamieniach swoich gotyckich katedr (...).

Namaszczenie Jezusa w ewangeliach jest odtworzeniem rytuałów kultu płodności ze starożytnego Bliskiego Wschodu. Wylewając swoje cenne pachnidło z nardu na głowę Jezusa, kobieta, którą tradycja zidentyfikowała z „Magdaleną" („Wielką"!) dokonała aktu identycznego z rytuałem małżeńskim *hieros gamos* – rytuałem namaszczenia wybranego oblubieńca/króla przez królewską przedstawicielkę Wielkiej Bogini!

Sam Jezus zrozumiał i docenił ten rytuał w kontekście swojej roli złożonego w ofierze króla: „Ona uczyniła, co mogła; już naprzód namaściła moje ciało na pogrzeb" (Mk 14,8). Ci, którzy znają historię namaszczenia w czasie uroczystości w Betanii, z pewnością rozpoznali rytuał namaszczenia świętego króla i rozpoznali również „kobietę z alabastrowym flakonem", która przyszła do grobu w ogrodzie trzeciego dnia, aby dokończyć namaszczenia przed pogrzebem i opłakiwać swojego umęczonego oblubieńca. Znalazła jednak pusty grób (...).

W pogańskich rytuałach związanych z mitami Bogini (siostra-żona) udaje się do grobu w ogrodzie, aby opłakiwać śmierć swego oblubieńca i znajduje go zmartwychwstałego. „Miłość jest silniejsza od śmierci" głosi poruszająca obietnica zawarta w *Pieśni nad pieśniami* i podobnych jej utworach poezji miłosnej, związanych za starożytnymi rytuałami świętego małżeństwa na Bliskim Wschodzie.

Królewska krew i wino Marii

MARGARET STARBIRD

Fragment książki *Kobieta z alabastrowym flakonem: Maria Magdalena i święty Graal*.

Sangraal

Średniowieczni poeci z XII wieku, kiedy to w europejskiej literaturze pojawiły się pierwsze legendy o Graalu, wspominają o „rodzinie Graala", przypuszczalnie strażnikach świętego kielicha, którzy później okazali się niegodni tego przywileju. Uczeni zajmujący się studiami nad Graalem wskazują niekiedy na możliwe pokrewieństwo między słowami *sangraal* i *gradales*, co w języku prowansalskim znaczy „kubek", „talerz" lub „basen". Równie często jednak wskazywano, że jeśli podzieli się słowo *sangraal* na dwie części, powstanie zwrot *sang raal* – co w języku starofrancuskim znaczy „królewska krew".

Ta druga interpretacja słowa *sangraal* jest bardzo prowokacyjna, ale i bardzo inspirująca. Nagle stajemy wobec zupełnie nowego odczytania dobrze znanej legendy: zamiast kielicha czy pucharu mamy teraz Marię Magdalenę, która przyniosła „królewską krew" na śródziemnomorskie wybrzeże Francji. Inne legendy przypisują Józefowi z Arymatei zasługę zabrania do Francji krwi Jezusa w jakimś naczyniu. Być może to rzeczywiście Maria Magdalena, pod opieką Józefa z Arymatei, przyniosła królewską krew rodu Dawida na francuskie wybrzeże Morza Śródziemnego.

Związek z Merowingami

Istnieją dowody wskazujące, że królewska krew Jezusa i Marii Magdaleny płynęła w żyłach merowińskich władców Francji. Samo słowo „Merowingowie" może być lingwistyczną skamieliną. Według legendy nazwa dynastii francuskich monarchów wywodziła się od jej założyciela, Meroweusza. Jednakże słowo „Merowing" zawiera w sobie dwie łatwo rozpoznawalne sylaby: *mer* i *vin* – „Maria" i „wino". Podzielone w ten sposób może stanowić aluzję do „wina Marii" lub może „wina Matki".

Królewskim emblematem Chlodwiga z dynastii Merowingów był *fleur-de-lys* (irys). Łacińska nazwa kwiatu irysa, który powszechnie występuje w krajach Bliskiego Wschodu, brzmi *gladiolus*, czyli „mały miecz", „mieczyk". Trójpłatkowy *fleur-de-lys* królów Francji to symbol męski. W rzeczywistości jest graficznym symbolem przymierza obrzezania, w którym zawarte są wszystkie obietnice złożone przez Boga Izraelowi i Domowi Dawida. W XIX wieku Thomas Inman obszernie omówił męską naturę „kwiatu światła" w swoim dziele *Ancient Pagan and Modern Christian Symbolism* (Starożytna pogańska i współczesna chrześcijańska symbolika). To niemal zabawne, że ten sam męski symbol, „mały miecz", jest dzisiaj międzynarodowym emblematem skautów!

Tradycja gnostyczna i boska Matka

ELAINE PAGELS

Fragmenty z książki *The Gnostic Gospels* Elaine Pagels.

Jedna z grup gnostyckich zapewniała, że jest w posiadaniu tajnych informacji pochodzących od Jezusa, a otrzymanych za pośrednictwem Jakuba i Marii Magdaleny. Członkowie tej grupy modlili się zarówno do Boskiego Ojca, jak i Boskiej Matki: „Od ciebie, Ojcze, i przez ciebie, Matko, dwa nieśmiertelne imiona, rodzice boskiej istoty, i ty, przebywający w niebie, człowieku potężnego imienia..."

Ponieważ Księga Rodzaju stwierdza, że ludzkość została stworzona jako „mężczyzna i niewiasta" (Rdz 1,27), niektórzy wierni doszli do wniosku, że Bóg, na którego podobieństwo zostaliśmy stworzeni, musi być zarówno męski, jak i żeński – musi być równocześnie Ojcem i Matką.

Jak teksty te przedstawiają boską Matkę? Nie mogę udzielić jednoznacznej odpowiedzi, ponieważ same teksty są bardzo zróżnicowane. Możemy jednak naszkicować trzy podstawowe cechy. Przede wszystkim kilka grup gnostycznych opisywało boską Matkę jako część oryginalnej pary. Walentyn, nauczyciel i poeta, wychodzi od założenia, że Boga w gruncie rzeczy nie da się objąć słowami. Sugeruje jednak, że istotę boską można sobie wyobrazić jako diadę, składającą się z jednej strony z Nieopisanego, Głębi, Pierwotnego Ojca, z drugiej zaś strony z Łaski, Ciszy, Łona i „Matki Wszechrzeczy". Walentyn dedukuje, że Cisza jest odpowiednim uzupełnieniem Ojca i nazywa pierwszy element żeńskim, drugi męskim, ze względu na rodzaj gramatyczny odpowiednich greckich słów. Następnie opisuje, jak Cisza przyjęła, niczym macica, nasienie Niewypowiedzianego Źródła; z niego narodziły się wszystkie emanacje boskiej istoty, podzielone na harmonijne pary męskich i żeńskich energii.

Zwolennicy Walentyna modlili się do Matki i „mistycznej, wiecznej Ciszy". Marek Mag przywołuje ją jako Łaskę (po grecku rzeczownik rodzaju żeńskiego, *charis*): „Niech Ta, która jest przed wszystkimi rzeczami, niepojęta i nieopisana Łaska, wypełni cię i pomnoży w tobie swą własną wiedzę". Podczas odprawianych w tajemnicy mszy Marek nauczał, że wino symbolizuje jej krew. Ofiarując kielich wina, modlił się, aby „Łaska spłynęła" na wszystkich, którzy będą je pić. Prorok i wizjoner Marek nazywał sam siebie „łonem i przyjmującym Ciszę" (tak jak Cisza przyjmowała Ojca). Jak twierdził, miał też wizje boskiej istoty, która ukazywała mu się w żeńskiej formie.

Inne gnostyczne dzieło, *Wielkie oświadczenie*, cytowane przez Hipolita w jego *Odparciu wszystkich herezji*, tak objaśnia początki wszechświata: z potęgi Ciszy pojawiła się „wielka moc, Umysł Wszechświata, który zarządza wszystkim i jest męski (...), druga (...), wielka Inteligencja (...), jest żeńska i tworzy wszystkie rzeczy". Po grecku *nous* – męski – to słowo rodzaju męskiego, a *epinoia* – inteligencja – żeńskiego; autor wyjaśnia dalej, że te dwie moce połączone w związku „są dwoistością (...). Umysł jest w inteligencji i chociaż są odrębne, jednak stanowią jedność w stanie dwoistości". Oznacza to, jak tłumaczy uczony gnostyk, że:

> W każdym istnieje [boska moc] w stanie uśpienia (...). Jest jedna moc podzielona między górę i dół; generująca sama siebie, sama sprawiająca swój wzrost, poszukująca samej siebie, znajdująca siebie, będąca własną

matką, własnym ojcem, własną siostrą, własną żoną, własną córką, własnym synem – ponieważ matka, ojciec, jedność są źródłem całego kręgu istnienia.

Co mieli na myśli owi gnostyccy mędrcy? Niektórzy twierdzili, że istota boska to androgyniczna – „wielka męsko-żeńska moc". Inni uważali określenia jedynie za metafory, ponieważ w rzeczywistości „istota boska nie jest ani męska, ani żeńska". Trzeci odłam sugerował, że można opisywać pierwotne źródło jako męskie lub żeńskie, zależnie od tego, który z jego aspektów chcemy podkreślić. Wszyscy byli zgodni co do tego, że istotę boską należy rozumieć w kategoriach harmonijnego, dynamicznego związku przeciwieństw – byłaby to koncepcja nieco zbliżona do wschodniej idei jin i jang, jednak obca ortodoksyjnemu judaizmowi i chrześcijaństwu (...).

Niektóre gnostyczne źródła sugerują, że Duch stanowi macierzyński element Trójcy; w *Ewangelii Filipa* Duch jest zarazem Matką i Dziewicą, partnerką i małżonką Niebiańskiego Ojca: „Czy wolno wypowiedzieć tajemnicę? Ojciec Wszechrzeczy połączył się z dziewicą, która zstąpiła na dół" – to znaczy z Duchem Świętym, który zstąpił na świat. Ale ponieważ proces ten należy rozumieć symbolicznie, a nie dosłownie, Duch pozostaje dziewicą. Dalej autor wyjaśnia, że „Adam powstał z dwóch dziewic, z ducha oraz z dziewiczej ziemi", a zatem „Chrystus zrodził się z dziewicy" (to znaczy z Ducha). Jednak autor wyśmiewa tych dosłownie rozumujących chrześcijan, którzy błędnie sądzą, że Maryja urodziła syna jako dziewica, zupełnie jakby nie spłodził go Józef: „Nie wiedzą, co mówią. Czy kiedykolwiek kobieta poczęła z kobiety?" Dziewicze narodziny, dowodzi dalej, odnoszą się do mistycznego zjednoczenia dwóch boskich mocy, Ojca Wszechrzeczy i Świętego Ducha.

Niektórzy z gnostyków uważali, że oprócz wiecznej, mistycznej Ciszy i Świętego Ducha istniała też trzecia forma boskiej Matki: Mądrość. Grecki rzeczownik rodzaju żeńskiego oznaczający „mądrość", *sofia*, przekłada się na hebrajski termin *chochma*, również rodzaju żeńskiego. Dawni interpretatorzy Biblii zastanawiali się nad znaczeniem pewnych zdań – na przykład nad stwierdzeniem z Księgi Przysłów, że „Bóg stworzył świat w Mądrości". Czy owa „Mądrość" mogłaby być żeńską mocą, w której boże dzieło zostało „poczęte"? Według jednego z nauczycieli podwójne znaczenie terminu „poczęcie" („koncepcja") – fizyczne i intelektualne – sugeruje taką możliwość: „obraz myśli (*ennoia*) jest żeński, ponieważ (...) jest [ona] mocą poczęcia".

Bóg mężczyzna i Bogini

WYWIAD Z TIMOTHYM FREKIEM

Timothy Freke ukończył studia filozoficzne. Peter Gandy uzyskał magisterium z kultury antycznej i specjalizuje się w starożytnych pogańskich religiach misteryjnych. Wspólnie napisali książkę *Jesus and the Lost Goddess: The Secret Teachings of the Original Christians* (Jezus i zaginiona Bogini: sekretne nauki pierwotnych chrześcijan) oraz *The Jesus Mysteries: Was the „Original Jesus" a Pagan God?* (Misteria Jezusa: czy „oryginalny Jezus" był pogańskim bogiem?) i ponad 20 innych książek.

W zamieszczonym poniżej wywiadzie Timothy Freke przedstawia niektóre z argumentów użytych w książce *Jesus and the Lost Goddess*, której fragmenty przytaczamy nieco dalej. Freke i Gandy są głównymi twórcami teorii głoszącej, że system wierzeń pierwotnych chrześcijan został całkowicie przekształcony w chwili, gdy Cesarstwo Rzymskie zinstytucjonalizowało chrześcijaństwo. Wiara pierwszych chrześcijan w mistyczne oświecenie oraz mistyczny związek Boga mężczyzny (Jezusa) z Boginią (Marią Magdaleną) okazała się tak niebezpieczna dla Kościoła, że zdecydował się on brutalnie ją wykorzenić. Boginię, a także mistyczne i gnostyczne tradycje usunięto z pism, wierzeń i praktyk chrześcijaństwa. Wśród pierwotnych chrześcijan Maria Magdalena symbolizowała „Boginię, świętego Graala, Różę i Boską Matkę" – jak wyjaśniał Leigh Teabing w *Kodzie Leonarda da Vinci*, opowiadając Sophie o wysiłkach Zakonu Syjonu mających na celu podtrzymanie tradycji Bogini.

Jakie było znaczenie kultu Bogini w kulturach pogańskich?

Obok mitu o Bogu mężczyźnie pogańskie misteria przekazywały też mit o zaginionej i odkupionej Bogini – alegorię upadku i odkupienia duszy. Najsłynniejszą pogańską wersją tego mitu jest historia Demeter i Persefony. Pierwsi chrześcijanie zaadaptowali go dla potrzeb swojego mitu o Sofii – chrześcijańskiej bogini, której imię znaczy „mądrość".

W jaki sposób Sofia jest „kobieca"?

Bogini symbolizuje Wszystko, wszechświat, wszystko, co odczuwamy i co sobie wyobrażamy – ciąg pojawień, form, przeżyć. Bóg – męski archetyp – jest symbolem Jedynego, tajemniczym źródłem wszelkiej świadomości, która poczyna i jest świadkiem ciągu widoków, jaki nazywamy życiem. („Życie" – czyli „Zoe" – było kolejnym imieniem chrześcijańskiej Bogini). Żydowscy i pogańscy mistycy czcili Sofię jeszcze przed powstaniem chrześcijaństwa.

Obraz Bogini nie jest jednak jednolity?
Chrześcijańska mitologia posiada wiele warstw. Ta relacja przejawia się na wiele sposobów i w różnych warstwach. Zaczynając od powstania czegoś z niczego, w końcu staje się związkiem między Jezusem a dwiema Mariami, które reprezentują dwa aspekty Bogini – dziewicę-matkę oraz upadłą i odkupioną nierządnicę. Również te wizerunki zostały zaczerpnięte z pogańskiej mitologii.

W jaki sposób Ewa mieści się w tradycji „upadłej Bogini"?
Symbolizuje ona połowę (nie „żebro", jak się często błędnie tłumaczy) Adama (którego imię znaczy „człowiek"). Jej mit odzwierciedla pogańskie mity o upadku duszy i jej inkarnacji, która w zmienionej formie przekazuje również mit Jezusa.

Jaka koncepcja filozoficzna kryje się za żeńską świętością?
Dla starożytnych męska zasada była niepodzielną świadomością. Zasada żeńska to mnogość widoków, doświadczeń, wszystko, czego jesteśmy świadkami. Ta dwoistość stanowi fundament życia. Bez niej nic nie może istnieć. Mądrość to stan duszy (żeńskiej zasady), na tyle czystej, by mogła zrozumieć swoją naturę, stać się Jedną Świadomością, którą dla Pawła i jego towarzyszy symbolizował Chrystus, czyli „Król".

Podróż Sofii

Pogańska wygnana Bogini we współczesnym świecie

TIMOTHY FREKE I PETER GANDY

Fragmenty książki Timothy'ego Freke'a i Petera Gandy'ego *Jesus and the Lost Goddess: The Secret Teachings of the Original Christians*.

W poniższym fragmencie Freke i Gandy starają się prześledzić tradycję Bogini, cofając się do greckich mitów i starożytnych podań żydowskich. Tworzą wizerunek Bogini na podstawie cytatów ze Starego Testamentu, greckich mitów i pogańskich legend – od Heleny trojańskiej poprzez platońską wizję Psyche po misteria eleuzyńskie, w których regularnie odtwarzano mit o Demeter i Persefonie. Na koniec znajdują wątek Bogini nawet w bajce o Śpiącej Królewnie.

Chrześcijańska bogini

Mit o Bogu mężczyźnie Jezusie można prawidłowo zrozumieć tylko w zestawieniu z mitem o Bogini Sofii. Po tylu stuleciach patriarchalnego chrześcijaństwa odkrycie Bogini w samym sercu chrześcijańskiej tradycji jest zarówno wstrząsające, jak i krzepiące. Bogini, podobnie jak jej syn/brat/kochanek Jezus, to postać synkretyczna, w której łączą się wpływy pogańskie i żydowskie.

Czy gnostyccy chrześcijanie uprawiali „święty seks"?

Większość ekspertów przytacza tylko nieliczne świadectwa na ten temat. Freke i Gandy skomentowali tę kwestię krótko, stwierdzając, że „gnostycy celowo naruszali normy społeczne, co stanowiło dla nich sposób na oderwanie się od swojej tożsamości społecznej i uświadomienie sobie prawdziwej tożsamości duchowej. Niektórzy, na przykład zwolennicy szkoły kainitów*, osiągali to przez praktyki ascetyczne. Inni, na przykład uczniowie szkoły karpokratejskiej, przez libertyńską rozwiązłość (...)".

Karpokrates, aleksandryjski platoński gnostyk, który na początku II wieku n.e. założył sektę gnostyckich chrześcijan – grupę, którą Freke i Gandy nazywają „radykalnymi komunistami wyrzekającymi się prywatnej własności" – przekazywał uczniom, by „cieszyli się życiem, również przyjemnościami seksu, które tak często są odrzucane przez religijnych literalistów (...). Ten odłam gnostyków uważał aktywność seksualną za oddawanie czci związkowi Boga i Bogini, od których pochodzi wszelkie życie. Mówiono, że zwolennicy Karpokratesa czasami brali udział w obrzędach nago, a nawet praktykowali rytualne stosunki płciowe".

---

* Kainici, sekta gnostycka działająca w II wieku n.e., głosili dwoistość istoty boskiej – Najwyższego Boga i Demiurga, stwórcy wszechświata. Usprawiedliwiali czyn Kaina, syna Boga Najwyższego, dokonany w jego imię. Za swego wielkiego poprzednika uważali Judasza.

Sofia, której imię znaczy „mądrość", od wieków była boginią pogańskich filozofów. Samo określenie „filozof", po raz pierwszy użyte przez Pitagorasa, oznacza „kochającego Sofię". Dzisiaj często przedstawiani jako surowi akademicy, ci błyskotliwi intelektualiści byli w rzeczywistości mistykami i oddanymi wyznawcami Bogini. Choć Parmenidesa pamiętamy przede wszystkim jako twórcę podwalin zachodniej logiki, jego arcydziełem jest wizjonerski poemat, w którym opisuje on swoje zejście do świata podziemnego po nauki od Bogini. Sofia miała też ważne miejsce w twórczości żydowskich gnostyków, takich jak Filon [żydowsko-hellenistyczny filozof żyjący w Aleksandrii między 25 rokiem p.n.e. a 50 n.e.]. Choć później została odrzucona przez żydowskich literalistów, tradycja żydowskiej Bogini istniała od zawsze. Niegdyś Izraelici czcili boginię Aszerę jako małżonkę Jehowy. W V wieku p.n.e. była ona znana jako Anat Jahu. W tekstach spisanych między V a IV wiekiem p.n.e., takich jak Księga Przysłów, Księga Mądrości czy Mądrość Syracha, staje się ona partnerką Boga i współtwórczynią, Sofią.

Pochodzenie chrześcijańskiej Bogini

Jak cała chrześcijańska mitologia, mit o zaginionej Bogini stanowi syntezę wcześniej istniejących pogańskich i żydowskich mitów.

Źródła żydowskie

Egzegeza duszy [jedna z najbardziej intrygujących apokryficznych ewangelii, odkrytych wśród ksiąg z Nag Hammadi] zwraca uwagę na pewne żydowskie motywy mitologiczne, które z czasem rozwinęły się w mit o Sofii. Nawiązuje ona do słów Księgi Jeremiasza, gdzie Bóg mówi do Izraela niczym do upadłej Bogini:

> A ty, coś z wieloma przyjaciółmi cudzołożyła, masz wrócić do Mnie? (...) Podnieś oczy na pagórki i gdzie jest miejsce, na którym nie dopuszczałaś się nierządu? (...) Czy nawet wtedy nie wołałaś do Mnie: „Mój Ojcze! Tyś przyjacielem mojej młodości!"*

Podobnie w Księdze Ezechiela Bóg oznajmia:

> Na początku każdej drogi budowałaś sobie wzniesienie, aby tam kalać swoją piękność, i oddawałaś się każdemu przechodniowi. Mnożyłaś co-

* Jr 3,2–4.

raz bardziej swoje czyny nierządne. (...) Uprawiałaś nierząd z twoimi sąsiadami, Egipcjanami o ciałach potężnych*.

Egzegeza o duszy objaśnia alegoryczne znaczenie tego tekstu:

Cóż może znaczyć „Egipcjanie o ciałach potężnych", jeśli nie świat ciała i królestwo zmysłów i spraw tej ziemi, przez które dusza została skalana?

Egzegeza o duszy wskazuje też na zbieżności między mitem Sofii a mitem z Księgi Rodzaju. W Księdze Rodzaju Adam symbolizuje Świadomość, Ewa zaś Duszę. Na początku była jedna pierwotna istota ludzka, Adam, z którego Bóg wziął „jedną stronę" (nie „żebro", jak podaje większość tradycyjnych tłumaczeń!) i stworzył Ewę. Dusza (Ewa) prowadzi Świadomość (Adama) do identyfikacji z ciałem. Symbolem tego jest Upadek w Edenie. Mistyczne małżeństwo cofa rozdzielenie się Adama i Ewy, Świadomości i Duszy. *Egzegeza o duszy* cytuje naukę Pawła: „Staną się jednym ciałem", i komentuje:

Początkowo byli oni połączeni ze sobą, kiedy byli z Ojcem, lecz kobieta zwiodła mężczyznę, który jest jej bratem. To małżeństwo połączyło ich na powrót i dusza zjednoczyła się ze swoim prawdziwym kochankiem.

W innym żydowskim tekście, Księdze Przysłów, dwa fundamentalne stany duszy symbolizują Niewiasta Mądrość i Niewiasta Głupota. Według Filona Niewiasta Głupota, jak nierządnica, prowadzi do piekła tych, którzy jej słuchają. Niewiasta Mądrość natomiast została porównana do zaproszenia na wesele i do wiernej żony – oba te wizerunki przywodzą na myśl motyw mistycznego małżeństwa.

Mit o Helenie

Podobnie jak w przypadku historii Jezusa, najważniejszym źródłem mitu chrześcijańskiej Bogini jest mitologia pogańska. *Egzegeza o duszy* porównuje chrześcijański mit o Sofii z opowieściami *Iliady* i *Odysei*, według których Helena została uprowadzona i musi być uratowana. Według pitagorejczyków Helena jest symbolem duszy, a jej uprowadzenie symbolizuje popadnięcie duszy w nieszczęście inkarnacji (...).

Mit o Helenie miał wielkie znaczenie dla pierwszych chrześcijan (...). Celowo naśladując go w micie o Jezusie i Bogini, gnostyccy mistrzowie identyfikowali się z rolą zbawiciela, wyjawiającego gnozę (tajną naukę) swoim uczniom, których symbolizowała Helena/Sofia.

* Ez 16,25–26.

Fedon Platona

W dialogu *Fedon* Platon opowiada o upadku i odkupieniu duszy; z tej opowieści niewątpliwie czerpali pierwsi chrześcijanie, tworząc własną wersję mitu o upadłej Bogini:

Dusza jest pociągana przez ciało w miejsce zmienności, gdzie błąka się w pomieszaniu. Świat wiruje wokół niej, a ona pod jego wpływem jest podobna do pijanego człowieka. Lecz dochodząc do siebie, reflektuje się. Wtedy wkracza do królestwa czystości, wieczności, nieśmiertelności i niezmienności, które są jej bliskie. Kiedy pozostaje sobą i nic jej nie powstrzymuje ani nie przeszkadza, zawsze jest z nimi. Kiedy schodzi z mylnych dróg i jest w jedności z niezmiennym, sama staje się niezmienna. Taki stan duszy nazywa się mądrością*.

Mit o Afrodycie

Pogański mit o bogini Afrodycie przekazuje w gruncie rzeczy tę samą historię, co późniejszy chrześcijański mit o upadłej Bogini. Podobnie jak Sofia, Afrodyta miała naturę zarazem dziewicy i nierządnicy. Plotyn [egipsko-rzymski filozof z III wieku n.e.] wyjaśnia, że właściwie jest ona „Afrodytą niebiańską", lecz „stała się uliczną Afrodytą". Pisze, że Zeus symbolizuje świadomość, a jego córka Afrodyta, która wypływa z niego, to dusza; dalej komentuje:

> Więc dusza, wierna swej naturze, kocha Boga, pragnąc zjednoczenia, tak jak dziewica kocha piękną miłością ojca pięknego. Kiedy jednak popadnie w wir powstawania i da się jakby uwieść zalotom, wtedy zmieniwszy swą miłość na inną śmiertelną, doznaje już sama bez ojca gwałtów zelżywych; a kiedy znowu znienawidzi te gwałty tutaj, to po nabraniu świętej czystości przez oczyszczenie się od spraw ziemskich dąży z powrotem do ojca i doznaje błogiego szczęścia**.

Prawdziwe dobro duszy polega na jej oddaniu Świadomości. Złem duszy jest spotykanie obcych. Załóżmy jednak, że dusza osiągnęła wyżyny, albo raczej, że to one objawiły jej swoje istnienie. Wówczas, dopóki ta sytuacja będzie trwała, znikną wszelkie różnice. Jest to niczym połączenie kochanka z ukochaną. Kiedy dusza osiągnie ten stan, nie zamieni go na nic w świecie.

---

* Platon *Fedon*, tł. W. Witwicki, Lwów 1926.

** Plotyn *Enneady*, tł. A. Krokiewicz, Warszawa 1959, *Enneada IX*.

Mit o Demeter i Persefonie

Najistotniejszym ze wszystkich mitów o Bogini w jej dwóch aspektach jest mit o Demeter i Persefonie, przekazywany w misteriach eleuzyńskich. Pogański gnostyk Salustiusz [który żył około 360 roku n.e., był doradcą cesarza Juliana i dążył do odrodzenia religii pogańskiej] wyjaśnia, że mit ten to alegoria zejścia duszy do stanu inkarnacji. Podobnie Olimpiodoros twierdzi, że „dusza zstępuje na podobieństwo Persefony". Lucjusz Apulejusz opowiada o „mrocznych rytuałach zstępowania" i „świetlistych rytuałach wstępowania" Persefony, opisując swoją własną inicjację:

> Do granicy śmierci doszedłem i bogów Prozerpiny [Persefony] dotknąłem, a wróciłem przez bezdnie wszystkich żywiołów*.

Chrześcijanin-literalista Hipolit nazywa nauki o zstępowaniu i wstępowaniu Persefony tajemnicami ujawnianymi tylko tym, którzy zostali „dopuszczeni do najwyższego stopnia rytuałów eleuzyńskich", i twierdzi, że chrześcijańska szkoła naaseńczyków [sekta gnostyków działająca za panowania Hadriana – 110–140 rok n.e. – która oddawała boską cześć wężowi i odprawiała misteria poświęcone Wielkiej Matce] oparła swoje nauki przede wszystkim na naukach z Eleusis.

Platon mówi nam, że imię Persefony pochodzi od słowa *sofe* i znaczy „mądra", a więc ma taki sam źródłosłów jak „Sofia". Persefona, nazywana też Korą – „dziewczyną" lub „córką" – symbolizuje upadłą duszę. W chrześcijańskich *Czynach Tomasza* duszę nazywa się Korą. Demeter, czyli „matka", to niebiańska Królowa, czysta dusza.

Według mitu Persefona, córka Demeter, została uprowadzona przez Hadesa, boga świata podziemnego. Symbolizuje to popadnięcie w stan inkarnacji. Adepci misteriów eleuzyńskich, zanim zostali wtajemniczeni, musieli naśladować rozpacz, jaką odczuwały Demeter i Persefona, kiedy były rozdzielone. Przeżycie *metanoia* wynika z rozpaczy adepta, spowodowanej oddzieleniem od jego głębszej natury i zagubieniem w świecie. Hermes udał się do świata podziemnego, aby Persefonę uratować i zwrócić jej matce, Demeter. Jest to symbol uwolnienia duszy od identyfikacji z otoczeniem jej tożsamości i połączenia z jej prawdziwą naturą.

Hades jednak dał Persefonie do zjedzenia pestki granatu i z tego powodu musi ona powracać do świata podziemnego na trzecią część każdego roku. Pestki granatu symbolizują nasienie przyszłych żywotów, które tworzymy w tym życiu i które sprowadzają nas z powrotem do ludzkiej postaci, abyśmy kontynuowali

---

* Apulejusz *Metamorfozy albo Złoty osioł*, tł. E. Jędrkiewicz, Warszawa 1976, księga VI, s. 256.

podróż przebudzenia. – czyli to, co starożytni nazywali „losem”, a we współczesnym żargonie spirytualistycznym określa się mianem „karmy”. Motyw powrotu do świata podziemnego na „trzecią część roku” to aluzja do potrójnej natury tożsamości: świadomości, duszy i ciała. Jedna trzecia naszej tożsamości – ciało – jest światem podziemnym.

Postacie Demeter i Persefony zostały przez starożytnych Greków przejęte z mitologii egipskiej. Porfiriusz [pogański filozof, 232–303 roku n.e.] twierdzi, że egipska Izyda stanowi odpowiednik zarówno Demeter, jak i Persefony (...). W egipskiej mitologii symbolami wyższego i niższego aspektu Bogini są Izyda i jej siostra Neftyda, małżonka złego boga Setha, który – podobnie jak Hades – symbolizuje świat materialny.

Egipskie mity to najwcześniejsze źródła, z których wywodzi się chrześcijański mit o upadłej i odkupionej Bogini. Choć ta odwieczna historia została usunięta z religii chrześcijańskiej, przetrwała w formie bajek, jakich jak *Śpiąca Królewna*. Jak wskazuje samo jej imię, Śpiąca Królewna jest symbolem duszy, która zapadła w sen w materialnym świecie. Na skutek klątwy ma spać wiecznym snem, zamknięta w mrocznym zamku otoczonym trudną do przebycia fosą; jednak w końcu ratuje ją jej ukochany, bohaterski książę.

Bogini w ewangeliach

W chrześcijańskim micie o Sofii centralną postacią jest Bogini, symbolizująca Duszę, jej brat-kochanek – Świadomość – to postać drugoplanowa. W micie o Jezusie mamy do czynienia z sytuacją odwrotną – tutaj główną rolę gra Bóg mężczyzna. Jednakże mit o upadłej Bogini stanowi ważne uzupełnienie historii Jezusa, co musiało być oczywiste dla chrześcijańskich adeptów, doskonale znających obie te alegorie. Z mitu o Sofii wynika jednoznacznie, jaki był charakter mitycznej misji Jezusa – przybył on, aby uratować swoją siostrę-kochankę Sofię, duszę zagubioną w identyfikacji z ciałem. „Chrystus przybył dla niej” – głosi *Potrójny traktat* [jeszcze jedna gnostycka ewangelia z Nag Hammadi].

Dziewica i prostytutka

W ewangeliach Maryja Panna i Maria Magdalena symbolizują wyższą Sofię i upadłą Sofię. Noszą to samo imię dla podkreślenia faktu, że z mitologicznego punktu widzenia są dwoma aspektami tej samej postaci. Podobnie jak w micie o Sofii, pierwsza Maria jest dziewicą, jak Sofia, kiedy przebywała ze swoim

Ojcem, zaś druga to prostytutka, która zostaje odkupiona przez swojego kochanka Jezusa, jak Sofia zagubiona w świecie materialnym.

Aluzję do Bogini jako matki i prostytutki zawiera genealogia Jezusa w Ewangelii według św. Mateusza. Jak można się spodziewać, genealogia ta przedstawia linię patriarchalną, lecz wzmiankuje także cztery słynne żydowskie „upadłe kobiety". Tamar była prostytutką świątynną. Rut oddawała się bezwstydnej rozpuście. Batszeba została skazana przez króla Dawida za rozpustę. Rachab prowadziła dom publiczny. W alegorii z Księgi Wyjścia, kiedy Jezus/Jozue przybywa do Ziemi Obiecanej, ratuje prostytutkę Rachab, symbolizującą upadłą duszę, z warownego miasta Jerycho, symbolizującego ciało. Wymieniając Rahab w sekwencji przodków Jezusa, Ewangelia według św. Mateusza wskazuje na mitologiczne związki między tą historią a ewangeliczną opowieścią o Jezusie ratującym prostytutkę Marię Magdalenę.

Maria Magdalena, symbolizująca siostrę-kochankę Jezusa, Sofię, jest „ukochaną uczennicą", o której szczególnie bliskich związkach z Jezusem konsekwentnie mówią chrześcijańskie teksty. *Ewangelia umiłowanego ucznia* (znana też jako *Tajna księga Jana*) [kolejne gnostyczne dzieło] przedstawia związek Marii Magdaleny i Jezusa jako na tyle bliski, że w czasie ostatniej wieczerzy Maria Magdalena leży na kolanach Jezusa. *Ewangelia Filipa* wspomina, że Jezus „kochał ją bardziej niż [wszystkich] uczniów [i zwykł był] całować ją w u[sta]". W Ewangelii według św. Łukasza Maria Magdalena ociera swoimi włosami stopy Jezusa. Według żydowskiego prawa tylko mąż miał prawo oglądać rozpuszczone włosy kobiety i jeśli kobieta rozplotła włosy przed obcym mężczyzną, mogło to stanowić podstawę do rozwodu. Maria Magdalena i Jezus zostali przedstawieni albo jako mąż i żona, albo jako libertyńscy kochankowie, którzy nie dbali o względy moralności.

Wizerunki budzącej się psyche

Kobiety odgrywają ważną rolę w całej historii Jezusa, zwłaszcza według *Ewangelii umiłowanego ucznia*, i wszystkie symbolizują Sofię w różnych stadiach przebudzenia. *Egzegeza o duszy* przedstawia Sofię w stanie najgłębszej rozpaczy, jako bezpłodną starą kobietę. Właśnie w tym stanie doświadcza ona *metanoia* i wzywa na ratunek Ojca. W historii Jezusa ten aspekt Sofii reprezentuje Elżbieta, matka Jana Chrzciciela. Młoda Maryja nie została zapłodniona. Stara Elżbieta jest bezpłodna. Podobnie jak Sofia, prosi o pomoc Ojca, co symbolizuje jałową duszę, w której narasta wołanie o pomoc do Ojca. Odpowiedzią na jej prośby są narodziny Jana Chrzciciela, symbolizującego psychiczną inicjację i oczyszczenie przez chrzest wodą, co stanowi początek gnostycznej drogi do samowiedzy.

Przez cały czas trwania swojej misji Jezus spotykał kobiety, będące figurami Sofii i kolejnych etapów przebudzenia duszy. Pewnego razu zapobiegł ukamienowaniu cudzołożnicy, zwracając uwagę, że żaden z jej oskarżycieli nie jest bez winy. Kobieta opisana w tej historii to bezradna ofiarę, którą zaskakuje niespodziewane ocalenie – jak we wczesnym stadium przebudzenia, w którym uwięziona w ciele dusza, otrzymawszy nieoczekiwaną pomoc ze strony swej „Jaźni", odbiera ją jako łaskę.

Innym razem Jezus spotyka Samarytankę, cudzołożnicę, symbolizującą upadłą Sofię. Wyjawia jej, że jest Chrystusem, daje „wodę życia". Ten epizod posuwa opowieść o związku Sofii (reprezentującej duszę) i Jezusa (Świadomość) o krok dalej. Jezus oferuje jej naukę prowadzącą do gnozy, symbolizowaną przez wodę wiecznego życia, i wyjawia swoją tożsamość. Sytuacja ta odzwierciedla stan, w którym adepci po raz pierwszy zaczynają pojmować swoją prawdziwą naturę i dostrzegać możliwość zdobycia wiedzy. Scena rozgrywa się przy studni Jakuba, co dodatkowo podkreśla aluzje do mitu o Sofii. W żydowskiej mitologii z tej studni czerpała wodę Rebeka, matka Jakuba, co – jak tłumaczy Filon – symbolizuje otrzymywanie mądrości Sofii.

W kolejnym epizodzie spotykamy dwa ważne wcielenia Sofii – Martę i jej siostrę Marię. Ich brat Łazarz umarł, lecz kobiety wierzą, że gdyby Jezus był przy nim obecny, mógłby go ocalić. Poruszony ich wiarą Jezus udaje się do groty, w której pochowano Łazarza, i w cudowny sposób wskrzesza go z martwych. W tej niezwykłej, krótkiej opowieści Łazarz symbolizuje cielesny, materialny stan duchowej śmierci w świecie podziemnym. Zostaje przywrócony do życia przez moc Chrystusa, symbolizującego Świadomość, dzięki wierze Marty i Marii, odzwierciedlających psychiczny i pneumatyczny etap przebudzenia (...).

Jeszcze jedno ważne zdarzenie miało miejsce podczas odwiedzin Jezusa w domu Łazarza, Marty i Marii. Marta usługuje, a wskrzeszony Łazarz siedzi za stołem. Tymczasem Maria przynosi kosztowne pachnidło i namaszcza Jezusa, czyniąc go formalnie „pomazańcem", czyli Chrystusem/Królem. Zdarzenie to symbolizuje ten etap przebudzenia, w którym adepci nie są już duchowo martwi, o czym przypomina wskrzeszony Łazarz. Adepci przechodzą psychiczny proces przebudzenia – którego symbol to usługująca Marta – i pomyślnie wkraczają na pneumatyczny etap przebudzenia, aby wyraźnie zrozumieć, że ich prawdziwą tożsamością jest Świadomość, reprezentowana przez Marię namaszczającą Chrystusa/Króla.

Według ewangelii Jezus wypędził „siedem złych duchów" z „Marii zwanej Magdaleną". Istotne znaczenie ma tutaj liczba siedem. W gnostycznym schemacie mitologicznym siedem poziomów Kosmosu symbolizują Słońce, Księżyc i pięć widzialnych planet. Niekiedy przedstawiano je jako demoniczne siły, które wiążą nas w materialnym świecie. Ponad nimi znajduje się *ogdoad*, czyli „ósemka", reprezentowana przez gwiaździste niebo – mitologiczny dom Bogini. Gnostyczna droga przebudzenia z inkarnacji czasem była wyobrażana jako siedmiostopniowa drabina prowadząca do *ogdoad*. Uwolnienie Marii od siedmiu złych duchów oznacza, że Jezus pomógł jej wspiąć się do nieba po siedmiu szczeblach drabiny.

W kulminacyjnym momencie historii Jezusa Maria Magdalena znajduje jego pusty grób, a następnie ukazuje się jej sam zmartwychwstały Jezus. Symbolizuje to dopełnienie procesu inicjacji. Dla gnostyków ciało to „grób", w którym egzystujemy w stanie duchowej śmierci. To, że Maria znajduje pusty grób, oznacza zrozumienie, że nie jesteśmy materialnym ciałem. Jej spotkanie ze zmartwychwstałym Jezusem symbolizuje uzmysłowienie sobie, że naszą prawdziwą naturą jest Świadomość Boga.

Od tego momentu Maria symbolizuje mądrą duszę, prawdziwie godną imienia „Sofia". Jak to ujmuje *Dialog Zbawiciela*, Maria jest teraz „kobietą, która w pełni rozumie". Według *Ewangelii Marii Magdaleny* zmartwychwstały Chrystus powierza wewnętrzne misteria chrześcijaństwa Marii, która przekazuje je innym uczniom. Wówczas uczniowie wyruszają głosić „ewangelię według Marii". Mimo mizoginii chrześcijańskich literalistów tradycja Marii Magdaleny jako *apostola apostolorum*, apostołki apostołów, mieści się do dzisiaj w doktrynie katolicyzmu.

Motywy mistycznego małżeństwa

Według chrześcijańskich gnostyków historia Jezusa zawiera liczne nawiązania do mistycznego małżeństwa. Najważniejszym z nich jest rytuał Eucharystii, oparty na starożytnych rytuałach mistycznego małżeństwa z pogańskich misteriów. W misteriach eleuzyńskich Boginię-Demeter symbolizował chleb, Boga-Dionizosa – wino. Podobnie pierwsi chrześcijanie kojarzyli chleb z Marią, wino zaś z Jezusem, którego Ewangelia według św. Jana nazywa „prawdziwym winem". Literalista Epifaniusz opisywał ze zgrozą, że adepci kolirydyjskiej szkoły chrześcijaństwa celebrowali Eucharystię w imię „Marii, królowej Nieba":

> Ozdabiają krzesło lub kwadratowy tron, rozpościerają nad nim lniane płótno i w uroczystej chwili umieszczają na nim chleb, i ofiarują go w imię Marii; a wszyscy dzielą się owym chlebem.

Przez akt uroczystego spożywania chleba i picia wina Bóg i Bogini – Świadomość i Dusza – łączą się w mistycznym małżeństwie. Oczywiście nie jest bez znaczenia fakt, że kiedy Jezus celebruje Eucharystię w czasie ostatniej wieczerzy, „umiłowana uczennica", Maria Magdalena, leży na jego kolanach.

Wcześniej Jezus w cudowny sposób zamienił wodę w wino w czasie uroczystości weselnej w Kanie, co według chrześcijańskich gnostyków symbolizuje mistyczne małżeństwo. Woda zamieniająca się w wino to archaiczny symbol ekstatycznej intoksykacji i transformacji duchowej. Twórcy historii Jezusa zapożyczyli ten motyw z pogańskiej mitologii, w której Bóg mężczyzna Dionizos zamienia wodę w wino w czasie swych zaślubin z Ariadną. W chrześcijańskiej wersji tej opowieści Jezus nie został przedstawiony jako oblubieniec. Jednakże Jezus nazywa sam siebie i wielokrotnie jest nazywany przez innych „oblubieńcem" (...).

W intrygującej pozakanonicznej chrześcijańskiej opowieści Jezus zabiera Marię Magdalenę na szczyt góry, gdzie jeden z jego boków staje się kobietą, z którą uprawia on miłość. Wstępowanie na górę od wieków wskazuje na podążanie duchową ścieżką do nieba. Obraz Jezusa tworzącego kobietę ze swojego boku stanowi aluzję do mitu z Księgi Rodzaju, w którym Ewa została stworzona z boku Adama, co symbolizuje Świadomość materializującą się w postaci duszy. W chrześcijańskiej przypowieści Jezus (Świadomość) pokazuje Marii (upadłej Duszy) magiczną kobietę (wyższą Duszę) – pierwotną naturę Marii. Następnie Jezus uprawia miłość z kobietą, co symbolizuje skonsumowanie mistycznego małżeństwa, w czasie którego Świadomość i Dusza łączą się, tworząc jedność.

Podsumowanie

△ Chrześcijański mit o upadłej Bogini uzupełnia mit o Jezusie. Jezus i Bogini symbolizują Świadomość i Duszę, czyli ducha i duszę. Bogini jest przedstawiana w dwóch aspektach, odpowiadających czystej duszy i duszy ucieleśnionej. Owe dwa aspekty można sobie wyobrazić jako dwa końce promienia kręgu tożsamości – jeden z nich łączy się ze świadomością pośrodku, drugi zaś z ciałem na obwodzie.

△ Mit o Sofii to historia popadnięcia duszy w stan inkarnacji i jej odkupienia przez brata-kochanka, symbolizującego Świadomość. Upadek, pokuta, odkupienie i małżeństwo Sofii symbolizują cielesny, psychiczny i pneumatyczny stan świadomości adepta, przez które przechodzi on na swej drodze ku pojęciu gnozy.

△ Mit o Sofii stanowi podtekst historii Jezusa. Najważniejszymi postaciami Sofii w ewangeliach są dwie Marie, dziewicza matka Jezusa i jego kochanka-prostytutka, symbolizujące wyższą Sofię i upadłą Sofię (...).

Puchar i ostrze
Archeologia, antropologia i żeńska świętość

W swojej słynnej książce *The Chalice and the Blade: Our History, Our Future* Riane Eisler przedstawia archeologiczne i historyczne świadectwa centralnej roli Bogini i kobiet we wczesnych kulturach; roli, która – jak twierdzi – później została zawłaszczona przez hierarchie forsujące dominację, patriarchat i formalizm. Eisler jest współzałożycielką Center for Partnership Studies (Ośrodka Studiów nad Partnerstwem), promującego styl życia oparty na „harmonii z naturą, unikaniu przemocy oraz na równości płciowej, rasowej i ekonomicznej". Jej książka, wymieniona w bibliografii *Kodu Leonarda da Vinci*, była źródłem informacji dla uczestników niektórych dyskusji o historycznych symbolach i przedstawieniach Bogini.

„Istnieje mnóstwo dowodów na to, że duchowość, a zwłaszcza uduchowione wizje charakterystyczne dla mędrców-wizjonerów, były niegdyś kojarzone z kobietą" – pisze Eisler. „Z mezopotamskich źródeł archeologicznych dowiadujemy się, że babilońską Isztar (…) nazywano Panią Wizji, Tą, Która Kieruje Wyroczniami, Prorokinią". W Egipcie, skąd pochodzi wiele dowodów silnej pozycji królowych i kobiet-faraonów, „wizerunek kobry to znak hieroglificzny bogini; kobra była też nazywana Okiem, *udżat*, symbolem mistycznej wizji i mądrości (…)".

Eisler zwraca uwagę, że „słynne sanktuarium-wyrocznia w Delfach również stało w miejscu pierwotnie kojarzonym z kultem Bogini. A nawet w czasach klasycznych, kiedy przejęli je kapłani kultu Apollina, wyrocznia wciąż przemawiała ustami kobiety".

Świadectwa archeologiczne z wielu krajów Bliskiego Wschodu i basenu Morza Śródziemnego wskazują, że wyjątkowo często kojarzono tam sprawiedliwość (prawo) i medycynę (moc uzdrawiania) z postaciami kobiet. Egipska bogini Izyda opiekowała się tymi dziedzinami wiedzy. „Wydaje się, że nawet pismo, które – jak od dawna sądzono – wynaleziono około 3200 roku p.n.e. w Sumerze, pojawiło się znacznie wcześniej i jego powstanie miało być może związek z kobietami. Na sumeryjskich tabliczkach Bogini Nidaba jest nazywana skrybą Niebios, a także wynalazczynią pisma i glinianych tabliczek. W mitologii indyjskiej Bogini Saraswati przypisuje się wynalezienie pierwszego alfabetu".

Społeczeństwo minojskie pozostawiło po sobie świadectwa archeologiczne i artystyczne, wskazujące, że jego codzienne życie koncentrowało się wokół kultu Bogini. „Na Krecie władza była kojarzona przede wszystkim z odpowiedzialnością macierzyństwa" – pisze Eisler, twierdząc, że w okresie minojskim na Krecie powstał męsko-żeński „partnerski model społeczeństwa, w którym kobiety i cechy kobiece nie ulegały systematycznej dewaluacji". W tej demokracji poprzedzającej ateńską rozkwitała sztuka, panował pokój, a kulturę cechowało umiłowanie życia zawierające w sobie coś, co Eisler nazywa „więzią przyjemności" między mężczyzną i kobietą. Według Eisler i wielu innych naukowców moda i sztuka podkreślały swobodną, nieograniczaną seksualność. Niektórzy uczeni sugerują, że cywilizacja minojska rozwijała się tak pomyślnie, trwała w pokoju i bogactwie oraz osiągnęła tak wysoki poziom sztuki, ponieważ agresja kreteńskich mężczyzn znajdowała bezpieczne ujście w sporcie, ekstatycznych tańcach, muzyce i seksie, a nie w prowadzeniu wojen.

Kiedy inne oddające cześć boginiom kultury porzucały swoje kobiece bóstwa na rzecz męskich bogów wojny, Kreteńczycy 4000 lat temu trzymali się swojej tradycji. Być może właśnie dlatego, jak to ujmuje Eisler, „na Krecie, gdzie Bogini zachowała wciąż najwyższą pozycję, nie znajdujemy świadectw toczenia wojen. Zarówno gospodarka, jak i sztuka rozkwitały". Bogini pozostawała w centrum religijnych i rytualnych praktyk minojskiego społeczeństwa jeszcze przez setki lat, zanim również tutaj musiała ustąpić miejsca męskim bóstwom. Być może proces upadku Bogini znalazł odzwierciedlenie w dziejach doświadczeń chrześcijańskich i w tym, jak Maria Magdalena była traktowana przez wczesny Kościół, a nawet dzisiaj. Langdon, Teabing i Saunière bez wątpienia należą do jednego z największych spisków w pisanej przez mężczyzn historii.

Freski na ścianach minojskiego pałacu w Knossos wciąż opowiadają historię o Bogini, jej kapłankach i świętych, mistycznych obrzędach – również sakralnych praktykach seksualnych. Te i inne znaleziska archeologiczne dają nam liczne wskazówki, dzięki którym poszukiwanie „żeńskiego *sacrum*" w zbiorowej nieświadomości Zachodu i judeochrześcijańskim doświadczeniu jest intrygującym, owocnym i z historycznego punktu widzenia istotnym przedsięwzięciem.

Część II

Echa zaginionej przeszłości

3. Zaginione ewangelie

Książka Dana Browna podnosi bardzo istotne pytanie: skoro oni – czyli przywódcy Kościoła – tak mocno ingerowali w historię początków chrześcijaństwa, to czego jeszcze nie wiemy? Czego jeszcze musimy się dowiedzieć? Jako historyk sądzę, że to naprawdę ważne pytanie, a odpowiedź na nie ma olbrzymie znaczenie.

Elaine Pagels

Filarami, na których opiera się intryga powieści Dana Browna, są dzieje początków chrześcijaństwa. Szczególne znaczenie ma zbiór ewangelii gnostycznych, odnaleziony w 1945 roku w pobliżu egipskiego miasta Nag Hammadi. Dokumenty te, które umożliwiły odkrycie zmarginalizowanej później alternatywnej tradycji, pozwoliły autorowi stworzyć tło dla kolejnej artystycznej mieszaniny prawdy i fikcji w *Kodzie Leonarda da Vinci*. W rozdziale 58, rozgrywającym się w urządzonym z przepychem gabinecie Leigha Teabinga, Sophie Neveu i Robert Langdon otrzymują egzemplarz owych zaginionych ewangelii „w skórzanej oprawie (...) dużego rozmiaru", aby mogli ujrzeć niepodważalny dowód, iż „małżeństwo Jezusa i Marii Magdaleny zapisane jest w historycznych źródłach".

Z fragmentów prac i wywiadów z uznanymi specjalistami wynika bez wątpienia, że bezcenne teksty z Nag Hammadi dały okazję do dokładniejszej, bardziej wszechstronnej i, być może, jeszcze bardziej radykalnej interpretacji słów Jezusa, roli jego zwolenników i początków chrześcijaństwa. Dzięki nim zyskaliśmy wgląd w epokę, w której istniały liczne zwalczające się odmiany chrześcijaństwa i nie powstał jeszcze ostateczny kanon. W szczególności źródła te umożliwiły nam wniknięcie w odmienną – gnostyczną – tradycję, która kłóci się z takim rozumieniem nauki Jezusa, jakie przekazuje znany nam Nowy Testament.

Wyjątkowo zapalnym punktem – z perspektywy historii Kościoła – jest rola Marii Magdaleny, przedstawionej w pismach z Nag Hammadi jako uczennica i bliska towarzyszka Jezusa. Teksty te koncentrują się na poszukiwaniu wewnętrznej wiedzy i samorozwoju w większym stopniu niż tradycyjnie pojmowana filozofia Nowego Testamentu. Gnostycy z Nag Hammadi nie potrzebowali kościołów i kapłanów. Wydaje się, że zupełnie wystarczało im interpretowanie własnych ewangelii i świętych ksiąg bez pośredników; ideę zinstytucjonalizowanego chrześcijaństwa uznaliby za zagrożenie.

W tym rozdziale pragniemy zachęcić czytelników do poszukiwania znaczeń tych zaginionych ewangelii i konsekwencji ich istnienia, jakie za sobą pociągają. Na pewno wydają się one akcentować równowagę między męskością a kobiecością, dobrem i złem w ludzkości oraz podkreślają znaczenie Marii Magdaleny jako apostoła. Poza tym, czy słowo „towarzyszka" oznacza „małżonkę", czy po prostu „sympatyczkę, wyznawczynię"? Jak rozumieć wzmiankę z *Ewangelii Filipa*, że Jezus często całował Marię Magdalenę w usta? To prawda czy metafora? A jeśli metafora, to metafora czego? Czy ewangelie gnostyczne mówią, że istniała bardziej ludzka, nastawiona bardziej „na ducha wewnątrz każdego z nas", silnie antyautorytarna i profeministyczna tradycja, którą chrześcijańscy „zwycięzcy" celowo zmarginalizowali i napiętnowali jako herezję?

Dzięki specjalistom, którzy całe swe zawodowe życie poświęcili tym źródłom, czytelnik zapozna się zarówno z opracowaniami na temat dokumentów, które odgrywają tak istotną rolę w *Kodzie Leonarda da Vinci*, jak i z ich przekładami.

Zadziwiające odkrycie

Klucze to tradycji alternatywnej i ich znaczenie dla współczesności

ELAINE PAGELS

Elaine Pagels jest profesorem religioznawstwa w instytucie Harrington Spear Paine w Princeton University, autorką bestsellerów *Beyond Belief: The Secret Gospel of Thomas* i *The Gnostic Gospels*, które zdobyły National Book Critics Circle Award i National Book Award.

W grudniu 1945 roku arabski wieśniak z Górnego Egiptu dokonał niezwykłego odkrycia archeologicznego. Liczne plotki zaciemniają okoliczności tego wydarzenia – być może dlatego, że odkrycie było przypadkowe, a sprzedaż znalezisk na czarnym rynku nielegalna. Przez lata nawet miejsce odkrycia pozostawało nieznane. Według jednej z pogłosek znalazcą był krwawy mściciel; inna głosiła, że dokonał znaleziska w okolicach miasta Naj Hammadi* koło Jabal al-Tarif**, góry usianej ponad 150 jaskiniami. Pierwotnie, rzecz jasna, część z tych grot została wykuta i pomalowana, a służyły jako ludzkie siedliska już za VI dynastii, około 4300 lat temu.

Trzydzieści lat później sam odkrywca, Muhammad Ali al-Samman, opowiedział, co się stało. Zanim on i jego bracia dokonali krwawej zemsty na zabójcy ich ojca, osiodłali swe wielbłądy i pojechali do Jabal, by wykopać *sabakh*, miękką ziemię, którą chcieli użyźnić swe pola. Kopiąc wokół olbrzymiego głazu, natrafili na czerwony gliniany dzban wysokości niemal metra. Muhammad Ali zawahał się przed rozbiciem naczynia, sądząc, iż wewnątrz może mieszkać dżinn. Doszedłszy do wniosku, że dzban być może zawiera również złoto, podniósł motykę, stłukł go i odkrył wewnątrz 13 papirusowych ksiąg oprawnych w skórę. Po powrocie do domu w al-Kasr Muhammad Ali wyrzucił księgi i luźne strzępy papirusu na stos słomy obok pieca. Matka Muhammada, Umm-Ahmad, przyznaje, że spaliła większość papirusów w piecu wraz ze słomą, której używała do podniecania ognia.

Kilka tygodni później, jak mówi Muhammad Ali, on i jego bracia pomścili śmierć ojca, mordując Ahmeda Ismaila. Matka ostrzegła synów, by naostrzyli motyki: kiedy dowiedzieli się, że wróg ojca jest w pobliżu, bracia skorzystali z okazji, „odcięli członki, (...) wydarli mu serce i pożarli je, dopełniając aktu krwawej zemsty".

W obawie, że prowadząca śledztwo policja przeszuka dom i odkryje księgi, Muhammad Ali poprosił kapłana al-Kummusa Basiliylusa Abd al-Masiha, by je dla niego przechował. W czasie gdy Muhammad Ali i jego bracia byli przesłuchiwani w sprawie morderstwa, Raghin, miejscowy nauczyciel historii, obejrzał jeden z zabytków i pomyślał, że może być cenny. Otrzymawszy jedną księgę z rąk al-Kummusa Basiliylusa, Raghib posłał ją do przyjaciela do Kairu, by oszacował jej wartość.

Sprzedany na kairskim czarnym rynku przez antykwariuszy manuskrypt szybko przyciągnął uwagę egipskich urzędników. W niezwykle dramatycznych okolicznościach – jak się przekonamy – kupili jedną i skonfiskowali 10 i pół z 13 oprawnych w skórę ksiąg, zwanych kodeksami, i złożyli je w Muzeum Koptyjskim w Kairze. Jednak większa część trzynastego kodeksu, zawierająca pięć niezwykłych tekstów, została nielegalnie wywieziona z Egiptu i wystawiona na sprzedaż w Ameryce. Informacja o tym kodeksie szybko dotarła do profesora Gillesa

* Nag Hammadi.

** Dżebel el-Tarif.

Quispela, szanowanego historyka religii z Utrechtu. Podekscytowany znaleziskiem Quispel namawiał Fundację Junga w Zurychu do kupna kodeksu. Po dokonaniu zakupu odkrył, że brakuje części kart. Poleciał więc do Egiptu wiosną 1955 roku i próbował odnaleźć je w Muzeum Koptyjskim. Przybywszy do Kairu, natychmiast udał się do muzeum, wypożyczył fotografie części tekstów i pobiegł do hotelu, by je odczytać. Zaskoczył go już pierwszy wers, brzmiał: „Oto są tajemne słowa, które wygłosił Jezus żywy, a które spisał Didymos [bliźniak] Juda Tomasz". Quispel wiedział, że jego kolega H.-C. Puech, wykorzystując zapiski Francuza Jeana Doresse'a, zidentyfikował pierwsze wersy jako fragmenty greckiej *Ewangelii Tomasza*, którą odnaleziono w latach 90. XIX wieku. Jednak odkrycie całego tekstu przyniosło nowe pytania: Czy Jezus miał brata bliźniaka, jak sugeruje tekst? Czy tekst może być autentycznym zapisem słów Jezusa? Sądząc po tytule, jest to *Ewangelia* [według] *Tomasza*, jednak, w przeciwieństwie do ewangelii Nowego Testamentu, tekst określa się jako tajną księgę. Quispel odkrył też, iż zawiera on wiele wypowiedzi znanych z Nowego Testamentu, jednak zdania te, umieszczone w innym kontekście, mają zupełnie odmienne znaczenie. Inne fragmenty, zauważył Quispel, różnią się całkowicie od jakiejkolwiek znanej tradycji chrześcijańskiej: „Jezus żywy", na przykład, wypowiada się równie zagadkowo i frapująco jak koany* zen:

> Jezus powiedział: „Gdy pozwolicie powstać tamtemu, co jest w was, wtedy to, co macie, uratuje was. Jeśli nie istnieje tamto, co jest w was, wtedy to, czego nie macie w sobie, uśmierci was".

Ewangelia Tomasza, którą Quispel trzymał w ręku, była zaledwie jednym z 52 tekstów odkrytych w Nag Hammadi (...). Oprawiono ją w jeden tom z *Ewangelią Filipa*, która przypisuje Jezusowi czyny i słowa całkowicie odmienne, niż znane z Nowego Testamentu:

> A towarzyszka (...) [Zbawiciela to] Maria Magdalena. [Jezus kochał] ją bardziej niż [wszystkich] uczniów [i zwykł był] całować ją [często] w u[sta]. Reszta [uczniów] (...). Mówili mu: „Czemu miłujesz ją bardziej niż nas wszystkich?" Zbawiciel odpowiedział i rzekł im: „Dlaczego nie miłuję was jak ją".

Inne wypowiedzi z tego zbioru odrzucały chrześcijańskie dogmaty, takie jak narodziny z dziewicy czy zmartwychwstanie ciał jako naiwne nieporozumienia.

---

* Koan (jap.) – paradoks wykorzystywany w buddyzmie zen jako narzędzie medytacji w szkoleniu mnichów, by pchnąć ich w stronę nagłego, intuicyjnego oświecenia.

Współoprawiony z tymi ewangeliami został *Apocryphon* (dosłownie „tajna księga") *Jana*, który rozpoczyna propozycja ujawnienia „misteriów i rzeczy ukrytych w milczeniu", jakich Jezus nauczył swego ucznia Jana.

Muhammad Ali przyznał później, że część tekstów przepadła – spalona albo wyrzucona. Jednak to, co pozostało, jest zdumiewające: 52 dwa teksty z pierwszych wieków chrześcijaństwa – włącznie ze zbiorem uprzednio nieznanych wczesnochrześcijańskich ewangelii. Poza *Ewangelią Tomasza* i *Ewangelią Filipa*, znalezisko obejmowało też *Ewangelię prawdy* i *Ewangelię Egipcjan*, która mieni się „[świętą księgą] Wielkiego Niewidzialnego [Ducha]". Inna grupa tekstów składa się z pism przypisywanych uczniom Jezusa, jak na przykład *Tajna księga Jakuba*, *Apokalipsa Pawła*, *List Piotra do Filipa* i *Apokalipsa Piotra*.

Wkrótce wyjaśniło się, że znalezisko Muhammada Ali z Nag Hammadi to pochodzące sprzed 1500 lat koptyjskie tłumaczenia jeszcze starszych tekstów. Oryginały napisano po grecku, w języku Nowego Testamentu: jak stwierdzili Doresse, Puech i Quispel, fragment jednego z pism został odnaleziony przez archeologów około 50 lat wcześniej w postaci kilku fragmentów greckiej wersji *Ewangelii Tomasza*.

Datowanie rękopisów nie wzbudza większych kontrowersji. Analiza zapisanego papirusu, ktorego użyto do wypełnienia skórzanych okładek, i stylu pisma koptyjskiego wskazuje na lata około 350–400 n.e.. Ostre spory wzbudza jednak datowanie oryginalnych tekstów. Większość z nich z pewnością nie powstała później niż w latach 120–150 n.e., gdyż Ireneusz, ortodoksyjny biskup Lyonu*, napisał około 180 roku, że heretycy przechwalają się, iż posiadają więcej ewangelii niż naprawdę istnieje, i uskarżał się, że w tym okresie takie pisma czytano od Galii przez Rzym, Grecję do Azji Mniejszej.

Quispel i jego współpracownicy, którzy pierwsi wydali *Ewangelię Tomasza*, sugerują, że oryginał powstał około 140 roku. Niektórzy utrzymują, że ponieważ ewangelie te są pismami heretyckimi, musiały powstać później niż ewangelie Nowego Testamentu, datowane na około lata 60–110 n.e. Ostatnio jednak profesor Helmut Koester z Harvard University wysunął tezę, iż zbiór powiedzeń w *Ewangelii Tomasza*, chociaż skompilowany około 140 roku, może zawierać tradycje starsze niż ewangelie Nowego Testamentu, „być może pochodzące już z drugiej połowy I wieku" (50–100) – a więc równie wczesne, albo i wcześniejsze, niż ewangelie według Marka, Mateusza, Łukasza i Jana".

Uczeni zajmujący się znaleziskiem z Nag Hammadi odkryli, że część tekstów opisuje początek rasy ludzkiej w sposób bardzo odbiegający od zwykłej

* Wówczas Lugudunum.

interpretacji Genesis: *Świadectwo prawdy*, na przykład, opowiada historię, która wydarzyła się w raju, z punktu widzenia węża! Otóż wąż, od dawna znany w literaturze gnostycznej jako zasada boskiej mądrości, przekonuje Adama i Ewę do współudziału w wiedzy, podczas gdy zazdrosny „Pan" straszy ich śmiercią i próbuje uniemożliwić im zdobycie wiedzy, a wreszcie wyrzuca ich z raju, kiedy już ją posiedli. Inny tekst, o zagadkowym tytule *Grzmot, doskonały umysł*, zawiera niezwykły poemat wygłaszany przez żeńską potęgę boską:

Gdyż ja jestem pierwsza i ostatnia.
Ja jestem czczona i wyszydzana.
Jestem nierządnicą i świętą.
Jestem żoną i dziewicą (...)
Jestem bezpłodna i wielu mam synów (...)
Jestem ciszą, która jest niezrozumiała (...)
Jestem wyrażeniem własnego imienia.

W omawianym zbiorze tekstów znajdziemy więc tajne ewangelie, poematy i quasi-filozoficzne opisy początków wszechświata, ale też mity, magię i instrukcje dotyczące praktyk mistycznych.

Dlaczego zakopano te pisma – i dlaczego pozostawały nieznane przez prawie 2000 lat? Fakt, iż uznano je za dokumenty wyklęte, a następnie zakopano na wzgórzu koło Nag Hammadi, stanowi jeden z epizodów walki o kształt wczesnego chrześcijaństwa. Teksty z Nag Hammadi, i inne im podobne, które krążyły na początku ery chrześcijańskiej, w połowie II stulecia uznane zostały przez ortodoksyjnych chrześcijan za heretyckie. Od dawna wiemy, że wielu zwolenników Chrystusa napiętnowano jako heretyków, jednak naszą wiedzę na ich temat czerpiemy głównie z pism ich przeciwników. Biskup Ireneusz, kierujący Kościołem w Lyonie, około 180 roku napisał pięć ksiąg zatytułowanych *Eleuchos kai antrope tes pseudonymu gnoses* (Zdemaskowanie i odparcie fałszywej gnozy), które rozpoczynają się od obietnicy przedstawienia poglądów tych, którzy obecnie nauczają herezji, i wskazania, jak absurdalne i niezgodne z prawdą są ich nauki. Ireneusz pragnie to uczynić, by jego czytelnik mógł napominać wszystkich z nim związanych, by unikali takiej przepaści szaleństwa i bluźnierstwa przeciwko Chrystusowi.

Za „pełne bluźnierstw" uważa zwłaszcza słynne *Świadectwo prawdy*. Czy Ireneusz ma na myśli ten sam tekst, co *Świadectwo prawdy* odkryte w Nag Hammadi? Quispel i jego współpracownicy, pierwsi wydawcy *Świadectwa prawdy*, uważają, że tak; jednak jeden z przeciwników tej teorii utrzymuje, że pierwszy wers (zaczynający się od słów „Oto świadectwo prawdy") nie jest tytułem. Jednak Ireneusz korzysta z tego samego źródła, co przynajmniej jedno z pism odnalezionych w Nag Hammadi – *Tajna księga Jana* – czyniąc zeń amunicję do własnego ataku na tę „herezję". Pięćdziesiąt lat później Hipolit, rzymski nauczyciel, napisał obszerne *Philosophumena kata pason haireseon elenchos* (Odparcie wszystkich herezji), aby „obnażyć i obalić szaleńcze bluźnierstwa heretyków".

Do kampanii przeciwko herezji włączyła się też władza świecka, chociaż sterowali nią biskupi. W czasie nawrócenia cesarza Konstantyna, kiedy chrześcijaństwo stało się oficjalnie uznaną religią (IV wiek), chrześcijańscy biskupi, uprzednio prześladowani przez państwo, sami zaczęli używać przymusu. Posiadanie ksiąg uznanych za heretyckie stało się przestępstwem. Kopie takich pism palono i niszczono. Jednak w Górnym Egipcie ktoś, być może mnich z pobliskiego klasztoru św. Pachomiusza, zebrał wyklęte księgi i ukrył je przed zniszczeniem – w dzbanie, który przeleżał pod ziemią prawie 1600 lat.

Jednak ci, którzy pisali i puszczali w obieg te pisma, nie uznawali siebie za „heretyków". Większość pism wykorzystuje chrześcijańską terminologię, niewątpliwie związaną z dziedzictwem żydowskim. Wiele z nich twierdzi, że przedstawia tajną, ukrytą przed „większością" tradycję o Jezusie. Ową „większość" w II wieku zaczęto określać mianem „Kościoła katolickiego". Chrześcijańskich autorów pism nazywamy gnostykami, od greckiego słowa *gnosis* (wiedza). Ci, którzy głoszą, iż nic nie wiedzą o fundamentalnej rzeczywistości, to agnostycy (dosłownie „niewiedzący"), a twierdzący coś przeciwnego – gnostycy („wiedzący"). Jednak *gnosis* nie jest wiedzą rozumową. Język grecki rozróżnia wiedzę naukową albo refleksyjną („On zna matematykę") i wiedzę płynącą z obserwacji lub doświadczenia („On zna mnie"), czyli właśnie *gnosis*. Gnostycy używali tego terminu w znaczeniu „zrozumienie", gdyż *gnosis* obejmuje intuicyjny proces poznawania siebie. Poznać siebie, głosili, to poznać ludzką naturę i przeznaczenie człowieka. Według gnostyka Teodotusa, piszącego w Azji Mniejszej (około 140–160), gnostyk to ten, kto doszedł do rozumienia:

> Kim jesteśmy, i czym się staliśmy; gdzie byliśmy (...), dokąd spieszymy; od czego zostaliśmy uwolnieni; czym są narodziny i ponowne narodziny.

Poznanie bowiem siebie oznacza, na najgłębszym poziomie, równoczesne poznanie Boga; oto sekret *gnosis*. Inny gnostycki nauczyciel, Monoimus, głosił:

> Porzuć poszukiwanie Boga i stworzenia i innych spraw tego rodzaju. Szukaj go, biorąc siebie za punkt (wyjścia). Dowiedz się, kto jest w tobie i kto czyni wszystko swoim własnym i powiedz: „Mój Bóg, mój umysł, moja myśl, moja dusza, moje ciało". Poznaj źródła smutku, radości, miłości, nienawiści (...). Jeśli starannie przemyślisz te kwestie, znajdziesz go w sobie.

Teksty odkryte przez Muhammada Ali w Nag Hammadi to zbiór pism w zdecydowanej większości gnostycznych. Chociaż oferują one tajemne nauki, wiele z nich odwołuje się do pism Starego Testamentu, a inne do listów świętego Pawła i ewangelii Nowego Testamentu. W licznych występują te same *dramatis personae*, co w Nowym Testamencie – Jezus i jego uczniowie. Różnice są jednak uderzające.

Ortodoksyjni Żydzi i chrześcijanie utrzymują, że ludzkość od jej stwórcy dzieli przepaść: Bóg jest całkowicie odmienny od człowieka. Jednak gnostyccy autorzy tych ewangelii sądzą przeciwnie: samozrozumienie to zrozumienie Boga; ja i boskość są tożsame.

Po drugie, „Jezus żywy" z tekstów z Nag Hammadi mówi o iluzji i oświeceniu, a nie o grzechu i skrusze, jak Jezus z Nowego Testamentu. Nie przybył do nas, by uwolnić nas od grzechu, ale jako przewodnik, który otwiera dostęp do duchowego zrozumienia. Kiedy jednak uczeń dostępuje oświecenia, Jezus przestaje być jego duchowym mistrzem: obaj stają się równi – a nawet tożsami.

Po trzecie, ortodoksyjni chrześcijanie wierzą, że Jezus jest Panem i Synem Boga w specyficzny sposób: pozostaje on na zawsze oddzielony od reszty ludzkości, którą ma zbawić. Natomiast gnostyczna *Ewangelia Tomasza* opisuje, że gdy tylko Tomasz go rozpoznał, Jezus powiedział mu, iż obaj otrzymali swój byt z tego samego źródła:

> Jezus powiedział: „Nie jestem twoim panem. Ponieważ piłeś, stałeś się napojem z bulgoczącego strumienia, który ja odmierzyłem (...). Ten, kto napije się z moich ust, stanie się taki jak ja: ja sam stanę się nim, a rzeczy ukryte staną się dla niego jawne".

Czy takie poglądy – tożsamość boskości i ludzkości, skupienie na iluzji i oświeceniu, założyciel, który nie jest panem, ale duchowym przewodnikiem – nie kojarzą się bardziej z naukami Wschodu? Część uczonych sugerowała, że gdyby zmienić imiona, „Budda żywy" mógłby wypowiedzieć słowa, które *Ewangelia Tomasza* przypisuje Jezusowi. Czy tradycja hinduistyczna lub buddyjska mogła wpływać na gnostycyzm?

Brytyjski znawca buddyzmu Edward Conze twierdzi, że tak. Wskazuje on, iż „buddyści utrzymywali kontakty z chrześcijanami tomaszowymi (czyli tymi, którzy znali takie pisma jak *Ewangelia Tomasza* i korzystali z nich) w południowych Indiach". Szlaki handlowe pomiędzy światem grecko-rzymskim a Dalekim Wschodem istniały w okresie, kiedy rozkwitał gnostycyzm (lata 80–200); przez pokolenia misjonarze buddyjscy głosili swe nauki w Aleksandrii. Pamiętajmy też, że Hipolit, greckojęzyczny chrześcijanin z Rzymu (ok. 225 roku), znał naukę indyjskich braminów – i włączył ją do swego wyliczenia źródeł herezji (...).

Czy tytuł *Ewangelii Tomasza* – pochodzący od imienia ucznia, który według tradycji dotarł do Indii – wskazuje na wpływ indyjskich tradycji? Poszlaki te dopuszczają taką możliwość, jednak dowody nie są rozstrzygające. Ponieważ podobne tradycje mogą pojawiać się w różnych miejscach w różnych okresach, być może poglądy te rozwinęły się niezależnie. To, co nazywamy religiami Wschodu i Zachodu i zwykle rozważamy oddzielnie, z pewnością nie było jasno rozgraniczone 2000 lat temu. Badania tekstów z Nag Hammadi to zaledwie początek: czekamy na prace uczonych, którzy porównają owe tradycje, by orzec, czy rzeczywiście możemy w nich odnaleźć tradycje indyjskie.

Jeśli idee, które kojarzymy z religiami wschodnimi, wyłoniły się w I wieku na Zachodzie dzięki ruchowi gnostyckiemu, zostały zduszone i napiętnowane przez polemistów w rodzaju Ireneusza. Ci, którzy nazywali gnostycyzm herezją, przejęli – świadomie bądź nie – pogląd grupy wyznawców nazywających się ortodoksyjnymi chrześcijanami. Heretykiem mógł być każdy, czyje poglądy nie podobały się innym lub były przez innych odrzucane. Według tradycji, heretyk to ten, który odstąpił od prawdziwej wiary. Czym jednak jest „prawdziwa wiara"? Kto i dlaczego określa jej kształt?

Znamy ten problem z własnego doświadczenia. Termin „chrześcijaństwo", zwłaszcza od czasów reformacji, obejmuje niezwykle wiele grup. Przedstawicielami „prawdziwego chrześcijaństwa" głoszą się w XX wieku zarówno katolicki kardynał z Watykanu, jak i kaznodzieja Afrykańskiego Kościoła Metodystów inicjujący odrodzenie duchowe w Detroit, mormoński kaznodzieja w Tajlandii i członek wiejskiej parafii na wybrzeżu Grecji. W dodatku chrześcijanie, protestanci i prawosławni zgadzają się, że taka różnorodność pojawiła się ostatnio i jest godna ubolewania. Według chrześcijańskiej legendy pierwotny Kościół był inny. Chrześcijanie wszystkich odłamów cofają się do początków swej religii, by odnaleźć prostszą, czystszą formę wiary chrześcijańskiej. W czasach apostołów wszyscy członkowie wspólnoty dzielili swe pieniądze i własność; wszyscy wierzyli w te same nauki i wspólnie oddawali cześć Bogu; wszyscy szanowali autorytet apostołów. Po tym złotym wieku nastąpiły konflikty, a potem zrodziły się herezje: tak mówi autor Dziejów Apostolskich, uważający siebie za pierwszego historyka chrześcijaństwa.

Jednak znaleziska z Nag Hammadi psują ten wyidealizowany obraz. Jeśli przyznamy, że część z tych 52 tekstów reprezentuje wczesne formy nauki chrześcijańskiej, musimy uznać, że pierwotne chrześcijaństwo było bardziej zróżnicowane, niż to wydawało się przed odkryciem ksiąg z Nag Hammadi.

Współczesne chrześcijaństwo, choć tak złożone i zróżnicowane, być może jest bardziej jednolite niż Kościoły chrześcijańskie I i II wieku. Niemal wszyscy współcześni chrześcijanie, katolicy, protestanci i prawosławni, podzielają trzy podstawowe zasady. Po pierwsze, uznają kanon Nowego Testamentu; po drugie, przyjmują apostolskie wyznanie wiary; po trzecie, pochwalają specyficzne formy organizacji Kościoła. Wszystkie te zasady – kanon Pisma, wyznanie wiary i struktura instytucjonalna – wyłoniły się jednak w obecnej formie dopiero pod koniec II wieku. Przedtem, jak poświadczają Ireneusz i inni pisarze, wśród różnych grup chrześcijan krążyły rozmaite ewangelie, od ksiąg Mateusza, Marka, Łukasza i Jana do pism w rodzaju *Ewangelii Tomasza*, *Ewangelii Filipa* i *Świadectwa prawdy*, jak również inne nauki tajemne, mity i poematy przypisywane Jezusowi bądź apostołom. Część z nich odkryto w Nag Hammadi; inne przepadły. Ludzie uważający się za chrześcijan mieli wiele – często skrajnie odmiennych – wierzeń i praktyk religijnych. Wspólnoty zaś rozsiane po całym znanym wówczas świecie organizowały się w sposób niekiedy całkowicie różny.

Około 200 roku sytuacja zmieniła się. Chrześcijaństwo stało się instytucją kierowaną przez trzystopniową hierarchię biskupów, kapłanów i diakonów, którzy uznawali siebie za strażników jedynej „prawdziwej wiary". Większość Kościołów, wśród których dominował Kościół rzymski, odrzuciła wszelkie inne poglądy jako herezje. Ubolewając nad zróżnicowaniem wcześniejszego ruchu, biskup Ireneusz i jego zwolennicy uważali, że powinien istnieć tylko jeden Kościół, a poza tym Kościołem, głosił, „nie ma zbawienia". Członkowie tego Kościoła są ortodoksami (dosłownie „prosto myślącymi"). Twierdził też, że ów Kościół musi być katolicki – czyli uniwersalny. Ktokolwiek podważał tę zasadę, przedstawiając inną formę nauk chrześcijańskich, obwołany miał być heretykiem i usunięty. Kiedy ortodoksi zyskali wsparcie państwa, po nawróceniu cesarza Konstantyna w IV wieku, walka z herezją nasiliła się.

Wysiłki zmierzające do zniszczenia najdrobniejszych śladów heretyckich „bluźnierstw" okazały się tak skuteczne, że aż do odkryć w Nag Hammadi niemal wszystkie informacje na temat alternatywnych form wczesnego chrześcijaństwa pochodziły ze zmasowanych ataków ortodoksów na nie. Chociaż gnostycyzm jest zapewne najwcześniejszą – i najgroźniejszą – z herezji, uczeni znali jedynie garść oryginalnych gnostycznych tekstów, a żadnego z nich nie wydano przed XIX wiekiem. Pierwszy pojawił się w 1769 roku, kiedy szkocki turysta James Bruce kupił koptyjskich rękopis w okolicach Teb (współczesny Luksor) w Górnym Egipcie. Opublikowano go dopiero w 1892 roku; jest to zapis rozmowy pomiędzy Jezusem a jego uczniami – w których gronie są zarówno mężczyźni, jak i kobiety. W 1773 roku kolekcjoner znalazł w londyńskiej księgarni starożytny tekst, również koptyjski, zawierający dotyczący „misteriów" dialog między Jezusem a jego uczniami. W 1896 roku niemiecki egiptolog zakupił w Kairze rękopis, który, ku jego zdziwieniu, okazał się *Ewangelią Marii Magdaleny* i trzema innymi pismami. Trzy kopie jednego z nich, *Tajnej księgi Jana*, znalazły się również w gnostyckiej bibliotece odkrytej w Nag Hammadi 50 lat później (...).

Nawet jednak 52 pisma z Nag Hammadi dają jedynie niewielkie pojęcie o złożoności ruchu wczesnochrześcijańskiego. Obecnie zaczynamy postrzegać, że to, co nazywamy chrześcijaństwem – i co identyfikujemy z tradycją chrześcijańską – reprezentuje jedynie niewielki wybór specyficznych źródeł, będących zaledwie częścią większej całości. Kto dokonał tego wyboru i dlaczego? Dlaczego inne pisma odrzucono i napiętnowano jako „heretyckie"? Co czyniło je tak niebezpiecznymi? Teraz, po raz pierwszy, mamy szansę poznać najwcześniejszą chrześcijańską herezję; heretycy mogą przemawiać we własnym imieniu.

Gnostyccy chrześcijanie niewątpliwie wyrażali idee, które napawały ortodoksów wstrętem. Na przykład, niektóre z tych gnostycznych tekstów pytają, czy wszelkie cierpienia, znoje i śmierć wzięły się z ludzkiego grzechu, który, w wersji ortodoksyjnej, skaził pierwotnie doskonałe stworzenie. Inne mówią o żeńskim elemencie Boskości, czcząc Boga jako Ojca i Matkę. Jeszcze inne utrzymują, iż zmartwychwstanie Chrystusa należy rozumieć symbolicznie, a nie dosłownie. Kilka radykalnych pism otwarcie nazywa katolików heretykami, którzy, mimo iż „nie rozumieją tajemnicy (...), utrzymują, że tajemnica prawdy do nich jedynie należy". Takie idee gnostyczne fascynowały C.G. Junga: psychoanalityk ten uważał, że wyrażają one „odwrotną stronę umysłu" – spontaniczne, nieświadome myśli, które każda ortodoksja nakazuje tłumić swym wyznawcom.

Nawet ortodoksyjne – według definicji apostolskiego wyznania wiary – chrześcijaństwo obejmuje pewne idee, które wielu z nas dziś może uznać za jeszcze dziwniejsze. Chrześcijanie mają wierzyć, iż Bóg jest doskonale dobry, a mimo to stworzył świat pełen bólu, niesprawiedliwości i śmierci; że Jezus z Nazaretu narodził się z matki dziewicy oraz że został ukrzyżowany na rozkaz prokuratora rzymskiego Poncjusza Piłata i powstał z grobu „trzeciego dnia".

Dlaczego porozumienie Kościołów chrześcijańskich nie tylko zaakceptowało te zadziwiające poglądy, ale i ustanowiło je jedyną prawdziwą formą doktryny chrześcijańskiej? Tradycyjnie historycy mówili nam, że ortodoksi odrzucili poglądy gnostyczne z przyczyn religijnych i filozoficznych. Z pewnością tak było; jednak zbadanie świeżo odkrytych źródeł gnostycznych sugeruje inny wymiar sporu, a mianowicie, że owe debaty religijne – nad kwestią natury Boga lub Chrystusa – równocześnie niosły implikacje społeczne i polityczne, kluczowe dla rozwoju chrześcijaństwa jako religii zinstytucjonalizowanej. Prościej rzecz ujmując, idee przeciwne temu rozwojowi określono mianem „herezji"; idee zaś go popierające stały się „ortodoksją".

Badając teksty z Nag Hammadi wraz ze źródłami z tradycji ortodoksyjnej znanymi od ponad tysiąclecia, możemy stwierdzić, w jaki sposób polityka i religia wpływały na rozwój chrześcijaństwa. Widzimy, na przykład, polityczne implikacje takiego ortodoksyjnego dogmatu jak zmartwychwstanie ciał, i całkowicie przeciwne skutki gnostyckiego poglądu na zmartwychwstanie. Dzięki temu możemy spojrzeć z zaskakująco nowej perspektywy na początki chrześcijaństwa.

Co teksty z Nag Hammadi mówią nam o „wyzwolonym" chrześcijaństwie

WYWIAD Z JAMESEM M. ROBINSONEM

James M. Robinson jest emerytowanym profesorem religioznawstwa Claremont Graduate University i redaktorem naczelnym *The Nag Hammadi Library*. Jako jeden z najwybitniejszych znawców wczesnego chrześcijaństwa nadzorował zespół uczonych i tłumaczy, którzy przywrócili do życia zaginione ewangelie.

Jako jeden z najwybitniejszych znawców zaginionych ewangelii, jak zareagował pan na wieść, że pewne teorie historyczne znalazły się na listach bestsellerów dzięki popularności Kodu Leonarda da Vinci*?*

Książka odniosła dość sensacyjny sukces, który martwi takich uczonych jak ja, próbujących dopasować do siebie fakty. Uważam, że to, iż ta książka jest powieścią, niesie pewien problem. Autor tej fikcji wykorzystuje dobrze znane imiona i wydarzenia, na przykład odkrycie z Nag Hammadi, by dać jej pozór faktograficznej ścisłości. Laikom trudno się zorientować, gdzie zaczyna się jedno, a kończy drugie. Z tego punktu widzenia książka wprowadza w błąd.

Co więcej, jest dla mnie jasne, że Dan Brown nie zna wielu naukowych faktów z mojej dziedziny i żongluje dowodami, by uczynić je bardziej sensacyjnymi, niż są w istocie. Na przykład nazywa rękopisy z Nag Hammadi „zwojami", chociaż nimi nie są. Są to kodeksy – księgi ze stronicami. W rzeczywistości stanowią one najwcześniejszy przykład ksiąg oprawnych w skórę. W innym miejscu Dan Brown wspomina o „dokumencie Q", pisząc, iż „rzekomo jest to księga nauk Jezusa, być może spisana jego własną ręką". Co ciekawe, później dokument Q już się nie pojawia – może dlatego, że argumentacji autora nie wsparłoby to, iż wiemy na pewno, że Jezus jej nie napisał.

Jak więc scharakteryzowałby pan teksty z Nag Hammadi?

Ewangelie kanoniczne, Mateusza, Marka, Łukasza i Jana, tworzą coś w rodzaju teologicznej biografii Jezusa. W przeciwieństwie do nich ewangelie z Nag Hammadi nie są ewangeliami w tradycyjnym tego słowa znaczeniu – a więc historiami narracyjnymi, ale tak zwanymi ewangeliami powiedzeń. *Ewangelia Filipa*, na przykład, to nieuporządkowany materiał, zbiór ekscerptów z różnych źródeł. *Świadectwo prawdy* to quasi-filozoficzny traktat teologiczny, który jednak nie opowiada dziejów Jezusa w żadnym sensie tego słowa. Jedynym pismem, który możemy pewnym sensie uznać za ewangelię, jest czwarty tekst z Nag Hammadi (*Ewangelia Tomasza*), w której pod koniec pojawia się słowo „ewangelia" jako drugi tytuł. Początek tekstu jednakże określa ją mianem „tajnej księgi". To zbiór powiedzeń, przypominający domniemane źródło Mateusza i Łukasza, zwane Q, raz wspomniane w *Kodzie Leonarda da Vinci*.

Czy wiemy coś o ludziach, którzy napisali te teksty?

Zostały one najprawdopodobniej napisane przez różne osoby w różnym czasie. Jeśli powstały w II i III wieku, autorzy byli zapewne gnostykami, przedstawicielami ruchu gnostyckiego, który niemal konkurował z rosnącym w siłę ortodoksyjnym chrześcijaństwem o prawo do kształtowania chrześcijaństwa. Ortodoksi mieli księgi zwane ewangeliami, znane jako ewangelie Mateusza, Marka, Łukasza i Jana. Strona gnostycka określiła mianem ewangelii niektóre ze swych traktatów, które naprawdę nie były ewangeliami w rodzaju tych nowotestamentowych, gdyż kanoniczne ewangelie są opowieściami o teologicznej biografii Jezusa. Ewangelie z Nag Hammadi przypominają bardziej zbiory nieuporządkowanych ekscerptów.

Czy mógłby pan dokładniej naświetlić ideę współzawodnictwa nurtów chrześcijańskich?

Autorzy tych kodeksów próbowali wpłynąć na tych, których moglibyśmy nazwać lewym skrzydłem chrześcijaństwa, w czym przypominali współczesnych nam wyznawców New Age. Uważali dominujący ówcześnie Kościół (w *Kodzie Leonarda da Vinci* zwany Kościołem rzymskokatolickim) za zbyt związany ze sprawami ziemskimi, zbyt światowy, zbyt materialistyczny, zbyt fizyczny, zarzucali mu, że zagubił duchowe, alegoryczne, wyższe, niebiańskie sekrety wiary.

Skoro już mowa o New Age, czy słowo „towarzyszka" w Ewangelii Filipa *oznacza według pana, jak dla niektórych badaczy tych dokumentów, że Jezus i Maria byli małżeństwem? A nawet że się całowali?*

Ale to automatycznie nie oznacza „poślubieni" lub „niepoślubieni". „Towarzyszka" nie musi mieć znaczenia seksualnego, jak obecnie. Wydaje mi się, że był to po prostu sposób na uczynienie opowieści bardziej intrygującą. Jeśli przeczyta się całą *Ewangelię Filipa*, stanie się jasne, że pisarz lekceważy obcowanie cielesne jako właściwe zwierzętom. W pierwotnym Kościele pocałunek uważano za metaforę wydawania na świat. Był on także nazywany pocałunkiem pokoju, analogicznie do współczesnego rytuału, kiedy podczas mszy ludzie podają sobie ręce i mówią: „Pokój nam wszystkim".

Interpretując nazwanie Marii Magdaleny towarzyszką Jezusa, Brown powołuje się na uczonych aramejskich, według których słowo to oznacza żonę. Ale *Ewangelia Filipa* została na koptyjski przełożona z greckiego, tak więc w tekście nie występowało słowo w języku aramejskim.

Według mnie jedyne historyczne informacje o Marii Magdalenie zawiera Nowy Testament, a i on ogranicza się do stwierdzenia, że należała ona do kręgu kobiet towarzyszących Jezusowi i jego uczniom mężczyznom w wędrówkach. Siedem złych duchów, które Jezus z niej wyrzucił, może symbolizować jakieś problemy nerwowe lub chorobę psychiczną, na przykład epilepsję. Była chora, on jej pomógł, więc stała się uczennicą, lojalną do samego końca. Sądzę, że po egzekucji pozostała sama, gdyż inni uczniowie stchórzyli. Prawdopodobnie sądzili, że zostaliby aresztowani. Rzymianie uważali kobiety za zbyt mało ważne, by je uwięzić, więc pozwolili Marii rozpaczać, pewni, że wkrótce zniknie w tłumie. Nowy Testament na pewno zgodnie z prawdą opisuje, że Marie były obecne przy ukrzyżowaniu i przy grobie, co nadaje historyczną wiarygodność opowieści o pustym grobie.

Wydaje się, że w przeciwieństwie do części radykałów, uważa pan, iż rola Marii Magdaleny została raczej wyolbrzymiona. Zgodzi się pan jednakże z tym, że autorzy ewangelii gnostycznych mieli więcej sympatii dla kobiet i cenili ich udział w życiu duchowym w stopniu wyższym niż ortodoksyjna tradycja?

Tak, oczywiście. Uważam, że gnostycy byli bardziej wyzwoleni – jeśli mogę użyć współczesnego terminu – w wieku kwestiach. Ich pogląd na kobiety w Kościele, na przykład, opierał się bardziej na poziomie ich religijnego doświadczenia niż na stosunku między biskupem a suplikantem, czy na innych formach władzy. Uważali, że kobiety posiadają religijne doświadczenia, duchową przenikliwość, a nawet miewają wizje. We wczesnych stuleciach chrześcijaństwa mężczyźni utrzymywali kobiety na przynależnym im miejscu, co jest historycznym faktem podobnie jak to, że pewne kobiety próbowały zmusić wszystkich (włącznie z mężczyznami) do zaakceptowania ich jako równych partnerów. Dobre świadectwo stanowi *Ewangelia Marii Magdaleny*.

Dlatego też ludzie nie powinni mieszać faktów ze spekulacją. Nawet posiadając te teksty, nie można interpretować specyficznej roli Marii Magdaleny bez uwzględnienia wiedzy, jaką mamy o niej z Nowego Testamentu – a Nowy Testament nie mówi o tym, że Jezus spędzał z nią więcej czasu niż z innymi uczniami. Tu zaczynamy wkraczać w dziedzinę pobożnych życzeń, które nie są naukową metodą interpretacji dowodów.

Co zaginęło, zostało odnalezione

Nowe spojrzenie na chrześcijaństwo i jego korzenie

WYWIAD Z ELAINE PAGELS

Elaine Pagels jest profesorem religioznawstwa w instytucie Harrington Spear Paine na Princeton University, autorką bestsellerów *Beyond Belief: the Secret Gospel of Thomas* i *The Gnostic Gospels*, które zdobyły National Book Critics Circle Award i National Book Award.

Dlaczego Kod Leonarda da Vinci *tak poruszył wyobraźnię czytelników?*

Książka Dana Browna podnosi bardzo istotne pytanie: skoro oni – czyli przywódcy Kościoła – tak mocno ingerowali w historię początków chrześcijaństwa, to czego jeszcze nie wiemy? Czego jeszcze musimy się dowiedzieć? Jako historyk sądzę, że to naprawdę ważne pytanie, a odpowiedź na nie ma olbrzymie znaczenie. Nie będę więc krytykować powieści. Po prostu nie jestem specjalistką, ale chciałabym podkreślić, że książka porusza ważną kwestię.

Co takiego wiemy o początkach chrześcijaństwa i jego korzeniach, czego nie wiedziało jeszcze poprzednie pokolenie?

Pierwsze wiadomości o Jezusie Chrystusie, jakimi dysponujemy, zostały spisane najwcześniej 20 lat po jego śmierci; pochodzą one z Listów Apostolskich. Ewangelie Nowego Testamentu powstały od 40 do 70 lat po śmierci Jezusa. Nasze informacje są więc stosunkowo późne, a ich autorzy nie byli neutralni: pisali je albo zwolennicy Jezusa, albo jego wrogowie, na przykład rzymski historyk Swetoniusz, rzymski senator i historyk Kasjodor czy też żydowscy polemiści z końca I wieku. Ważne jest więc, by pamiętać, że dysponujemy jedynie późniejszymi materiałami, zarówno bardzo pozytywnymi, jak i bardzo negatywnymi w wymowie.

Dzięki odkryciu w 1945 roku pism z Nag Hammadi dowiedzieliśmy się, że wczesny ruch chrześcijański był znacznie szerszy i znacznie bardziej zróżnicowany, niż nam się zdawało, i że nawet opinie o Jezusie różniły się bardziej, niż moglibyśmy się spodziewać. Odnosi się to zarówno do tradycyjnego wizerunku jego uczniów, jak i, co obecnie wzbudza szczególne zainteresowanie, do późniejszego wyobrażenia Marii Magdaleny jako prostytutki. W źródłach, którymi obecnie dysponujemy, włącznie z *Ewangelią Marii Magdaleny*, *Ewangelią Tomasza* i *Ewangelią Filipa*, znajdujemy najwcześniejsze dowody na to, iż Maria nie tylko należała do grupy kobiet skupionych wokół Jezusa, ale wielu uznawało ją za ważną wyznawczynię i uczennicę. Wiemy również, że Jezusowi towarzyszyły także inne kobiety.

Czy nie ma tu sprzeczności? Czy system społeczny i religia judaizmu w owym okresie nie zwalczały kobiet odgrywających rolę niezależnych ewangelizatorek?

W społecznościach żydowskich nie było normą, by kobiety towarzyszyły mężczyznom, uczyły się i podróżowały z nimi. Wyobrażam sobie otoczenie Jezusa jako krąg osób wokół wędrującego charyzmatycznego rabbiego, a grupa ta – co niezwykłe – obejmowała zarówno kobiety, jak i mężczyzn. Z większości źródeł rabinicznych – nieco tylko późniejszych – wynika, iż nie należy nauczać kobiet o boskich pismach. Nawet w kręgach grecko-rzymskich właściwie tylko epikurejczycy mieli uczennice, ale i tych było niewiele. Być może wizerunek Marii Magdaleny prostytutki wywodzi się z podejrzeń wobec tak niecodziennego zjawiska: kobiety podróżującej czy po prostu spędzającej czas w towarzystwie mężczyzn.

Czy to możliwe, że była bliżej Jezusa niż inni uczniowie i miała dostęp do tajemnej wiedzy, jak wynika z Ewangelii Marii Magdaleny*?*

Nie znamy szczegółów, ale rzeczywiście musiało ją łączyć z Jezusem coś ważnego. *Ewangelia Marii Magdaleny* wspomina, iż mówił jej rzeczy, których nie opowiadał innym, i darzył ją szczególną miłością. Nie mamy pewności, czy Jezus dzielił się z nią jakąś niedostępną dla innych wiedzą, istnieją jednak po temu pewne przesłanki. W znanych mi źródłach nie znalazłem dowodów na związek seksualny. Dan Brown na podstawie fragmentu z *Ewangelii Filipa*, który sugeruje, że Jezus kochał Marię bardziej niż innych uczniów, wywnioskował, że chodziło o stosunki seksualne. Jednakże uczeni uznają, że zwroty dotyczące seksu w *Ewangelii Filipa* odnoszą się do związku mistycznego. Ewangelia przedstawia raz Marię Magdalenę jako symbol boskiej mądrości, a w innych miejscach jako Kościół, który jest oblubienicą Chrystusa. Opisuje się ją więc raczej jako duchową odpowiedniczkę Jezusa.

Czy możemy sądzić, że na odkrycie czekają inne dokumenty, które rzuciłyby dodatkowe światło na stosunki pomiędzy Marią a Jezusem oraz na różnice między tradycją ortodoksyjną a zaginioną? I jeśli tak, to dlaczego zachowano tylko niektóre ewangelie?

Zapewne niezliczone rzesze ludzi posiadały kopie tych tekstów. Papirus, o ile nie znajduje się w najsuchszych częściach świata, na przykład w Egipcie – gdzie odnaleziono ewangelie z Nag Hammadi – szybko niszczeje, więc większość kopii się nie zachowała. Na pytanie, dlaczego niektóre ewangelie przechowano przez wieki, a inne skazano na zapomnienie, starałem się odpowiedzieć w książce *The Gnostic Gospels*.

Uważam, że gdy tradycja ortodoksyjna rozwijała się i zyskiwała popularność, niektórzy przywódcy uznali, że muszą rozdzielić prawdziwą naukę Chrystusa od tego, co nią nie było. Próbowali oni zjednoczyć ogromną liczbę ludzi rozrzuconych po dzisiejszej Turcji, Afryce, Hiszpanii, Francji, Anglii, Włoszech, Egipcie – po całym znanym wówczas świecie. Niektórzy przywódcy, na przykład część biskupów, postanowili: „Wybierzmy fundamentalne nauki, co do których wszyscy się zgadzamy. Następnie przejrzyjmy inne pisma, mistyczne, i uznajmy, że są nieistotne. Nie potrzebujemy ich – wprowadzają zamieszanie, pod ich wpływem ludzie zakładają własne grupy, czego – jako biskupi – nie chcemy". Istnieje także poważniejsza przyczyna. Ruch chrześcijański stał w obliczu prześladowań i zniszczenia przez państwo rzymskie, próbował więc się skonsolidować i zjednoczyć. Nie znamy szczegółów tego procesu, próbujemy tylko go rekonstruować. To złożony problem i więcej miejsca poświęcam mu w moich książkach.

Czy ta rekonstrukcja pozwoliła pani określić różnice pomiędzy ludźmi posługującymi się w kulcie owymi odrzuconymi tekstami a zwolennikami kanonicznych pism Nowego Testamentu?

Uważam, że ewangelie z Nag Hammadi zostały napisane przez ludzi, którzy sądzili, że spłynęły na nich wizje, objawienia i głębsze zrozumienie. Ochrzczony wyznawca w Egipcie w II wieku mógł potrzebować duchowego mistrza, który wykroczył poza ortodoksję i który powiedziałby: „Tak, mogę zabrać cię dalej. Mogę wprowadzić cię w głębsze misteria, a ty otrzymasz Ducha Świętego, byś mógł mieć własne objawienia".

Tak więc mała grupka ekstatycznych wizjonerów mogła odwodzić wiernych od posłuszeństwa lokalnym biskupom, co się tym ostatnim, rzecz jasna, nie podobało, gdyż uznawali objawienia i wizje za zagrożenie dla jedności Kościoła. Ten problem pozostał: gdyby obecnie jakiś katolik opisał swoją wizję Maryi Dziewicy i ogłosił publicznie: „Matka Boska powiedziała mi, że kobiety powinny zostać kapłanami", z pewnością okrzyknięto by go heretykiem.

Chrześcijaństwo nie mogłoby się jednak rozszerzać bez objawień. W ewangeliach Nowego Testamentu, szczególnie Łukaszowej, znajdujemy wiele opisów snów i objawień. Ruch rozrastał się właśnie dzięki wizjom i objawieniom. Później wszakże stały się one problemami, gdyż przywódcy Kościoła zaczęli się zastanawiać, które z nich są „właściwe". Należało ustalić standardy ortodoksji. Odnalezione teksty, na przykład *Ewangelia Filipa* i *Ewangelia Marii Magdaleny*, zachowały się w Egipcie w bibliotece klasztornej, choć biskup nakazał mnichom ich zniszczenie.

Czy może nam pani przybliżyć teksty gnostyczne?

Chociaż zwykle nazywamy te pisma gnostycznymi, określenie to często kojarzy się z negatywnym, dualistycznym poglądem na świat, którego w owych dokumentach nie odnajdujemy. Nie będę więcej używała terminu gnostycyzm ani nazywała tych tekstów gnostycznymi. Lepiej rozpatrywać je indywidualnie.

Ewangelia Tomasza prezentuje pogląd, że jeśli wierny wydobędzie to, co nosi w sobie, zostanie przez to ocalony, jeśli jednak tego nie odkryje – to, co nosi w sobie, zniszczy go. Sens jest następujący: jeśli zdołasz wydobyć to, co nosisz w sobie, tę nieodłączną cząstkę ludzkiej natury, przystąpisz do Boga.

W *Ewangelii Marii Magdaleny* czytamy, że wierny szuka w sobie Syna Człowieczego; innymi słowy szuka w głębi siebie, by odkryć boskie źródło, a nie Jezusa jako Boga Człowieka. Może znaleźć boskie źródło poprzez własną istotę, która pochodzi z tego samego źródła co Jezus. Nauka ta przypomina nauki buddyjskie. Dla księży to oczywiście herezja – ksiądz uważa bowiem, że jedynie przez Kościół dostąpisz do Boga. Z opisywanych ewangelii wynika, że możesz postępować własną drogą i odkryć boskość w sobie. Nie potrzebujesz do tego Kościoła. Nie potrzebujesz kapłana. Możesz po prostu medytować lub dojść do własnej wizji.

Czy to możliwe, że na chrześcijaństwo, jak sugeruje Dan Brown, wpłynęły kulty misteryjne?

Dan Brown ma rację, że niektóre kulty misteryjne, na przykład kult Bogini Matki, wiązały się z tajemnicą seksualności, śmierci i pokonywania śmierci. Nie widzę jednak dowodów, że wpłynęły na kształt chrześcijaństwa. To całkiem odmienna grupa kultów. Być może w rytuałach chrześcijańskich widać wpływ kultów misteryjnych, nie było wśród nich jednak rytów seksualnych. To temat dobry na powieść, ale jako teoria nie jest potwierdzony naukowo.

Czy kwestia seksualności skupiała uwagę pierwszych przywódców Kościoła?

Tak, z pewnością była istotna dla Pawła – zaledwie 20 lat po śmierci Jezusa. Uważał on, że dla dobra misji ewangelizacyjnej lepiej żyć w celibacie, jak on.

Wielu ludzi uważa, że wcześniej miał żonę, lecz owdowiał. Piotr ożenił się i doczekał dzieci – rzecz normalna wśród zwolenników Jezusa, którzy wychowali się w środowisku żydowskim i rodzinę uznawali za świętą wartość.

Uważam, że zwolennicy Jezusa, nawet nie-Żydzi, przejęli żydowski stosunek do seksualności: służy ona do prokreacji i każdy stosunek pomiędzy mężczyzną a kobietą powinien kończyć się poczęciem. Stosunki seksualne pomiędzy osobami tej samej płci Żydzi uważali za odrażające. Aborcja była zakazana, podobnie jak zabijanie dzieci, które stanowiło powszechny środek kontroli przyrostu naturalnego w owej epoce.

Tak więc dla chrześcijan, którzy nie mogli dokonywać aborcji, zabijać dzieci i korzystać z antykoncepcji, a zamierzali dostąpić Królestwa Niebieskiego i prowadzić życie wolne od trosk o rodzinę, dzieci i pieniądze, celibat wydawał się dobrym rozwiązaniem.

Wracając do współczesności – jak pani wytłumaczy coraz powszechniejsze zainteresowanie duchowością w czasach, które można nazwać epoką racjonalizmu i sceptycyzmu?

Po pierwsze, wielu ludzi – w tym ja sama – odczuwa olbrzymi głód duchowego zrozumienia. I nieważne, czy ludzie są ewangelicznymi – nie lubię słowa fundamentalistycznymi – południowymi baptystami[1], katolickimi mistykami czy ateistami. Wielu ludzi naprawdę zagłębia się w kwestie duchowe, ponieważ, według mnie, stanowią one nieodłączną część ludzkiego życia. Potrzebujemy ich. Bez względu na to, czy wierzymy, że świat został stworzony w ciągu sześciu dni, czy też odpowiada nam inna koncepcja filozoficzna, u podstaw każdej tradycji leżą nasze uczucia, emocje i postawy wobec innych ludzi.

Czy sądzi pani, że te teksty oraz pani prace pozwolą ludziom, którzy mają problemy z wiarą, powiedzieć: „O, istnieje tu jakiś dodatkowy wymiar"?

Kiedy próbujemy przyswoić wiarę chrześcijańską w tej formie, w jakiej się jej często naucza, okazuje się niestrawna. Jeśli jej treść trzeba brać dosłownie, w wielu ludziach narasta potrzeba stawiania pytań. Czy Jezus naprawdę narodził się z dziewicy? Co rozumiemy przez zmartwychwstanie ciał? Tak więc moje książki stanowią zachętę do samodzielnych rozważań. Jeśli spojrzymy na wiarę z punktu widzenia historyka – ujrzymy Biblię nie jako dzieło, które zstąpiło z nieba, lecz jako zbiór pism wielu autorów, przekazujący potężne

[1] Członkowie związku kościołów baptystycznych, zorganizowanych w 1845 roku na południu Stanów Zjednoczonych pod nazwą Konwencja Południowych Baptystów.

prawdy. Możemy więc o niej rozmyślać, możemy dyskutować. Jak mówi Jezus: „Niech ten, kto szuka, nie przestaje, dopóki nie znajdzie. A kiedy znajdzie, zadrży. A kiedy zadrży, będzie zadziwiony". Jezus nie tylko daje nam zestaw wierzeń, które możemy przyjąć lub odrzucić – zaprasza nas też do poszukiwań, do tego, byśmy wybrali coś dla siebie i pozwolili wybierać innym.

Wstęp do *Ewangelii Tomasza*

HELMUT KOESTER

Ewangelia Tomasza to zbiór tradycyjnych powiedzeń przypisywanych Chrystusowi. Powiedzenia te lub ich grupy są w większości przypadków poprzedzone zwrotem „Jezus powiedział (do nich)", a czasami pytaniem lub stwierdzeniem uczniów. Tylko raz powiedzenie przekształca się w dłuższy dyskurs Jezusa z uczniami (...).

Autorstwo tej ewangelii przypisywane jest Didymosowi Judzie Tomaszowi, to jest Judzie „bliźniakowi". W Kościele syryjskim Juda Tomasz był znany jako brat Jezusa, który założył Kościoły na Wschodzie, zwłaszcza w Edessie (a według nieco późniejszej tradycji dotarł nawet do Indii). Kościoły wschodnie przypisywały mu autorstwo również innych pism.

Większość powiedzeń z *Ewangelii Tomasza* ma odpowiedniki w ewangeliach Nowego Testamentu – w ewangeliach synoptycznych[2] (Mateusza, Marka i Łukasza), jak również w Ewangelii według św. Jana (szczególnie uderzające są podobieństwa do tej ostatniej).

Temat poznawania siebie został pogłębiony w powiedzeniach o wiedzy na temat własnego boskiego pochodzenia, której nawet Adam nie posiadał, jako że „otrzymał

---

[2] Ewangelie Marka, Mateusza i Łukasza wykazują daleko idące podobieństwa treści i układu. Ich nazwa pochodzi od synopsy – łącznego przeglądu tekstów ułatwiającego stwierdzenie podobieństw i różnic.

życie od wielkiej potęgi (...)". Uczniowie muszą „przejść" obecną ułomną egzystencję. Idealnego wyznawcę gnostycyzmu opisuje się jako „samotnego" – osobę, która pozostawiła za sobą wszystko, co wiąże istotę ludzką ze światem. Do tego celu dojść mogą nawet kobiety, jeśli osiągną „męskość" samotnej egzystencji.

Ewangelia Tomasza

Przekład na angielski Thomas O. Lambdin

Oto są tajemne słowa, które wygłosił Jezus żywy, a które spisał Didymos [bliźniak] Juda Tomasz.

(1) I powiedział: „Ktokolwiek odkryje znaczenie tych słów, nie zazna śmierci".

(2) Jezus powiedział: „Niech ten, kto szuka, nie przestaje, dopóki nie znajdzie. A kiedy znajdzie, zadrży. A kiedy zadrży, będzie zadziwiony i będzie rządził Pełnią".

(3) Jezus powiedział: „Jeśli wasi przywódcy powiedzą wam: »Królestwo jest w niebie«, wtedy ptaki niebieskie będą was poprzedzać. Jeśli powiedzą wam: »Królestwo jest w morzu«, wtedy ryby będą was poprzedzać. Wszakże królestwo jest w was i poza wami. Kiedy poznacie siebie, wtedy będziecie poznani i będziecie wiedzieć, że jesteście synami Ojca żyjącego. Jeśli jednak nie poznacie siebie, pogrążycie się w nędzy i to wy będziecie tą nędzą".

(5) Jezus powiedział: „Poznaj to, co jest przed twoim obliczem, a to, co ukryte przed tobą, wyjawi się tobie. Nie ma bowiem niczego ukrytego, co nie zostanie odkryte".

(16) Jezus powiedział: „Ludzie myślą zapewne, że przyszedłem przynieść światu pokój. Nie wiedzą, że przyszedłem, by przynieść spór, ogień, miecz i wojnę. Ponieważ jeśli będzie pięciu w domu, trzech powstanie przeciwko dwóm, a dwóch przeciwko trzem, ojciec przeciwko synowi, a syn przeciwko ojcu. I staną się wobec siebie samotni".

(37) Jego uczniowie rzekli: „Kiedy się nam objawisz i kiedyż cię ujrzymy?"

Jezus odpowiedział: „Kiedy rozbierzecie się, nie czując wstydu i weźmiecie swe szaty i rzucicie je sobie pod stopy jak dzieci i podepczecie je, to wtedy [ujrzycie] syna żyjącego, i nie będziecie się bać".

(70) Jezus powiedział: „Gdy pozwolicie powstać tamtemu, co jest w was, wtedy to, co macie, uratuje was. Jeśli nie istnieje tamto, co jest w was, wtedy to, czego nie macie w sobie, uśmierci was".

(114) Szymon Piotr powiedział do nich: „Niech Maria nas opuści, kobiety nie są godne życia". Jezus odparł: „Oto poprowadzę ją, by uczynić ją mężczyzną, aby stała się ona sama duchem żywym, podobnym do was, mężczyzn. Gdyż każda kobieta, która uczyni się mężczyzną, wejdzie do królestwa niebios".

Wstęp do *Ewangelii Filipa*

Wesley W. Isenberg

Ewangelia Filipa to kompilacja rozważań na temat znaczenia i wartości sakramentów w kontekście walentyniańskiej koncepcji człowieka i życia po śmierci [walentynianie[3] odrzucali sposób, w jaki większość chrześcijan interpretowała Biblię, jako zbyt dosłowny].

Jak ewangelie kanoniczne Nowego Testamentu, również ten tekst zawiera cały szereg gatunków literackich: aforyzm, analogię, przypowieść, parenezę[4], polemikę, dialog narracyjny, kazania niedzielne, egzegezę biblijną i propozycję dogmatyczną. Jednakże *Ewangelia Filipa* nie przypomina ewangelii nowotestamentowych.

Z pewnością tekst ten przekazuje słowa lub czyny Jezusa (...). Jednak te nieliczne powiedzenia i opowieści o Jezusie (...) nie zostały osadzone w żadnej ramie narracyjnej, jak w ewangeliach Nowego Testamentu. W rzeczywistości *Ewangelia Filipa* nie ma wyraźnej konstrukcji. Chociaż widać w niej pewną ciągłość, osiągniętą dzięki skojarzeniom idei, serii przeciwstawień czy poprzez słowa-klucze, wątek myślowy jest rozwlekły i chaotyczny, często zdarzają się też zmiany tematu.

---

[3] Walentynianie – zwolennicy Walentyna, egipskiego filozofa gnostyka, nauczającego w Rzymie około połowy II wieku.

[4] Opowiadanie o treści moralizatorskiej.

Ewangelia Filipa

PRZEKŁAD NA ANGIELSKI WESLEY W. ISENBERG

[Ewangelia ta jest słynna dzięki wzmiance o tym, że Jezus całował w usta Marię Magdalenę. Fragment ten wyróżniliśmy czcionką pogrubioną].

(...) Chrystus przyszedł, by wykupić jednych, zbawić innych, odkupić jeszcze innych. Wykupił tych, którzy byli obcy, i uczynił z nich swoich. I rozdzielił swoich, tych, których dał jako poręką zgodnie ze swoim planem. Nie tylko objawił, że na własne życzenie odda swe życie, ale dobrowolnie odda swe życie za każdy dzień od stworzenia świata. Potem jako pierwszy chciał je odebrać, ponieważ zostało dane jako poręka. Wpadło w ręce rabusiów i trafiło do niewoli, ale je ocalił. Zbawił zarówno dobrych ludzi na świecie, jak i złych.

Światło i Ciemność, życie i śmierć, prawe i lewe są sobie braćmi. Są nierozłączni. Dlatego ani dobrzy nie są dobrymi, ani źli złymi, ani żywi nie żyją, ani umarli nie zmartwychwstają. Dlatego każdy powróci znów do swego pierwotnego stanu. Jednak to, co zostało wyniesione ponad świat, jest nierozerwalne, wieczne.

Niektórzy mówią: „Maria poczęła z Ducha Świętego". Mylą się. Nie wiedzą, co mówią. Czy kiedykolwiek kobieta poczęła z kobiety? Maria jest dziewicą, której żadna siła nie skalała. Jest wielką klątwą dla Hebrajczyków, którzy są apostołami, i dla mężów apostolskich. Ta dziewica, której żadna siła nie skalała (...), siły kalają same siebie. I Pan nie powiedziałby: „Ojciec mój, który jest w niebie" (Mt 16, 17), gdyby miał innego ojca, gdyż powiedziałby wtedy po prostu [„Mój ojciec"].

Wiara otrzymuje, miłość daje. [Nikt nie dostanie] bez wiary. Nikt nie zdoła dawać bez miłości. Dlatego, przez wzgląd na to, co możemy otrzymać, wierzymy, i dlatego, że możemy kochać, dajemy, ponieważ jeśli daje się bez miłości, nie ma się korzyści z tego, co się dało. Ten, kto dostał coś innego niż Pan, jest nadal Hebrajczykiem.

Co się tyczy Mądrości zwanej „jałową", jest ona matką aniołów. **A towarzyszka (...) Maria Magdalena. [...kochał] ją bardziej niż [wszystkich] uczniów [i zwykł był] całować ją [często] w u[sta]**. Reszta [uczniów] (...). Mówili mu: „Czemu miłujesz ją bardziej niż nas wszystkich?" Zbawiciel odpowiedział i rzekł im: „Dlaczego nie miłuję was jak ją? Kiedy ślepiec i ten, co widzą, są razem w ciemności, nie ma między nimi różnicy. Kiedy pojawia się światło, ten, co widzi, ujrzy światło, a ślepy pozostanie w ciemności".

Wielka jest tajemnica małżeństwa! Gdyż [bez] niego świat by [nie istniał]. Teraz istnienie [świata...] i istnienie [...małżeństwa]. Pomyśl o [...więzi], gdyż posiada ono (...) moc. Jego obraz składa się ze [skalania].

Wśród złych duchów są i męskie, i żeńskie. Męskie to te, które jednoczą się z duszami zamieszkującymi żeńskie kształty, a żeńskie to te, które zmieszały się z formami męskimi poprzez tego, co był nieposłuszny. I nikt nie zdoła im umknąć, ponieważ zatrzymają go, o ile nie przyjmie siły męskiej lub siły żeńskiej, narzeczonego i narzeczonej (...).

Komnata małżeńska nie jest dla zwierząt, nie jest dla niewolników, nie dla skalanych kobiet; jest dla wolnych mężczyzn i dziewic.

Świat powstał przez pomyłkę. Gdyż ten, który stwarzał, chciał uczynić go niezniszczalnym i nieśmiertelnym. Nie spełnił swego pragnienia. Gdyż świat nigdy nie był niezniszczalny, ani on nie był tym, kto stworzył świat. Gdyż rzeczy nie są niezniszczalne, ale synowie są. Nic nie stanie się niezniszczalne, o ile wpierw nie stanie się synem. Ale ten, kto nie ma zdolności otrzymywania, jak wiele nie będzie mógł dać? (...).

Ewangelia Filipa. Takie szczątki apokryficznych ewangelii odnalezione zostały w 1945 roku w Nag Hammadi na pustyni egipskiej. Fragmentarycznie zachowana *Ewangelia Filipa* jest szczególnie interesująca, ponieważ wspomina o najwyraźniej doskonale znanym (w ówczesnych kręgach gnostyckich) fakcie, że Jezus często całował Marię Magdalenę w u(...). Pojawia się w tym miejscu pierwsza litera koptyjskiego słowa oznaczającego usta, lecz dziura w zachowanym fragmencie uniemożliwia odczytanie całego wyrazu. Copyright Institute for Antiquity and Christianity (Instytut Starożytności i Chrześcijaństwa), Claremont, Kalifornia.

Wstęp do *Ewangelii Marii Magdaleny*

KAREN KING

Pełny tekst *Ewangelii Marii Magdaleny* można podzielić na dwie części. Pierwsza (7,1–9,24) opisuje dialog pomiędzy (zmartwychwstałym) Zbawicielem a uczniami. Jezus odpowiada na ich pytania o materię i grzech (...). Zbawiciel stwierdza ostatecznie, że grzech nie jest kategorią moralną, ale kosmologiczną; stanowi wynik złego zmieszania się materii i ducha. W końcu wszystkie rzeczy rozłożą się na swoje podstawowe części składowe. Po zakończeniu dyskusji Zbawiciel żegna się z uczniami, ostrzega ich przed tymi, którzy mogliby ich zwieść na manowce, i nakazuje iść i głosić ewangelię Królestwa. Po jego zniknięciu jednakże uczniowie rozpaczają i są pełni wahania i rozterek. Maria Magdalena uspokaja ich i skłania ich serca w stronę Dobra, namawiając, by rozważali słowa Zbawiciela.

Druga część tekstu (...) zawiera dokonany przez Marię Magdalenę opis objawienia zesłanego jej przez Zbawiciela. Na żądanie Piotra opowiada ona uczniom o rzeczach, które są przed nimi ukryte. Podstawą jej wiedzy jest wizja Pana i prywatne rozmowy z nim. Na nieszczęście cztery karty tekstu zaginęły, znamy więc tylko początek i koniec objawienia Marii Magdaleny.

Objawienie ma formę dialogu. Najpierw Maria Magdalena pyta Zbawiciela o to, jak widzi się wizję. Zbawiciel odpowiada, że dusza widzi poprzez umysł, który jest między duszą a duchem. W tym miejscu tekst się urywa. W dalszej zachowanej części tekstu Maria Magdalena opisuje objawienie Zbawiciela dotyczące wzlotu duszy do czterech potęg. Cztery potęgi to najprawdopodobniej podstawowe manifestacje czterech żywiołów materii. Oświecona dusza, uwolniona już z więzów, dociera do czterech potęg, zniewala je swą *gnosis* (wiedzą) i osiąga wieczny, milczący spokój.

Gdy Maria Magdalena kończy przedstawiać swą wizję apostołom, Andrzej, a następnie Piotr atakują ją w dwóch kwestiach. Po pierwsze, mówi Andrzej, te nauki są dziwne. Po drugie, pyta Piotr, czy Zbawiciel rzeczywiście mówiłby takie rzeczy kobiecie i ukrywał je przed uczniami mężczyznami? Lewi napomina Piotra, by nie walczył z kobietą jak z przeciwnikiem, i ujawnia, że Zbawiciel kochał ją bardziej niż innych uczniów. Stwierdza, że powinni się wstydzić, prosi, by polegali na doskonałym mężu, i rozeszli się, by nauczać, jak nakazał im Zbawiciel. Apostołowie rozchodzą się natychmiast, a tekst się kończy.

Konfrontacja Marii z Piotrem, scenariusz znany też z *Ewangelii Tomasza*, *Pistis Sofia* i *Ewangelii Egipcjan*, odbija pewne napięcia istniejące w chrześcijaństwie w II wieku. Piotr i Andrzej reprezentują postawę ortodoksyjną – odrzucają wartość ezoterycznych objawień i prawo kobiet do nauczania. *Ewangelia Marii Magdaleny* jest świadectwem przeciwnego poglądu, Maria Magdalena według tego tekstu to ukochana Zbawiciela, która posiada wiedzę przewyższającą wiedzę apostołów. Jej wyższość, opierająca się na wizji i osobistym objawieniu, przejawia się w zdolności pokrzepienia wahających się uczniów i skierowania ich w stronę Boga (...).

Ewangelia Marii napisana została po grecku w II wieku. Niestety, obie kopie ewangelii zachowały się jedynie fragmentarycznie (...).

Ewangelia Marii Magdaleny

PRZEKŁAD NA ANGIELSKI GEORGE W. MACRAE I R. MCL. WILSON

(...) Piotr powiedział do niego: „Ponieważ wyjaśniłeś nam wszystko, powiedz również to: dlaczego istnieje grzech na świecie?" Zbawiciel odrzekł: „Nie ma grzechu, ale jesteście wy, którzy grzeszycie, kiedy czynicie rzeczy mające naturę cudzołóstwa, co zwiemy »grzechem«. To dlatego Dobro zstąpiło między was, do (źródła) wszelkiej natury, by wrócić do jego korzeni". Potem ciągnął, mówiąc: „To dlatego wy [chorujecie] i umieracie, gdyż (...) jedynym, kto [...On, który] rozumie, pozwólcie mu zrozumieć. [Materia zrodziła] żądzę, jaka nie ma sobie równej, która wywodzi się z (czegoś) przeciwnego naturze. Wtedy następuje zakłócenie w całym ciele. Dlatego też mówię wam: »Bądźcie dobrej odwagi«, a jeśli stracicie odwagę, bądźcie odważni w obliczu różnych form natury. Ten, kto ma uszy, niech nimi słucha". (...)

Kiedy to wyrzekł, zniknął.

Jednak oni rozpaczali. Szlochali głośno, mówiąc: „Jak mamy pójść do pogan i nauczać ewangelii królestwa Syna Człowieczego? Skoro jego nie oszczędzili, czyż oszczędzą nas?" Wtedy Maria stanęła, pozdrowiła ich i powiedziała do swych braci: „Nie płaczcie, nie rozpaczajcie i nie wahajcie się, gdyż jego łaska będzie z wami i obroni was. Raczej chwalmy jego wielkość, gdyż przygotował nas i uczynił z nas mężczyzn”. Kiedy Maria to powiedziała, skłoniła ich serca ku Dobru, a oni zaczęli rozważać słowa [Zbawiciela].

Piotr rzekł do Marii: „Siostro, wiemy, że Zbawiciel kochał cię bardziej niż resztę kobiet. Przekaż nam słowa Zbawiciela, które pamiętasz – które znasz, a my nie znamy, gdyż ich nie słyszeliśmy”. Maria odpowiedziała tymi słowami: „Co jest przed wami ukryte, ja wam objawię”. I tak zaczęła mówić do nich: „Ja, powiedziała, widziałam Pana w objawieniu i powiedziałam do niego: »Panie, widziałam cię dziś w objawieniu«. A on odrzekł: »Błogosławiona jesteś, gdyż nie zadrżałaś na mój widok. Bowiem tam, gdzie jest umysł, jest i skarb« Rzekłam do Niego: »Panie, jak ten, co ma wizję, widzi ją – [przez] duszę, [czy] przez ducha?« Zbawiciel odpowiedział: »Nie widzi ani przez duszę, ani przez ducha, ale przez umysł, który [jest] między nimi – tak właśnie widzi objawienie i to jest (...)«”.

Kiedy Maria to opowiedziała, umilkła, ponieważ tyle Zbawiciel jej powiedział. Jednak Andrzej odpowiedział i rzekł do braci: „Powiedzcie, co chcielibyście powiedzieć o jej słowach. Ja nie wierzę, by Zbawiciel to powiedział. Z pewnością te nauki są dziwne”. Piotr odpowiedział i rzekł o tej samej sprawie. Zapytał ich o Zbawiciela: „Czy naprawdę rozmawiałby z kobietą bez naszej wiedzy [i] niejawnie? Mamy się zwrócić ku niej i jej słuchać? Czyż wolał ją od nas?”

Wtedy Maria zaszlochała i powiedziała do Piotra: „Mój bracie Piotrze, cóż myślisz? Czy myślisz, że wymyśliłam to sama w mym sercu, czy też kłamię o Zbawicielu?” Lewi odpowiedział i rzekł do Piotra: „Piotrze, zawsze byłeś niecierpliwy. Teraz widzę, że zwracasz się przeciwko kobiecie niczym przeciwko wrogowi. Ale skoro Zbawiciel uznał ją za godną, kim ty jesteś, by ją odrzucać? Z pewnością Zbawiciel znał ją bardzo dobrze. Dlatego kochał ją bardziej niż nas. Wstydźmy się raczej i zdajmy się na doskonałego męża i przyjmijmy go do siebie, jak nam polecił, i nauczajmy ewangelii, nieograniczani przez żadną zasadę czy prawo niepochodzące od Zbawiciela”. Kiedy (...) i oni zaczęli się rozchodzić, by głosić i nauczać.

Wstęp do *Sofii Jezusa Chrystusa*

DOUGLAS M. PARROTT

Sofia Jezusa Chrystusa to nauka o objawieniu, wygłoszona przez zmartwychwstałego Chrystusowi w odpowiedzi na pytania apostołów. Tekst ten pozwala zaobserwować proces modyfikowania i przekształcania traktatu niechrześcijańskiego w chrześcijańsko-gnostyczny. (...) Prawdopodobnie tekst powstał wkrótce po pojawieniu się chrześcijaństwa w Egipcie – w drugiej połowie I wieku. Tezę tę potwierdza stosunkowo mało polemiczny ton traktatu.

Sofia Jezusa Chrystusa jest skierowana do odbiorców, dla których chrześcijaństwo stanowiło element dodany do ich religijnego otoczenia [tj. nie było ich pierwotnym wyznaniem]. (...) Według traktatu Zbawiciel (Chrystus) nadszedł z ponadniebiańskich sfer. *Sofia* ponosi odpowiedzialność za upadek kropel światła z królestwa boskiego na świat widzialny; i istnieje bóg, który wraz z podległymi mu mocami bezpośrednio rządzi tym światem ze szkodą dla tych, którzy przychodzą z królestwa boskiego.

Seks to sposób, w jaki potęgi podtrzymują człowieka w zniewoleniu. Jednak Zbawiciel (Chrystus) zrywa więzy nałożone przez moce i uczy innych tego samego (...). W dodatku trzeba stwierdzić, iż uczniowie wymienieni w *Sofii Jezusa Chrystusa* – Filip, Mateusz, Tomasz, Bartłomiej i Maria Magdalena – są według tradycji gnostycznej, ewidentnie gnostykami, stale i w różny sposób przeciwstawianymi apostołom „ortodoksyjnym" lub „ortodoksyjnym nawróconym na gnostycyzm" (przede wszystkim Piotrowi i Janowi).

Sofia Jezusa Chrystusa

PRZEKŁAD NA ANGIELSKI DOUGLAS M. PARROT

Gdy już powstał z martwych, jego dwunastu uczniów i siedem kobiet nadal dochowywało mu wierności; poszli do Galilei na górę zwaną Przepowiadanie i Radość. Kiedy zebrali się razem i wprawieni zostali w zdumienie ukrytą prawdą wszechświata, planu, świętej opatrzności, potęgi władz i wszystkim, co Zbawca czynił z nimi w tajemnicy świętego planu, Zbawiciel się ukazał – nie w swej poprzedniej postaci, lecz jako niewidzialny duch. A jego postać przypominała wielkiego anioła światła. A jego kształtu nie wolno mi opisywać. Żadne śmiertelne ciało nie mogłoby go znieść, jak tylko czyste i doskonałe ciało, jak to, o którym nauczał nas na Górze Oliwnej w Galilei. I rzekł: „Pokój niech będzie z wami! Mój pokój wam daję!" A oni wszyscy zdumieli się i zatrwożyli.

Zbawiciel roześmiał się i powiedział do nich: „O czym myślicie? [Dlaczego] się zdumiewacie? Czego szukacie?" Filip odrzekł: „Zdumiewamy się ukrytą prawdą wszechświata i planem".

Zbawiciel powiedział im: „Chcę, żebyście wiedzieli, iż wszyscy ludzie urodzeni na ziemi od stworzenia świata aż do teraz byli jako pył, a chociaż pragnęli poznać Boga, kim jest i jaki jest, nie znaleźli go. Teraz najmędrsi z nich wnioskują z porządku świata i jego ruchów. Ale ich domysły nie sięgają prawdy. Gdyż jest powiedziane, iż według filozofów porządek jest kierowany na trzy sposoby, a i w tym się nie zgadzają. Według jednych świat kieruje się sam. Inni, że to opatrzność [nim kieruje]. Jeszcze inni, że to los. Jednak nie zachodzi żadna z tych możliwości. I znowu, z tych trzech wspomnianych głosów żaden nie jest prawdziwy i pochodzą one od człowieka. Ale ja, który przyszedłem z Nieskończonego Światła, jestem tu – gdyż znam je [Światło] – i mogę mówić o dokładnej naturze prawdy. Bez względu na to, czym jest, jest skażonym życiem; zawdzięcza wszystko samo sobie. Nie ma w tym mądrości Opatrzności. A los nie dostrzega (...).

Mateusz powiedział mu: „Panie, nikt nie może dotrzeć do prawdy inaczej, jak tylko przez ciebie. Więc naucz nas prawdy".

Zbawiciel odrzekł: „Ten, Który Jest, jest niewysłowiony. Żadna zasada go nie zna, żadna władza, żadne podporządkowanie ani żadne stworzenie od początków świata aż do teraz, poza nim samym, i nikt, któremu on chce dać objawienie przez niego, który jest Pierwotnym Światłem. Od teraz jestem Wielkim Zbawcą. Gdyż on jest nieśmiertelny i wieczny. Teraz jest wieczny, bez urodzenia; gdyż każdy urodzony przepadnie. Jest niespłodzony, nie ma początku; gdyż każdy, kto ma początek, ma i koniec. Ponieważ nikt nim nie włada, nie ma imienia; gdyż ktokolwiek ma imię, jest stworzony przez innego (...). I ma postać własną – jakiej nigdy nie widzieliście ani nie przyjęliście, ale dziwną postać, która przewyższa wszystkie rzeczy i jest lepsza niż wszechświat. Spogląda na wszystkie strony i widzi siebie z siebie. Ponieważ jest nieskończony, jest nawet niezrozumiały. Jest niezniszczalny i nie ma podobieństwa [do niczego]. Jest niezmiennie dobry. Jest bez winy. Jest wieczny. Jest błogosławiony. Chociaż nie jest znany, zna siebie. Jest niezmierzalny. Jest niewykrywalny. Jest doskonały, nie ma wad. Jest niezniszczalnie błogosławiony. Jest zwany Ojcem Wszechświata". (...)

Mateusz powiedział do niego: „Panie, Zbawicielu, jak Człowiek został objawiony?"

Doskonały Zbawiciel odparł: „Chcę, byście wiedzieli, iż ten, który pojawił się przed wszechświatem w nieskończoności, Samorodny, Samostworzony Ojciec, pełen błyszczącego światła i niewysłowiony, na początku, kiedy postanowił, by jego podobieństwo stało się wielką potęgą, natychmiast pojawiła się zasada (albo początek) tego Światła jako Nieśmiertelny Androgyniczny Człowiek, aby przez tego Nieśmiertelnego Człowieka mogli oni uzyskać zbawienie i obudzić się z zapomnienia dzięki tłumaczowi, który został posłany, który jest z wami aż do kresu nędzy rabusiów.

A jego krewną jest Wielka Sofia, która od początku przeznaczona była w nim na zjednoczenie przez Samospłodzonego Ojca, z Nieśmiertelnego Człowieka, »który jest Pierwszym i boskim i królestwem«, gdyż Ojciec, zwany »Człowiekiem, Sobie-Ojcem«, objawił to. I stworzył wielki eon o imieniu Ogdoad dla własnego majestatu (...).

Wszyscy, którzy przychodzą na świat niczym kropla Światła, zsyłani są przez niego do świata Wszechmocnego, aby mógł ich strzec. A węzeł jego zapomnienia wiąże go z wolą Sofii, gdyż kwestia ta mogłaby zostać [ujawniona] przez to całemu światu w nędzy, ukazując jego [Wszechmocnego] arogancję i ślepotę i ignorancję, którą został nazwany. Jednak ja przychodzę z miejsc ponad wolą wielkiego Światła. Ja, który zerwałem więzy; przeciąłem dzieło rabusiów; obudziłem tę kroplę zesłaną przez Sofię, która może przeze mnie wydać wiele owoców i udoskonalić się, by znowu nie popaść w ułomność, lecz [połączyć się] przeze mnie, Wielkiego Zbawiciela, którego chwała może zostać objawiona, by również Sofia mogła być usprawiedliwiona z tej wady, by jej synowie nie stali się ponownie ułomnymi, a mogli przyciągnąć zaszczyt i chwałę i wznieść się do swego Ojca i poznać słowa męskiego Światła. A wy zostaliście posłani przez Syna, który został posłany, byście mogli przyjąć Światło i usunąć się spod zapomnienia władz, by nie mogły one przez was znów dojść do głosu; nieczyste tarcie, które jest z bojaźliwego ognia, jaki pochodzi z ich cielesnej strony. Zadepczcie ich złośliwe zamiary". (...)

Takie oto słowa [rzekł] błogosławiony Zbawiciel [i zniknął] im sprzed oczu. Wtedy [uczniowie] wybuchnęli [wielką, niewysłowioną radością] w [duchu od] tego dnia. [A jego uczniowie] zaczęli nauczać Ewangelii Boga, wiecznego, niezniszczalnego [Ducha]. Amen.

4. Wczesna historia chrześcijaństwa

Jedna forma chrześcijaństwa (...) wyszła zwycięsko z konfliktów w II i III wieku. Przedstawiciele tego jedynego kierunku ustalili, co jest „poprawne" z chrześcijańskiego punktu widzenia; zdecydowali, kto może sprawować władzę nad chrześcijańską wiarą i praktyką, określili, które odmiany chrześcijaństwa ulegną marginalizacji, odrzuceniu, zniszczeniu. Postanowili także, które księgi należy włączyć do kanonu Pisma Świętego, a które uznać za heretyckie, przekazujące fałszywe idee (...). Tylko 27 wczesnych chrześcijańskich ksiąg ostatecznie trafiło do kanonu, kopiowanego przez skrybów przez wieki i wreszcie przetłumaczonego na angielski. Teraz stoi on na półkach w niemal każdym domu w Ameryce. Inne księgi zostały odrzucone, zlekceważone, oszkalowane, zaatakowane, spalone, i prawie wszystkie przepadły.

Bart D. Ehrman

Na początku nie istniało jedno chrześcijaństwo, lecz wiele jego odmian, między innymi gnostycyzm, jedna z najważniejszych „herezji", która stała się elementem fabuły *Kodu Leonarda da Vinci*.

Uświęcona tradycja i 20 wieków dominacji w świecie Zachodu utwierdziły powszechny obecnie pogląd, że całe współczesne chrześcijaństwo wywodzi się w sposób bardziej lub mniej linearny i bezpośredni z nauk Jezusa. Przedstawiciele zachodniej cywilizacji widzą naturalny postęp: od Jezusa, kazań apostołów opisanych w Nowym Testamencie, poprzez założenie Kościoła przez Piotra, roztoczenie opieki nad Kościołem przez Konstantyna Wielkiego i sobór nicejski, i dalej przez Cesarstwo Rzymskie, Europę, do współczesności. Mówiąc o dyskusjach, konfliktach i herezjach w łonie chrześcijaństwa, humaniści zazwyczaj uwypuklają stosunkowo świeże doświadczenia reformacji.

W *Kodzie Leonarda da Vinci* Dan Brown, pragnąc przybliżyć czytelnikowi mniej znaną, wręcz „ukrytą" stronę historii, stara się odpowiedzieć na pytania dotyczące wczesnej historii chrześcijaństwa:

- △ Kim był Jezus?
- △ Kim była Maria Magdalena?
- △ Dlaczego ludzie akceptują fakt niepokalanego poczęcia i zmartwychwstania?
- △ Czy i Jezus, i jego żydowscy towarzysze dążyli do wyznaczenie nowej drogi dla judaizmu, czy do stworzenia nowej religii?
- △ Na ile wiarygodne są cztery ewangelie, skoro ich treść tak bardzo różni się między sobą?
- △ Jakie wiadomości można znaleźć w innych tekstach, które nie znalazły się w Nowym Testamencie?

Wczesna historia chrześcijaństwa pełna jest ślepych uliczek, wielkich niewiadomych, intryg – zarówno politycznych, jak i osobistych – przypadków przewrotności losu, nie brak w niej także tego, co w dzisiejszym żargonie politycznym nazwalibyśmy „przekrętem". Okazuje się, że historia chrześcijaństwa to przede wszystkim próby ustalenia kanonu prawdziwej wiary i gorliwe wyszukiwanie oraz tępienie tych, których wiarę uznano za niewłaściwą. Te rozbieżności i różnice być może zrodziły się już w pierwszych chwilach działalności Jezusa. Jak przekonamy się podczas dalszej lektury, spory między Piotrem i pozostałymi uczniami, kwestia roli Marii Magdaleny, a także wewnętrzne pytania i wątpliwości samego Jezusa stają się znacznie bardziej oczywiste dziś – gdy uwzględnimy najnowsze osiągnięcia naukowe, analizy tekstów i źródeł archeologicznych – niż w jakimkolwiek innym momencie w ciągu ostatnich 1600 lat.

Między śmiercią Jezusa a spisaniem pierwszej ewangelii istnieje około czterdziestoletnia luka (może mniejsza, ale raczej dużo większa). W tym okresie zwolennicy Jezusa przekazywali swoją wiarę ustnie i zastanawiali się, kim był Jezus i co oznaczały jego życie i śmierć. Każda ewangelia opowiada historię z innego punktu widzenia, w zależności od sytuacji i odbiorców autora. Później cztery ewangelie i 23 inne teksty zostały uznane za kanoniczne (ogłoszone Pismami Świętymi) i włączone do Biblii. To jednak stało się dopiero w VI wieku.

Jak Deirdre Good podkreśla w swoich wykładach na temat Marii Magdaleny i *Kodu Leonarda da Vinci*, „niemal każdą osobę wspomnianą w Nowym Testamencie należy uważać za Żyda, o ile nie znajdziemy przeciwnego dowodu".

Większość ekspertów zgadza się, iż Jezus był Żydem. Nowy Testament wielokrotnie opisuje jego zaangażowanie w żydowskie życie religijne – od dojrzałego pojmowania służby świątynnej w dzieciństwie do ataków na lichwiarzy w świątyni, gdy dorósł. We wszystkich przypadkach chodzi o tradycyjną świątynię żydowską, w której życiu próbuje wprowadzić zmiany zgodne z własną wizją.

Na przełomie er w judaizmie panował ogromny ferment, istniały różne kulty, sekty i klany, działali prorocy, fałszywi prorocy, rabini, nauczyciele, niektórzy wyznawcy pozostawali pod wpływami greckimi, inni pod rzymskimi. Ruch Jezusa nie musiał zostać uznany za coś szokująco nowego lub odmiennego. Społeczności żydowskie porozrzucane były po Egipcie, Turcji, Grecji, Syrii, Iraku. Wszędzie ich tradycje lub zmodyfikowana wiara i wpływy odróżniały się od otaczających ich kultur. Ówczesny judaizm przypominał wielki namiot okrywający rozrywane podziałami wnętrze.

Przez długi czas po śmierci Jezusa jego zwolenników niekoniecznie postrzegano jako wyznawców całkowicie odrębnej religii. To, co stało się chrześcijaństwem, początkowo było po prostu odmienną formą judaizmu, której Żydzi nauczali Żydów. Nazywani nazarejczykami przez Żydów, a chrześcijanami przez gojów (nie-Żydów), niektórzy z wyznawców Jezusa – wymagający obrzezania chłopców oraz przestrzegania żydowskich praktyk i nakazów żywieniowych – z biegiem czasu zaczęli wierzyć, że Jezus, Syn Boga, jest jedyną drogą do zbawienia – co nie zgadzało się z żydowską ortodoksją. Ebionici, opisywani ostatnio jako „chrześcijanie wciąż wygrzebujący się ze swej żydowskiej skorupki", przyjmowali w swe szeregi wyłącznie Żydów. Jak twierdzi Bart Ehrman, współczesny znawca zaginionych wierzeń i pism chrześcijańskich, ebionici głęboko wierzyli w Jezusa, ale uważali go za „żydowskiego mesjasza wysłanego przez żydowskiego Boga do żydowskiego ludu, aby wypełnić przepowiednie żydowskiego Pisma Świętego". Ebionici twierdzili, że Jezus był śmiertelnikiem tak sprawiedliwym, iż Bóg uznał go za syna i pozwolił mu poświęcić się dla odkupienia grzechów ludzkich.

Szaweł, grecki Żyd, zażarty przeciwnik nazarejczyków, w drodze do Damaszku miał wizję, w której Jezus powiedział mu, by resztę życia spędził na głoszeniu ewangelii niewierzącym. Wówczas Szaweł zmienił imię na Paweł. Jego wiara w znaczący sposób różni się od wiary członków innych grup, które wówczas wyłoniły się z żydowskiej tradycji: Paweł uważał, że nie należy poddawać chłopców obrzezaniu ani trzymać się żydowskiego prawa, wzniecając w ten sposób jeden z pierwszych konfliktów w łonie chrześcijaństwa. Poświęcał się nawracaniu gojów, podczas gdy inni nauczyciele prowadzili działalność misjonarską wśród społeczności żydowskich. Paweł wiele podróżował i zakładał Kościoły chrześcijańskie w całym wschodnim basenie Morza Śródziemnego. Jeszcze gorliwsi od paulinian byli marcjonici[5] pragnący całkowicie wykorzenić żydowskie dziedzictwo, posuwający się wręcz do tego, że uważali żydowskiego Boga za Boga, który zawiódł.

Apostołowie, a później ich zwolennicy rozeszli się, by głosić „dobrą nowinę" (ewangelie). Rozprzestrzenianie się chrześcijaństwa było długotrwałym i skomplikowanym procesem, który należy rozpatrywać w kontekście sytuacji politycznej w pierwszych wiekach naszej ery. W miarę jak Imperium Rzymskie rosło w potęgę, włączało w swe granice społeczności o wierzeniach pogańskich i naturalistycznych, którym bliskie były mitologia grecka i egipska. Egzystowały one obok siebie, a państwo nie brało strony żadnej z nich.

Właśnie w takim teologicznym kotle wykształciło się chrześcijaństwo. W przeciwieństwie do dominujących wierzeń politeistycznych, chrześcijaństwo i judaizm, religie monoteistyczne, nauczały zupełnie innego stosunku człowieka do Boga (jako przeciwstawnego stosunkowi człowieka do bogów) i wskazywały zdecydowanie odmienną drogę do zbawienia. Pojawiało się wiele różnorodnych interpretacji systemu wierzeń chrześcijańskich, niektóre zapożyczały pewne elementy z tradycji pogańskich, inne po prostu zupełnie inaczej interpretowały kluczowe elementy doktryny.

W tym zamęcie wyłonił się jeszcze jeden prąd – szczególnie interesujący dla tych, których fascynuje historyczne podłoże tej wersji historii, jaką prezentuje *Kod Leonarda da Vinci* – gnostycyzm. Gnostycy poszukiwali wiedzy w znaczeniu mistycznym, kosmologicznym i tajemnym. Mieszali filozofię chrześcijańską z elementami greckimi, egipskimi, mitycznymi, a nawet wschodnimi. Gnostycy, jak się wydaje, wysoko wykształceni, odziedziczyli tradycje greckie oraz rabiniczne, łączyli się w szkoły, w których dzielono się wiedzą i dyskutowano. Ponieważ w tym okresie religia, nauka, filozofia, polityka, poezja, kosmologia i mistycyzm nie były wyraźnie rozdzielone, gnostycy stworzyli wiele pism, ewangelii, traktatów o różnorodnej tematyce. Reprezentujących nurt chrześcijaństwa skrajnie przeciwny umacniającemu swą pozycję paulinizmowi gnostyków nazywano heretykami i poddawano represjom.

Część gnostyków żyła we wspólnotach na szczytach gór lub na pustyni, z dala od gwaru miast, pełnych ludzi myślących w obcy im sposób. Wybierali odosobnienie, pragnąc zachować czystość swego poszukiwania, i z lęku, że ich poglądy okażą się zbyt kontrowersyjne dla głównego nurtu chrześcijańskiego i rzymskiego.

W ciągu pierwszych dwóch stuleci chrześcijaństwo, z początku nauczane przez wędrownych ewangelistów, zaczęło gromadzić w małe wspólnoty wiernych zor-

---

[5] Zwolennicy Marcjona (zm. 160), herezjarchy, który zerwał z Kościołem powszechnym około 144 roku.

ganizowanych w lokalne kościoły – każdy z własnym przywódcą, pismami i wierzeniami – bez dominującej władzy lub hierarchii. Początkowo powoli, lecz wkrótce coraz szybciej pojawiała się sformalizowana hierarchia, a wraz z nią potrzeba doktrynalnej jednolitości. Biskupi spotykali się na synodach, by ustalać jedyną wersję doktryny. Inne poglądy uznawano za herezje, które należy wytępić.

W roku 313 cesarz Konstantyn ogłosił, że będzie „zbawienne i jak najwłaściwsze" objąć „całkowitą tolerancją" przez Cesarstwo Rzymskie każdego, kto „oddał swój umysł albo kultowi chrześcijańskiemu", albo innej podobnej wierze. Umowa mediolańska kładła kres prześladowaniom chrześcijaństwa i chrześcijan. Często mówi się, że Konstantyn nawrócił się na chrześcijaństwo, jednak większość uczonych uważa, iż nastąpiło to później, na łożu śmierci. Wielu historyków sugeruje, że posunięcie Konstantyna miało podłoże polityczne – uwzględniało bowiem rosnącą potęgę chrześcijaństwa i oddawało ją do dyspozycji cesarza. Co więcej, na decyzję tę złożyły się – w fascynującym splocie – czynniki mistyczne, zabobonne, militarne i filozoficzne oraz polityczne. Jak pisze historyk Paul Johnson, Konstantyn był „czcicielem słońca, wyznawcą jednego z późnopogańskich kultów, którego praktyki przypominały chrześcijańskie. Wyznawcy Izydy czcili Madonnę piastującą dzieciątko", a wyznawcy Mitry – wśród nich wielu wyższych dowódców wojskowych – czcili swe bóstwo w podobny sposób jak chrześcijanie Chrystusa. „Konstantyn niemal na pewno był mitraistą (...). Wielu chrześcijan nie odróżniało wyraźnie kultu słońca od swej własnej religii. Mówili o Chrystusie jadącym rydwanem przez nieboskłon" i obchodzili święto 25 grudnia, w dniu zimowego przesilenia. Bez względu na przyczyny, w dziejach chrześcijaństwa nastąpił punkt zwrotny. Kiedy państwo stało się, przynajmniej z imienia, chrześcijańskie, biskupi stali się sędziami, urzędnikami i autorytetami w kwestiach doktrynalnych.

Niepokój Konstantyna wzbudzały wystąpienia wyznawców Ariusza (arian), którzy podważali współistotność Ojca i Syna. Tylko Ojciec, głosili Ariusz i jego zwolennicy, jest Bogiem; Chrystus nie ma boskiej natury. Konstantyn, pragnąc doprowadzić do rozstrzygnięcia sporu, w 325 roku zwołał sobór nicejski, na którym ogłoszono arianizm herezją. Od początku swych dziejów Kościół uważał, że herezje należy zwalczać (patrz rozdział 5) i robił to – od walki z herezją sabelian, którzy głosili, że Ojciec i Syn to różne aspekty tego samego Bytu, a nie odrębne istoty, aż do inkwizycji i procesów czarownic w Salem. Chociaż szczegóły poglądów arian, donatystów i innych grup heretyckich nie są dla nas dziś do końca jasne, źródła historyczne wyraźnie stwierdzają, że Konstantyn osobiście przewodniczył soborowi nicejskiemu, a nawet wpłynął na kształt ostatecznego oświadczenia. Znaczenie soboru nicejskiego stało się tematem dyskusji pomiędzy Danem Brownem a wiernymi i religioznawcami. Wersja Dana Browna wydaje się niezwykle frapująca w kluczowym aspekcie: że sobór był etapem walki o władzę nad intelektualną infrastrukturą, która miała dominować nad europejską polityką i myślą przez następne tysiąclecia. W Nicei nie chodziło o prawdziwość czy wiarygodność wizji moralnej lub religijnej. Przyjęcie pewnych idei wyłączenie innych było fundamentalną kwestią polityki i władzy. Od Konstantyna do papieża Grzegorza Wielkiego niemal 300 lat później postępował rozwój intelektualnej i politycznej infrastruktury Europy. Można powiedzieć, iż doszło do kodyfikacji kodu.

Ten rozdział ma pomóc czytelnikowi lepiej zrozumieć źródła i hipotezy, na których Dan Brown oparł swą intrygę. Poruszamy w nim rozmaite tematy, od pogańskich fundamentów współczesnej teologii do krótkiego rozkwitu gnostycyzmu, zanim zmuszono go do zejścia do podziemia.

Misteria pogańskie u podłoża wczesnego chrześcijaństwa

TIMOTHY FREKE I PETER GANDY

Fragment z książki *The Jesus Mysteries: Was the „Original Jesus" a Pagan God?* Copyright © 1999 by Timothy Freke i Peter Gandy.
Wykorzystano za zgodą Harmony Books, jednego z wydawnictw Random House Inc.

Przez całe życie fascynowała nas problematyka mistycyzmu. Fascynacja ta ostatnio kazała nam zająć się badaniem duchowości świata starożytnego. Popularna wiedza pozostaje nieuchronnie w tyle za osiągnięciami nauki i my również, jak większość ludzi, mieliśmy początkowo niedokładny i przestarzały pogląd na pogaństwo. Wpojono nam wyobrażenie o prymitywnym zabobonie, który obejmował kult idoli i krwawe ofiary, oraz o oschłych filozofach w togach, kroczących na oślep ku temu, co dziś zwiemy nauką. Znaliśmy rozmaite greckie mity, ukazujące stronniczą i kapryśną naturę olimpijskich bóstw. Tak więc pogaństwo wydawało nam się prymitywne i z gruntu obce. Po wielu latach studiów zmieniliśmy jednak poglądy.

Duchowość pogańska stanowiła w rzeczywistości skomplikowany wytwór niezwykle rozwiniętej kultury. Religie państwowe, takie jak grecki kult bogów olimpijskich, były zaledwie zewnętrzną pompą i ceremoniami. Prawdziwa duchowość ludzi wyrażała się poprzez żywe i tajemnicze „kulty misteryjne". Początkowo zakonspirowane i heretyckie, misteria rozpowszechniły się i rozkwitły w starożytnym basenie Morza Śródziemnego, inspirując najwybitniejsze umysły starożytności, które postrzegały je jako samo źródło cywilizacji.

W każdej tradycji misteryjnej istnieją egzoteryczne misteria zewnętrzne, składające się z powszechnie znanych mitów i rytuałów, w których uczestniczyć mogli wszyscy chętni, a także misteria wewnętrzne, stanowiące święty sekret znany tylko tym, którzy przeszli proces inicjacji. Wtajemniczeni w misteria wewnętrzne poznawali mistyczne znaczenie rytuałów i mitów, jakie prezentowały misteria zewnętrzne; proces ten prowadził do osobistej transformacji i duchowego oświecenia.

Filozofowie świata starożytnego byli mistrzami duchowymi misteriów wewnętrznych, mistykami i cudotwórcami, których lepiej porównywać z hinduskimi guru niż zasuszonymi akademikami. Wielki grecki filozof Pitagoras, na przykład, znany jest dziś głównie jako autor matematycznego twierdzenia, jednak nieliczni wiedzą, kim był naprawdę: potężnym mędrcem – który, jak wierzono, potrafił cudownym sposobem uciszać wiatr i wskrzeszać zmarłych.

U podłoża misteriów leżały mity o umierającym i zmartwychwstającym bóstwie, znanym pod wieloma imionami. W Egipcie był to Ozyrys, w Grecji Dionizos, w Azji Mniejszej Attis, w Syrii Adonis, w Italii Bachus, w Persji Mitra. W zasadzie wszyscy ci bogowie są jedną mityczną istotą (...). Będziemy używać łącznego imienia Ozyrys-Dionizos dla podkreślenia uniwersalności i złożonej natury tego boga, a jego poszczególnych imion wtedy, gdy będziemy odnosić się do konkretnych tradycji mistycznych.

Od V wieku p.n.e. filozofowie, między innymi Ksenofanes i Empedokles, wyśmiewali ludzi, którzy traktowali opowieści o bogach i boginiach dosłownie. Filozofowie uznawali je za alegorie ludzkiego doświadczenia duchowego. Mitów o Ozyrysie-Dionizosie nie należy tym samym uważać za intrygujące historie, ale za symboliczny przekaz, który rozszyfrowuje mistyczne nauki misteriów wewnętrznych. Dlatego też, chociaż jego szczegóły rozwijały i zmieniały różne kultury na przestrzeni wieków, mit Ozyrysa-Dionizosa pozostał zasadniczo taki sam.

Rozmaite mity o różnych bogach misteriów charakteryzują się, jak to ujął wybitny znawca mitów Joseph Campbell, „identyczną anatomią". O ile każdy człowiek jest jedyny w swoim rodzaju pod względem psychiki, o tyle mówić możemy o ogólnej anatomii ludzkiego ciała; w przypadku tych mitów także można dostrzegać zarówno ich unikalność, jak i fundamentalną tożsamość. Pomocne może tu być porównanie Szekspirowskiego *Romea i Julii* z *West Side Story*

Bernsteina: XVI-wieczna angielska tragedia o bogatych włoskich rodach i XX-wieczny amerykański musical o gangach ulicznych z pozoru są różne, jednak w zasadzie jest to ta sama opowieść. Podobnie opowieści o bogach pogańskich misteriów są w gruncie rzeczy identyczne, chociaż przybierają rozmaite formy.

Im dłużej studiowaliśmy rozmaite wersje mitu o Ozyrysie-Dionizosie, tym bardziej stawało się oczywiste, że historia Jezusa ma wszystkie cechy tej odwiecznej opowieści. Krok za krokiem zdołaliśmy skonstruować domniemaną biografię Jezusa, złożoną z motywów wcześniej przypisywanych Ozyrysowi-Dionizosowi:

Ozyrys-Dionizos jest bogiem z ciała, zbawicielem i „Synem Boga".

Jego ojcem jest Bóg, zaś matką dziewica-śmiertelniczka.

Urodził się w grocie lub ubogiej stajence 25 grudnia w obecności trzech pasterzy.

Daje swym wyznawcą szansę ponownego narodzenia przez rytuał chrztu.

Cudownie przemienia wodę w wino na weselu.

Wjeżdża triumfalnie do miasta na ośle, podczas gdy ludzie machają liśćmi palmowymi, aby go uczcić.

Umiera w Wielkanoc jako ofiara za grzechy świata.

Po śmierci zstępuje do piekła, następnie trzeciego dnia wstaje z martwych i wstępuje w chwale do nieba.

Jego wyznawcy oczekują jego powrotu jako sędziego w dniu Sądu Ostatecznego.

Jego śmierć i zmartwychwstanie są czczone poprzez rytuał ofiarowania chleba i wina, symbolizujących jego ciało i krew.

To tylko niektóre z motywów wspólnych mitom o Ozyrysie-Dionizosie i biografii Jezusa. Dlaczego tak znaczące podobieństwa nie są powszechnie wiadome? Ponieważ, jak mieliśmy odkryć później, wczesny Kościół rzymski zrobił wszystko, co było w jego mocy, by uniemożliwić nam poznanie tej wiedzy. Systematycznie niszczył pogańskie święte pisma w ramach brutalnego programu wyplenienia misteriów; cel ten zrealizowano tak gruntownie, że dziś pogaństwo jest uważane za religię „martwą".

Chociaż dla nas są zaskoczeniem, dla pisarzy z pierwszych wieków naszej ery podobieństwa między nową religią chrześcijańską a starożytnymi misteriami były czymś oczywistym. Pogańscy krytycy chrześcijaństwa, na przykład szyderca Kelsos*, żalili się, że ta religia jest zaledwie bladym odbiciem ich własnych

* łac. Celsus.

starożytnych nauk. Pierwsi ojcowie kościoła, tacy jak Justyn Męczennik, Tertulian i Ireneusz, dość, co zrozumiałe, zakłopotani, desperacko dowodzili, iż te podobieństwa są rezultatem diabelskiej mimikry. Wykorzystując jeden z najbardziej absurdalnych argumentów, jakie kiedykolwiek wymyślono, oskarżali szatana o „plagiat antycypowany", o podstępne skopiowanie prawdziwej historii Jezusa, zanim jeszcze się ona wydarzyła. Wszystko po to, by zwieść naiwnych. Przemyślność ojców kościoła wydaje nam się dziś nie mniej szatańska niż pomysły samego szatana, którego obwiniali.

Inni chrześcijańscy komentatorzy głosili, że mity misteriów były „praechami" rzeczywistego przyjścia Jezusa, czymś w rodzaju zapowiedzi lub proroctw. Jest to bardziej uogólniona teoria diabelskiej mimikry, równie jednak śmieszna. Wyłącznie kulturowe uprzedzenie każe nam postrzegać historię Jezusa jako dosłowną kulminację jego wielu mitycznych prekursorów. Przy bezstronnej analizie okazuje się, że to kolejna wersja tej samej podstawowej opowieści.

Najoczywistsze wyjaśnienie głosi, że gdy tylko wczesne chrześcijaństwo stało się dominującą potęgą w uprzednio pogańskim świecie, popularne motywy z pogańskiej mitologii przeszczepiono do biografii Jezusa. Możliwość taką przyjmuje nawet wielu teologów chrześcijańskich. Narodziny z dziewicy, na przykład, często uznaje się za późniejszy, zewnętrzny dodatek, którego nie należy rozumieć dosłownie. Takie motywy „zapożyczano" z pogaństwa w ten sam sposób, jak święta pogańskie wiązano z osobami chrześcijańskich świętych. Teoria ta jest także popularna wśród tych, którzy szukają „prawdziwego" Jezusa ukrytego pod masami nagromadzonego mitologicznego gruzu.

Chociaż początkowo uznaliśmy je za atrakcyjne, wkrótce wyjaśnienie to wydało się nam nieodpowiednie. Zgromadziliśmy tak długą listę podobieństw, że dla wszystkich ważniejszych wydarzeń z biografii Jezusa mogliśmy odnaleźć zapowiedzi w misteriach. Przede wszystkim odkryliśmy, że nauki Jezusa nie były oryginalne. Jeśli gdzieś pod tym istniał „prawdziwy" Jezus, to musieliśmy przyznać, że nie wiemy o nim kompletnie nic, gdyż zachowały się wyłącznie późnopogańskie nawarstwienia! To wydawało się absurdem. Z pewnością istniało bardziej eleganckie rozwiązanie dla tej zagadki.

Gnostycy

Zadziwieni tymi odkryciami, zaczęliśmy badać otrzymany obraz wczesnego chrześcijaństwa. Odkryliśmy, że wczesnochrześcijańska wspólnota nie była, jak każe się nam wierzyć, jednolitą wspólnotą świętych i męczenników, ale składała się z całej gamy rozmaitych grup. Najogólniej dało się je podzielić na dwie odrębne szkoły. Z jednej strony mamy tych, których będziemy nazywać literalistami, ponieważ przyjmowali historię Jezusa jako dosłowny opis wydarzeń historycznych. Tę wersję chrześcijaństwa przyjęło Cesarstwo Rzymskie w IV wieku. Stała się rzymskim katolicyzmem, ze wszystkimi jego kolejnymi odgałęzieniami. Z drugiej jednakże strony znaleźli się radykalnie odmienni chrześcijanie, znani jako gnostycy.

Ci zapomniani chrześcijanie zostali później zamęczeni przez literalistyczny Kościół rzymski i do niedawna wiedzieliśmy o nich tyle, ile napisali ich prześladowcy. Przetrwała jedynie garść gnostycznych tekstów, a żaden z nich nie został wydany przed XIX wiekiem. Sytuacja zmieniła się jednak diametralnie, gdy w 1945 roku arabski wieśniak natrafił na całą bibliotekę gnostycznych ewangelii, ukrytą w grocie koło Nag Hammadi w Egipcie. Dzięki temu uczeni zyskali dostęp do licznych pism, które szeroko krążyły wśród wczesnych chrześcijan, lecz zostały celowo wyłączone z kanonu Nowego Testamentu. Były wśród nich ewangelie autorstwa – rzekomo – Tomasza i Filipa, teksty opisujące dzieje Piotra i 12 apostołów, apokalipsy przypisywane Pawłowi i Jakubowi, itd.

Wdało nam się niezwykłe, że, choć odkryto całą bibliotekę wczesnochrześcijańskich dokumentów, zawierających rzekomo nauki Chrystusa i jego uczniów, niewielu ze współczesnych wyznawców Jezusa w ogóle dowiedziało o ich istnieniu. Dlaczego wszyscy chrześcijanie nie ruszyli, by czytać te nowo odkryte słowa swego Pana? Co ich wiąże z małą grupą ewangelii wybranych do kanonu Nowego Testamentu? Wydaje się, że chociaż od wykorzenienia gnostycyzmu minęły 2000 lat, w którym to czasie Kościół rzymski rozdzielił się na protestantyzm i tysiące innych alternatywnych grup, gnostycy nadal nie są uważani za prawowiernych członków chrześcijańskiej wspólnoty.

Badacze ewangelii gnostycznch odkryli formę chrześcijaństwa całkowicie obcą religii, którą znali. Sami studiowaliśmy dziwne ezoteryczne traktaty, takie jak *Hipostazja archontów* czy *Oda do Norei*. Czuliśmy się jak bohaterowie jednego z odcinków *Star Trek* – i chyba w nim uczestniczyliśmy. Gnostycy faktycznie byli „psychonautami", którzy śmiało zgłębiali ostateczne granice wewnętrznego kosmosu, szukając początków i znaczenia życia, byli mistykami i twórczymi wolnomyślicielami. Zrozumieliśmy, dlaczego tak nienawidzimy biskupów z hierarchii Kościoła literalistycznego.

Literaliści uważali wyznawców gnostycyzmu za niebezpiecznych heretyków. W tomach antygnostycznych dzieł – dając bezwiednie świadectwo potędze i wpływom gnostycyzmu we wczesnym chrześcijaństwie – odmalowali ich jako chrześcijan, którzy się „zasymilowali". Głosili, że, skażeni otaczającym pogaństwem, porzucili czystość prawdziwej wiary. Gnostycy, z drugiej strony, uważali siebie za przedstawicieli autentycznej tradycji chrześcijańskiej, zaś biskupów ortodoksyjnych za „imitację Kościoła". Głosili, że znają sekret wewnętrznych misteriów chrześcijaństwa, nieznany literalistom.

W miarę poznawania wierzeń i praktyk gnostyków przekonywaliśmy się, że literaliści mieli rację przynajmniej w jednej kwestii: gnostycy niezbyt różnili się od pogan. Jak filozofowie pogańskich misteriów, tak i oni wierzyli w reinkarnację, czcili boginię Sofię i zgłębiali mistyczną grecką filozofię Platona. Gnostycy, czyli „wiedzący", miano to otrzymali, gdyż, tak jak inicjowani uczestnicy pogańskich misteriów, wierzyli, że ich tajemne nauki posiadają moc przekazywania *gnosis*: bezpośredniej doświadczonej „znajomości Boga". Tak jak celem inicjowanego poganina było stać się bogiem, tak celem gnostyków było stać się Chrystusem.

Szczególnie uderzającą cechą gnostyków jest brak zainteresowania historyczną postacią Jezusa. Postrzegali oni opowieść o Jezusie tak samo, jak filozofowie pogańscy mity o Ozyrysie-Dionizosie – jako alegorię, która odszyfrowuje tajemne mistyczne nauki. Ten pogląd otwierał przed nami niewiarygodne możliwości. Być może wyjaśnienie podobieństw między pogańskimi mitami a biografią Jezusa znajdowało się tuż przed naszymi oczami, lecz tradycyjne myślenie tak mocno nas ograniczało, że nie byliśmy w stanie go dostrzec (...).

Wczesne chrześcijaństwo nie polegało po prostu na naśladowaniu Chrystusa

LANCE S. OWENS

Lance S. Owens jest praktykującym lekarzem i wyświęconym kapłanem. Stworzył też stronę internetową www.gnosis.org.

W I stuleciu n.e. termin „gnostyczny" zaczął oznaczać heterodoksyjną część nowej, zróżnicowanej chrześcijańskiej wspólnoty. Wśród pierwszych wyznawców Chrystusa pewne grupy wyróżniało przekonanie, że nie tylko wiara w Chrystusa i jego naukę, ale także „specjalne świadectwo" lub objawienie pozwalają doświadczyć boskości. Członkowie tych grup utrzymywali, że właśnie to doświadczenie, czyli gnoza, cechuje prawdziwych wyznawców Chrystusa. Stephan Hoeller wyjaśnia, iż ci chrześcijanie „byli przekonani, że istoty ludzkie mogą dostąpić bezpośredniej, osobistej i absolutnej wiedzy o autentycznych prawdach istnienia i, co więcej, że dostąpienie takiej wiedzy staje się najważniejszym osiągnięciem ludzkiego życia".

Nim przedstawię „autentyczne prawdy istnienia", które starali się przeniknąć gnostycy, muszę jednak zwięźle opisać najwcześniejsze początkowe dzieje Kościoła. Początkowe półtora stulecia chrześcijaństwa – okres, z którego pochodzi pierwsza wzmianka o „gnostycznym" chrześcijaństwie – to czas, w którym nie istniał jeszcze jeden ogólnie przyjęty „wzorzec chrześcijanina". W tej epoce tworzenia gnostycyzm był jednym z wielu prądów poruszających głębokie wody nowej religii. Ostateczny kurs chrześcijaństwa, a wraz z nim zachodniej kultury, nie został jeszcze wówczas określony. Gnostycyzm stał się jednym z najbardziej twórczych wpływów, które kształtowały ten kierunek.

Gnostycyzm znajdował się, przynajmniej przez krótki czas, w głównym nurcie chrześcijaństwa, co poświadcza fakt, iż jednego z jego najbardziej wpływowych nauczycieli, Walentyna, wysuwano w połowie II wieku jako kandydata na biskupa Rzymu. Urodzony w Aleksandrii około 100 roku n.e., Walentyn wcześnie dał się poznać jako znakomity nauczyciel i przywódca wykształconej i zróżnicowanej aleksandryjskiej wspólnoty chrześcijańskiej. Jako człowiek w średnim wieku wyjechał z Aleksandrii do szybko rozwijającej się stolicy Kościoła – Rzymu, gdzie odegrał istotną rolę w działalności Kościoła. Gnostycy dążyli do zachowania świętych tradycji, ewangelii, rytuałów, praw i innych ezoterycznych kwestii, do których przyjęcia większość chrześcijan nie była przygotowana albo które po prostu ich nie interesowały. Walentyn, wierny swym gnostycznym poglądom, głosił, iż otrzymał specjalną sankcję apostolską od Theudasa (Tymoteusza), ucznia i nowicjusza apostoła Pawła, i stał się opiekunem doktryn i rytuałów odrzuconych przez chrześcijańską ortodoksję. Za sprawą wpływowych członków Kościoła rzymskiego w połowie II wieku, pod koniec życia, Walentyn został zmuszony do wycofania się z publicznej działalności i ogłoszony heretykiem przez rozwijający się Kościół ortodoksyjny.

Ponieważ tło historyczne i teologiczne jest zbyt złożone, by je dokładnie opisywać, wystarczy stwierdzenie, iż w połowie II wieku pozycja gnostycyzmu osłabła. Żaden gnostyk po Walentynie nie zdobył tak wielkich wpływów w Kościele powszechnym. Nacisk gnostycyzmu na osobiste doświadczenie, nieustanne objawienia i tworzenie nowych pism, ascetyzm i jednocześnie libertyńskie postawy spotykały się z coraz większą podejrzliwością. W 180 roku Ireneusz, biskup Lyonu, opublikował swe pierwsze ataki na gnostycyzm jako herezję, a jego dzieło kontynuowali z narastającą gwałtownością ojcowie kościoła w następnym stuleciu.

Walki z gnostycyzmem w II i III wieku w sposób głęboki i znaczący odcisnęły swe piętno na chrześcijaństwie ortodoksyjnym. Na kształt wielu głównych tradycji teologii chrześcijańskiej wpłynęła ich konfrontacja z gnozą. Pod koniec IV wieku walka w zasadzie dobiegła końca: rozwijający się Kościół dodał potęgę polityczną do dogmatycznego potępienia, a dzięki temu mieczowi o dwóch ostrzach tak zwana herezja została radykalnie odcięta od ciała chrześcijaństwa. Gnostycyzm jako tradycja chrześcijańska został w większości wypleniony, jego ostatni nauczyciele napiętnowani, a święte księgi zniszczone. Badaczom, którzy w późniejszych stuleciach próbowali go zrozumieć, pozostały jedynie teksty potępiające i fragmenty zachowane w patrystycznych dziełach poświęconych herezjom. W każdym razie tak wydawało się do połowy XX wieku.

Zróżnicowanie poglądów na mityczne początki

Genesis – historia z morałem czy mit z drugim dnem?

STEPHAN A. HOELLER

Fragmenty z *Gnosticism: New Light on the Ancient Traditions of Inner Knowing* (Gnostycyzm: nowe spojrzenie na starożytne tradycje wiedzy wewnętrznej) Stephana A. Hoellera.

Większość ludzi Zachodu uważa, że w kulturze zachodniej istnieje tylko jeden mit o stworzeniu świata i człowieka, czyli pierwsze trzy rozdziały Księgi Rodzaju. Niewielu zdaje sobie sprawę, że istnieje alternatywa: gnostyczny mit początku.

Mit ten może uderzać nas swoim nowatorstwem i błyskotliwością, a w dodatku zawiera warte rozważenia poglądy na stworzenie i nasze życie.

William Blake, poeta gnostyk z początków XIX wieku, napisał: „Obaj czytamy Biblię dniem i nocą, ale ty widzisz czarne tam, gdzie ja widzę białe"*. Podobnych słów mogliby użyć pierwsi gnostycy w odniesieniu do swych przeciwników w łonie judaizmu i chrześcijaństwa. Przedstawiciele niegnostycznego albo ortodoksyjnego nurtu we wczesnym chrześcijaństwie postrzegali większość opowieści Biblii, a zwłaszcza Księgę Rodzaju, jako historie z morałem. Adam i Ewa byli rzeczywistymi postaciami, których tragiczne wykroczenie spowodowało upadek, a z ich upadku następne pokolenia powinny wyciągać złowieszczą lekcję moralną. Jedną z konsekwencji takiego odczytywania Genesis stał się ambiwalentny, a nawet gorszy niż ambiwalentny, status kobiet, które postrzegano jako „wspólniczki" Ewy. Tertulian, jeden z ojców kościoła, szczególnie nienawidzący gnostycyzmu, tak pisał pod adresem kobiety:

> Jesteś drzwiami diabła (...). To ty namówiłaś tego, do którego diabeł nie znalazł dostępu. (...) Czy ty nie wiesz, że jesteś Ewą? Trwa wyrok Boga nad twą płcią na tym świecie: nieuniknione jest, by przestępstwo też trwało (*De cultu feminarum* [O klejnocie kobiet], I, 1–2)**.

Gnostyccy chrześcijanie, których święte pisma odnaleziono w Nag Hammadi, odczytywali Genesis nie jako historię z morałem, lecz jako mit z drugim dnem. Uważali Adama i Ewę nie za postacie historyczne, ale za reprezentantów dwóch wewnątrzpsychicznych zasad, obecnych w każdej istocie ludzkiej. Adam był dramatycznym ucieleśnieniem *psyche*, czyli „duszy": zespołu umysłu/emocji, źródła myśli i uczuć. Ewa reprezentowała *pneuma*, czyli „ducha", wyższą, transcendentalną świadomość.

Istnieją dwa biblijne opisy stworzenia pierwszej kobiety. Jeden mówi, że Ewa powstała z żebra Adama (Rdz 2, 21); drugi – że Bóg stworzył parę ludzką, mężczyznę i kobietę, na własne podobieństwo (Rdz 1, 26–27). Drugi opis sugeruje, że sam Bóg Stwórca ma dwoistą naturę, złożoną z cech męskich i żeńskich. Gnostycy, zwolennicy tej drugiej wersji, stworzyli jej liczne interpretacje. Opowieść ta podkreśla równość kobiet, podczas gdy opowieść o żebrze Adama czyni kobietę podległą mężczyźnie.

W ortodoksyjnej tradycji Ewa była tą, która dała się zwieść wężowi-szatanowi, i tą, która swym żeńskim, uwodzicielskim urokiem skusiła Adama do niepo-

* William Blake *Wieczna Ewangelia*, red. M. Fostowicz, Wrocław 1998.

** W przekładzie E. Wipszyckiej-Bravo *Kościół w świecie późnego antyku*, Warszawa 1994, s. 281.

słuszeństwa Bogu. Gnostycy nie uważali jej ani za łatwowierną głuptaskę, ani za przebiegłą kusicielkę, lecz za prawdziwie mądrą kobietę, córkę Sofii, niebiańskiej Mądrości. W *Tajnej księdze Jana* Ewa mówi:

> Weszłam w głąb lochu, który jest więzieniem ciała. I powiedziałam: „Ty, który słyszysz, pozwól mu wstać z głębokiego snu". A wtedy on [Adam] załkał i otarł łzy (...). Zapytał: „Kto wypowiada me imię i skąd przybywa nadzieja, chociaż jestem w łańcuchach tego więzienia?" A ja odparłam: „Jestem zapowiedzią czystego światła; jestem myślą niesprofanowanego ducha (...). Wstań i pamiętaj (...), podążaj do swego korzenia, którym ja jestem (...) i strzeż się głębokiego snu".

W innym piśmie, *O początkach świata*, Ewa jest przedstawiana jako córka, a przede wszystkim jako posłanniczka boskiej Sofii. Właśnie jako jej wysłanniczka przychodzi nauczać Adama i budzi go ze snu nieświadomości. W większości tekstów gnostycznych Ewa pojawia się jako istota przewyższająca Adama. Wniosek, jaki pozwalały wyciągnąć te pisma, różni się od poglądów Tertuliana i innych ojców kościoła: mężczyzna ma dług wobec kobiety, która przyniosła mu życie i świadomość. Można się tylko zastanawiać, jak rozwinęłaby się postawa Zachodu wobec kobiet, gdyby gnostyczne wyobrażenie Ewy zostało powszechnie zaakceptowane.

Węże i ludzie

Pomyłka Ewy, głosili ortodoksi, polegała na poddaniu się woli węża-szatana, który przekonał ją, iż owoc z drzewa uczyni ją i Adama mądrymi i nieśmiertelnymi. Autor traktatu z gnostycznego zbioru z Nag Hammadi, *Świadectwo prawdy*, odwraca tę interpretację. Wąż to według niego nie wcielenie zła, ale najmądrzejsze zwierzę w całym raju. Tekst wychwala mądrość węża i wysuwa poważne zastrzeżenia wobec Stwórcy, pytając: „Jakiego rodzaju jest on, ten Bóg?" I odpowiada, że boski zakaz został podyktowany zazdrością, ponieważ Bóg nie chce, by ludzie przebudzili się do wyższej wiedzy.

Z krytyką spotykają się także groźby i gniew starotestamentowego Boga Stwórcy. *Świadectwo prawdy* powiada, że okazał się On „zawistnym oszczercą", zazdrosnym Bogiem karzącym okrutnie i niesprawiedliwie wszystkich niemiłych sobie. Autor *Świadectwa* komentuje: „A są to rzeczy, które powiedział (i uczynił) tym, którzy w niego wierzyli i służyli mu". Przy takim Bogu – brzmi wniosek – nie potrzeba już wrogów, a może nawet i szatana.

Inne pismo z tego samego zbioru, *Hipostazja archontów*, informuje nas, że nie tylko Ewa, ale i wąż działał z podszeptu boskiej Sofii. Sofia pozwoliła swej mądrości wejść w węża, który stał się nauczycielem, i nauczał Adama i Ewę o ich prawdziwym pochodzeniu. Zrozumieli oni, że nie są niższymi istotami stworzonymi przez Demiurga (Stwórcę w historii z Księgi Rodzaju), ale ich duchowe osobowości wywodzą się spoza tego świata, z pełni ostatecznej Boskości.

Chociaż ogólnie przyjęte wersje Genesis mówią, iż po zjedzeniu zakazanego owocu Adam i Ewa utracili rajską łaskę, wersja gnostyczna stwierdza, że „otworzyły się im oczy" – co jest metaforą na określenie *gnosis*. Pierwsi ludzie mogli dostrzec, iż bóstwa, które ich stworzyły, były z wyglądu obmierzłe, miały zwierzęce twarze. Adam i Ewa wzdrygnęli się z przerażenia na ich widok. Chociaż przeklęta przez Demiurga i jego archontów, pierwsza ludzka para uzyskała zdolność do *gnosis*. Mogła przekazać ją tym ze swoich potomków, którzy byli zdolni do ich przyjęcia. Ewa więc przekazała swój dar *gnosis* córce Norei, a Adam swemu trzeciemu synowi, Setowi (...).

Natura gnostycznej egzegezy

Co skłoniło gnostyckich interpretatorów Genesis do stworzenia tak niezwykłych wersji opowieści o stworzeniu? Czy chcieli tylko mocno skrytykować Boga Izraela, jak każą nam wierzyć ojcowie kościoła? Nie można zapomnieć o kilkunastu innych możliwościach, często dopełniających się.

Po pierwsze, gnostycy, podobnie jak wielu pierwszych chrześcijan, z trudem przyjmowali obraz Boga ze Starego Testamentu. Członkowie bardziej wykształconych kręgów wczesnego chrześcijaństwa byli ludźmi o pewnym wyrafinowaniu duchowym. Znawcom dzieł Platona, Filona, Plotyna i im podobnych niełatwo przychodziło zaakceptować Boga pełnego mściwości, gniewu, zazdrości, ksenofobii, Boga dyktatora (...).

Po drugie, jak wspomniano wcześniej, odczytywali stare pisma w sposób symboliczny. Współcześni teolodzy, na przykład Paul Tillich (...), twierdzą, że opowieść o upadku stanowiła symbol ludzkiej sytuacji egzystencjalnej, a nie opis wydarzenia historycznego (...).

Po trzecie, gnostyczne interpretacje Genesis łączyć można z gnostycznymi doświadczeniami wizjonerskimi. Poprzez swe poszukiwania i doświadczenia z boskimi misteriami gnostycy mogli zrozumieć, że w przeciwieństwie do tego, co twierdzi Biblia, bóstwo opisywane w Genesis nie było prawdziwym i jedynym Bogiem i że musiał istnieć Bóg wyższy (...).

Gnostycy rozumieli opowieść o stworzeniu z Genesis jako mit, a mity w sposób nieuniknony stają się przedmiotem interpretacji. Greccy filozofowie często spoglądali na mity jak na alegorie, podczas gdy prości ludzie uznawali je za quasi-historie, a *mystae* (inicjowani) z misteriów eleuzyńskich i innych często ożywiali mity w swych doświadczeniach i wizjach. Nie ma powodu, by wierzyć, że gnostycy pojmowali mity w sposób znacząco odmienny.

Jak dziecko jest ojcem człowieka, tak i mity kreacyjne wyciskają głębokie piętno na historii ludów i narodów. Gnostycy z pewnością próbowali śmiało wyrwać współczesną sobie młodą kulturę Zachodu z cienia judeochrześcijańskiego mitu kreacyjnego. Jeśli mit alternatywny wydaje się nam radykalny, to tylko dlatego, że przez wieki przywykliśmy do wersji z Genesis. Rozmaite znaczenia i implikacje wersji gnostycznej mogą okazać się niezwykle przydatne dla kultury XXI wieku.

Przeoczenia i pomyłki religioznawcze w *Kodzie Leonarda da Vinci*

Bart D. Ehrman

1. Życie Jezusa stanowczo nie zostało „opisane przez tysiące zwolenników w całym kraju". Jezus nie miał tysięcy wyznawców, a już na pewno nie było wśród nich zbyt wielu piśmiennych.

2. Nie jest prawdą, że 80 ewangelii „rozpatrywano, by włączyć je do Nowego Testamentu". Brzmi to jak opis konkursu, do którego zgłoszenia wysyła się pocztą.

3. To fałsz, że aż do soboru nicejskiego Jezus nie był uważany za Boga, lecz jedynie za „śmiertelnego proroka". Już przed początkiem IV wieku większość chrześcijan uznawała jego boską naturę.

4. Konstantyn nie zredagował „nowej Biblii", która pomijała wzmianki o ludzkich zachowaniach Jezusa. Przede wszystkim cesarz w ogóle nie zredagował nowej Biblii. Ponadto nawet księgi uznane za kanoniczne są pełne opisów ludzkich zachowań Mesjasza (Jezus bywa głodny, zmęczony, rozgniewany; martwi się, krwawi, umiera...).

5. Zwoje znad Morza Martwego nie zostały „odnalezione w latach 50. XX wieku", lecz w 1947 roku. Teksty z Nag Hammadi nie zawierają z kolei historii Graala; nie znajdziemy w nich też wzmianek o ludzkich zachowaniach Jezusa; wręcz przeciwnie.

6. „Żydowskie obyczaje" wcale nie piętnowały „nieżonatych Żydów". W rzeczywistości większość wspólnoty znad Morza Martwego stanowili nieżonaci mężczyźni zachowujący celibat.

7. Zwoje znad Morza Martwego nie są jedynymi spośród „najwcześniejszych pism chrześcijańskich". To księgi żydowskie.

8. Nie znamy genealogii Marii Magdaleny; nie wiadomo o jej związku z „domem Beniamina". Nawet jeśli z niego pochodziła, nie stawała się przez to potomkinią Dawida.

9. Maria Magdalena była w ciąży podczas ukrzyżowania?!? To dobre.

10. Dokument Q nie jest zachowanym źródłem ukrywanym przez Watykan ani księgą napisaną przez samego Jezusa. To hipotetyczny dokument („Mowy Pańskie"), z którego, zdaniem uczonych, czerpali Mateusz i Łukasz – zapewne zbiór powiedzeń Jezusa. Uczeni katoliccy mają na ten temat identyczny pogląd jak niekatolicy.

Bert D. Ehrman jest profesorem religioznawstwa na University of North Carolina i autorem książki *Lost Christianities: The Battle for Scripture and The Faiths We Never Knew* (Zaginione chrześcijaństwa: walka o Pismo i wiary, jakich nigdy nie poznamy).

5. Umocnienie czy tuszowanie prawdy?

Ustanowienie jednej prawdziwej wiary

Jednym z głównych graczy w tej tajnej operacji była postać zwana Euzebiuszem. Człowiek ten, w początkach IV stulecia, skompilował z legend, wymysłów i produktów własnej wyobraźni jedyny obraz wczesnej historii chrześcijaństwa, który istnieje do dzisiaj (...). Wszyscy, którzy się z nimi nie zgadzali (...), zostali napiętnowani jako heretycy, a ich świadectwa wyeliminowano. W ten sposób fałszerstwa skompilowane w IV wieku dotarły do nas jako potwierdzone fakty (...).

Timothy Freke i Peter Gandy

Nowoczesny „filozof teolog" miś Jogi powiedział kiedyś: „Kiedy dochodzisz do rozwidlenia w drodze, sforsuj je". W sensie metaforycznym połączenie teologii chrześcijańskiej i walki o kontrolę nad Kościołem prezentuje się jako seria rozwidleń w drodze wiodącej przez pierwsze pięć albo sześć stuleci po śmierci Chrystusa. W jakim kierunku biegły te drogi, jakie walki prowadzono oraz jakie ukryte i jawne znaczenie miał ich wynik – o tym wszystkim piszemy w poniższym rozdziale.

Wcześni ojcowie kościoła ortodoksyjnego uważali, że – aby zdobyć przewagę nad innymi odłamami – muszą przekształcić chrześcijaństwo w siłę jednoczącą i wzmacniającą cesarstwo, podzielającą jego wartości, realizującą jego politykę, zgodną z jego infrastrukturą społeczną i militarną. Przywódcy Cesarstwa Rzymskiego uznali za swe kluczowe zadanie wydobycie rdzenia ideologii i kosmologii z ogromnej rozmaitości idei składających się na przesłanie chrześcijaństwa.

Postanowili wyróżnić pewne opisy ewangeliczne – te, które umacniały ich wersję chrześcijaństwa – a nawet dokonać wyboru zawartości Biblii i jednocześnie zdecydowanie odrzucić jako herezję wszystko, co w sensie politycznym lub w treści odstawało od głównego nurtu.

Gnostycy – działający z dala od ośrodków w Rzymie i Konstantynopolu – w tej bitwie zajęli ostatecznie pozycje obronne. Kościół systematycznie eliminował wpływy gnostyków i innych „heretyków" (nawet te, które mogły znajdować się bliżej wierzeń i praktyk oryginalnej rewolucji zapoczątkowanej przez Jezusa), na rzecz tych, które służyły sprawie konsolidacji, sprawie ujednoliconego, hierarchicznego, potężnego Kościoła. Na jednej ze ścieżek spotkać można było mistyków z ich ekstatycznymi doświadczeniami; na innej silnych papieży, katedry, chłopstwo organizujące swoje życie na tle kulis tworzonych przez niebo i piekło oraz natchnionych, prących naprzód żołnierzy Chrystusa.

Jak zauważa Bart Ehrman w zamieszczonym w tym rozdziale wywiadzie, gdy Konstantyn Wielki przeszedł na chrześcijaństwo,

> nawrócił się na ortodoksyjną jego formę, a skoro państwo dysponowało siłą, zaczęło wywierać wpływ na chrześcijaństwo. I tak przed końcem IV wieku zaczynają się pojawiać prawa wymierzone w heretyków. Cesarstwo, które wcześniej było całkowicie antychrześcijańskie, stało się chrześcijańskie, i, co więcej, starało się dyktować, jaki kształt powinno przybrać chrześcijaństwo.

W tym rozdziale przedstawiamy pewien spór historyczny. Walkę z mniemanymi heretykami ilustrują przytaczane tutaj fragmenty z kilku najbardziej wpływowych pisarzy II i III stulecia: Tertuliana, Ireneusza i Euzebiusza.

To osoby prawdziwe, historycznie udokumentowane postacie wczesnego Kościoła. Odegrały istotną, choć czasem przypadkową rolę w wyborze ewangelii i tekstów Nowego Testamentu i współczesnego kanonu chrześcijaństwa. Osoby te uczestniczyły także w eliminacji – intelektualnej, ideologicznej i fizycznej – „heretyckich" ruchów chrześcijańskich tamtych czasów. Chociaż ich imiona zna rzadko który chrześcijanin, właśnie w ich rękach spoczywała ogromna moc – moc określania ostatecznego kształtu współczesnego chrześcijaństwa. Zostali, można tak powiedzieć, redaktorami Biblii. Sami będąc świadkami prześladowań chrześcijan, przywódcy Kościoła nabrali pewnych uprzedzeń, toteż trzeba ich rozumieć w kontekście czasów, w których żyli. Lektura niektórych z ich pism pozwala pojąć, w jak ciemnych i strasznych czasach przyszło im żyć i pracować.

Niektórzy badacze widzą teraz w „heretyckich" gnostykach, potępianych przez wczesny Kościół ortodoksyjny, nurt bardziej humanistyczny i wartościowy, bardziej feministyczny i bardziej „chrześcijański" – jako ścieżka rozwoju duchowego – od tego, który w końcu nad nim zatriumfował. Mielibyśmy więc tu do czynienia z najlepszą ilustracją powiedzenia, że historię piszą zwycięzcy. Z procesu formowania się epoki wyszło z jednej strony kilka prawd ewangelicznych, a z drugiej – mnóstwo dokumentów określonych jako heretyckie.

Sposób, w jaki Kościół walczył z herezjami 1600 lat temu, po upływie milenium znajdzie odbicie w działalności inkwizycji. *Malleus Maleficarum*, napisany w 1486 roku jako polityczna podstawa działań inkwizycji, wywodzi się z wcześniejszych metod zwalczania mniemanych herezji; poniżej przedrukowujemy niektóre ze wstrząsających fragmentów tego dzieła.

Elaine Pagels ukazuje, w jaki sposób Słowo Boże staje się słowem człowieka poprzez wybór ewangelii, które mają być włączone w skład Biblii. Bart Ehrman dokonuje przeglądu „innych chrześcijaństw" oraz religijnych, politycznych i kulturalnych implikacji zwycięstwa Kościoła i przegranej gnostyków.

Gdy zaczniemy obierać cebulę czasu z tego, co – jak powiedział Leigh Teabing do Sophie Neveu – było „największym kamuflażem w historii ludzkości", napotykamy bardzo wiele warstw: wersji, poglądów i sporów.

Misteria Jezusa

TIMOTHY FREKE I PETER GANDY

Fragment ksiażki *The Jesus Mysteries: Was The 'Original Jezus' a Pagan God.*

Według tradycyjnej wersji historii, jaką dostaliśmy w spadku po autorytetach Kościoła rzymskiego, chrześcijaństwo rozwinęło się z nauk żydowskiego Mesjasza, a gnostycyzm był późniejszą dewiacją. Zastanawialiśmy się, co stałoby się, gdyby obraz odwrócić i spojrzeć na gnostycyzm jako na prawdziwe chrześcijaństwo, tak jak twierdzili sami gnostycy? Czy mogłoby się okazać, że ortodoksyjne chrześcijaństwo to późniejsze odchylenie od gnostycyzmu, który stanowił syntezę judaizmu i pogańskiej religii misteriów? Tak zrodziła się hipoteza „misteriów Jezusa".

Wiedzieliśmy, że większość starożytnych kultur Morza Śródziemnego przyjęło starożytne misteria, adaptując je do własnych potrzeb i tworząc własną wersję mitu o śmierci i zmartwychwstaniu boga mężczyzny. Możliwe, że niektórzy Żydzi także zaadaptowali pogańskie misteria i stworzyli własną ich wersję, którą obecnie znamy jako gnostycyzm. Być może pierwsi uczestnicy żydowskich misteriów uznali potężny symbolizm mitów ozyryjsko-dionizyjskich za własny mit, którego bohaterem stał się umierający i zmartwychwstający żydowski bóg-mężczyzna – Jezus.

Skoro tak, to historia Jezusa nie jest wcale biografią, ale świadomie sporządzonym skarbcem zakodowanych duchowych nauk żydowskich gnostyków. Jak w pogańskich misteriach, podczas inicjacji prowadzącej do wyższego stopnia wtajemniczenia wierni odkrywali alegoryczne znaczenia mitu. Prawdopodobnie ci, którzy nie dostąpili inicjacji do wewnętrznych misteriów, zaczęli błędnie uważać mit o Jezusie za fakt historyczny i w ten sposób powstało chrześcijaństwo literalne. Być może wewnętrzne misteria chrześcijaństwa, o których nauczali gnostycy, ale których istnieniu przeczyli literaliści, ujawniały, że historia Jezusa nie jest rzeczowym sprawozdaniem z jedynej wizyty Boga na ziemi, ale mistyczną opowieścią, dzięki której każdy z nas może zostać Chrystusem.

Historia Jezusa posiada wszystkie cechy charakterystyczne dla mitu, więc może rzeczywiście jest mitem? W końcu żaden z czytelników odkrytych ewangelii gnostycznych nie wziął ich fantastycznych historii za prawdę; bez trudu dostrzegamy w nich mity. Tylko przyzwyczajenie i kulturowy przesąd powstrzymują nas od spojrzenia na ewangelie Nowego Testamentu z tej samej perspektywy. Gdyby te ewangelie także kiedyś zaginęły i zostały ostatnio odnalezione, któż, czytając je po raz pierwszy, uwierzyłby, że są relacją historyczną z życia człowieka zrodzonego z dziewicy, który chodził po wodzie i wrócił z martwych? Dlaczego mielibyśmy uznawać dzieje Ozyrysa, Dionizosa, Adonisa, Attisa, Mitry i innych zbawicieli z pogańskich misteriów za bajki, ale tę samą w istocie historię, tyle że opowiedzianą w żydowskim kontekście, uznać za biografię cieśli z Betlejem?

Obaj zostaliśmy wychowani jako chrześcijanie i zaskoczyło nas, że mimo lat wolnych od uprzedzeń duchowych poszukiwań, nadal takie myśli wydają nam się cokolwiek niebezpieczne. Przeprowadzona w młodym wieku indoktrynacja sięga bardzo głęboko. Powiedzieliśmy, że Jezus był pogańskim bożkiem i że chrześcijaństwo stanowi heretycki produkt pogaństwa! Wydawało się to oburzające. Niemniej teoria ta wyjaśnia podobieństwa między historiami Ozyrysa, Dionizosa i Jezusa Chrystusa w sposób prosty i elegancki. Są one elementami składowymi rozwijających się mitologii.

Teza o misteriach Jezusa daje odpowiedzi na wiele trudnych pytań, ale tworzy także nowe dylematy. Czyż nie ma niezaprzeczalnie historycznych dowodów na istnienie Jezusa – człowieka? I jak gnostycyzm może być pierwotnym chrześcijaństwem, skoro święty Paweł, najwcześniejszy chrześcijanin, jakiego znamy, wydaje się w tak jaskrawy sposób niegnostyczny? I czy jest wiarygodne, by Żydzi, tak przeciwni pogaństwu, przyjęli pogańskie misteria? I jak mogło dojść do tego, że świadomie utworzony mit zaczęto uważać za historyczną prawdę? I – skoro gnostycyzm reprezentuje autentyczne chrześcijaństwo – to dlaczego chrześcijaństwo literalistyczne zdominowało świat, stając się najbardziej wpływową religią wszech czasów? Na wszystkie te trudne pytania trzeba udzielić racjonalnych odpowiedzi, zanim zaakceptuje się tak radykalną teorię, jak teza o misteriach Jezusa.

Wielkie tuszowanie prawdy

Nowa „relacja z początków chrześcijaństwa" wydaje się nieprawdopodobna tylko dlatego, że przeczy nabytym przez nas poglądom. Im głębsze prowadzimy badania, tym bardziej widoczne są pęknięcia w tradycyjnym obrazie chrześcijaństwa. Wikłamy się w schizmy i walki o władzę, przypadki sfałszowania dokumentów i fałszywych tożsamości, listów zredagowanych i listów dodanych, hurtowej destrukcji dowodów historycznych. Koncentrujemy się, jak detektywi, na nowych faktach, których możemy być pewni, jak policjanci bliscy rozwiązania zagadki morderstwa albo może, ściślej, jak ktoś, kto odkrywa starożytną pomyłkę sądową. W procesie krytycznego badania tego, co rzeczywiście pozostało z materiału dowodowego, wciąż stwierdzamy, że historia chrześcijaństwa, przekazana nam w spadku przez Kościół rzymski, stanowi grube wypaczenie prawdy. Dowody wspierają w stu procentach tezę o misteriach Jezusa. Staje się coraz bardziej oczywiste, że zostaliśmy z rozmysłem oszukani, że gnostycy byli naprawdę pierwotnymi chrześcijanami, zaś autorytarna instytucja uczyniła z anarchicznego mistycyzmu dogmatyczną religię, a potem brutalnie narzuciła nam największą w dziejach mistyfikację.

Misteria Jezusa

Jednym z głównych graczy w tej tajnej operacji była postać zwana Euzebiuszem. Człowiek ten, w początkach IV stulecia, skompilował z legend, wymysłów i produktów własnej wyobraźni jedyny obraz wczesnej historii chrześcijaństwa, który istnieje do dzisiaj.

Wszyscy późniejsi autorzy musieli korzystać z wątpliwych twierdzeń Euzebiusza, gdyż brakowało innych informacji. Wszyscy, którzy się z nim nie zgadzali, zostali napiętnowani jako heretycy, a ich świadectwa wyeliminowano. W ten sposób fałszerstwa skompilowane w IV wieku dotarły do nas jako potwierdzone fakty.

Euzebiusz został zatrudniony przez cesarza rzymskiego Konstantyna, który uczynił z chrześcijaństwa religię państwową i nadał literalistom władzę, tak im potrzebną, by mogli dokończyć dzieła eliminacji pogaństwa i gnostycyzmu. Konstantyn potrzebował „jednego Boga, jednej religii", żeby wesprzeć swoje twierdzenie o „jednym cesarstwie, jednym cesarzu". Nadzorował tworzenie nicejskiego wyznania wiary, które powtarza się w kościołach po dziś dzień, a chrześcijan, którzy odmawiali jego przyjęcia, czekało wygnanie z granic cesarstwa lub też uciszano ich w inny sposób.

„Chrześcijański" cesarz, wróciwszy z Nicei do domu, kazał udusić żonę, a syna zamordować. Celowo nie przyjmował chrztu do czasu, gdy znalazł się na łożu śmierci, żeby móc dalej pławić się w okrucieństwach, a mimo to uzyskać przebaczenie grzechów i mieć zagwarantowane miejsce w niebie. Wbrew biografii, którą kazał spisać swojemu „przybocznemu doktorowi" Euzebiuszowi, w rzeczywistości był potworem, jak wielu rzymskich cesarzy przed nim. Czy naprawdę dziwi was, że „historia" chrześcijaństwa autorstwa człowieka służącego rzymskiemu tyranowi okazuje się stekiem kłamstw?

Historię rzeczywiście piszą zwycięzcy. Tworzenie odpowiedniej historii zawsze należało do arsenału politycznej manipulacji.

Czy Jezus istniał naprawdę?

WYWIAD Z TIMOTHYM FREKIEM

Czy według pana istnieje jakikolwiek dowód, że Jezus żył naprawdę?

Nie ma żadnego dowodu. Jedyny, który istnieje, jest fałszerstwem. Twierdzę kategorycznie, że w ogóle brakuje dowodów na istnienie historycznego Jezusa, za to posiadamy mnóstwo dowodów, które wskazują, że opowieść z ewangelii to mit. Gdyby ktoś znalazł tekst opowieści o Jezusie w jaskini – jak teksty z Nag Hammadi – i powiedział: „Patrzcie, oto historia o człowieku narodzonym z dziewicy, który chodził po wodzie, nauczał o niezwykłych sprawach duchowych, a potem umarł i wrócił z martwych", to sądzę, że słuchacze pomyśleliby: „Cóż, najwyraźniej to kolejny mit, znamy ich całe mnóstwo". Tylko dlatego, że tak bardzo przyzwyczailiśmy się do pewnego obrazu, nie jesteśmy w stanie dostrzec oczywistości. Sto pięćdziesiąt lat temu ludzie sądzili, że Adam i Ewa to prawdziwe postacie – niektórzy uważają tak do tej pory. Ale ludzie wykształceni wiedzą, że tak nie jest, że to mit, potężny, ważny mit alegoryczny o transformacji. W ten sam sposób za kilka dziesięcioleci będziemy prawdopodobnie rozumieć opowieść o Jezusie. Obecnie jest ona tak mocno zakorzeniona w nas, że nie jesteśmy w stanie rozpoznać jej prawdziwego znaczenia. A kiedy chrześcijański gnostycyzm został zniszczony w IV stuleciu, misteria przetrwały jako rytuały podziemnych tajnych bractw – z nich wywodzi się wiele tajnych stowarzyszeń, o których pisze Dan Brown. I ma w tym punkcie rację; myli się, jak sądzę, łącząc te stowarzyszenia z genealogiami rodów królewskich.

Nazywa pan to skrzydło chrześcijaństwa, które przetrwało i rozwinęło się, mianem literalistów. Co wynikało ze sposobu, w jaki literaliści odczytywali opowieść o Jezusie?

Spuścizna chrześcijaństwa literalistycznego jest straszliwa. Z jednej strony wyrósł z niej holokaust w imię Boga, a z drugiej – holokaust kobiet, procesy czarownic. Stało się tak w związku z odrzuceniem pierwiastka żeńskiego. Kościół, jak na ironię, przyczepił gnostykom etykietkę sekty wyrzekającej się świata – podczas gdy faktycznie to Kościół potępił kobiety i zbudował wspólnoty klasztorne, w których mężczyźni mogli oddalać się od świata i kobiet, i popierał biczowników w wiekach średnich. Jest to efekt literalnego rozumienia tradycji: chciano cierpieć tak, jak cierpiał Jezus, nie rozumiano bowiem, że to cierpienie było metaforą, alegorią. Podejście do kobiet zmieniło się dopiero w ciągu ostatnich kilku stuleci – naprawdę radykalnie w ciągu ostatnich kilku dekad – choć, jak na ironię, poglądy ludzi, którzy stworzyli opowieść o Jezusie, zaliczają się do tradycji pitagorejskiej, słynnej z otwartości i tolerancji. Autorstwo wielu wczesnych dzieł gnostycznego chrześcijaństwa przypisuje się kobietom. Głosicielkami gnostycyzmu i przywódczyniami gnostyków często bywały kobiety. Tradycja ta została zniszczona, straciliśmy żeński pierwiastek Boga, co wyszło na złe nie tylko kobietom, ale także mężczyznom. Mężczyźnie bardzo trudno stworzyć erotyczny związek z boskością, jeśli nie dysponuje żeńskim wyobrażeniem, do którego może się odnieść.

Słowo Boże czy ludzkie?

ELAINE PAGELS

W ciągu stulecia po śmierci Jezusa niektórzy z jego najwierniejszych uczniów postanowili wykluczyć z tradycji wiele źródeł chrześcijańskich, żeby nie wspomnieć o zapożyczeniach z innych religii, chociaż (...) zdarzały się one często. Ale dlaczego i w jakich okolicznościach ci wcześni przywódcy Kościoła uznali, że jest to konieczne w danej chwili dla ich przetrwania? I dlaczego ci, którzy uznali Jezusa za „jednorodzonego syna Bożego", jak czytamy w Ewangelii według św. Jana, zdominowali późniejszą tradycję, a inne wizje chrześcijaństwa – jak ta głoszona przez Tomasza, który zachęcał swoich uczniów, żeby uznali siebie, podobnie jak Jezusa, za „dzieci Boże" – zostały wyeliminowane?

Teolodzy chrześcijańscy twierdzą, że „Duch Święty wiedzie Kościół ku prawdzie" – co zazwyczaj oznacza: to, co przetrwało, musi być słuszne. Niektórzy historycy religii racjonalizują to przekonanie, dowodząc, że w historii chrześcijaństwa, jak w historii nauki, słabe, fałszywe idee wymierają wcześnie, a silne i uzasadnione trwają dalej. Nieżyjący już Raymond Brown, wybitny znawca Nowego Testamentu, a zarazem rzymskokatolicki ksiądz sulpicjanin, oświadczył bez ogródek: to, co odrzucili ortodoksyjni chrześcijanie, było tylko „śmieciem II stulecia" – i dodał: „To w dalszym ciągu śmiecie". Ale takie polemiki nie wyjaśniają, jak i dlaczego wcześni przywódcy Kościoła położyli fundamenty doktryny chrześcijaństwa. Żeby zrozumieć, co zaszło, musimy spojrzeć na określone wyzwania – i zagrożenia – z którymi mierzyli się wierni podczas krytycznych lat, od mniej więcej 100 do 200 roku n.e. i przekonać się, w jaki sposób ci, którzy stali się architektami chrześcijańskiej tradycji, odpowiadali na te wyzwania. Afrykański konwertyta, Tertulian, mieszkający w Kartaginie w Afryce Północnej około 80 lat po spisaniu ewangelii przez Jana i Tomasza, około roku 190 n.e. (albo, jak by powiedział Tertulian i jego współcześni, za panowania cesarza Kommodusa), poświadcza, że ruch chrześcijański przyciąga tłumy nowych wiernych – i że niektórych to niepokoi:

> Krzyk, że państwo pełne jest chrześcijan – że są na polach, w miastach, na wyspach; i biadanie [postronnych], jakby to była jakaś klęska żywio-

łowa, że zarówno mężczyźni, jak i kobiety, w każdym wieku, każdego stanu, nawet wysokiego, przechodzą na wiarę chrześcijańską.

Tertulian wyśmiewał niechrześcijańską większość za jej dzikie podejrzenia i potępiał sędziów, że dają wiarę oskarżeniom:

> [Nazywają nas] potworami zła i oskarżają o praktykowanie uświęconych rytuałów, podczas których zabijamy małe dzieci i zjadamy je; a po uczcie praktykujemy incest, a psy, nasi stręczyciele, przewracają światła i obdarzają nas bezwstydną ciemnością, żebyśmy mogli zaspokoić nasze żądze. O to nas ciągle oskarżają ludzie, ale niewiele trzeba zachodu, żeby znaleźć prawdę (...). Cóż, sądzicie, że chrześcijanin zdolny jest do każdej zbrodni – jest wrogiem bogów, cesarza, praw, dobrych obyczajów, całej natury?

Tertulian rozpaczał, że w całym cesarstwie, od jego rodzinnego miasta w Afryce po Italię, Hiszpanię, Egipt i Azję Mniejszą, a także w prowincjach, od Germanii po Galię, chrześcijanie podają ofiarą przemocy. Sędziowie rzymscy często ignorowali te incydenty, ale czasem w nich uczestniczyli. Na przykład w Smyrnie, na wybrzeżu Azji Mniejszej, tłum, z krzykiem: „Łapać bezbożników!" zlinczował konwertytę Germanika i zażądał, żeby władze aresztowały i natychmiast ukarały śmiercią Polikarpa, wybitnego biskupa. Co też się stało.

To, co widzieli ludzie z zewnątrz, zależało od tego, na jaką grupę chrześcijan trafili. Pliniusz, gubernator Bitynii (we współczesnej Turcji), sądził, że grupy te ukrywają buntowników, i rozkazał żołnierzom zatrzymywać tych, których ludzie nazywali chrześcijanami. Żeby uzyskać informacje, żołnierze poddali torturom dwie chrześcijańskie kobiety – niewolnice – które ujawniły, że wyznawcy tego osobliwego kultu „spotykają się regularnie przed świtem określonego dnia, żeby śpiewać hymny do Chrystusa jako boga". Chociaż plotka głosiła, że jedzą ludzkie mięso i piją krew, Pliniusz odkrył, że jedzą tylko „zwyczajne, nieszkodliwe pożywienie". Choć nie znalazł dowodów przestępstwa, zdał sprawę cesarzowi Trajanowi. „Kazałem ich zabrać i stracić; gdyż, nie patrząc na to, do czego się przyznali, jestem przekonany, iż ich nieugiętość i niezachwiany upór nie powinny ujść bezkarnie". Ale 20 lat później, w Rzymie, Rustykus, prefekt miejski, przesłuchiwał grupkę pięciu chrześcijan, którzy wyglądali w jego oczach nie tyle na uczestników kultu, ile na członków seminarium filozoficznego. Justyn Męczennik, filozof, postawiony w stan oskarżenia wraz ze swymi uczniami, przyznał przed prefektem, że spotykał się ze współwyznawcami w swoim rzymskim mieszkaniu „nad łaźniami Tymoteusza", żeby dyskutować o „filozofii chrześcijańskiej". Niemniej Rustykus, podobnie jak Pliniusz, podejrzewał zdradę. Kiedy

Justyn i jego uczniowie odmówili złożenia ofiary bogom, kazał ich wychłostać, a potem pościnać im głowy.

Trzydzieści lat po śmierci Justyna inny filozof, o imieniu Celsus, zagorzały wróg chrześcijan, napisał dzieło pod tytułem *Prawdziwe słowo*, w którym ukazywał ich działania i oskarżał niektórych z nich o to, że zachowują się jak oszalali wyznawcy obcych bogów, takich jak Attis i Kybele, opętani przez duchy. Inni, oskarżał Celsus, rzucają zaklęcia i uroki jak czarodzieje; jeszcze inni stosują się do obyczajów żydowskich, które wielu Greków i Rzymian uznawało za barbarzyńskie. Celsus pisał również o tym, że w wielkich posiadłościach ziemskich w całym kraju chrześcijańscy gręplarze, szewcy i praczki, ludzie, którzy „zazwyczaj boją się przemówić w obecności swoich przełożonych", mimo to zabierają łatwowiernych – niewolników, dzieci, „głupie kobiety" – z wielkich domów do swoich warsztatów, żeby usłyszeli, jak Jezus czynił cuda, a po śmierci wstał z grobu. Godni szacunku obywatele podejrzewali chrześcijan o przemoc, promiskuityzm i ekstremizm polityczny, o które zawsze posądzano tajemne kulty. Oskarżenia wysuwali zwłaszcza ci, którzy obawiali się, że ich przyjaciele lub krewni mogą zostać zwabieni przez sektę.

Mimo różnorodności form wczesnego chrześcijaństwa – a może ze względu na nią – ruch rozprzestrzeniał się gwałtownie, tak że pod koniec II stulecia coraz większe grupy chrześcijan istniały po całym cesarstwie. Tertulian pysznił się: „Im bardziej nas kosicie, tym bardziej się mnożymy; krew Chrystusa jest nasieniem!" Buntownicza retoryka nie mogła jednak rozwiązać problemu, wobec którego stanął wraz z innymi chrześcijańskimi ojcami duchowymi: jak umocnić i zjednoczyć ten niezwykle różnorodny i rozprzestrzeniony ruch, żeby był w stanie oprzeć się wrogom?

Młodszy od Tertuliana Ireneusz, często identyfikowany z biskupem Lyonu tego samego imienia, osobiście przeżył prześladowania, o których pisał Tertulian, najpierw w rodzinnym mieście Smyrnie (Izmir w dzisiejszej Turcji), a potem w prowincjonalnym Lyonie w Galii (obecnie Francja). Ireneusz z bliska obserwował też podziały w łonie chrześcijaństwa. Jako chłopiec mieszkał w domostwie swego nauczyciela Polikarpa, czcigodnego biskupa Smyrny, którego nawet wrogowie nazywali „nauczycielem Azji Mniejszej". Ireneusz, choć wiedział, że chrześcijanie rozsiani są w małych grupkach po całym świecie, podzielał nadzieję Polikarpa, że wszyscy zaczną uważać się za członków jednego Kościoła, który nazywali katolickim – czyli powszechnym. Pragnąc zjednoczenia tej światowej społeczności, Polikarp wzywał wiernych, żeby odrzucali wszystkich, którzy odbiegają od „chrześcijańskiej normy". Według Ireneusza, Polikarp lubił opowiadać, jak jego własny mentor, „Jan, uczeń Pana" – ta sama osoba, którą tradycja czci jako autora Ewangelii według św Jana – poszedł raz do łaźni publicznych w Efezie, ale widząc Cerynta, którego uważał za heretyka, wybiegł z łaźni, nie wziąwszy kąpieli, wykrzykując: „Uciekajmy, łaźnia się może zapaść, gdyż jest w niej Cerynt, wróg prawdy". Gdy Ireneusz powtarzał tę historię, dodawał kolejną, żeby pokazać, w jaki sposób sam Polikarp traktował heretyków. Kiedy wpływowy, choć kontrowersyjny chrześcijański kaznodzieja Marcjon stanął przed biskupem i zapytał go: „Czy mnie poznajesz?", Polikarp odparł: „Poznaję cię, poznaję, pierworodnego syna szatana"*.

Ireneusz mówi, że opowiada tę historię, aby pokazać „wstręt, który apostołowie i ich uczniowie żywili nawet do rozmowy z takimi, którzy szkodzą prawdzie". Ale jego przypowieści ukazują również to, co trapiło Ireneusza: że dwa pokolenia po tym, jak autor Ewangelii według św. Jana uznał „chrześcijan Piotra" i przeciwstawił się „chrześcijanom Tomasza", ruch pełen był kłótni i podziałów. Sam Polikarp potępiał ludzi, których atakował, twierdząc, że „noszą imię [chrześcijan] w złości i kłamstwie", ponieważ ich nauki często różniły się od tego, czego dowiedział się od swoich nauczycieli. Z kolei Ireneusz uważał, że praktykuje prawdziwe chrześcijaństwo, bo mógł odwołać się bezpośrednio do czasów Chrystusa poprzez Polikarpa, który osobiście przyjmował nauki Jezusa od samego Jana, „ucznia Pana". Przekonany, że ten uczeń napisał Ewangelię według św. Jana, Ireneusz był jednym z pierwszych obrońców tej ewangelii, którą połączył na zawsze z ewangeliami Marka, Mateusza i Łukasza. Współczesny mu Tacjan, wybitny syryjski student filozofa Justyna Męczennika, zabitego przez Rustykusa, próbował zunifikować różne ewangelie, przepisując je jako jeden tekst. Ireneusz pozostawił teksty nietknięte, ale ogłosił, że jedynie księgi Mateusza, Marka, Łukasza i Jana – tylko i wyłącznie one – składają się na to, co nazwał „czterokształtną Ewangelią". Ireneusz uważał, że tylko te cztery ewangelie spisane zostały przez świadków wydarzeń, poprzez które Bóg zesłał zbawienie ludzkości. Kanon czterech ewangelii stać się miał potężną bronią w walce, którą Ireneusz przez całe życie prowadził, w walce o zjednoczenie i umocnienie ruchu chrześcijańskiego, i pozostał na zawsze podstawą ortodoksyjnej nauki Kościoła (...).

Kiedy Ireneusz spotkał w Rzymie przyjaciela z dzieciństwa, smyrneńczyka o imieniu Florynus, który tak jak on za młodu studiował u Polikarpa, doznał wstrząsu, gdy dowiedział się, że przyjaciel dołączył do grupy, na czele której stali Walentyn i Ptolemeusz. Ci wyrafinowani teolodzy, mimo całej swojej wiedzy, wzorem nowych proroków często opierali się na snach i objawieniach. Chociaż nazywali siebie „duchowymi chrześcijanami", Ireneusz uznawał ich za

---

* Św. Ireneusz z Lyonu *Chwałą Boga żyjący człowiek*, tł. ks. W. Myszor, Warszawa 1999.

niebezpiecznych odstępców. Z nadzieją, że przekona przyjaciela, żeby się zastanowił nad swoim wyborem, Ireneusz napisał do niego list, ostrzegając: „Te poglądy, Florynusie, łagodnie mówiąc, nie są rozsądne; nie współbrzmią z Kościołem i wplątują wiernych w najgorszą bezbożność, a nawet w herezję". Ireneusz był zrozpaczony, gdy dowiedział się, że coraz więcej wykształconych chrześcijan zmierza w tym kierunku.

Kiedy wrócił z Rzymu do Galii, zastał swoją gminę spustoszoną; około 30 osób poddano brutalnym torturom i zamordowano na arenie w dniu specjalnie wyznaczonym na rozrywkę dla miejskiego ludu. Po śmierci biskupa Potynusa pozostali członkowie gminy oczekiwali, że Ireneusz zostanie ich przywódcą. Świadom niebezpieczeństwa, mimo wszystko wyraził zgodę, zdecydowany zjednoczyć ocalałych. Spostrzegł jednak, że członkowie jego własnej „trzódki" podzieleni byli na rozmaite, często skłócone grupy, które twierdziły, że natchnął je Duch Święty.

Jak rozsądzić między sprzecznymi roszczeniami i narzucić jakiś porządek? Zadanie było ogromne i niezwykle trudne. Ireneusz z pewnością wierzył, że Duch Święty zapoczątkował ruch chrześcijański. Zarówno Jezus, jak i jego uczniowie utrzymywali, że doświadczyli ogromnej liczby snów i wizji, a także wygłaszali ekstatyczne mowy za przyczyną Ducha Świętego. Ewangelie nowotestamentowe obfitują w wizje, sny i objawienia, jak to, od którego – według Marka – zaczęła się publiczna działalność Jezusa:

> W owym czasie przyszedł Jezus z Nazaretu w Galilei i przyjął od Jana chrzest w Jordanie. W chwili gdy wychodził z wody, ujrzał rozwierające się niebo i Ducha jak gołębicę zstępującego na siebie. A z nieba odezwał się głos: „Tyś jest mój Syn umiłowany, w Tobie mam upodobanie (Mk 1,9–11).

Łukasz dodaje do swojej wersji tej historii relację o narodzinach Jezusa, w której wizje poprzedzają każdy akt, od momentu gdy archanioł Gabriel ukazał się starzejącemu się kapłanowi Zachariaszowi, a później Marii, do nocy, gdy „anioł Pański" ukazał się pasterzom, żeby powiedzieć im o narodzinach Jezusa, a niespodziewany blask rozświetlił nocne niebo (...).

Ireneusz mówi, że usilnie próbował, na prośbę przyjaciela, prześledzić nauki Marka Maga, żeby zdemaskować go jako intruza i oszusta. Przyciągając uczniów, dokonując inicjacji i udzielając specjalnych nauk „duchowym" chrześcijanom, Marek zagrażał wysiłkom Ireneusza, zdążającym ku zjednoczeniu wszystkich chrześcijan w regionie w homogeniczny Kościół. Ireneusz oskarżał go o to, że jest czarnoksiężnikiem, „zwiastunem Antychrysta", człowiekiem, którego wymyślone wizje i pretensje do siły duchowej maskują jego prawdziwe oblicze jako apostoła samego szatana. Wykpiwał twierdzenie Marka, że wchodzi on w „głębokie zamysły Boga", i wyśmiewał jego naleganie, by nowo przyjęci mieli własne wizje:

> Kiedy mówią takie rzeczy jak te o stworzeniu, każdy z nich tworzy co dnia coś nowego, wedle swoich możliwości; bo żaden z nich nie zostanie uznany za „dojrzałego", kto nie stworzy jakiegoś wielkiego kłamstwa.

Ireneusz wyraża wielki niepokój, że również wielu innych nauczycieli w społeczności chrześcijańskiej „wprowadza nieopisaną liczbę tajnych i bezpodstawnych pism, które sami sfałszowali, żeby oszołomić umysły głupich ludzi, nieświadomych prawdziwego Pisma". Cytuje niektóre z ich pism, między innymi dobrze znany i ważny tekst, nazywany *Tajną księgą Jana* (odkryty wśród tak zwanych ewangelii gnostycznych w Nag Hammadi w 1945 roku), i wspomina o wielu innych, na przykład *Ewangelii prawdy* (prawdopodobnie chodzi o tekst znaleziony w Nag Hammadi), którą przypisuje nauczycielowi Marka, Walentynowi, i o ewangelii Judasza. Ireneusz uznał, że trzeba zahamować zalew tych „tajnych pism", co będzie pierwszym krokiem w stronę ograniczenia „wysypu objawień", które – jak podejrzewał – wynikały ze złudzenia albo, gorzej, z podszeptu demonów.

Niemniej odkrycie z Nag Hammadi ukazuje, jak rozpowszechnione były próby „poszukiwania Boga" – nie tylko wśród autorów „tajnych pism", ale i wśród tych licznych osób, które je czytały, kopiowały i czciły je – na przykład egipskich mnichów, którzy trzymali te księgi w bibliotece klasztornej nawet w 200 lat po tym, jak Ireneusz je potępił. Ale w 367 roku n.e. Atanazy, gorliwy biskup z Aleksandrii – i wielbiciel Ireneusza – wydał list wielkanocny, w którym domagał się, żeby egipscy mnisi zniszczyli wszystkie tego rodzaju pisma z wyjątkiem tych, które oddzielnie wymienił jako „do przyjęcia", a nawet „kanoniczne" – na tej liście znajdują się praktycznie wszystkie księgi Nowego Testamentu. Ale ktoś – może mnisi z klasztoru św. Pachomiusza – zebrał kilkadziesiąt ksiąg, które Atanazy chciał spalić, usunął je z biblioteki klasztornej, zapieczętował w ciężkim dzbanie wysokości prawie metra i zakopał na pobliskim wzgórzu, nieopodal Nag Hammadi. Tam, 16 wieków później, potknął się o nie egipski wieśniak o imieniu Muhammad Ali.

Teraz, gdy sami możemy przeczytać część pism, których tak nienawidził Ireneusz, a których Atanazy zakazał, widzimy, że wiele z nich wyraża nadzieję na uzyskanie objawienia i zachęty dla „tych, którzy szukają Boga". Autor *Tajnej księgi Jakuba*, na przykład, na nowo interpretuje scenę otwierającą Dzieje Apostolskie, w której Łukasz opowiada, jak Jezus wstąpił do nieba (...).

Lecz ci, którzy krytykują taki „dowód z przepowiedni", wskazują na to, że chrześcijanie podobni Justynowi błędnie rozumują – na przykład uznając niedokładne tłumaczenie za zapowiedź cudu. Autor Ewangelii według św. Mateusza, dla przykładu, czytając najwyraźniej proroctwo Izajasza w greckim tłumaczeniu, zrozumiał, że „dziewica [po grecku *parthenos*] pocznie". Sam Justyn przyznaje, że żydowscy tłumacze, sprzeczając się z uczniami Jezusa, wskazywali, iż prorok w hebrajskim oryginale napisał po prostu: „młoda kobieta [*almahl*] pocznie i nosić będzie syna" – najwyraźniej nawiązując do spodziewanego przyjścia na świat królewskiego potomka.

Lecz Justyn i Ireneusz, jak wielu chrześcijan po dziś dzień, nie dali się przekonać i wierzyli, że starożytne proroctwo przepowiada narodziny, śmierć i zmartwychwstanie Jezusa, a jego boskiej inspiracji dowiodły późniejsze zdarzenia. Niewierzący często uznają te dowody za naciągane, ale dla wiernych są one objawem danej przez Boga „historii zbawienia". Justyn dla tego przekonania ryzykował życie, pewien, że odrzucił filozoficzne spekulacje dla prawdy sprawdzalnej empirycznie jak naukowy eksperyment.

Ponieważ Ireneusz widział w dowodzie z proroctwa jeden ze sposobów na rozwiązanie problemu, które z objawień pochodzą od Boga, włączył niektóre pisma „apostołów" do zbioru pism „proroków", gdyż tak jak Justyn wierzył, że razem stanowią one niezastąpione świadectwa prawdy. Jak i inni chrześcijanie owego czasu, Justyn i Ireneusz, gdy mówili o „Biblii", mieli na myśli Biblię hebrajską: to, co nazywamy Nowym Testamentem, jeszcze nie istniało. Ich przekonanie, że prawda Boża ujawnia się poprzez wydarzenia historii zbawienia, stanowi istotne ogniwo pomiędzy hebrajską Biblią i tym, co Justyn nazywał „pamiętnikami apostołów", a my znamy jako ewangelie Nowego Testamentu.

O ile wiemy, to Ireneusz był głównym architektem kanonu czterech ewangelii: Mateusza, Marka, Łukasza i Jana. Ireneusz jako pierwszy potępił różne grupy chrześcijańskie opierające się tylko na jednej ewangelii, jak ebionici, którzy – twierdzi Ireneusz – korzystali tylko z księgi Mateusza, albo uczniowie Marcjona, którzy uznawali jedynie tekst Łukasza. Podobnie mylą się ci, kontynuował Ireneusz, którzy powołują się na wiele ewangelii. Niektórzy chrześcijanie, twierdził, oświadczają, że inni chrześcijanie „chełpią się posiadaniem większej liczby ewangelii, niż ich jest w rzeczywistości (...) ale zaprawdę, nie mają oni innej ewangelii niż taka, która pełna jest bluźnierstw". Ireneusz postanowił zrąbać las „apokryficznych i podejrzanych" pism – takich jak *Tajna księga Jakuba* i *Ewangelia Marii Magdaleny* – i zostawić tylko cztery „filary". Śmiało oznajmił, że „prawdziwa ewangelia" może wesprzeć się tylko na owych czterech „filarach", mianowicie na ewangeliach przypisywanych Mateuszowi, Markowi, Łukaszowi i Janowi. Broniąc swojego wyboru, oświadczył, że „niemożliwe, żeby było ich więcej albo mniej niż cztery”, gdyż „tak jak są cztery okręgi wszechświata i cztery główne wiatry”, tak Kościół potrzebuje „tylko czterech filarów”. Co więcej, tak jak prorok Ezechiel wyobraził sobie tron Boga podtrzymywany przez cztery żywe stworzenia, także święte słowo Boże podtrzymywane jest przez tę „czterokształtną Ewangelię”. (Idąc w jego ślady, chrześcijanie przyjęli później oblicza czterech „żywych stworzeń” – lwa, byka, orła i człowieka – za symbole czterech ewangelistów). Ewangelie te czyni godnymi zaufania, jak twierdził, fakt, że ich autorzy – według niego byli to uczniowie Jezusa, Mateusz i Jan – rzeczywiście widzieli wydarzenia, które opisywali; podobnie, dodawał, Marek i Łukasz, będąc uczniami Piotra i Pawła, utrwalili tylko to, co usłyszeli od samych apostołów.

Niewielu współczesnych uczonych badających Biblię zgodziłoby się z Ireneuszem; nie znamy prawdziwych autorów tych ewangelii, nie wiemy też, kto spisał ewangelie Tomasza i Marii Magdaleny; wiemy tylko, że wszystkie owe „ewangelie” przypisywane są uczniom Jezusa. Niemniej (...) Ireneusz nie tylko dołączył Ewangelię według św. Jana do znacznie częściej cytowanych ewangelii Mateusza i Łukasza, ale także chwalił Jana jako największego z ewangelistów. Dla Ireneusza ewangelia Jana nie była czwartą, jak nazywają ją chrześcijanie dzisiaj, ale pierwszą i najważniejszą z ewangelii, gdyż wierzył on, że tylko Jan zrozumiał, kim naprawdę jest Jezus – Bogiem w ludzkim ciele. To, co Bóg odsłonił w tej nadzwyczajnej chwili, gdy „stał się ciałem”, zaćmiło wszelkie objawienia otrzymane przez istoty ludzkie – nawet proroków i apostołów, nie mówiąc już o zwyczajnych ludziach.

Ireneusz nie mógł, oczywiście, powstrzymać chrześcijan od szukania objawień boskiej prawdy – ani też, jak widzieliśmy, nie miał takiego zamiaru. W końcu tradycje religijne mogą przetrwać upływ czasu tylko wtedy, gdy ich wyznawcy nieustannie je ożywiają je, a wraz z tym – nieustannie zmieniają. Od tamtych odległych czasów aż po współczesność Ireneusz i jego następcy dążą jednak do tego, aby przymusić wiernych do przyjęcia autorytetu „czterokształtnej Ewangelii” i tego, co nazywają tradycją apostolską. Odtąd wszystkie „objawienia” potwierdzone przez przywódców chrześcijaństwa muszą pasować do obrazu, jaki malują ewangelie, z których powstał Nowy Testament. Na przestrzeni stuleci, rzecz jasna, ewangelie te dały zaczyn wielu dzieł chrześcijańskiej sztuki, muzyki, poezji, teologii, a także licznym legendom. Ale nawet najbardziej twórczy święci, jak Teresa z Avila czy Jan od Krzyża, uważali, żeby nie przekroczyć pewnych granic. Po dziś dzień wielu tradycyjnie nastawionych chrześcijan nadal wierzy, że wszystko, co wykracza poza naukę kanoniczną, musi być „kłamstwem i niegodziwością”, pochodzącą albo ze zła czającego się w ludzkim sercu, albo od diabła.

Ale Ireneusz wiedział, że nawet likwidacja wszelkich „tajnych pism" i stworzenie kanonu czterech Ewangelii nie zapewnią bezpieczeństwa ruchowi chrześcijańskiemu. A co się stanie, jeśli ktoś czytający „właściwe" ewangelie zacznie je fałszywie interpretować – może nawet na wiele błędnych sposobów? Co będzie, jeśli chrześcijanie tak zinterpretują te same ewangelie, iż dadzą początek nowym herezjom? To właśnie zdarzyło się w kongregacji Ireneusza – a on (...) odpowiedział, tworząc podwaliny pod ortodoksyjne (dosłownie: „prawomyślne") chrześcijaństwo.

Bitwa o Pismo i wiary, których nigdy nie poznaliśmy

WYWIAD Z BARTEM D. EHRMANEM

Bart D. Ehrman przewodniczy wydziałowi studiów religijnych na North Carolina University w Chapel Hill. Jest autorytetem w kwestii wczesnego Kościoła i życia Jezusa. Jego ostatnia książka to *Lost Christianities: The Battle for Scripture and the Faiths We Never Knew*.

Jednym z filarów intrygi Kodu Leonarda da Vinci *jest teoria, iż alternatywna wobec Kościoła katolickiego tradycja – pewna odnoga dyskusji na temat znaczenia życia Jezusa – została zagubiona 2000 lat temu. Co pan o tym sądzi?*

To fakt, że istniało wiele różnych odnóg alternatywnej tradycji w chrześcijaństwie. Najlepszy chyba przykład stanowią trzy formy wczesnego chrześcijaństwa: sekty ebionitów, marcjonitów i gnostyków.

Ebionici, judeochrześcijanie, podkreślali znaczenie zarówno żydowskiej, jak i chrześcijańskiej tradycji. Marcjonici byli zdecydowanie antyżydowscy: wierzyli, że wszystko, co żydowskie, wiąże się z bogiem ze Starego Testamentu, który nie jest prawdziwym Bogiem. Gnostycy sądzili, że istnieje pewna liczba różnych bogów.

Wszystkie te grupy utrzymywały, że ich wiara wzięła początek od Jezusa, co znaczy, że prawdopodobnie powstały wkrótce po śmierci i zmartwychwstaniu Jezusa albo nie później niż w ciągu kilku następnych dekad. Ebionici twierdzili, że ich nauki pochodzą od Jakuba Sprawiedliwego, który był bratem Jezusa, a kto lepiej wiedział, czego nauczał Jezus, niż jego własny brat? Właściwie mogli mieć rację – mogli uważać, że Jakub nauczał. Ich wiara nie rozprzestrzeniła się jednak szeroko, po części zapewne dlatego, że domagali się, by goje, którzy chcieli zostać żydami, żeby być chrześcijanami, musieli się najpierw obrzezać, a z tego wniosek, że zapewne nie zdobyli zbyt wielu konwertytów.

Ebionici podkreślali żydowski aspekt swej wiary. A marcjonici?

Marcjonici byli zwolennikami żyjącego w połowie II wieku greckiego filozofa i nauczyciela Marcjona*, który spędził około 5 lat w Rzymie, opracowując swój system teologiczny. Uważał on, że apostoł Paweł właściwie rozumiał chrześcijaństwo, ponieważ rozróżniał między Prawem a Ewangelią. Marcjon doprowadził ten pogląd do skrajności, utrzymując, że skoro istnieje rozdział między Prawem a Ewangelią, to zostały one dane ludzkości przez dwóch różnych bogów – bóg, który dał Prawo, jest bogiem starotestamentowym, podczas gdy bóg, który zbawił ludzi od rządów Prawa, to bóg Jezusa. Gniewny bóg ze Starego Testamentu stworzył ten świat, wybrał lud Izraela i dał mu swoje Prawo, podczas gdy bóg Jezusa zbawia ludzi od tamtego boga, umierając za ich grzechy.

Marcjon miał wielu zwolenników nawet wówczas, gdy został ekskomunikowany (być może był to pierwszy taki przypadek w dziejach), kiedy wybierał się do Azji Mniejszej, współczesnej Turcji, żeby założyć tam kościoły. Chrześcijaństwo w wydaniu Marcjona było prawdziwym „zagrożeniem" dla innych grup – nieomal zdominowało cały ruch chrześcijański.

A gnostycy?

Wiele rodzajów gmin, bardzo różniących się między sobą, zostało dziś zaklasyfikowanych przez uczonych jako gnostyczne. Różnice wydają się tak znaczne, że niektórzy uczeni, jak historyczka Elaine Pagels, zastanawiają się, czy w ogóle powinniśmy je nazywać w ten sposób. Gnostycy wierzyli, że świat materialny, w którym żyjemy, jest kosmiczną katastrofą i że iskry Boże w jakiś sposób zostały uwięzione w tym materialnym świecie i muszą stąd uciec, a uda im się to, kiedy zyskają prawdziwą wiedzę na swój temat. System gnostyczny daje im tę wiedzę.

Intelektualne korzenie gnostycyzmu trudno ustalić. Wydaje się, że jest to rodzaj amalgamatu rozmaitych religii i filozofii, między innymi judaizmu i chrześcijaństwa oraz filozofii greckiej, szczególnie platońskiej. W II wieku istniał już rozwinięty system wierzeń gnostycznych – a na pewno istaniał od początków do

* Z Synopy.

połowy tego stulecia, to znaczy w czasach Marcjona. Trudno powiedzieć, czy gnostycyzm zrodził się w Aleksandrii, czy w Palestynie, ale wiemy, że gnostycy żyli w Syrii i Egipcie, a w końcu dotarli do Rzymu.

W jaki sposób doszło do zniknięcia sekt gnostyckich i innych?

Chociaż istnieje wiele przyczyn natury historycznej i kulturowej, większość z tych grup po prostu wymarła, ponieważ były one silnie atakowane – szczególnie na gruncie religijnym – i nie prowadziły tak skutecznych „kampanii propagandowych". Nie udawało im się przyciągnąć nowych wyznawców, podczas gdy grupy ortodoksyjne stworzyły silną strukturę, organizowały „kampanie" z wykorzystaniem między innymi listów w celu propagowania swoich poglądów, a ich retoryka przekonywała ludzi.

Ostatecznie zwycięstwo przyniosło im przejście cesarza rzymskiego Konstantyna Wielkiego na chrześcijaństwo – oczywiście w tej formie, która w owym czasie dominowała. Konstantyn nawrócił się na ortodoksyjną jego formę, a skoro państwo dysponowało siłą, zaczęło wywierać wpływ na chrześcijaństwo. I tak przed końcem IV wieku zaczynają się pojawiać prawa wymierzone w heretyków. Cesarstwo, które wcześniej było całkowicie antychrześcijańskie, stało się chrześcijańskie, i, co więcej starało się dyktować, jaki kształt powinno przybrać chrześcijaństwo.

Konsekwencje tego faktu są, rzecz jasna, ogromne. Zmienił się całkowicie sposób myślenia. Weźmy choćby koncepcję winy: gdyby wygrała jakaś inna grupa, mogłaby ona być zupełnie inna.

Czy spory ucichły, gdy Kościół zjednoczył się na soborze nicejskim?

Nie zakończyły się, lecz zmieniła się natura. Zanim zwołano sobór nicejski, zniknęły już grupy gnostyckie, marcjonickie i ebionickie. Spory istniały jednak nadal, choć bardziej wyrafinowane i gorętsze. Głównym tematem soboru nicejskiego stał się arianizm, który w II lub III stuleciu uznano by za całkowicie ortodoksyjny. W IV wieku arianizm był już wielką herezją. Zwolennicy Ariusza wierzyli, że Jezus musiał być podległy Ojcu; wszak modlił się do Niego i wykonywał Jego wolę. Zatem jest bóstwem niższego rzędu. Jednak arianie zostali pokonani przez chrześcijan utrzymujących, że Chrystus to nie bóstwo podporządkowane, lecz istota wiecznie boska, zawsze istniejąca w związku z Bogiem. Tak więc Chrystus nie jest bytem boskim, który został powołany do życia – zawsze był boski i z tej samej substancji, co sam Bóg Ojciec.

Te zmiany w teologii nie wydają się tak istotne jak inna zmiana, która zaszła, gdy Konstantyn został chrześcijaninem. Teraz on, autorytarny przywódca polityczny, mógł decydować, jaki rodzaj chrześcijaństwa jest tym „właściwym". Nagle wiara stała się kwestią równie polityczną, co religijną. Niektórzy sądzą, że Konstantyn nawrócił się na chrześcijaństwo, ponieważ myślał, że Kościół może mu pomóc w unifikowaniu cesarstwa, gdyż – w przeciwieństwie do pogaństwa, w którym czczono wielu bogów na wiele różnych sposobów – chrześcijanie utrzymywali, że istnieje jeden Bóg i jeden sposób oddawania mu czci. Właśnie dlatego Konstantyn zwołał sobór nicejski – jeśli Kościół miał odgrywać rolę unifikującą cesarstwo, sam musiał zostać zunifikowany.

Heretycy, kobiety, czarnoksiężnicy i mistycy

Walka o jedną prawdziwą wiarę

Najwcześniejsza historia chrześcijaństwa to historia w większym stopniu ustna niż pisana, przekazywana najpierw od apostoła do apostoła, od osoby do osoby, z pokolenia na pokolenie, a w niektórych przypadkach także przekładana z jednego języka na drugi. Nie istniały kościoły ani formalne miejsca zgromadzeń: Słowo rozchodziło się za pośrednictwem listów i wędrujących wyznawców. Nie było jednego Kościoła ani hierarchii kościelnej. Małe grupki, zarzucone po różnych krainach, wierzyły, każda na swój sposób, w którąś z odmian przesłania pochodzącego przez apostołów i uczniów od Jezusa – albo w jakąś odmianę amalgamatu pogaństwa, starego systemu wierzeń i nowej nauki.

Brak spójnej doktryny, do której mogliby się stosować wszyscy wierni, odpowiadał wielu, ale nie wszystkim. Wkrótce mniejszość zorganizowała się: sformowała gminy, wprowadziła hierarchię i aktywnie, za pośrednictwem apostołów, zaczęła przekazywać Słowo „niewiernym". Pod koniec I stulecia już znaleźli się ludzie, którzy twierdzili, że wiedzą, co jest słuszne, i domagali się, by wszystko co słuszne nie jest, jako niebezpieczne, zostało natychmiast wytrzebione. Owe datujące się na początki naszej ery wysiłki w celu wykorzenienia herezji z Kościoła zapowiadały krucjaty i inkwizycję.

Żarliwa wiara jednego człowieka jest dla drugiego herezją i tak było z Ireneuszem, Tertulianem i Euzebiuszem, trzema z wczesnych eklezjastów, którzy pomagali określać, co jest chrześcijaństwem, i eliminować to, co nim nie jest. Stamtąd już tylko krótki skok przez milenium do otchłani *Młota na czarownice*

– książki, która, jak ujął to Dan Brown, „indoktrynowała świat, uczulając go na »niebezpieczeństwa wolnomyślnych kobiet« i instruowała kler, jak je odnajdywać, torturować i niszczyć".

W pogoni za pobożnością wcześni pisarze, jak i autorzy *Młota na czarownice*, byli całkowicie zgodni co do tego, że kobieta stanowi największe zagrożenie dla Kościoła. Podczas gdy niektóre kobiety, takie jak matka Jezusa, a później umęczona święta Perpetua, mogły zostać umieszczone na piedestale, większość uważano za istoty z natury pełne niebezpiecznych cech, skłonne do złego. Podczas gdy religie pogańskie i gnostycyzm opowiadały się za równowagą sił pierwiastka męskiego i żeńskiego, we wczesnym chrześcijaństwie rola kobiety była inna, znacznie bardziej niejednoznaczna.

Mentalność typu „my przeciwko nim" uzyskała pierwsze formalne religijne uzasadnienie w pismach Ireneusza. Ów żyjący w II wieku teolog i polemista, hałaśliwie zwalczający „fałszywą wiedzę" swoim dziełem *Adversus Haereses* (Przeciw herezjom), napisanym w 187 roku n.e., przyczynił się do powstania pierwszego systematycznego wykładu systemu wierzeń chrześcijaństwa katolickiego – wyznania wiary, kanonu apostolskiego, następstwa biskupów.

Tertulian, jeden z pierwszych ojców kościoła, który żył w czasach Ireneusza, zrobił kolejny krok naprzód w kwestii świętości Ewangelii, głosząc, że jest ona natchniona przez Boga, zawiera całą prawdę, a Kościół „pije z niej wiarę". Tertulian zwalczał gnostyków gwałtowniej nawet niż sam Ireneusz.

Euzebiusz* (zm. 357–?) usystematyzował tę wiedzę (i inne jej fragmenty) w wielkim kompendium znanym jako *Historia kościelna***. Później stał się tak słynny i poważany, że wezwano go, aby przewodniczył soborowi nicejskiemu (325 rok n.e.). „Wyznanie", które zaproponował, stało się podstawą do nicejskiego wyznania wiary.

Mimo tych wczesnych prób jednoczenia i eliminowania zarazem, herezje powstawały nieustannie, szczególnie w wiekach średnich i renesansie, kiedy to w 1487 roku powstał *Młot na czarownice*. Chociaż omawianie trzech eklezjastów razem nadto upraszcza historię dążeń Kościoła do uzyskania władzy i wpływów zarówno środkami teologicznymi, jak i politycznymi, zamieszczony poniżej wybór z ich pism ukazuje, jak wraz ze wzrostem zagrożeń dla prawdziwej wiary podnosił się poziom dyscypliny i czujności.

---

* Z Cezarei.

** Wydane w Polsce 1993 roku.

Ireneusz

Opus magnum Ireneusza, *Adversus Haereses*, stało się tak powszechnie znane i popularne, że niektórzy uczeni wskazują, iż to za jego sprawą doszło do wykorzenienia gnostycyzmu, poprzednio stanowiący poważne teologiczne zagrożenie dla supremacji chrześcijaństwa w wydaniu katolickim.

W swoim dziele Ireneusz najpierw przestrzega czytelników przed złem czającym się w ludzkich sercach:

> Są ludzie, którzy wyżej od prawdy stawiają puste gadulstwo i wymyślanie jakichś fantastycznych rodowodów, z czego, jak mówi Paweł apostoł – „więcej bywa sporów niż zbudowania w wierze" (1 Tm 1,4). Chytrze spreparowaną, na pozór poprawną argumentacją przewracają oni w głowach rozmaitym półinteligentom, łowiąc ich na przynętę słusznych w zasadzie, lecz poprzekręcanych lub fałszywie interpretowanych słów Pańskich. Pod pretekstem zdobywania niby to wyższej wiedzy sprowadzają wielu na bezdroża (...), obiecując pokazać im coś znacznie wyższego i doskonalszego.
>
> Pięknymi, sprytnie dobranymi słówkami podniecają naiwnych do zapuszczania się w gąszcz rozmaitych problemów, a kiedy ich już całkiem oszołomią (...), wiodą bezradnych wprost na zatracenie, doprowadzając ich w końcu do bezbożnych i wręcz bluźnierczych twierdzeń o Stwórcy wszechrzeczy (...)*.

Potem krytykuje tych, którzy za pomocą „chytrze zbudowanej argumentacji" sprawiają, że ludzie wierzą słowom, a nie pismom, przez co umyślnie popełniają świętokradztwo.

> Gdy bowiem powołujemy się na pisma apostolskie, oni podnoszą przeciwko nim rozmaite zastrzeżenia. Powiadają, albo że tekst jest w danym wypadku niejasny, albo że odnośne pismo jest nieautentyczne, albo że cytowany ustęp można rozmaicie rozumieć, albo wreszcie że tylko ten potrafi odgadnąć prawdziwą myśl zawartą w słowie pisanym, kto oprócz tego zna niepisaną tradycję (...). Tylko że przez ową „mądrość" każdy z nich rozumie co innego, mianowicie to, co sam wymyślił lub raczej sobie uroił. Stąd też znajdują raz prawdę u Walentyna, innym razem u Marcjona, kiedy indziej u Cerynta, a jeszcze kiedy indziej u Bazylidesa lub

---

* Ireneusz z Lugudunum *Zdemaskowanie i odparcie fałszywej gnozy* w: *Antologia literatury patrystycznej*, tł. ks. M. Michalski, Warszawa 1975.

nawet u jego adwersarza, oczywiście także heretyka. Każdy z nich bowiem jest tak bezczelny, że nie wstydzi się uważać siebie za jedyną normę prawdy (...). Musimy walczyć z ludźmi, którzy niby węże wyślizgują się, z jakiejkolwiek strony do nich podchodzimy*.

Rozwiązaniem dla chrześcijan, czego można było się spodziewać, było zjednoczenie się w jednej wierze, z jednym Bogiem i grupą apostołów:

Kościół więc, rozsiany po całym zamieszkanym kręgu aż po krańce ziemi, otrzymał od apostołów i ich uczniów tę wiarę w jednego Boga, Ojca wszechmogącego, Stworzyciela nieba, ziemi i morza ze wszystkim, co w nim istnieje, i w jednego Chrystusa Jezusa Syna Bożego, który stał się ciałem dla naszego zbawienia, i Ducha Świętego, który mówił przez proroków o planach zbawienia i o przyjściu Umiłowanego Chrystusa Jezusa, naszego Pana, o Jego zrodzeniu z dziewicy, o męce i zmartwychwstaniu i Jego cielesnym wniebowstąpieniu, o Jego przyjściu w chwale Ojca, aby wszystko na nowo zjednoczyć (...)**.

Tertulian

Tertulian, który podobnie jak Ireneusz, gwałtownie atakował gnostyków, bywa wskazywany przez niektórych badaczy jako jeden z głównych autorów mistyfikacji, mającej ukryć istnienie silnej kontrtradycji. Gnostycy wydawali się największym zagrożeniem, gdyż gnostycyzm zawarł w sobie wiele wyraźnie przedchrześcijańskich (żeby nie powiedzieć – pogańskich) idei, a sama jego nazwa odnosiła się do koncepcji wiedzy tajemnej.

Kobiety zaś niosły brzemię najcięższych grzechów. „Trwa wyrok Boga nad twą płcią na tym świecie", utrzymywał Tertulian. „Nieuniknione jest, by przestępstwo też trwało. Jesteś drzwiami diabła". „I należy zauważyć, że w stworzeniu pierwszej kobiety była wada, jako że stworzona została z zagiętego żebra, to jest z żebra z piersi, które zagięte jest jakby w przeciwnym kierunku do człowieka. I poprzez tę wadę jest ona niedoskonałym zwierzęciem, zawsze oszukuje".

Tertulian, urodzony w Afryce (ok. 150–160 roku n.e.) jako syn rzymskiego żołnierza, napisał po grecku trzy książki i praktykował prawo. Aż do wieku śred-

---

* Ibidem.

** Ireneusz z Lyonu, op. cit.

niego był poganinem, wedle *Catholic Encyclopedia* „podzielającym pogańskie przesądy" i „pławiącym się jak i inni w haniebnych przyjemnościach". Przeszedł na chrześcijaństwo w 197 roku n.e. i, żeby znów zacytować *Catholic Encyclopedia*, „rzucił się w ramiona Wiary z całym zapałem swojej porywczej natury". Jednak 10 lat później zerwał z Kościołem ortodoksyjnym i został przywódcą oraz namiętnym orędownikiem montanizmu, wedle którego nowe objawienie nadeszło za pośrednictwem Moncjusza i dwóch prorokiń. Mimo to Tertulian nadal zwalczał herezję, tak jak ją rozumiał.

Jako chrześcijanin uważał, że pozna Boga tylko przez ścisłą dyscyplinę i surowy tryb życia. Siłą zagrażającą osłabieniem tak pojętej wiary w mężczyźnie była kobieta, która, jak pisał Tertulian, sprowadziła na świat grzech. „Czy ty nie wiesz", pytał Tertulian retorycznie, „że jesteś Ewą?"

> Trwa wyrok Boga nad twą płcią w tym świecie: nieuniknione jest, by przestępstwo też trwało. Jesteś drzwiami diabła; jesteś tą, która złamała prawo słynnego drzewa; to ty namówiłaś tego, do którego diabeł nie znalazł dostępu; ty człowieka, podobiznę Boga, tak łatwo wypędziłaś, z twojej to zasługi, to jest śmierci, również syn Boży musiał umrzeć*.

Uważał, że heretycy zostali zesłani na ziemię, żeby wypróbować ludzką wiarę. Herezje pojawiły się z dwóch powodów. Pierwszą była pokusa oferowana przez filozofów, takich jak Platon, którzy chcą zajmować się stawianiem bez końca pytań, zamiast po prostu przyjąć Słowo:

> Te właśnie nauki to wymysły ludzi i demonów, obliczone na łechtanie uszów słuchaczy; to płody mądrości światowej, którą Pan głupstwem nazywa, a sam głupotę tego świata wybiera ku zawstydzeniu samej filozofii. Ona bowiem jest matką mądrości światowej, zuchwałą tłumaczką natury i planów boskich. Filozofia bowiem jest źródłem wszystkich herezji (...). Powtarza się więc u heretyków te same problemy, te same wywody, co i u filozofów. Stąd również pytanie: skąd i dlaczego zło? Skąd i w jaki sposób powstał człowiek? Skąd Bóg? (...) [Posiedli oni] mądrość ludzką, naśladowczynię prawdy i zarazem jej fałszerkę, która sama rozpada się na szereg różnorodnych sekt zwalczających się wzajemnie (...).
>
> Niech o tym pamiętają ci, którzy głoszą jakieś stoickie, platońskie czy dialektyczne chrześcijaństwo. Po Chrystusie Jezusie nie potrzebujemy już żadnych badań, a po jego Ewangelii żadnych dociekań! Skoro wierzymy, to nie życzymy sobie poza wiarą niczego więcej. Bo to jest najważniejsze,

---

* Tertulian *O klejnocie kobiet*, 1,1–2, tł. E. Wipszycka-Bravo, op. cit.

że wierzymy, i nie ma już niczego więcej, w co byśmy ponad to wierzyć powinni*.

Zatem poskromcie ciekawość, bo skończycie jak heretycy, którzy „wypaczają nauczanie Chrystusa". A szczególnie poskromcie ciekawość dotyczącą ich zachowania, gdyż doprawdy jest ono grzeszne – szczególnie u kobiet:

> Nie mogę również nie przedstawić stylu życia heretyków. Jak jest lekki, światowy i czysto ludzki! Jak bez powagi, bez godności i karności! Jak odpowiedni ich wierze! (...) A jak bezczelne są ich kobiety! Ośmielają się nauczać, prowadzić dyskusje, egzorcyzmować, obiecywać zdrowie, zapewne i chrzcić. Święcenia ich przypadkowe, bez powagi, zmienne. Powierzają je już to nowo ochrzczonym, już to oddanym sprawom doczesnym, już to naszym apostatom, aby w ten sposób zobowiązać ich godnością, gdyż prawdą nie potrafią**.

Euzebiusz

Euzebiusz, biskup Cezarei w Palestynie (gdzie przepisując Biblię, spotkał Konstantyna), bywa nazywany ojcem historii Kościoła, ze względu na swoje skrupulatne zapiski dotyczące ewolucji Ewangelii, roli apostołów oraz herezji. Uważa się też, że znalazł w dokumentach z Edessy listy, które jakoby wymieniał król Abgar i Jezus Chrystus.

Dla Euzebiusza doktryna była nierozłączna od codziennego życia; klucz do wiary stanowiła zatem wiedza, z których pism należy korzystać.

Należało więc wiedzieć, które z „Bożych pism" są „prawdziwe". Euzebiusz wymienił ewangelie i inne księgi, które zaliczał do „prawdziwych Pism"; listę ową, z niewielkimi zmianami, przyjęto potem jako kanon Biblii.

Euzebiusz skatalogował także herezje gnostyków dokładniej, niż uczynił to ktokolwiek przed nim i wychwalał rosnący w siłę Kościół powszechny:

> [była inna herezja] tzw. gnostyków. Uprawiali oni magię Szymonową, już nie tak jak on, potajemnie, ale zupełnie otwarcie. Co więcej, w wielkim poszanowaniu mieli jakieś napoje czarodziejskie, które sami warzyli z największą starannością, tudzież jakieś demony sennodajne i usłużne, oraz inne tego rodzaju dziwy.

---

* Tertulian *Preskrypcja przeciw heretykom* w: *Pisma starochrześcijańskich pisarzy, Tertulian. Wybór pism*, tł. E. Stanula, Warszawa 1970.

** Ibidem.

Stosownie do (...) ich ohydy powinni sobie pozwalać na wszystko, co najsprośniejsze, bo nie można ujść przed mocami przyziemnymi inaczej, jak tylko przez spłacenie im haraczu życia bezwstydnego.

(...) Jedna herezja po drugiej z coraz to nową występowała nauką, a tymczasem te, które się najpierw pojawiały, rozpływały się i ginęły to w tych, to w owych najrozmaitszych i najróżnorodniejszych pomysłach.

Wzrastał natomiast i potężniał zawsze tym samym gorejący światłem, blask powszechnego i jedynie prawdziwego kościoła, a to, co święte i szlachetne, co czyste i rozumne w bożym życiu i bożej mądrości, rzucało na wszystkie ludy greckie i barbarzyńskie jasne światła snopy*.

Malleus Maleficarum

Pisma Euzebiusza i *Malleus Maleficarum* (Młot na czarownice), napisany w 1486 roku przez dwóch niemieckich mnichów, Henryka Kraemera i Jakuba Spengera, dzieli wiele wieków, lecz uczeni wskazują, że z punktu widzenia teologii istnieje między nimi powinowactwo: od nietolerancji, potępienia i odrzucenia prowadzi krótka droga do systematycznej likwidacji.

Herezje powstawały zawsze, szczególnie w średniowieczu i wczesnym odrodzeniu, a im były potężniejsze, z tym większą mocą na nie odpowiadano. Chociaż współczesny człowiek może poczuć się zaskoczony, a nawet wstrząśnięty lekturą pism wczesnych ojców kościoła, wydają się one błahostką w porównaniu ze skrupulatnym katalogiem zbrodni czarownic i stosowanych wobec nich kar, który można znaleźć w *Młocie na czarownice.*

Młot na czarownice cieszył się w swoim czasie prawdopodobnie większą popularnością niż dzisiaj *Kod Leonarda da Vinci* (*toutes proportions gardées*), a na „liście bestsellerów" utrzymywał się znacznie dłużej. I nawet w przybliżeniu nie był tak łagodny. Książka szybko rozeszła się w wielu wydaniach po całej Europie. Wpływ tego dzieła – z czasem zaczęli go używać obok katolików również protestanci – utrzymał się na kontynencie przez następne 200 lat. W kolonialnej Ameryce stał się podstawą oskarżenia czarownic z Salem.

Praca podzielona jest na trzy części. Pierwsza zawiera dowód, że czarodziejstwo albo czarna magia istnieje (i że kobiety są bardziej podatne na tę szatańską pokusę niż mężczyźni). Druga opisuje formy czarnoksięstwa (od niszczenia zbiorów po płodzenie przez demony potomstwa z czarownicami), a trzecia podaje

* Euzebiusz z Cezarei *Historia kościelna*, tł. z greckiego ks. A. Lisiecki, Kraków 1993.

dokładne instrukcje, jak wykrywać, sądzić i karać winnych uprawiania czarnoksięstwa.

W *Młocie na czarownice* czytamy: „Temu, że więcej czarostwa jest pośród delikatnej płci żeńskiej niż między mężczyznami; nie sposób zaprzeczyć, gdyż udowadnia to doświadczenie, a także ustne zeznania wiarygodnych świadków".

Autorzy *Młota na czarownice* dali wyraz przekonaniu, że kobiety z natury są obarczone skazą. Czytamy:

> Inni przedłożyli odmienne powody, dla których więcej znajdzie się zabobonnych kobiet niż mężczyzn. A pierwszy jest, że są one bardziej łatwowierne; a skoro głównym celem diabła jest zepsuć wiarę, stąd też woli je zaatakować (...). Drugi powód jest taki, że kobiety są z natury bardziej bezkrytyczne i skłonniejsze do przyjęcia wpływu bezcielesnego ducha; a kiedy tej cechy używają zacnie, są bardzo dobre, ale kiedy użyją jej nikczemnie, są bardzo złe (...). Trzeci powód jest ten, że mają bardzo śliskie języki i nie są w stanie ukryć przed innymi kobietami tych rzeczy, których przez szkodliwą sztukę poznały; a jako że są słabe, znajdują łatwy i tajemny sposób, żeby umocnić się czarostwem (...) (Część 1, Pytanie 6).

Bywają, rzecz jasna, także dobre kobiety. Dzieło poucza, że „dla dobrych kobiet brak słów, żeby się ich nachwalić, czytamy o tym, jak przynosiły błogosławieństwo mężczyznom, jak ratowały narody, kraje i miasta; co oczywiste jest w przypadku Judyty, Debory i Estery". W teologii chrześcijańskiej nie brak, jak widać, dychotomii dobry-zły, dobro-zło, dziewica-dziwka.

Jak Tertulian przed wiekami, *Młot na czarownice* głosi pogląd, że całe zło zaczęło się od Ewy: „Dlatego też niegodziwa kobieta z natury swojej szybciej zachwieje się w wierze i szybciej wyrzeknie się wiary, co jest korzeniem czarostwa".

Ostatnia część *Młota na czarownice* omawia sądy nad czarownicami, procedury, według których winny się odbywać (publiczna pogłoska wystarczy, żeby doprowadzić kogoś przed sąd, a energiczna obrona oznacza winę; gorących pogrzebaczy i innych narzędzi tortur można użyć, aby wydobyć zeznanie) i w 16 rozdziałach przedstawia różne poziomy winy i wymagane kary.

> Pierwsze pytanie zatem, to jaka jest właściwa metoda wszczynania procesu w imię wiary przeciwko czarownicom. W odpowiedzi na to musi się rzec, że są trzy sposoby dozwolone przez prawo kanoniczne. Pierwszy jest, gdy ktoś przed sędzią oskarża osobę o przestępstwo herezji albo o chronienie heretyków, ofiarowuje się, że tego dowiedzie i podda się karze talionu, jeśli nie powiedzie mu się dowód. Druga metoda jest, gdy

ktoś potępia osobę, ale nie ofiarowuje się, że dowiedzie oskarżenia i nie jest chętny zamieszać się w sprawę; ale mówi, że ujawnia informację z religijnego zapału albo ze względu na ekskomunikę nałożoną przez ordynariusza, albo jego wikariusza; albo ze względu na doczesną karę egzekwowaną przez sędziego świeckiego na tych, którzy nie donieśli.

Trzecia metoda angażuje inkwizycję, to jest wtedy, gdy nie ma oskarżyciela ani informatora, ale ogólne sprawozdanie, że w mieście czy miejscowości są czarownice; i wtedy sędzia musi przystąpić do czynności, nie z instygacji strony, ale po prostu z mocy swego urzędu (...) (Część 3, Pytanie 1).

Niesprawiedliwie byłoby twierdzić, że nie istniały żadne zasady: wiedźma mogła zostać stracona tylko wtedy, gdy się przyznała, „gdyż zwyczajna sprawiedliwość wymaga, żeby nie skazywać wiedźmy na śmierć, póki nie skaże jej własne jej wyznanie".

Oczywiście wiedźmy nie zawsze były gotowe składać zeznania.

Ze względu na duży kłopot spowodowany uporczywym milczeniem czarownic, jest kilka zagadnień, które sędzia musi wziąć pod uwagę (...).

Pierwsze, to że nie może być za szybki w poddawaniu wiedźmy przesłuchaniu, ale musi zwrócić uwagę na kilka znaków, o których poniżej. A nie może być za szybki dla takiego oto powodu: jeśli Bóg za pośrednictwem świętego anioła nie zmusi diabła, by powstrzymał się od pomagania wiedźmie, będzie ona tak nieczuła na ból tortur, że prędzej by jej się wyrwało kończynę po kończynie, niżby wyznała prawdę.

Ale tortury nie należy z tego powodu zaniedbywać, gdyż wiedźmy nie są w równym stopniu obdarzone tą mocą, a też diabeł czasem, z własnej woli, dozwala im na wyznanie ich zbrodni, nieprzymuszany do tego przez świętego anioła.

A na koniec może dojść do łez, bo jeśli sędzia chce sprawdzić, czy jest ona obdarzona wiedźmowską mocą zachowywania milczenia, to niech uważa, czy jest zdolna do ronienia łez, gdy stoi w jego obecności albo na torturach. Bo pouczają nas zarówno słowa szlachetnych mężów z przeszłości, jak i nasze własne doświadczenie, że to najpewniejszy znak, i stwierdzono, że nawet jeśli namówiono ją i zmuszono do łez wielkimi zaklęciami, by roniła łzy, to jeśli jest wiedźmą, nie będzie w stanie szlochać: chociaż uda, że płacze i rozmaże sobie po policzkach i oczach plwocinę, żeby wyglądało, że szlocha; stąd też musi być uważnie obserwowana przez pomocników.

Podczas rozprawy sędzia albo ksiądz mogą skorzystać z następującej metody, żeby zakląć ją do ronienia prawdziwych łez, jeśli jest niewinną, albo powstrzymać ją od fałszywych łez. Niech położą rękę na głowie oskarżonej i powiedzą: „Zaklinam cię na gorzkie łzy wylane na Krzyż przez naszego Zbawiciela, Pana Jezusa Chrystusa dla zbawienia świata i przez palące łzy ronione wieczorną godziną na Jego rany przez najchwalebniejszą Dziewicę Marię, Jego matkę, i na wszystkie łzy wylane na tym świecie przez świętych i wybrańców Boga, z których oczu On teraz starł wszelkie łzy, żebyś, jeśli jesteś niewinna, uroniła teraz łzy, ale jeśliś winna, byś pod żadnym pozorem tego nie robiła. W imię Ojca i Syna i Ducha Świętego, Amen" (Część 3, Pytanie 13).

Wiedźmy były niebezpieczne – sędziowie „nie mogli pozwolić, żeby wiedźma dotknęła ich fizycznie, szczególnie nagimi ramionami bądź rękami". Sędziowie, doradza *Młot na czarownice*:

muszą zawsze mieć przy sobie trochę soli poświęconej w Niedzielę Palmową i trochę pobłogosławionych ziół. Bo te mogą być zamknięte razem w pobłogosławionym wosku i noszone na szyi, jak to ukazaliśmy w części 2, kiedy omawialiśmy remedia przeciw chorobom i słabościom powodowanym przez czary; i że te mają cudowną ochronną moc, wiadome jest nie tylko z zeznań wiedźm, ale i z praktyki Kościoła, który egzorcyzmuje i błogosławi takie obiekty dla tego właśnie celu, jak to widać w ceremonii egzorcyzmów, kiedy jest powiedziane: dla wygnania wszelkich mocy diabła itd.

Ale niech nie myślą, że fizyczny kontakt z rękami albo dłońmi to jedyna rzecz, przeciw której strzec się trzeba; bo czasami, za pozwoleniem Boskim, są w stanie za pomocą diabła zaczarować sędziego zaledwie dźwiękiem słów wypowiadanych przez nie, szczególnie gdy poddawane są torturom (Część 3, Pytanie 15).

Wreszcie *Młot na czarownice* przestrzega, żeby ostrożnie obchodzić się z wiedźmą postawioną przed sądem.

A jeśli można to jak się należy uczynić, wiedźma winna być prowadzona tyłem przed oblicza sędziego i jego asesorów, (...) włosy winny być ogolone z każdego fragmentu jej ciała. Powód dla tego jest ten sam, jak przy rozbieraniu jej z sukni, o czym już wspominaliśmy; gdyż żeby zachować swą moc milczenia, mają zwyczaj ukrywać rozmaite zabobonne przedmioty w sukniach albo we włosach, albo nawet w najbardziej sekretnych częściach swoich ciał, których nie wolno wymieniać (Część 3, Pytanie 15).

W *Kodzie Leonarda da Vinci* Robert Langdon wspomina *Młot na czarownice*, stojąc w Salle des Etats w Luwrze i patrząc na *Monę Lisę*. Myśli o nim jako o „prawdopodobnie (...) najbardziej przesiąkniętej krwią publikacji w ludzkiej historii". Dan Brown ustala, że ofiar było 5 000 000; według innych liczba śmiertelnych ofiar inkwizycji na całym świecie wyniosła od 600 000 do 9 000 000. Niemal wszystkie, twierdzą uczeni, to kobiety – stare, młode, położne – a także Żydzi, poeci i Cyganie: wszyscy, którzy nie pasowali do poglądów swoich współczesnych na to, jaki być powinien pobożny chrześcijanin.

Dlaczego gnostyków uważano za tak wielkie zagrożenie?

LANCE S. OWENS

Lance S. Owens jest praktykującym lekarzem i wyświęconym kapłanem. Stworzył też stronę internetową www.gnosis.org, z której pochodzi poniższy fragment. Wykorzystano za zgodą The Gnostic Archive, www.gnosis.org.

Co sprawiło, że herezję gnostyków uważano za tak groźną? Gnostycyzm to zjawisko złożone, toteż wszelkie uogólnienia w tej materii stają się podejrzane. Przez lata zaproponowano kilka systemów definiujących i kategoryzujących gnostycyzm, ale żaden z nich nie uzyskał powszechnej akceptacji. Niemniej zapanowała ogólna zgoda, że cztery elementy należą do rysów charakterystycznych myśli gnostycznej.

Pierwszy z tych motywów to twierdzenie, że „bezpośrednie, osobiste i absolutne poznanie autentycznych prawd o bycie jest dostępne dla istot ludzkich", a osiągnięcie takiej wiedzy stanowi najwyższe osiągnięcie ludzkiego życia. Gnoza to nie racjonalne, logiczne rozumienie, lecz wiedza zdobyta poprzez doświadczenie. Gnostycy niezbyt interesowali się dogmatem czy spójną, racjonalną teologią – co sprawia, że studiowanie gnostycyzmu wydaje się szczególnie trudne osobom obdarzonym „mentalnością księgowych". Po prostu nie da się sprowadzić gnostycyzmu do sylogistycznych, dogmatycznych stwierdzeń. Gnostycy przywiązywali wagę do postępującej mocy Boskiego objawienia – gnoza była twórczym doświadczeniem objawienia, gwałtownym postępem zrozumienia, a nie statycznym wyznaniem wiary (...).

W rozprawie *The American Religion* (Amerykańska religia), znany krytyk literacki Harold Bloom wskazuje na drugi rys charakterystyczny gnostycyzmu, który może nam pomóc w opisie tajemniczego jądra tego zjawiska. Gnostycyzm, rzecze Bloom, „to wiedzieć o niestworzonym ja i za pośrednictwem niestworzonego ja, albo inaczej – ja wewnątrz ja, a [ta] wiedza prowadzi do wolności (...)". Wstęp do wszystkich objawień, których gnostyk może dostąpić, stanowiło przebudzenie, które pojawia się wraz z wiedzą, że jakaś część w nim nie została stworzona. Gnostycy nazywali to „niestworzonym ja", boskim ziarnem, perłą, iskrą wiedzy: świadomością, inteligencją, światłem. A to ziarno intelektu było właśnie substancją Boga, prawdziwą realnością człowieka, chwałą rodzaju ludzkiego i zarazem bóstwa (...). Według wszelkich racjonalnych przesłanek, człowiek na pewno nie jest Bogiem, ale w istocie rzeczy jest Boski. Ta zagadka była gnostycznym misterium, a wiedza o niej ich skarbem (...).

Tak dochodzimy do trzeciego istotnego elementu naszego krótkiego podsumowania gnostycyzmu: jego szacunku dla tekstów i pism odrzuconych przez ortodoksów. Doświadczenie gnostyczne należało do dziedziny mitologii i poezji: zawierało się w opowieści i metaforze, a prawdopodobnie także w odgrywanych przedstawieniach. Gnostycy szukali wyrazu dla subtelnych, wizjonerskich olśnień, niedających się ująć w racjonalnej zdawkowości dogmatycznych stwierdzeń. Dla gnostyków objawieniem była natura gnozy. Ireneusz, zirytowany obfitością ich „natchnionych tekstów" i mitów, utyskuje w swojej klasycznej, napisanej w II wieku krytyce gnostycyzmu, że „każdy z nich tworzy co dnia coś nowego, wedle swoich możliwości; bo żaden z nich nie zostanie uznany za »dojrzałego«, kto nie stworzy jakiegoś wielkiego kłamstwa".

Czwarty rys (...), który najtrudniej zwięźle przedstawić, był także najbardziej niepokojący dla późniejszej ortodoksyjnej teologii. Jest to wyobrażenie Boga jako diady albo dualności. Stwierdzając skończoną jedność i integralność Boskości, gnostycy zauważają w swoich spotkaniach z świętością kontrast manifestacji i jakości. W wielu spośród gnostycznych tekstów z Nag Hammadi Bóg opisywany jest jako diada elementów męskich i żeńskich (...). Przedstawiciele niektórych mitów widzieli w Bogu unię dwóch całkowicie różnych natur, którą wyobrażano, stosując symbolikę seksualną. Idąc za tym, Elaine Pagels twierdzi, że kobiety gnostyczki cieszyły się większym znaczeniem w społeczeństwie i w Kościele niż ich ortodoksyjne siostry. Niektórzy z gnostyków nauczali, że sam Jezus zapowiedział mistyczny związek kobiety i mężczyzny: jego najukochańszym uczniem była kobieta, Maria Magdalena, jego małżonka (...).

Chrystus nadszedł, żeby połączyć dwa składniki i żeby tchnąć życie w tych, którzy umarli poprzez oddzielenie, i złączyć ich (...). Aby to zrozumieć, musimy zdać się na wyobraźnię. Chociaż ortodoksyjni polemiści często oskarżali gnostyków o nieortodoksyjne zachowania seksualne, nie stwierdzono na pewno, w jaki sposób ich idee znajdowały odbicie w życiu codziennym (...).

Złamanie kodu Leonarda da Vinci

Więc Bóg Jezus i nieomylne Słowo wyłonili się w IV wieku z walki o władzę? Bądźmy realistami

COLLIN HANSEN

Kod Leonarda da Vinci Dana Browna osiągnął status bestsellera i zainspirował przy okazji kanał ABC News do rozważań nad rodowodem kultury Zachodu oraz chrześcijaństwa.

Reportaż ABC News koncentrował się na fascynacji Browna mniemanym małżeństwem Jezusa z Marią Magdaleną, lecz *Kod Leonarda da Vinci* zawiera znacznie więcej (równie wątpliwych) twierdzeń na temat początków historii chrześcijaństwa i rozwoju teologii. Podstawowe twierdzenie Browna brzmi: „Prawie wszystko, czego nasi ojcowie uczyli nas o Chrystusie, jest fałszem". Dlaczego? Ze względu na jedno spotkanie biskupów w 325 roku n.e., w mieście Nicea leżącym na terenie współczesnej Turcji. Tam, twierdzi Brown, przywódcy Kościoła, którzy pragnęli skonsolidować podstawy swojej władzy (Brown nazywa ich anachronistycznie Watykanem albo Kościołem rzymskokatolickim), stworzyli Chrystusa-Boga oraz jedynie prawdziwe Pismo.

Brown zgodnie z prawdą twierdzi, że w historii chrześcijaństwa zaledwie kilka wydarzeń miało większe znaczenie niż sobór nicejski z 325 roku. Kiedy nawrócony cesarz rzymski Konstantyn Wielki zwołał biskupów z całego świata do

Nicei, Kościół znajdował się na teologicznym rozdrożu. Jedna ze szkół, na której czele stał aleksandryjski teolog o imieniu Ariusz, utrzymywała, że Jezus był bez wątpienia wybitnym przywódcą, ale nie Bogiem wcielonym. W *Kodzie Leonarda da Vinci* Brown najwyraźniej przedstawia Ariusza jako reprezentanta całego przednicejskiego chrześcijaństwa. Brown utrzymuje, że „do tego momentu w dziejach, zwolennicy Jezusa uważali go za śmiertelnego proroka – człowieka wielkiego i potężnego, niemniej jednak człowieka".

W rzeczywistości wcześni chrześcijanie w przeważającej większości czcili Jezusa Chrystusa jako ich zmartwychwstałego Zbawcę i Pana. Na przykład chrześcijanie od najwcześniejszych czasów używali w stosunku do Jezusa greckiego słowa *kyrios* (boski).

Sobór nicejski nie kończył raz na zawsze kontrowersji dotyczącej nauk Ariusza ani też nie narzucał Kościołowi obcej doktryny o boskości Chrystusa. Uczestniczący w soborze biskupi zaledwie potwierdzili historyczne i rozpowszechnione wierzenia chrześcijan, tworząc wspólny front przeciwko przyszłym próbom rozbicia i osłabienia daru zbawienia, który przyniósł Chrystus.

Biblia odgrywała centralną rolę w chrześcijaństwie, toteż kwestia historycznej ważności Pisma niosła ze sobą ogromne implikacje. Brown twierdzi, że Konstantyn zebrał i sfinansował zespół, który dokonał manipulacji na istniejących tekstach, dokonując ubóstwienia ludzkiego Chrystusa. Niemniej wywód Browna ma kilka słabych miejsc. Brown słusznie wykazuje, że „Biblia nie została przysłana faksem z niebios". W rzeczy samej, struktura i skład Biblii zdają się zbyt „ludzkie", żeby spodobać się niektórym chrześcijanom. Ale Brown przeoczył fakt, że „proces tworzenia kanonu postępował przez stulecia poprzedzające sobór nicejski i doprowadził do powstania nieomal pełnego kanonu Pisma, zanim zebrał się sobór, a nawet zanim Konstantyn zalegalizował chrześcijaństwo w 313 roku n.e.

Jak na ironię, proces zbierania i scalania Pisma rozpoczęty został, gdy konkurencyjna sekta wytworzyła własny, quasi-biblijny kanon. Około 140 roku n.e. przywódca gnostyków o imieniu Marcjon zaczął rozpowszechniać teorię, że Nowy i Stary Testament nie traktują o tym samym Bogu. Marcjon utrzymywał, że Bóg starotestamentowy uosabiał Prawo i gniew, podczas gdy Bóg z Nowego Testamentu, reprezentowany przez Chrystusa, był miłością. Marcjon odrzucił Stary Testament i większość nazbyt „żydowskich" pism Nowego Testamentu, między innymi ewangelie Mateusza, Marka, Dzieje Apostolskie i List do Hebrajczyków. Zmieniał też treść innych ksiąg. Chociaż w 144 roku Kościół w Rzymie ogłosił, że jego poglądy są herezją, działania Marcjona spowodowały, że przywódcy Kościoła ortodoksyjnego zaczęli się zastanawiać nad stworzeniem ostatecznej listy ksiąg zarówno Starego, jak i Nowego Testamentu.

Przed soborem w Nicei przedyskutowano prawowitość zaledwie kilku ksiąg, które uznajemy za kanoniczne dzisiaj, głównie List do Hebrajczyków i Apokalipsę św. Jana, ponieważ ich autorstwo było niezaprzeczalne. W rzeczy samej, autorstwo stanowiło najważniejszą wskazówkę dla twórców kanonu. Przywódcy wczesnego Kościoła uważali listy i sprawozdania świadków naocznych za miarodajne i wiążące tylko wtedy, gdy zostały spisane przez apostoła lub jego bliskiego ucznia. Jako pasterze i nauczyciele, zwracali uwagę również na to, które księgi faktycznie „budują" Kościół – uważając to za dowód tego, że zostały natchnione. Wynik mówi za siebie: to Biblia umożliwiła chrześcijaństwu rozprzestrzenianie się i rozkwit na całym świecie.

6. Tajne stowarzyszenia

Rzeczy ukryte należą do Pana, Boga naszego, a rzeczy objawione – do nas i do naszych synów na wieki (...).

Księga Powtórzonego Prawa, 29,28

Jak w dobrym thrillerze szpiegowskim autor *Kodu Leonarda da Vinci* prowadzi nas od jednej oszałamiającej tajemnicy do drugiej, od jednej zakodowanej wiadomości do następnej, od pradawnych do współczesnych spisków, cały czas zgłębiając sekrety z zamierzchłej przeszłości i obszary umysłu, w których kryją się pierwotne mity, jungowskie archetypy, tajemne lęki, przymusy i urazy.

Dan Brown mówi, że jednym z jego ulubionych autorów jest Robert Ludlum. W *Kodzie Leonarda da Vinci* niewątpliwie można dostrzec wpływy Ludluma. Intrygująca wielka tajemnica wciąga zwykłego mężczyznę (i piękną kobietę) w szybką akcją, grę o wysoką stawkę i wyścig z czasem. Bohaterowie odkrywają spisek grożący naszej kulturze, stawiając czoło mrocznym tajnym stowarzyszeniom, których istnienia w dzisiejszych czasach nikt nie podejrzewa. Rozpracowują spiski tak skomplikowane, że czytelnik nie potrafi rozwikłać intrygi, lecz oszałamiające tempo akcji sprawia, że łatwo zapomina o papierowych postaciach i lukach w fabule.

Nie można nie doceniać roli tajnych stowarzyszeń w powieściach takich autorów, jak Ludlum, le Carré, J.K. Rowling, J.R.R. Tolkien czy Dan Brown.

Niniejszy rozdział poświęcony jest trzem tajnym stowarzyszeniom z *Kodu Leonarda da Vinci*: templariuszom, Zakonowi Syjonu i Opus Dei. Będziemy w nim mówić o tajemnych rytuałach i praktykach, od współczesnych gnostyków, celebrujących obrzędy *hieros gamos* w Nowym Jorku XXI wieku, do tajnych stowarzyszeń powstałych po pogromie templariuszy w XIV wieku.

Popularność *Kodu Leonarda da Vinci* dowodzi, że wszyscy uwielbiają dobre powieści o spiskach. Każde z trzech występujących w *Kodzie Leonarda da Vinci* tajnych stowarzyszeń – templariusze, Zakon Syjonu i Opus Dei – jest na swój sposób fascynujące. Choć autor dokonuje uproszczeń, czyniąc z nich jedynie tło powieści, wyolbrzymia też ich potęgę oraz wpływy i ubarwia ich historię.

Templariusze, na przykład, być może uprawiali w średniowieczu pewne praktyki kultowe, które dałoby się interpretować jako święte obrzędy seksualne. Maria Magdalena mogła odgrywać w ich kulcie bardziej znaczącą rolę niż we współczesnym chrześcijaństwie. Możliwe, że w Jerozolimie znaleźli wielkie skarby i zyskali potężne wpływy. Ale bardzo wątpliwe, żeby obchodziła ich teoria żeńskiej świętości albo żeby wierzyli, że święty Graal to łono Marii Magdaleny, matki dziecka Chrystusa.

Zakon Syjonu, choć interesujący jako przedmiot spekulacji, w rzeczywistości mógł być tylko mało znaczącym ramieniem politycznym templariuszy w czasach ich największej sławy. Istnienie Zakonu w jego XX-wiecznym wcieleniu to zapewne tylko kaczka dziennikarska. Leonardo da Vinci być może należał do tajnych sekt, wyznawał heretyckie poglądy i uczestniczył w niezwykłych praktykach seksualnych, a jego obrazy mogą przekazywać przyszłym pokoleniom sekretną naukę (lub przynajmniej ukryte żarty). Ale mało prawdopodobne, by Leonardo, będąc wielkim mistrzem tajnej organizacji, nie zostawił żadnej wzmianki ani dowodu wśród dziesiątek tysięcy stron notatek, które przekazał potomności. To samo można powiedzieć o innych rzekomych wielkich mistrzach. Wiemy tak wiele o życiu Victora Hugo i Jeana Cocteau, Newtona i Debussy'ego, że powinniśmy natrafić na choćby strzęp dowodu, nieprawdaż? A jeśli stowarzyszenie żywiło tak wielką cześć dla żeńskiej świętości (przynajmniej według powieści), dlaczego na liście jego przywódców nie odnajdujemy wybitnych kobiet?

Opus Dei to organizacja bogata, potężna i tajemnicza. Posiada własną filozofię wiary, a może nawet ma własne cele polityczne, co wielu uważa za bluźnierstwo. W jej interesującej historii znajdują się zagadkowe karty, na przykład niewyjaśnione związki z CIA, finansami Watykanu i prawicowymi szwadronami śmierci z czasów wojen domowych w Ameryce Łacińskiej. Ale Opus Dei nie wysyła na ulice Paryża mnichów albinosów, żeby mordowali ludzi z powodu starożytnych tajemnic religijnych.

Trudno zaprzeczyć, że niektórzy mogą się obawiać tej lub innej tajemniczej grupy czy spisku. Dan Brown, jak wielu powieściopisarzy, wyolbrzymia problem i puszcza wodze fantazji, żeby stworzyć odpowiednie metafory, by prowokować czytelnika i wyróżnić swoją książkę na tle natłoku informacji i rozrywek.

Takie podejście do tematu przyniosło mu sukces. Dan Brown każe nam myśleć o tajnych stowarzyszeniach i wiedzy ezoterycznej. Wiele na ten temat słyszeliśmy, ale w rzeczywistości mało wiemy o tych sprawach.

Witamy w podziemnym świecie tajnych stowarzyszeń z *Kodu Leonarda da Vinci*.

Wspomnienia z mszy gnostycznej

John Castro
John Castro jest pisarzem z Nowego Jorku.

Stoję w holu oświetlonym jarzeniówkami, zziębnięty i pełen obaw.

Jestem boso.

Mężczyzna w czarnych dżinsach właśnie zwrócił się do wszystkich zebranych, by zdjęli buty i okazali w ten sposób szacunek świątyni, do której zaraz wejdziemy. Kiedy kończymy, prosi nas, żebyśmy zaczekali na rozpoczęcie ceremonii. Czekam i słucham. Są tu pary, grupki przyjaciół, ludzie, którzy najwyraźniej znają się od lat i pozdrawiają wzajemnie. Dla zabicia czasu zaczynam się przysłuchiwać stającym najbliżej.

Atrakcyjna, dwudziestojedno- lub dwudziestodwuletnia Latynoska rozmawia przez telefon komórkowy: „...Tak, tak, tak. Trzy razy. Nie, to jest mój trzeci raz. Po następnej inicjacji będę już uświadomiona...".

Przez hol idzie szczupły, muskularny mężczyzna z wypomadowanymi, zaczesanymi do tyłu włosami i kozią bródką. Przyłącza się do nas. Po chwili, dostrzegłszy poważną młodą kobietę z wisiorem w kształcie pentagramu, zagaduje ją.

– Dziewięćdziesiąt trzy – mówi.

– Dziewięćdziesiąt trzy – przytakuje z uśmiechem kobieta.

Zaczynają rozmawiać przyciszonym głosem, z pochylonymi głowami.

– Człowieku – odzywa się heavymetalowiec po trzydziestce z długim kucykiem – słyszałem, że Jimmy Page tu przychodzi, kiedy jest w Nowym Jorku.

Jego krępy kolega kiwa głową z nonszalanckim znudzeniem. Stoję cicho – przyszedłem tu zupełnie sam – i czekam, aż wejdziemy do sali.

To moje wspomnienia z ceremonii, w której brałem udział pod koniec 2002 roku. Byłem obserwatorem i zaskakująco nerwowym uczestnikiem rytuału odprawianego przez Ordo Templis Orientalis (Porządek Świątyni Wschodu*), organizację kierowaną przez wiele lat przez Aleistera Crowleya**. Ten poeta, magik, ikonoklasta, narkoman, moralny bicz Wielkiej Brytanii i ezoteryczny mag nazywał siebie Wielką Bestią 666.

Czytając *Kod Leonarda da Vinci*, przypominałem sobie wydarzenie sprzed prawie dwóch lat. Wiem, że mogłem przeoczyć pewne szczegóły, a inne zapamiętać. Ale, podobnie jak Sophie Neveu, zachowałem w pamięci intensywne i żywe wrażenia z tego, co widziałem.

Świątynia jest niewielka. Ściany sali są pomalowane na czarno, wnętrze słabo oświetlają małe lampy sufitowe pod kloszami i tuziny świec u podstawy ołtarza – dużej budowli po prawej stronie. Prowadzą do niej trzy stopnie, a szczyt wieńczy kamień pokryty hieroglifami. Ołtarz otacza długa rama z odsuniętą zasłoną.

Pod przeciwległą ścianą stoi podłużna, pionowa skrzynia wielkości wysokiego mężczyzny, zasłonięta z przodu małą kurtyną. Na środku, w jednakowych odległościach od ołtarza i skrzyni, umieszczono dwa czarne pojemniki. W każdym znajdują się kadzielnica, miska i książki.

Po obu stronach przejścia ciągną się rzędy krzeseł dla wiernych. Wchodzimy wolno i niezgrabnie. Jest nas około sześćdziesięcioro. Z hałasem kładziemy pod krzesłami buty, torby i okrycia.

Już nie czuję zimna. Zaczynam się pocić. Kiedy siadamy ciasno obok siebie, sala się zapełnia. Każdy czuje ciepło świec i swoich sąsiadów. Jestem zaskoczony liczbą i przekrojem społecznym zgromadzonych – są tu ludzie w każdym wieku, o różnym kolorze skóry, dobrze ubrani yuppies i postaci prosto z książek fantasy.

Twarzą do ołtarza stoi szczupły, brodaty mężczyzna w luźnej białej szacie. Żegna się znakiem krzyża. Dotykając czoła, piersi i ramion, wymawia słowo o hebrajskim brzmieniu.

Wyrzuca przed siebie ramiona, łączy dłonie i zaczyna krążyć po sali długimi, wolnymi krokami. Oddycha ciężko, ma ściągnięte rysy, koncentruje się i wpatruje w ściany świątyni. Zatrzymuje się w czterech punktach sali, intonuje słowo lub zdanie – nie potrafię odgadnąć, w jakim języku – i dramatycznym gestem kreśli w powietrzu pentagram.

---

* Ordo Templis Orientalis zostało założone w 1896 roku; jego uczniowie starają się przez akty seksualne osiągnąć zjednoczenie z Bóstwem.

** Aleister Crowley (1875–1947), Anglik podający się za czarnoksiężnika, założył także własną regułę, Argenteum Astrum (Srebrną Gwiazdę), w której naśladował rytuały starożytnego Egiptu. Twierdził, że jest wcieleniem postaci biblijnych; napisał wiele książek na temat magii i okultyzmu.

Następnie znów odwraca się twarzą do ołtarza. Wymienia imiona archaniołów: Gabriela, Michała, Rafaela i Uriela (...). Żegna się jeszcze raz, zwraca twarzą do zebranych, rozpościera szeroko ramiona i bierze głęboki oddech. Wstrzymuje go, wolno wypuszcza powietrze z płuc, odpręża się i uśmiecha. W mroku rozbrzmiewa muzyka grana na sitarze.

– Co uczynisz wedle woli twojej, będzie całym prawem – intonuje brodaty mężczyzna w białej szacie.

– Miłość jest prawem, miłość wedle woli – odpowiadają zebrani.

Recytacja mężczyzny przypomina mi znajomy element mszy katolickiej – nicejskie wyznanie wiary. W połowie odmawianego kredo są słowa, które mnie niepokoją, choć nie wiem dlaczego.

– Wierzę w węża i lwa, tajemnicę tajemnicy, w jego imię BAFOMET.

Kobieta ubrana na niebiesko i biało idzie wolno przejściem między rzędami krzeseł. Patrzy w podłogę. Towarzyszą jej mężczyzna w czerni i kobieta w bieli. Kobieta w niebiesko-białym stroju niesie u boku miecz w pochwie. Jest pulchna, atrakcyjna, po czterdziestce. Ma ciemne, rudokasztanowe włosy. Staje przed podłużną skrzynią i rozsuwa mieczem kurtynę.

Ze skrzyni wychodzi muskularny młody mężczyzna w białej szacie. Trzyma przed sobą długą lancę.

Kobieta spryskuje go wodą, którą podał jej jeden z pomocników. Potem unosi kadzielnicę na łańcuchu i wykonuje nią przed mężczyzną znak krzyża. Cały czas rozmawiają. Mężczyzna z lancą mówi, że nie jest godny udziału w obrzędzie. Kobieta zachęca go żarliwym szeptem, by zachował czystość ciała i duszy. Przesuwa w powietrzu otwarte dłonie wzdłuż jego ciała, potem ubiera go w czerwoną szatę i wkłada mu koronę na głowę. Mężczyzna wyciąga przed siebie lancę i wpatruje się w ołtarz.

Kobieta klęka i około tuzina razy przesuwa otwartymi dłońmi w górę i w dół lancy. Jest cicha, pełna czci.

– Pan jest wśród nas! – woła nagle.

Zebrani klęczą teraz na podłodze z uniesionymi ramionami i trzymają się za ręce. Z prawej strony mam młodą długowłosą blondynkę, z lewej łysiejącego Afroamerykanina z brodą przyprószoną siwizną. Zaczynają mnie boleć ramiona. Zastanawiam się, czy inni też myślą o intensywnym bólu w ramionach i plecach. Na próżno szukałbym u nich zrozumienia – wszyscy wierni patrzą na ołtarz lub mają zamknięte oczy. Próbuję ukradkiem oprzeć się o swoje krzesło, ale bez skutku; moi sąsiedzi ani drgną. Trudno. Staram się skoncentrować na ołtarzu.

Mężczyzna z lancą stoi na pierwszym z trzech stopni. Zasłona jest zasunięta, tak że nie widać kobiety z mieczem, która siedzi na ołtarzu.

Mężczyzna z lancą recytuje jakiś wiersz. Po chwili kobieta odpowiada mu z ukrycia, także wierszem.

Nie mogę się skoncentrować. Zaczynam się pocić i potrafię myśleć tylko o bólu w ramionach i plecach, i o tym, że pot z mojego ramienia zaczyna spływać po ramieniu blondynki z mojej prawej strony.

Na ołtarzu jest naga kobieta!

Wstajemy z klęczek i patrzymy na nią. Mężczyzna z lancą właśnie rozsunął zasłonę. Kobieta z mieczem siedzi całkiem naga na ołtarzu, twarzą do nas, z nogami zwisającymi z krawędzi. Próbuję ogarnąć wzrokiem całą scenę, ale ciągle odwracam oczy.

Cichutki głos w mojej głowie – głos mojego katolickiego sumienia, głos chłopca, który przyjmował komunię, chodził do spowiedzi i biegł na lekcję religii w każdą środę po szkole – brzmi coraz głośniej i coraz bardziej natarczywie: „Na ołtarzu jest naga kobieta! Co ty tu robisz, do cholery?"

Mężczyzna wręcza kobiecie lancę. Kobieta bierze ją, całuje chyba z tuzin razy, potem wciska między piersi. Mężczyzna opada przed nią na kolana i zarzuca ramiona na ołtarz wzdłuż jej nóg. Schyla się z uwielbieniem i zaczyna wolno całować jej kolana i uda.

Kiedy byłem młodszy, bałem się popełnić gafę przy komunii. Która ręka pierwsza? I co właściwie mam powiedzieć do księdza? Tego wieczoru jest prawie tak samo.

Wierni opuszczają swoje miejsca w rzędach krzeseł i podchodzą środkiem sali do ołtarza, gdzie przyjmują hostię od nagiej kapłanki. Idą wolno, uroczyście, z rękami skrzyżowanymi na piersi. Przyłączam się do nich.

Gdy w końcu docieram do ołtarza, patrzę nagiej kobiecie w oczy. Nie chcę się na nią gapić i wprawiać jej w zakłopotanie. Ale to bez znaczenia. To bardziej mój problem niż jej. Omal nie przewracam się na stopniach. Kobieta spogląda w moje oczy z wyrazem szczęścia, szczerej radości i otuchy. Ale mam wrażenie, że wcale mnie nie widzi, i czuję się lepiej. Przyjmuję hostię: opłatek wielkości mniej więcej ćwierćdolarówki. Zanim go połykam, mówię to samo, co wszyscy wierni.

– Nie ma we mnie takiej części, która nie należy do bogów.

Ostatnie, co pamiętam z tamtej mszy, to poemat autorstwa Crowleya, który monotonnie odśpiewali zebrani. Zapamiętałem tylko kilka zdań:

MĘŻCZYŹNI: Chwała ci od grobu pozłacanego!
KOBIETY: Chwała ci od łona czekającego!
MĘŻCZYŹNI: Chwała ci od ziemi niezaoranej!
KOBIETY: Chwała ci od dziewicy ślubowanej!

Było to wzruszające doznanie: wierni znali tekst na pamięć, a chóralny śpiew działał jak zaklęcie.

Teraz – z perspektywy czasu – zastanawiam się nad związkami tamtego obrzędu z *Kodem Leonarda da Vinci*.

Skojarzenia są dla mnie wyraźne: wzmianka o Bafomecie; nawiązanie do templariuszy; rytuały naśladujące praktyki ortodoksyjne; ślady syntezy dużo starszych tradycji egipskich, hebrajskich i greckich; echa nauki wolnomularstwa i różokrzyżowców. I wreszcie najważniejsze – kobieta jako centralna postać ceremonii i wyraźne odwołania do seksualizmu w symbolice mszy.

Ordo Templis Orientalis jest tajnym stowarzyszeniem (choć można je znaleźć w Internecie, podobnie jak pełny tekst mszy gnostycznej). Jak w wypadku wielu stowarzyszeń okultystycznych czy ezoterycznych wymienionych w *Kodzie Leonarda da Vinci*, trzeba być członkiem OTO, żeby naprawdę zrozumieć istotę rzeczy. Choć elementy mszy można połączyć z motywami z książki, nie znam „prawdziwego" znaczenia tego obrzędu dla członków stowarzyszenia. I nigdy go nie poznam, chyba że przyłączę się do nich.

Byłem świadkiem aktu szczerej wiary. Kiedy przypominam sobie moją reakcję na to, co widziałem, zastanawiam się, jakie reakcje – niepokój, nerwowe wybuchy śmiechu, niepewność? – wzbudzali w Rzymie pierwsi chrześcijanie. I czy każda nowa wiara nie jest przyjmowana w ten sposób.

Historia templariuszy

LYNN PICKNETT I CLIVE PRINCE

Lynn Picknett i Clive Prince mieszkają w Londynie. Są pisarzami i badaczami. Prowadzą wykłady na temat zjawisk nadprzyrodzonych, okultyzmu, tajemnic historii i religii. Ich książka *Templariusze. Tajemni strażnicy tożsamości Chrystusa**, z której pochodzi poniższy fragment, jest jedną z kluczowych pozycji w bibliografii *Kodu Leonarda da Vinci* i źródłem szeregu teorii o Leonardzie, templariuszach i Zakonie Syjonu, które Brown zawarł w powieści.

* Wydana w Polsce w roku 1999 przez wydawnictwo Da Capo.

Nazwiska Leonarda da Vinci i Jeana Cocteau figurują na liście wielkich mistrzów jednego z najstarszych w Europie i najbardziej wpływowych tajnych stowarzyszeń: Prieuré de Sion, czyli Konwentu* Syjonu. Wiele osób podaje w wątpliwość istnienie tej wysoce kontrowersyjnej organizacji, a jej działalność jest często wyszydzana i lekceważona. Początkowo mieliśmy do tej sprawy podobny stosunek, ale w trakcie badań doszliśmy do wniosku, że należy ją potraktować poważnie.

W świecie angielskojęzycznym zainteresowano się Konwentem Syjonu dopiero w 1982 r. dzięki bestselerowej książce *Święty Graal, święta krew*, którą napisali Michael Baigent, Richard Leigh i Henry Lincoln. We Francji zaś – gdzie stowarzyszenie to powstało – informacje o jego istnieniu opublikowano już na początku lat sześćdziesiątych. Jest to na poły masoński rycerski zakon o pewnych ambicjach politycznych i znacznych zakulisowych wpływach. Trudno określić jednoznacznie jego charakter, może dlatego że działa na dziwnych zasadach.

Potęga Konwentu Syjonu opiera się przynajmniej częściowo na założeniu, że jego członkowie są – i zawsze byli – strażnikami wielkiej tajemnicy, której ujawnienie wstrząsnęłoby posadami Kościoła i państwa. Organizacja ta, zwana też czasem Zakonem Syjonu, Zakonem Matki Boskiej z Syjonu, Zakonem Naszej Pani lub jeszcze inaczej, powstała podobno w 1099 r., podczas pierwszej wyprawy krzyżowej, lecz nawet wtedy chodziło tylko o formalne ukonstytuowanie grupy, strzegącej już od dawna owej niebezpiecznej wiedzy. Rzekomo za sprawą Konwentu założono zakon templariuszy, cieszących się złą sławą średniowiecznych rycerzy mnichów. Była to ponoć jedna organizacja, podlegająca temu samemu wielkiemu mistrzowi, aż do rozłamu, który nastąpił w 1188 r. Konwent działał dalej pod nadzorem kolejnych wielkich mistrzów, między innymi tak wybitnych historycznych postaci, jak Izaak Newton, Alessandro Filipepi (znany jako Botticelli), Robert Fludd, angielski filozof okultysta – i oczywiście Leonardo da Vinci, który przewodniczył przypuszczalnie Konwentowi Syjonu przez ostatnich 9 lat życia. Do jego współczesnych przywódców należeli Wiktor Hugo, Claude Debussy oraz Jean Cocteau – artysta, pisarz, dramaturg i filmowiec. W ciągu wieków Konwent przyciągnął też podobno sporo innych osobistości, które nie były wielkimi mistrzami, na przykład Joannę d'Arc, Nostradamusa (Michała z Notre Dame), a nawet papieża Jana XXIII.

Poza takimi sławnymi postaciami w dziejach Konwentu Syjonu pojawiają się przedstawiciele kolejnych pokoleń największych królewskich i arystokratycznych rodów Europy: rodziny d'Anjou, Habsburgów, Sinclairów i Montgomerych.

---

* W naszej książce nazywamy go, podobnie jak większość znawców tematu, Zakonem Syjonu.

Oficjalnym celem Konwentu jest ochrona żyjących w dzisiejszej Francji potomków starej królewskiej dynastii Merowingów, którzy rządzili od V wieku do zamordowania Dagoberta II pod koniec VII w. Krytycy tej organizacji twierdzą jednak, że istnieje ona dopiero od lat pięćdziesiątych naszego wieku i tworzy ją garstka niemających rzeczywistej władzy mitomanów, rojalistów dotkniętych manią wielkości.

Mamy więc z jednej strony wypowiedzi członków Konwentu na temat jego rodowodu i zasadności istnienia, a z drugiej krytyczne głosy sceptyków.

Opowieści o templariuszach stały się dziś oklepanym tematem, o czym wie każdy czytelnik prozy Umberta Eco. Większość historyków odrzuca z pogardą wszelkie próby odwoływania się do ich „tajemnic". Jednakże zagadkowe dzieje Konwentu Syjonu wiążą się z historią tych walecznych mnichów, stanowią więc oni nieodłączny przedmiot naszych badań.

Trzecia część całego europejskiego majątku templariuszy znajdowała się kiedyś w Langwedocji. Ruiny ich zamków dodają dziś piękna dzikiemu krajobrazowi tego regionu. Jedna z barwnych miejscowych legend głosi, że kiedy 13 października przypada w piątek (była to data nieoczekiwanej, brutalnej rozprawy z zakonem), w ruinach pojawiają się dziwne światła i tajemnicze ciemne postacie. My, niestety, słyszeliśmy tylko groźne pochrząkiwania dzików. Opowieść ta dowodzi jednak, do jakiego stopnia templariusze stali się częścią lokalnej tradycji.

Rycerze ci żyją w pamięci miejscowej ludności i wcale nie są źle wspominani. Nawet w tym stuleciu* słynna śpiewaczka operowa Emma Calve, która pochodziła z Aveyron na północy Langwedocji, zanotowała w pamiętniku, że mieszkańcy jej okolic powiedzieliby o szczególnie ładnym lub inteligentnym chłopcu: „To prawdziwy syn templariuszy".

Historia zakonu jest jasna i prosta. Zwany oficjalnie Zakonem Ubogich Rycerzy ze Świątyni Salomona* został założony w 1118 r. przez francuskiego szlachcica Hugona de Payens w celu eskortowania pielgrzymów do Ziemi Świętej. Początkowo, przez pierwszych dziewięć lat, rycerzy było tylko dziewięciu, potem jednak zakon zaczął przyjmować nowych członków i wkrótce stał się potężną siłą, z którą musiano się liczyć nie tylko na Bliskim Wschodzie, ale i w Europie.

Gdy zakon zdobył już rozgłos, Hugon de Payens wyruszył w podróż po Europie, zabiegając o ziemię i pieniądze u królewskich i szlacheckich rodów. W 1129 r.

---

* Chodzi o wiek XX.

** Baldwin II, król Jerozolimy, umieścił ich w swym pałacu przy Świątyni Pańskiej, a kanonicy regularni i opat Templum przekazali im ziemię w pobliżu pałacu – stąd nazwa „templariusze".

odwiedził Anglię, gdzie założył pierwszą w tym kraju siedzibę templariuszy, w miejscu gdzie obecnie znajduje się londyńska stacja metra Holborn.

Templariusze, podobnie jak wszyscy mnisi, ślubowali ubóstwo, czystość i posłuszeństwo, ale żyli wśród ludzi i przysięgali użyć w razie potrzeby miecza przeciw wrogom Chrystusa. Wizerunek tych rycerzy kojarzy się nierozerwalnie z krucjatami, które organizowano, aby wypędzić niewiernych z Jerozolimy i odzyskać ją dla chrześcijan.

W roku 1128 sobór w Troyes uznał oficjalnie templariuszy za zakon rycerzy-wojowników. Ich przywódcą był Bernard z Clairvaux, przełożony zakonu cystersów, później kanonizowany. Jak pisze Bamber Gascoigne:

> Był on agresywny i ordynarny (...). Był przebiegłym politykiem, który nie przebierał w środkach, aby rozprawić się ze swoimi wrogami.

To właśnie Bernard napisał regułę templariuszy, wzorowaną na regule cystersów, a jeden z jego podopiecznych, zostawszy papieżem Innocentym II, wydał w 1139 roku bulę, według której od tej pory rycerze zakonni podlegają tylko Ojcu Świętemu. Ponieważ zakony templariuszy i cystersów rozwijały się równolegle, do pewnego stopnia koordynowały swoje działania. Na przykład hrabia Szampanii, którego poddanym był Hugon de Payens, podarował św. Bernardowi ziemie w Clairvaux, na których zbudował on swoje zakonne „imperium". Co istotne, Andrzej z Montbart, jeden z dziewięciu członków-założycieli zakonu, był wujem Bernarda. Spekulowano, że templariusze i cystersi działali wspólnie według z góry ustalonego planu, aby przejąć władzę w całym chrześcijańskim świecie, ale nigdy im się to nie udało.

Będąc u szczytu potęgi w Europie, templariusze dysponowali niewyobrażalną władzą i majątkiem. Zaznaczyli swoją obecność we wszystkich niemal ważniejszych ośrodkach cywilizacji, o czym świadczą na przykład zachowane do dzisiaj w Anglii nazwy takich miejsc jak Temple Fortune i Temple Bar w Londynie, czy Tempie Meads w Bristolu. Wraz z rozwojem imperium rosła też jednak arogancja templariuszy i zaostrzały się ich stosunki ze świeckimi władcami.

Możliwość bogacenia się templariusze zawdzięczali częściowo swojej regule. Wszyscy nowi członkowie musieli oddawać zakonowi swój majątek. Zdobywano też znaczne bogactwa, uzyskując od królów i szlachty masowe darowizny w postaci ziemi i pieniędzy. Templariusze szybko gromadzili fortuny także dlatego, że mieli niezwykły zmysł do interesów, dzięki czemu stali się pierwszymi międzynarodowymi bankierami, od których decyzji zależały stopy kredytów. W ten sposób najpewniej umacniali swoją potęgę. W krótkim czasie przywódcy zakonu byli już tylko z nazwy „ubogimi rycerzami", choć być może jego szeregowi członkowie nadal cierpieli biedę.

Templariusze słynęli jednak nie tylko z oszałamiającego bogactwa, lecz także z umiejętności walki i odwagi, graniczącej czasem z szaleństwem. Jako rycerze kierowali się określonymi zasadami. Nie mogli na przykład się poddać, dopóki siły przeciwnika nie były ponadtrzykrotnie liczniejsze i nawet wtedy musieli uzyskać zgodę dowódcy. Stanowili oddziały specjalne swojej epoki, elitarną jednostkę, dysponującą poparciem Boga i... pieniędzmi.

Jednak pomimo ich wysiłków Saraceni zdobywali kolejne obszary Ziemi Świętej i w 1291 r. zajęli Akrę, ostatni przyczółek chrześcijaństwa. Templariuszom nie pozostało nic innego, jak wrócić do Europy i przygotowywać ewentualną rekonkwistę, ale władcy, którzy mogliby ją finansować, nie mieli już na to ochoty. Zakon stracił rację bytu. Pozbawieni zajęcia, lecz nadal bogaci i aroganccy rycerze wzbudzali powszechną niechęć, gdyż nadal nie płacili podatków i podlegali jedynie papieżowi.

W 1307 r. doszło do ich nieuniknionego upadku. Wszechpotężny król Francji, Filip Piękny, zaczął przygotowywać rozprawę z templariuszami w zmowie z papieżem, który był od niego zależny. Arystokraci z otoczenia króla otrzymali potajemne rozkazy i w piątek 13 października 1307 r. templariuszy otoczono, aresztowano, poddano torturom i spalono na stosie.

Taką przynajmniej wersję wydarzeń znajdziemy w większości standardowych opracowań na ten temat. Można odnieść wrażenie, że owego straszliwego dnia uśmiercono wszystkich templariuszy i że zniknęli oni na zawsze z powierzchni ziemi. Mija się to jednak z prawdą.

Przede wszystkim stracono stosunkowo niewielu z nich, choć większość schwytanych rycerzy „poddano przesłuchaniu" – to eufemistyczne określenie oznaczało potworne tortury. Nieliczni tylko trafili na stos, na przykład wielki mistrz zakonu, Jakub de Molay, który był powoli przypiekany ogniem na Ile de la Cité, w cieniu katedry Notre-Dame w Paryżu. Spośród tysięcy pozostałych ginęli jedynie ci, którzy odmawiali zeznań albo je odwoływali.

Relacje na temat zeznań templariuszy są nader barwne. Czytamy, że oddawali cześć kotu, uczestniczyli w ramach rycerskiej służby w homoseksualnych orgiach, przedmiotem ich kultu był też demon zwany Bafometem [Behemotem] i (lub) ścięta głowa. Podobno podczas rytuału inicjacji deptali krzyż i opluwali go. To wszystko, oczywiście, stanowiło dowód, że nie byli wiernymi rycerzami Chrystusa i obrońcami ideałów chrześcijaństwa, a im dłużej ich torturowano, tym bardziej stawało się to jasne.

Nic dziwnego. Niewielu potrafiło zacisnąć zęby i odmówić przyznania się do występków, o które oskarżali ich oprawcy. Sprawa ta ma jednak szerszy wymiar. Z jednej strony uważa się, że wszystkie zarzuty pod adresem templariuszy zostały spreparowane przez ludzi zazdroszczących im bogactwa i władzy i że król francuski skorzystał z okazji, by przejmując ich majątki, uporać się z własnymi problemami finansowymi. Z drugiej jednak strony, choć w oskarżeniach mogło być wiele przesady, istnieją dowody, że templariusze zajmowali się jakimiś tajemniczymi okultystycznymi praktykami.

Zdaniem członków Konwentu Syjonu zakon templariuszy powstał za sprawą ich organizacji. Jeśli tak było, jest to jedna z najlepiej strzeżonych tajemnic historii. Podobno aż do schizmy w 1188 r. oba zakony prawie niczym się nie różniły. Dopiero potem ich drogi się rozeszły. Wygląda na to, że utworzenie zakonu templariuszy wiązało się z jakimś spiskiem. Zdrowy rozsądek sugeruje, że dziewięciu rycerzy nie zapewniłoby ochrony i opieki wszystkim pielgrzymom podróżującym do Ziemi Świętej, zwłaszcza przez dziewięć lat. Co więcej, niewiele wskazuje na to, by kiedykolwiek poważnie się tym zajmowali.

Kolejna tajemnica wiąże się z istnieniem dowodów, że zakon istniał już na długo przez rokiem 1118, choć nie wiadomo, dlaczego sfałszowano datę jego założenia. Wielu komentatorów uważa, że pierwsza opowieść o powstaniu zakonu – napisana przez Wilhelma z Tyru 50 lat po tym wydarzeniu – stanowiła jedynie kamuflaż. (Wilhelm był zdecydowanie wrogo nastawiony do templariuszy i relacjonował zapewne zasłyszaną historię). Nie wiadomo jednak, co właściwie chciano zatuszować.

Hugon de Payens i jego pochodzący z Szampanii lub Langwedocji towarzysze, wśród których był hrabia Prowansji, z pewnością wyruszali do Ziemi Świętej w konkretnym celu. Być może poszukiwali Arki Przymierza albo innych starożytnych skarbów czy dokumentów, dzięki którym mogliby trafić na ich ślad. Może chcieli posiąść tajemną wiedzę, dającą władzę nad ludźmi i ich dobytkiem.

Najbardziej mroczne tajemnice zachodniej cywilizacji

Wywiad z Lynn Picknett i Clive'em Prince'em

Czytelnicy znajdą poniżej wypowiedzi Lynn Picknett i Clive'a Prince'a, autorów, z których książki korzystał Dan Brown przy pisaniu *Kodu Leonarda da Vinci.* Przeprowadziliśmy z nimi wywiad internetowy, żeby uzyskać odpowiedzi na pytania, które mogą mieć czytelnicy po przeczytaniu ich książki. Zamieszczamy fragmenty wywiadu.

Czym są Dossiers Secrets *znajdujące się w Bibliothèque Nationale w Paryżu i dlaczego w* Kodzie Leonarda da Vinci *Dan Brown tak mocno podkreśla ich znaczenie?*

Dossiers Secrets to wygodny termin, wymyślony przez Baigenta, Leigha i Lincolna, autorów książki *Święty Graal, święta krew*, dla siedmiu pokrewnych dokumentów o różnej objętości – w sumie niecałych 50 stron – złożonych w paryskiej Bibliotece Narodowej w latach 1964–1967.

Dokumenty dotyczą Zakonu Syjonu, tajemnicy Rennes-de-Château, Marii Magdaleny i Merowingów. Mają dowodzić istnienia Zakonu Syjonu i jego roli jako strażnika tajemnic historycznych i ezoterycznych, ale w rzeczywistości tylko dotykają tych tematów.

Każdy posiadacz karty bibliotecznej może przeczytać na miejscu oryginały. Kopie dokumentów opublikował w latach 90. francuski badacz Pierre Jarnac. Być może nakład jest już wyczerpany, ale we Francji są powszechnie dostępne.

W waszej książce Templariusze. Tajemni strażnicy tożsamości Chrystusa *owe* Dossiers Secrets *– które Dan Brown wykorzystuje w* Kodzie Leonarda da Vinci *jako klucz do ustalenia związków między kilkoma wielkimi tajemnicami – wydają się zupełnym nonsensem. Dlaczego?*

Ponieważ naszym zdaniem – i na pierwszy rzut oka – ich zawartość tak rażąco nie zgadza się ze znanymi faktami historycznymi, że ma się ochotę odrzucić je jako czystą fantazję. Ale sprawa nie jest taka prosta. Podczas gdy niektóre informacje to na pewno fałsz, a inne jakby celowo wprowadzają w błąd, część – nieoczekiwanie – odpowiada prawdzie.

Co więcej, *Dossiers Secrets* bardzo rozczarowują. W przeciwieństwie do tego, co twierdzi Dan Brown, nie są romantycznymi starymi pergaminami, tylko zwykłymi maszynopisami lub kiepskimi odbitkami. Trudno sobie wyobrazić, by tak liche kartki papieru zawierały wielkie tajemnice.

Co możecie powiedzieć na temat bezpośredniego związku między templariuszami i Zakonem Syjonu?

Głównym paradoksem jest to, że nie ma dowodu na istnienie Zakonu przed rokiem 1956, a jednak jego członkowie utrzymują, że powstał w średniowieczu. Dopiero w ostatnich latach zaczęli twierdzić, że założono go w XVIII wieku.

Po napisaniu *Templariuszy* doszliśmy do wniosku, że Zakon powstał w roku 1956 – kiedy ujawnił światu swoje istnienie – ale jako fasada dla sieci pokrewnych tajnych stowarzyszeń i organizacji ezoterycznych, które rzeczywiście narodziły się w odległej przeszłości. Ta fasada pozwala im na półjawną działalność bez zdradzania, kto naprawdę za nią stoi.

Z *Dossiers Secrets* wynika, że Zakon Syjonu był siostrzaną organizacją zakonu templariuszy, ale brak na to dowodów. Zakon ostatnio wycofał się z tego twierdzenia (jeśli został założony w XVIII wieku, to oczywiście nie może być mowy o jego związkach ze średniowiecznymi templariuszami!).

Wiemy, że istniał Zakon Najświętszej Maryi Panny z Góry Syjon – należący do jerozolimskiego opactwa o tej samej nazwie – w pewien sposób powiązany z templariuszami, który utrzymywał, że Zakon Syjonu jest jego kontynuacją, ale niestety tu nasza wiedza się kończy.

Z drugiej strony ścisłe związki łączą współczesny Zakon Syjonu i tajne stowarzyszenia, które podają się za następców średniowiecznych templariuszy. Wszystkie grupy „neotemplariuszy" wywodzą się z XVII-wiecznego zakonu o nazwie Templariusze Obserwanci, którego członkowie twierdzili – nie bez pewnych podstaw – że odziedziczyli tajemnice średniowiecznych templariuszy. Organizacja kierowana przez Pierre'a Plantarda (rzekomego wielkiego mistrza Zakonu Syjonu w czasach najnowszych) jest dla nich fasadą.

Czemu templariusze zawdzięczają swoją sławę? Jakiej tajnej wiedzy mogli strzec?

Historycy przyznają, że templariusze doskonale znali się na medycynie, słynęli jako wybitni dyplomaci i rycerze – byli, by tak rzec, elitarną siłą zbrojną swoich czasów. Dużą część owej wiedzy i umiejętności zdobyli podczas podróży – zwłaszcza po Bliskim Wschodzie – i przejęli od swoich wrogów, Saracenów. (Saraceni dalece wyprzedzali Europejczyków pod względem nauki, ponieważ Kościół katolicki zakazywał dokonywania eksperymentów naukowych).

Nie ma wątpliwości, że templariusze poszukiwali też wiedzy ezoterycznej i duchowej, choć tradycyjni historycy niewiele mówią na ten temat. Templariuszy otacza tak ścisła tajemnica, że nic nie wiadomo na pewno; pozostają nam tylko spekulacje. Templariuszy wspomina się w kontekście Arki Przymierza, świętego Graala, zaginionych ewangelii i Całunu Turyńskiego.

Jednak nasze badania wskazują, że templariusze byli przede wszystkim społecznością w społeczeństwie: większość z nich to szeregowi rycerze i dobrzy chrześcijanie. Natomiast rycerze-założyciele i ich wtajemniczeni następcy, jak się wydaje, mieli znacznie bardziej heretyckie poglądy. Nowicjusze rzekomo czcili Bafometa – odciętą głowę. Jeśli Bafomet istotnie był odciętą brodatą głową, jak twierdzili niektórzy rycerze, to kogo lub co mogła ona symbolizować?

Jaki związek z tą zagadkową organizacją mają wolnomularze?

Wolnomularstwo przeszło tyle podziałów, ewolucji i wskrzeszeń, że trudno mówić o nim jako o jednej organizacji. Uważamy jednak, że związek między pierwszymi wolnomularzami i templariuszami – tymi, którzy zeszli do podziemia po likwidacji zakonu – został ostatecznie udowodniony. Sieć organizacji za fasadą Zakonu Syjonu jest blisko związana z częścią ruchu wolnomularskiego, na przykład z Odnowionym Obrządkiem Szkockim.

Co jest głównym celem wolnomularzy?

To zależy, o której loży wolnomularskiej mówimy. Większość z nich twierdzi, że są tylko organizacjami dobroczynnymi lub stowarzyszeniami filozoficznymi. Jednak ich przeciwnicy mówią, że chodzi jedynie o wzajemne wsparcie ekonomiczne i społeczne. Początkowo celem wolnomularstwa było zdobywanie, zgłębianie i przekazywanie wiedzy, głównie ezoterycznej. Niektóre loże wciąż podtrzymują tę tradycję.

Kim był Pierre Plantard?

Pierre Plantard (a właściwie Pierre Plantard de Saint Clair) do swojej śmierci w roku 2000 był wielkim mistrzem Zakonu Syjonu, który reprezentował publicznie. Zakon stał się znany głównie dzięki wywiadom, których Plantard udzielił Michaelowi Baigentowi, Richardowi Leighowi i Henry'emu Lincolnowi, autorom książki *Święty Graal, święta krew*. Korzystał z niej, pisząc swoją powieść, Dan Brown. Kto jest teraz wielkim mistrzem – i czy w ogóle ktoś nim jest – można tylko snuć domysły.

Trzeba podkreślić, że Plantard nigdy nie mówił o linii genealogicznej zapoczątkowanej przez Jezusa i Marię Magdalenę. Tę hipotezę sformułowali Baigent, Leigh i Lincoln. Po ukazaniu się ich drugiej książki *Testament Mesjasza* w Wielkiej Brytanii w roku 1986, Plantard kategorycznie odrzucił tę teorię. (Dan Brown zdaje się o tym nie wiedzieć!).

Mówi się, że w przeszłości wielkimi mistrzami Zakonu Syjonu były sławne postacie historyczne. Jakie znane nazwiska kojarzy się z nim teraz?

Jeśli Zakon Syjonu jest przykrywką dla innych stowarzyszeń polityczno-ezoterycznych, to nie ma własnych członków. Wiąże się z nim różne osoby, między innymi prezydenta François Mitterranda. Jak jednak udowodnić, że ktoś jest członkiem tajnego stowarzyszenia? I czy jego członkowie naprawdę są strażnikami wielkich tajemnic historycznych, jak sugeruje Dan Brown? A może mają jakieś cele polityczne, których nie chcą ujawnić?

Kim są Merowingowie? Co można powiedzieć o ich związkach z Jezusem?

Merowingowie panowali w królestwie Franków – na które składa się część terenów dzisiejszej północnej Francji, Niemiec i Belgii – od V do VIII wieku. Zostali usunięci przez Karolingów, którzy działali w porozumieniu z Kościołem.

Z *Dossiers Secrets* wynika, że ród Merowingów nie wygasł – jak mówią źródła historyczne – Zakon Syjonu od wieków chroni jego potomków. Ponieważ są legalnymi władcami Francji, Zakon Syjonu zamierza przywrócić ich na tron. To oczywista bzdura: nawet jeśli Merowingowie przetrwali, co wydaje się bardzo wątpliwe, nie mogą mieć żadnych roszczeń do tronu, Francja jest teraz republiką.

Autorzy *Świętego Graala, świętej krwi* uważają, że ród Merowingów wywodzi się od dzieci Jezusa i Marii Magdaleny. Na tej koncepcji Dan Brown oparł fabułę *Kodu Leonarda da Vinci*. Musimy stanowczo podkreślić, że to wyłącznie hipoteza wysunięta przez Baigenta, Leigha i Lincolna. Nie potwierdzają jej *Dossiers Secrets* ani żadne inne dokumenty dotyczące Zakonu. Została też kategorycznie odrzucona przez Pierre'a Plantarda.

Na jakiej podstawie można wnioskować, że święty Graal symbolizuje ród Jezusa poczęty w łonie Marii Magdaleny?

Baigent, Leigh i Lincoln argumentują, że święty Graal, „naczynie" z krwią i nasieniem Jezusa, to łono Marii Magdaleny, w którym nosiła Jego dzieci. Jednak pierwsze źródła albo w ogóle nie opisują tajemniczego świętego Graala, albo mówią o nim jako o kamieniu.

Absolutnie nie zgadzamy się z teorią, że Graal symbolizuje łono Magdaleny. Sam Zakon Syjonu zdecydowanie odrzuca tę hipotezę. To zasadnicza pomyłka autorów *Świętego Graala, świętej krwi* i mniej poważny błąd Dana Browna, który napisał powieść, a nie dzieło o ambicjach naukowych.

Czy moglibyście opowiedzieć o Leonardzie da Vinci i jego związkach z tajnymi stowarzyszeniami?

Leonardo uważany był za heretyka zainteresowanego ideami ezoterycznymi. W dokumentach Zakonu Syjonu jest wymieniony jako jego dziewiąty wielki mistrz. Nie sposób stwierdzić, czy naprawdę pełnił tę funkcję, choć to mało prawdopodobne. Nie znamy współczesnych dokumentów, które by potwierdziły ten fakt, ale mówimy wszak o tajnym stowarzyszeniu, więc to nic dziwnego, prawda?

W dziełach Leonarda odkrywany jednak symbole o treści zgodnej z *Dossiers Secrets*, co wskazuje na to, że jedne i drugie wywodzą się ze wspólnej tradycji.

Jak wyjaśniamy w naszej książce, Leonardo wynosi Jana Chrzciciela tak wysoko, iż wydaje się on stać ponad Jezusem – jakby był wręcz „prawdziwym Chrystusem". Jak na ironię, rozdział naszej książki zatytułowany *Tajny kod Leonarda da Vinci* (czy to brzmi znajomo?) nie dotyczy rzekomego rodu Jezusa, lecz właśnie „herezji Jana".

Święty Graal, święta krew

MICHAEL BAIGENT, RICHARD LEIGH I HENRY LINCOLN

Michael Baigent, Henry Lincoln i Richard Leigh, autorzy *Testamentu Mesjasza*, spędzili ponad 10 lat na poszukiwaniach świętego Graala w mrokach historii dawnej Francji, by napisać książkę *Święty Graal, święta krew*, która ukazała się w Wielkiej Brytanii w roku 1982*.
Fragment wykorzystano za zgodą Dell Publishing, jednego z wydawnictw Random House Inc, oraz tłumacza wydania polskiego.

Święty Graal, święta krew powstała pod koniec XX wieku, w charakterystycznej dla tego czasu atmosferze zainteresowania zagadką małżeństwa Jezusa i Marii Magdaleny, ich rzekomymi potomkami, zaginionymi ewangeliami, templariuszami, Zakonem Syjonu, Leonardem da Vinci, *Dossiers Secrets*, tajemnicą Rennes-le-Château i innymi podobnymi tematami. Czytając *Świętego Graala, świętą krew*, niemal widzimy, jak Dan Brown podrywa głowę znad książki i mówi do siebie: „Aha! Muszę to wykorzystać!"

Jednak, jak wynika z szeregu wypowiedzi zawartych w tym tomie, metody badawcze i wnioski trzech autorów *Świętego Graala, świętej krwi* są poważnie kwestionowane. Większość naukowców zajmujących się tą samą tematyką uważa książkę w najlepszym razie za niewiarygodną lub podtrzymującą mistyfikację, jaką według nich jest istnienie Zakonu Syjonu.

Święty Graal, święta krew to na pewno lektura godna uwagi. Ocenę jej wiarygodności pozostawiamy czytelnikowi, ograniczając się do stwierdzenia, że Dan Brown miał dobry pomysł, by wpleść ten fascynujący materiał w swoją powieść.

Poniższy tekst jest jednym z wielu fascynujących fragmentów książki. Duża część tego materiału wydaje się niejasna i trudna do zrozumienia bez znajomości poprzedzających go wywodów. Pragnęliśmy przedstawić czytelnikom źródła powstania *Kodu Leonarda da Vinci*. Jeśli temat was zainteresował, sięgnijcie po *Świętego Graala, świętą krew* i zapoznajcie się z całą książką.

Według Wilhelma z Tyru Zakon Ubogich Rycerzy Chrystusa i Świątyni Salomona powstał w 1118 roku. Jego założycielem był podobno niejaki Hugon de

---

* Wydane w Polsce w 1994 roku przez wydawnictwo Książka i Wiedza.

Payns, rycerz i wasal hrabiego Szampanii. Otóż pewnego dnia Hugon zjawił się wraz z ośmioma towarzyszami w pałacu króla Jerozolimy, Baldwina I, którego starszy brat, Godfryd de Bouillon, zdobył Święte Miasto dziewiętnaście lat wcześniej. Najwyraźniej Baldwin przyjął ich niezwykle serdecznie. Podobnie uczynił też patriarcha Jerozolimy – religijny przywódca nowego królestwa, a zarazem specjalny wysłannik papieża.

Celem działalności templariuszy, jak pisze Wilhelm z Tyru, miała być ochrona pielgrzymów na drogach i szlakach Ziemi Świętej[1]. Królowi zamiar ów wydał się tak szlachetny, że oddał do dyspozycji rycerzy jedno skrzydło swego pałacu, a ci, pomimo wiążącej ich przysięgi ubóstwa, wprowadzili się do tych pełnych wygód komnat. Legenda głosi, że owe komnaty wzniesione były na fundamentach starożytnej Świątyni Salomona i od niej to nowo powstały zakon wziął nazwę.

Przez następnych dziewięć lat tych dziewięciu rycerzy nie przyjęło do swego zakonu żadnych nowych członków. Nadal żyli w ubóstwie – oficjalne pieczęcie zakonu przedstawiają dwóch rycerzy jadących na jednym rumaku, co symbolizuje nie tylko braterstwo, ale i ubóstwo. Jest to chyba najbardziej znany i najbardziej charakterystyczny znak templariuszy. Zapomina się jednak, że nie pochodzi on wcale z pierwszych dni istnienia zakonu. Pojawił się dobre sto lat później, kiedy templariusze nie byli już ubogim zakonem, jeśli w ogóle kiedykolwiek nim byli.

Tak więc według Wilhelma zakon templariuszy powstał w 1118 roku w królewskich komnatach Baldwina, skąd prawdopodobnie wyruszał chronić pielgrzymów. W owym czasie oficjalny kronikarz w służbie królewskiej, niejaki Fulcher de Chartres, spisywał dzieje Królestwa Jerozolimskiego. Co ciekawe, nie wspomina on w ogóle ani o Hugonie de Payns, ani o żadnym z jego towarzyszy, ani o czymkolwiek, co miałoby związek z templariuszami. Tak naprawdę działalność templariuszy w pierwszych latach istnienia zakonu pominięta została głuchym milczeniem. Można stwierdzić z całą pewnością, że nawet późniejsze źródła nie wspominają o jakichkolwiek działaniach templariuszy mających na celu ochronę pielgrzymów. Należy się dziwić, że garstka rycerzy ufała, iż może wykonać tak olbrzymie zadanie. Dziewięciu ludzi chciało chronić wszystkich pielgrzymów w całej Ziemi Świętej? Jeśli rzeczywiście taki mieli zamiar, to z radością winni byli powitać w swych szeregach rekrutów. A jednak, jak pisze Wilhelm z Tyru, przez dziewięć lat nie przyjęli do zakonu żadnych nowych członków.

Mimo to sława templariuszy rychło dotarła do Europy. Władze kościelne spoglądały na nich bardzo przychylnie i wychwalały ich chrześcijańskie zamiary. Około 1128 roku ukazał się traktat sławiący cnoty templariuszy, napisany przez samego

[1] William of Tyre (Wilhelm z Tyru) *History of Deeds Dom Beyond the Sea*, t.1, s. 525 i nast.

świętego Bernarda, opata Clairvaux, największego rzecznika chrześcijaństwa tamtego stulecia. Rozprawa Bernarda, zatytułowana *Traktat pochwalny ku chwale nowego rycerstwa*, głosiła, że templariusze są wzorowymi chrześcijanami.

Po dziewięciu latach, w 1127 roku, sześciu z dziewięciu rycerzy powróciło do Europy, gdzie witano ich jak zwycięzców, co było w dużej mierze zasługą właśnie świętego Bernarda. W styczniu 1128 roku odbył się w Troyes, na dworze hrabiego Szampanii, seniora Hugona de Payns, sobór, na którym Bernard znów odegrał przewodnią rolę. Templariusze zostali wówczas oficjalnie uznani za zakon o charakterze wojskowym. Hugonowi de Payns nadano tytuł wielkiego mistrza Świątyni. Odtąd on i jego podwładni mieli być mnichami-wojownikami, rycerzami-mistykami łączącymi w sobie dyscyplinę klasztorną z fanatycznym zapałem żołnierskim. Nazwano ich „milicją Chrystusową". Święty Bernard wziął udział w zredagowaniu reguły zakonu, poprzedzonej entuzjastycznym wstępem. Templariusze zobowiązani byli do jej bezwzględnego przestrzegania. Owa reguła oparta została na regule zakonu cystersów, w którym Bernard odgrywał dominującą rolę.

Templariusze składali przysięgę ubóstwa, czystości i posłuszeństwa. Byli zobowiązani nosić krótko przystrzyżone włosy, ale nie wolno im było golić zarostu, co ich wyróżniało spośród ówczesnych rycerzy, z których większość się goliła. Wikt, ubiór i rozkład dnia poddane były ścisłym regułom, zgodnie z klasztornymi i żołnierskimi zwyczajami. Wszyscy członkowie zakonu musieli nosić białe habity i peleryny, wkrótce zastąpione białymi opończami, które z czasem stały się najbardziej charakterystycznym elementem stroju templariuszy. „Nikomu nie wolno nosić białych habitów lub posiadać białych płaszczów (...) z wyjątkiem Rycerzy Chrystusa"[2]. Tak mówiła reguła zakonu, podkreślając symboliczne znaczenie tego ubioru. „Wszystkim rycerzom, którzy złożyli śluby, na zimę i lato dajemy (...) biały strój, aby ci, którzy zostawili za sobą mroczny żywot, wiedzieli, że mają oddać się Stwórcy poprzez czyste i jasne czyny"[3].

Ponadto reguła ustanawiała luźną hierarchię i administrację. Ustalono także ścisłe zasady postępowania na polu bitwy. Wzięci do niewoli, templariusze nie mogli błagać o litość ani oferować okupu za odzyskanie wolności, musieli walczyć do śmierci. Nie wolno im było nawet wycofać się z pola walki, jeśli przewaga liczebna wroga nie wynosiła co najmniej trzy do jednego.

W 1139 roku[4] papież Innocenty II, były mnich zakonu cystersów i protegowany świętego Bernarda, wydał bullę, według której żadna władza kościelna oprócz

---

[2] Addison *History of the Knights Templars*, s. 19. Regułę templariuszy w oryginale można odnaleźć u Curzona *La Règle du Temple*.

[3] Tamże, s. 19.

[4] Datę tę kwestionowano, uważając, że bulla powstała nie wcześniej niż w 1152 roku.

papiestwa i żadna władza świecka nie mogły wymagać posłuszeństwa od templariuszy. W ten sposób papież uczynił ich niezależnymi od wszystkich królów, książąt i prałatów. W rezultacie templariusze stworzyli w pełni autonomiczne międzynarodowe imperium, stanowiąc prawo dla samych siebie.

Po soborze w Troyes zakon zaczął się rozrastać z niewiarygodną szybkością i na niewiarygodną skalę. Gdy pod koniec 1128 roku Hugon de Payns przybył do Anglii, król Henryk I powitał go, jak mówią źródła, z „wielkim szacunkiem". Z całej Europy napływali w szeregi zakonu młodsi synowie szlacheckich rodów. Templariusze szybko powiększali też swój stan posiadania – niemal w każdym zakątku chrześcijańskiego świata otrzymywali dary w postaci pieniędzy, towarów i ziemi. Hugon de Payns przekazał zakonowi własne dobra i wszyscy nowi członkowie czynili tak samo. Każdy, kto chciał zostać templariuszem, musiał zrzec się na rzecz zakonu praw do wszystkiego, co posiadał (...).

Zakon zawsze osnuwała mgła tajemnicy. Niektórzy uważali templariuszy za czarodziei i magów biegłych w wiedzy tajemnej i alchemii. Wielu ludzi się ich wystrzegało, gdyż wierzono, że są w zmowie z siłami nieczystymi. Już w 1208 roku, na krótko przed antyalbigeńską wyprawą krzyżową, papież Innocenty III ganił templariuszy za niechrześcijańskie uczynki, mając wyraźnie na myśli nekromancję i odprawianie czarów. Inni z kolei wychwalali zakon pod niebiosa. Pod koniec XII wieku Wolfram von Eschenbach, największy minnesinger średniowiecza, odbył podróż do Outremer, aby ujrzeć templariuszy w akcji. W swoim poemacie epickim pt. Parzival, napisanym gdzieś w latach 1195–1220, powierzył templariuszom rolę, o której marzyli wszyscy średniowieczni rycerze – rolę strażników świętego Graala[5].

Likwidacja zakonu nie rozwiała otaczającej go aury tajemniczości. Ostatnim rozdziałem w oficjalnej historii Świątyni było spalenie na stosie wielkiego mistrza Jakuba de Molay w 1314 roku. Wieść niesie, że wydając ostatnie tchnienie, rzucił on ze środka dymu i płomieni klątwę na papieża Klemensa V i Filipa Pięknego. Wezwał swych katów, by w ciągu roku stanęli razem z nim przed Sądem Bożym i zdali sprawę ze swych uczynków. Nie minął miesiąc, jak umarł papież, prawdopodobnie zarażony dyzenterią. W niecały rok po egzekucji zmarł także król Francji. Okoliczności jego śmierci do dziś nie zostały wyjaśnione. Oczywiście nie należy doszukiwać się w niej sił nadprzyrodzonych. Templariusze doskonale znali się na truciznach. Z pewnością nie brakowało ludzi, którzy pałali pragnieniem zemsty. Króla mogli zabić rycerze zakonni, którym udało się zbiec, sympatycy zakonu lub choćby krewni tych templariuszy, których torturowano i skazano. Niemniej jednak klątwa mistrza się spełniła, a to umocniło ogólne przekonanie, że

---

[5] Wolfram von Eschenbach *Parzival*, s. 251.

zakon miał konszachty z siłami nieczystymi. Nie był to bynajmniej koniec zemsty zza grobu. Jakub de Molay przeklął jakoby cały królewski ród Francji. Echo tej klątwy rozbrzmiewało poprzez wieki, gdy tylko bowiem tron francuski trząsł się w posadach, przypominano sobie słowa mistrza.

W XVIII wieku istniały już różnorodne tajne i na poły tajne bractwa, które odwoływały się do tradycji zakonu Świątyni. Wielu ówczesnych masonów uważało siebie za bezpośrednich następców templariuszy i spadkobierców ich dziedzictwa. Niektóre masońskie rytuały i obrzędy były ponoć wzorowane na ceremoniach zakonu. Większość z tych roszczeń do sukcesji po templariuszach była zupełnie bezpodstawna, ale niektórym nie brakowało słuszności. Pamiętajmy, że zakon najprawdopodobniej przetrwał w Szkocji.

Pod koniec XVIII wieku moda na templariuszy jeszcze bardziej przybrała na sile. Historyczną prawdę o zakonie całkowicie przesłoniły mity i romantyczne legendy. Templariuszy uważano za alchemików, magów, masonów, jednym słowem, za nadludzi, którzy mieli do dyspozycji cały arsenał wiedzy tajemnej i za którymi stały moce nadprzyrodzone. Uznano ich także za bohaterskich męczenników i zwiastunów antyklerykalizmu, który zapanował w XVIII wieku. Wielu francuskich masonów spiskujących przeciwko Ludwikowi XVI uważało, że pomagają w spełnieniu klątwy Jakuba de Molay. Kiedy ostrze gilotyny spadło na królewską głowę, pewien człowiek wskoczył podobno na rusztowanie, umoczył dłoń we krwi monarchy i zatoczywszy ręką ponad tłumem gapiów krzyknął: „Pomszczonyś, Jakubie de Molay!”

Po Wielkiej Rewolucji Francuskiej zainteresowanie templariuszami wcale nie zmalało. Dziś istnieją co najmniej trzy organizacje, które nazywają siebie zakonem templariuszy i utrzymują, że ich rodowód sięga 1314 roku, choć nigdy tego należycie nie udowodniły. W hierarchii lóż masońskich istnieje ranga „templariusza”, a ich rytuały i stosowana terminologia pochodzą od zakonu. Pod koniec XIX wieku powstał w Niemczech i w Austrii złowrogi Zakon Nowych Templariuszy, który za jedno ze swych godeł obrał swastykę. Takie postacie jak H.P. Blavatsky*, twórczyni teozofii, oraz Rudolf Steiner**, twórca antropozofii, prawiły o ezoterycznej „tradycji mądrości” znanej templariuszom i przekazanej współczesności za pośrednictwem różokrzyżowców i katarów. Sami templariusze mieli być strażnikami jeszcze starszych tajemnic (...).

Ze wszystkich materiałów złożonych w Bibliotece Narodowej w Paryżu najważniejszy wydaje się zbiór dokumentów zatytułowany *Tajne akta****. Zbiór

---

* Helena Bławacka, z domu Hahn, 1831–1891.

** 1861–1825.

*** *Dossiers Secrets*.

ten, skatalogowany pod numerem 4°lm^{1}249, dostępny jest teraz tylko na mikrofiszkach. Do niedawna była to po prostu zwykła tekturowa teczka zawierająca artykuły prasowe, listy, broszury, drzewa genealogiczne oraz tajemniczą stronicę pochodzącą z jakiejś większej pracy. Co jakiś czas ktoś usuwał ze zbioru to lub owo, dołączał do niego nowe dokumenty, a na starych odręcznie dopisywał informacje i poprawki. Później materiały te znikały, a ich miejsce zajmowały kopie, zawierające wszystkie dotychczasowe poprawki.

Autorem części *Tajnych akt*, obejmującej drzewa genealogiczne, miał być podobno niejaki Henri Lobineau, ale w teczce są dwa inne dokumenty, według których to nazwisko jest pseudonimem pochodzącym od ulicy Lobineau w pobliżu Saint-Sulpice. W rzeczywistości owe genealogie miały być sporządzone przez człowieka o nazwisku Leo Schidlof, austriackiego historyka i antykwariusza, który do swej śmierci w 1966 roku mieszkał podobno w Szwajcarii. Zaczęliśmy wobec tego zbierać informacje o Leo Schidlofie.

W 1978 roku udało nam się odnaleźć córkę Leo Schidlofa, która mieszka w Anglii. Według niej jej ojciec rzeczywiście pochodził z Austrii, ale wcale nie był genealogiem czy antykwariuszem, lecz handlarzem i znawcą miniatur. Napisał nawet dwie prace na ten temat. W 1948 roku osiedlił się w Londynie, gdzie mieszkał przez całe życie. Zmarł w 1966 roku w Wiedniu. Data i miejsce śmierci zgadzały się z informacjami z *Tajnych akt.*

Córka Schidlofa uparcie twierdziła, że jej ojciec nigdy nie zajmował się ani genealogią, ani dziejami Merowingów, ani tajemniczymi wydarzeniami z południa Francji. Niektórzy ludzie, dodała jednak, najwyraźniej uważali, że było inaczej. W latach sześćdziesiątych Schidlof otrzymywał wiele listów i telefonów od nieznanych osób z całej Europy, a także ze Stanów Zjednoczonych. Ludzie ci chcieli się z nim spotkać, by porozmawiać o sprawach, o których nie miał zielonego pojęcia. Gdy umarł, nadeszła kolejna fala listów i rozdzwoniły się telefony. Tym razem pytano o jego notatki.

Nie wiemy, w co został zamieszany Leo Schidlof, ale sprawa musiała być chyba poważna. W 1946 roku, dziesięć lat przed domniemanym zebraniem materiałów do *Tajnych akt*, Schidlof złożył wniosek o wizę amerykańską. Wniosek został odrzucony z powodu podejrzeń o szpiegostwo lub też innego rodzaju tajną działalność. W końcu sprawa się wyjaśniła – Austriak otrzymał wizę i wyjechał do Ameryki. Mogła to być jedna z wielu biurokratycznych pomyłek, ale córka Schidlofa podejrzewała, że miało to związek z tajemniczymi sprawami, którymi według tak wielu ludzi zajmował się jej ojciec.

Ta historia zbiła nas z tropu. Odmowa wydania wizy mogła być nieprzypadkowa, bowiem *Tajne akta* mówiły także o związku Schidlofa z międzynarodowymi siatkami szpiegowskimi. Po naszym spotkaniu z jego córką ukazała się nowa książeczka, według której pod pseudonimem Henri Lobineau krył się nie Leo Schidlof, lecz francuski arystokrata, hrabia Henri de Lénoncourt. Późniejsze publikacje potwierdziły tę informację.

Tożsamość Henri Lobineau to nie jedyna zagadka związana z *Tajnymi aktami*. Znajdowała się w nich także notatka mówiąca o „skórzanej teczce Leo Schidlofa". Teczka miała zawierać tajne informacje na temat dziejów Rennes-le-Château od 1600 do 1800 roku. Wkrótce po śmierci Schidlofa dostała się ona podobno w ręce jakiegoś kuriera o nazwisku Fakhar ul Islam, który w lutym 1967 roku miał się spotkać w Niemczech Wschodnich z „agentem z Genewy". Zanim jednak doszło do spotkania, Fakhar ul Islam został ponoć wydalony z NRD i powrócił do Paryża. Dnia 20 lutego 1967 roku znaleziono jego zwłoki przy torach kolejowych w Melun. Został wyrzucony z ekspresu relacji Paryż–Genewa, teczka zaś zniknęła.

Usiłowaliśmy ustalić prawdziwość tej ponurej opowieści. Potwierdzało ją kilka artykułów w prasie francuskiej z dnia 21 lutego[6]. Rzeczywiście na torach w Melun znaleziono ciało z obciętą głową. Po zidentyfikowaniu zwłok okazało się, że był to młody Pakistańczyk o nazwisku Fakhar ul Islam. Z niewiadomych powodów został on wydalony z NRD, prawdopodobnie był zamieszany w jakąś aferę szpiegowską. Pociągiem jechał z Paryża do Genewy. Prasa podawała, że władze francuskie zleciły dochodzenie w tej sprawie kontrwywiadowi.

Gazety jednak w ogóle nie wspominały ani o Leo Schidlofie, ani o jego teczce, ani o niczym, co mogłoby mieć związek z tajemnicą z Rennes-le-Château. W rezultacie nie wiedzieliśmy, co o tym sądzić. Z jednej strony, możliwe było, że informacja z *Tajnych akt* pochodziła ze źródła niedostępnego dziennikarzom i śmierć Fakhara ul Islama rzeczywiście miała związek z Rennes-le-Château. Z drugiej strony, owa informacja mogła być fałszywa. Ktoś mógł się przecież posłużyć mistyfikacją: wystarczyło tylko znaleźć przypadek śmierci w tajemniczych okolicznościach i wykorzystać go w odpowiedni sposób. Jaki jednak byłby cel takiej mistyfikacji? Dlaczego komuś zależałoby na wytworzeniu złowrogiej atmosfery wokół tajemnicy z Rennes-le-Château? Co można było osiągnąć dzięki temu? I kto się za tym krył?

Pytania te nie dawały nam spokoju. Co więcej, śmierć Fakhara ul Islama nie była jedyna. Otóż w niespełna miesiąc później w Bibliotece Narodowej pojawiła się kolejna praca, zatytułowana *Czerwony wąż* (Le Serpent rouge), opatrzona

---

[6] „Le Monde" (21 lutego 1967), s. 11. „Le Monde" (22 lutego 1967), s. 11, „Paris-Jour" (21 lutego 1967) nr 2315, s. 4.

znaczącą datą 17 stycznia. Miała być efektem współpracy trzech autorów: Pierre'a Feugère'a, Louisa Saint-Maxenta i Gastona de Kokera.

Czerwony wąż to osobliwe dzieło. Zawiera jedną genealogię Merowingów, dwie mapy Francji za ich panowania, opatrzone krótkim komentarzem, oraz plan kościoła Saint-Sulpice w Paryżu z zaznaczonymi kaplicami poszczególnych świętych. Główną część dzieła stanowi trzynaście krótkich poematów prozą o imponującej wartości literackiej. Niektóre przywodzą na myśl twórczość Rimbauda. Każdy z poematów poświęcony jest jednemu znakowi zodiaku, przy czym dodatkowym, trzynastym, jest Ophiuchus, czyli Wężownik, umieszczony między Skorpionem a Strzelcem.

Owe poematy stanowią symboliczną wędrówkę zaczynającą się od Wodnika, a kończącą na Koziorożcu, który panuje 17 stycznia. Teksty są niejasne i tajemnicze, obfitują w wiele aluzji do rodu Blanchefortów, do wystroju kościoła w Rennes-le-Château, do Poussina, jego obrazu i inskrypcji ET IN ARCADIA EGO. Jeden z poematów zawiera wzmiankę o „wymienionym w pergaminach" czerwonym wężu, który rozwija swe sploty poprzez wieki. Jest to, jak się wydaje, symboliczne przedstawienie jakiegoś rodu. Znakowi Lwa poświęcony jest ustęp o zagadkowej treści, który warto przytoczyć w całości:

> Od tej, którą pragnę wyzwolić, unosi się ku mnie woń perfum i wypełnia Grób. Dawniej niektórzy zwali ją ISIS, królową i źródłem wszelkiego dobra. PRZYJDŹCIE DO MNIE WY WSZYSCY, KTÓRZY CIERPICIE I JESTEŚCIE NIESZCZĘŚLIWI, A DAM WAM WYTCHNIENIE. Dla innych jest Magdaleną od słynnej wazy wypełnionej uzdrawiającym olejkiem. Wtajemniczeni znają jej prawdziwe imię: NOTRE DAME DES CROSS[7].

Jest to niezwykle interesujący fragment. Isis to oczywiście Izyda, Wielka Macierz i patronka tajemnic. Biała Królowa – jako bóstwo dobra, Czarna Królowa – jako bóstwo zła. Liczni antropologowie, religioznawcy i teologowie uznają, że pogański kult Wielkiej Macierzy przetrwał do czasów chrześcijańskich i przyjął formę kultu Dziewicy Maryi – Królowej Niebios, jak ją nazywał święty Bernard. W Starym Testamencie Królową Niebios określano boginię Asztoreth, czyli Isztar, fenicki odpowiednik Izydy. Ale według zacytowanego powyżej tekstu chrześcijańską Boginią Matką, czy też raczej Matką Boską byłaby nie Najświętsza Maria Panna, ale Magdalena, patronka kościoła w Rennes-le-Château.

---

[7] Feugère, Saint-Maxent, Koker *Le Serpent rouge*, s. 4.

Oto zamieszczona w *Tajnych aktach*[8] lista kolejnych wielkich mistrzów Prieuré de Sion, czyli – używając ich oficjalnego tytułu – „Nautonnierów", co w języku starofrancuskim oznacza „nawigatora" lub „sternika":

Jean de Gisors	1188–1220
Marie de Saint-Clair	1220–1266
Guillaume de Gisors	1266–1307
Edouard de Bar	1307–1336
Jeanne de Bar	1336–1351
Jean de Saint-Clair	1351–1366
Blanche d'Evreux	1366–1398
Nicolas Flamel	1398–1418
René d'Anjou	1418–1480
Iolande de Bar	1480–1483
Sandro Filipepi	1483–1510
Leonardo da Vinci	1510–1519
konetabl de Bourbon	1519–1527
Ferdinand de Gonzague	1527–1575
Louis de Nevers	1575–1595
Robert Fludd	1595–1637
J. Valentin Andreä	1637–1654
Robert Boyle	1654–1691
Isaac Newton	1691–1727
Charles Radclyffe	1727–1746
Charles de Lorraine	1746–1780
Maximilian de Lorraine	1780–1801
Charles Nodier	1801–1844
Victor Hugo	1844–1885
Claude Debussy	1885–1918
Jean Cocteau	1918–*

Lista ta od razu wzbudziła nasze podejrzenia. Zawierała wprawdzie nazwiska legendarnych ezoteryków, ale również nazwiska słynnych postaci historycznych, których nikt nigdy nie podejrzewałby o przewodzenie tajnemu stowarzyszeniu.

---

[8] Henri Lobineau *Dossiers Secrets*, plansza nr 4.
* Jean Cocteau zmarł w 1963 roku.

Trzeba jednak zauważyć, że wiele tych nazwisk dwudziestowieczne koła ezoteryczne częstokroć usiłują włączyć do swych rodowodów. W Kalifornii istnieje stowarzyszenie różokrzyżowców AMORC. Na listach swych przywódców umieszczają oni chętnie każdą wybitną postać, której poglądy choćby minimalnie odpowiadają ich filozofii. Przypadkową zbieżność czy zgodność stanowisk celowo przytaczają jako dowód członkostwa. Na tej podstawie twierdzą, że Dante, Szekspir, Goethe należeli do różokrzyżowców, jakby chcieli przez to powiedzieć, że nosili oni w kieszeniach legitymacje stowarzyszeń ezoterycznych i regularnie płacili składki.

Nasz stosunek do tej listy był zatem pełen sceptycyzmu. Owszem, zawierała nazwiska znanych ezoteryków, jak choćby Nicolasa Flamela, najsłynniejszego i najlepiej chyba dziś znanego średniowiecznego alchemika, czy Roberta Fludda, siedemnastowiecznego filozofa, przedstawiciela hermetyzmu i innych dyscyplin tajemnych, czy wreszcie wspomnianego już Johanna Yalentina Andreä. Ale jednocześnie wymienia Leonarda da Vinci oraz Sandro Filipepi, znanego jako Botticelli, a także znamienitych uczonych – Roberta Boyle'a i Isaaca Newtona. Wielkimi mistrzami Prieuré de Sion w ostatnich dwóch stuleciach byli rzekomo tacy luminarze kultury europejskiej jak Wiktor Hugo, Claude Debussy i Jean Cocteau.

Wydawało nam się wprost niewiarygodne, aby wszyscy ci ludzie przewodzili tajnemu stowarzyszeniu, i to stowarzyszeniu o ezoterycznej orientacji, Boyle i Newton to nazwiska, których chyba nikt nie łączyłby z ezoteryzmem. Hugo, Debussy i Cocteau zgłębiali wprawdzie podobne zagadnienia, ale gdyby naprawdę pełnili funkcję wielkiego mistrza, z pewnością byłoby coś o tym wiadomo, ponieważ zachowało się wiele materiałów i prac o ich działalności.

Trzeba nadmienić, że na liście figurowali nie tylko wybitni przedstawiciele kultury czy nauki, lecz również przedstawiciele europejskiej arystokracji, z których wielu zginęło w mrokach dziejów. To postacie nieznane nie tylko przeciętnemu czytelnikowi, ale nawet zawodowemu historykowi. Na przykład Wilhelm de Gisors, który w 1306 roku przeorganizował ponoć Prieuré de Sion w „hermetyczną masonerię". Na liście znajduje się także dziadek Wilhelma, Jean de Gisors, który był jakoby pierwszym niezależnym wielkim mistrzem Prieuré de Sion, objąwszy ten urząd w 1188 roku, po ścięciu wiązu w Gisors i oddzieleniu się zakonu od templariuszy. Nie ma wątpliwości, że Jean de Gisors żył naprawdę. Urodził się w 1133 roku, zmarł zaś w 1220. Wspominają o nim ówczesne dokumenty; przynajmniej nominalnie był panem owej fortecy w Normandii, pod której murami tradycyjnie dochodziło do spotkań królów Anglii i Francji, niedaleko której w 1188 roku ścięto wiąz. Wydaje się, że Jean de Gisors był niezwykle potężnym i bogatym feudałem, do 1193 roku wasalem angielskiego króla.

Wiadomo również, że miał dobra w Anglii – posiadłości w Sussex i dworzyszcze Titchfield w Hampshire[9]. Według *Tajnych akt* w 1169 roku spotkał się w Gisors w niewiadomym celu z Thomasem Becketem. Udało się nam potwierdzić, że Becket rzeczywiście był w 1169 roku w Gisors[10], jest więc całkiem prawdopodobne, że spotkał się z panem tej twierdzy. Niezbitego dowodu jednak nie znaleźliśmy.

Na temat Jeana de Gisors nie udało nam się zatem znaleźć nic oprócz kilku drobnych szczegółów. Historia notuje jedynie jego tytuł i nazwisko. Nie wiadomo, kim naprawdę był i co takiego zrobił, że zasłużył na tytuł wielkiego mistrza Prieuré de Sion. Zastanawialiśmy się, w jakim celu ktoś umieścił go na fałszywej, jak podejrzewaliśmy, liście, i doszliśmy do wniosku, że jest tylko jedno możliwe wyjaśnienie. Podobnie jak w wypadku innych arystokratycznych rodów, nazwisko Jeana de Gisors pojawiało się na rozłożystych drzewach genealogicznych w pozostałych „dokumentach klasztornych". Wszystko wskazywało na to, że razem z innymi nieznanymi nam baronami należał do rodzin wywodzących się z tej samej linii, która być może miała swój początek w dynastii Merowingów. Sądziliśmy, że Prieuré de Sion przynajmniej do pewnego stopnia był „sprawą rodzinną", w jakiś sposób ściśle związaną z określoną linią rodową. I to prawdopodobnie z racji tego związku na liście wielkich mistrzów znalazło się wiele arystokratycznych nazwisk.

Z przedstawionej powyżej listy wynikałoby, że władza wielkiego mistrza trafiała na przemian w ręce dwóch różnych grup ludzi. Jedna to postaci wielkiego formatu, które swą działalnością na polu sztuki, nauki czy wiedzy tajemnej wywarły wpływ na cywilizację zachodnioeuropejską. Druga to reprezentanci skoligaconych ze sobą domów szlacheckich, czasem nawet królewskich. Właśnie to osobliwe zestawienie czyniło listę prawdopodobną. Jeśli ktoś chciałby „spreparować" rodowód zakonu, nie musiałby zamieszczać w tym rodowodzie nazwisk zupełnie zapomnianych arystokratów. Nie miałby powodu sięgać po nazwiska takich ludzi jak choćby Karol Lotaryński – szwagier cesarzowej Austrii Marii Teresy, a zarazem marszałek polny, który był bardzo marnym wodzem i raz po raz brał cięgi na polu bitwy od Fryderyka Wielkiego.

Przynajmniej pod tym względem informacje Prieuré de Sion wzbudzały zaufanie. Zakon nie twierdził, że przez wieki przewodzili mu urodzeni geniusze, nadludzie, oświeceni mistrzowie, święci czy nieśmiertelni. Wprost przeciwnie, przyznawał, że wśród jego przywódców byli również ludzie omylni.

---

[9] Loyd *Origins of some Anglo-Norman Families*, s. 45 i nast., oraz Powicke *Loss of Normandy*, s. 340.
[10] Roger de Hoveden *Annals*..., t.1, s. 322.

Lista wielkich mistrzów była przekrojem całej ludzkości – znalazło się na niej paru geniuszy, paru dostojników, paru zwykłych śmiertelników, parę miernot, a nawet paru głupców.

Jeśli lista została sfałszowana, dlaczego znalazło się na niej tak wiele różnych postaci? Nie potrafiliśmy odpowiedzieć na to pytanie. Przecież gdyby ktoś chciał sfabrykować spis wielkich mistrzów, dlaczego nie umieścił w nim tylko wielkich nazwisk? Jeśli komuś zależało na spreparowaniu rodowodu, który obejmuje Leonarda da Vinci, Newtona i Wiktora Hugo, dlaczego zamiast tak nieznanych postaci, jak Edouard de Bar czy Maksymilian Lotaryński, nie umieścił w nim również Dantego, Michała Anioła, Goethego i Tołstoja? Poza tym, dlaczego lista zawiera aż tak dużo maluczkich? Dlaczego figuruje na niej taki pomniejszy pisarz jak Charles Nodier, a nie ma współczesnych mu olbrzymów, takich jak Byron czy Puszkin? Dlaczego jest taki ekscentryk jak Cocteau, a nie ma ludzi cieszących się ogromnym uznaniem na całym świecie, jak André Gide czy Albert Camus? I w końcu dlaczego na liście nie ma Poussina oraz innych, których związek z zagadką Rennes-le-Château nie pozostawia żadnej wątpliwości? Pytania te nie dawały nam spokoju. Wszystko przemawiało za tym, aby potraktować dokument poważnie i nie odrzucać go z góry jako falsyfikat.

Postanowiliśmy wobec tego dokładnie zbadać życiorysy rzekomych wielkich mistrzów – ich działalność i osiągnięcia – i przy każdym odpowiedzieć na następujące pytania:

1. Czy istniał związek między rzekomym wielkim mistrzem a jego bezpośrednim poprzednikiem i bezpośrednim następcą?
2. Czy wielkiego mistrza łączyły więzy krwi – lub powiązania innego rodzaju – z rodami, które pojawiają się na drzewach genealogicznych w „dokumentach klasztornych", to znaczy rodami pochodzącymi rzekomo od Merowingów, szczególnie zaś z książęcym domem Lotaryngii?
3. Czy łączyło coś wielkiego mistrza z Rennes-le-Château, Gisors, Stenay, Saint-Sulpice czy z jakimkolwiek innym miejscem, którego nazwa przewijała się w badaniach?
4. Czy każdy wielki mistrz zajmował się wiedzą hermetyczną lub też działał w tajnych stowarzyszeniach, skoro Sion określił się jako „hermetyczna masoneria"?

Niełatwo było zebrać jakiekolwiek informacje o mistrzach żyjących przed wiekiem XV, natomiast badania nad późniejszymi przywódcami przyniosły nadzwyczajne efekty, ukazując przy tym pewne zaskakujące prawidłowości. Prawie każdy z nich był w taki czy inny sposób związany z co najmniej jedną z miejscowości, które odgrywały rolę w całej zagadce. Większość miała także powiązania z książętami Lotaryngii – łączyły ich z nimi więzy krwi lub też związki innego rodzaju. Na przykład Robert Fludd był wychowawcą synów księcia Lotaryngii. Wszyscy kolejni wielcy mistrzowie, od Nicolasa Flamela począwszy, zajmowali się wiedzą hermetyczną, często też mieli coś wspólnego z tajnymi stowarzyszeniami – nawet ci, których nikt nie podejrzewałby o to, jak Boyle czy Newton. Każdy z rzekomych mistrzów, z jednym tylko wyjątkiem, znał swego poprzednika i następcę lub też miał wspólnych przyjaciół.

Opus Dei w Stanach Zjednoczonych

KS. JAMES MARTIN (TOWARZYSTWO JEZUSOWE)

Ks. James Martin z Towarzystwa Jezusowego, duchowny z kościoła św. Ignacego Loyoli na Manhattanie, współredaguje magazyn katolicki „America". Jego artykuł *Opus Dei in the United States* (Opus Dei w Stanach Zjednoczonych) ukazał się w „America" 25 lutego 1995 roku. Choć został napisany prawie 10 lat temu, pozostaje najlepszą i najbardziej wyważoną publikacją na temat Opus Dei – organizacji, do której należy powołany do życia przez Dana Browna Sylas, mnich albinos i zabójca.

Opus Dei to obecnie najbardziej kontrowersyjna grupa w Kościele katolickim. Zdaniem jej członków jest Dziełem Bożym, stworzonym pod Bożym natchnieniem przez błogosławionego Josemaríę Escrivę, który kontynuował dzieło Chrystusa, zachęcając wiernych, by ich codzienne życie było dążeniem do świętości. W oczach przeciwników to potężna, a nawet niebezpieczna organizacja przypominająca sektę, która skrycie i za pomocą manipulacji realizuje swój program. Jednocześnie wielu katolików przyznaje, że mało wie o tej wpływowej grupie.

Ten artykuł, będący spojrzeniem na działalność Opus Dei w Stanach Zjednoczonych, powstał na podstawie materiałów opublikowanych przez Opus Dei i krytyków tej organizacji, wywiadów z obecnymi i byłymi członkami Opus Dei, duchownymi, osobami świeckimi, duszpasterzami środowisk akademickich, studentami oraz dziennikarzami, którzy zetknęli się z Opus Dei w Stanach Zjednoczonych.

Podstawowe informacje

Rozważania na temat Opus Dei należy zacząć od osoby Josemaríi Escrivy de Balaguera. Według publikacji Opus Dei 2 października 1928 roku, gdy ów hiszpański ksiądz przebywał w samotności (działo się to w Madrycie), „nagle, kiedy biły dzwony w pobliskim kościele, stało się jasne: Bóg ukazał mu Opus Dei". Monsignor Escrivá, nieodmiennie nazywany przez członków organizacji Założycielem, wyobrażał sobie Opus Dei jako instytucję zachęcającą osoby świeckie do dążenia do świętości bez zmiany ich pozycji społecznej czy zawodu. Obecnie Opus Dei widzi swoją działalność jako zgodną z duchem drugiego soboru watykańskiego i jego nowym podejściem do laikatu.

Informacje o życiu duchowym wspólnoty można znaleźć w szeregu prac Escrivy de Balaguera, zwłaszcza w jego książce *Droga* z roku 1939*, zbioru 999 maksym, od tradycyjnych sentencji chrześcijańskich („Modlitwa chrześcijanina nigdy nie jest monologiem") do powiedzeń takich jak „Nie odkładaj do jutra tego, co możesz zrobić dziś".

Wspólnota szybko rozrosła się i objęła inne kraje europejskie. W roku 1950 Stolica Apostolska zatwierdziła Opus Dei jako pierwszy „katolicki instytut świecki". W ciągu następnych 20 lat Dzieło, jak nazywają organizację jej członkowie, podjęło działalność w Ameryce Łacińskiej i Stanach Zjednoczonych.

W roku 1982 papież Jan Paweł II nadał Opus Dei status „prałatury personalnej". Ten kanoniczny termin oznacza, że jurysdykcją kościelną objęte są osoby należące do Opus Dei, a nie określony region. Innymi słowy, w aspekcie prawnym organizacja funkcjonuje podobnie jak zakon, bez ograniczeń terytorialnych. To wyróżnienie – Opus Dei jest jedyną prałaturą personalną w Kościele – świadczy o wysokim uznaniu, jakim cieszy się organizacja u papieża Jana Pawła II i w kręgach watykańskich. Jej przeciwnicy pytają jednak, po co organizacji rzekomo świeckiej taki status. Opus Dei ma obecnie 77 000 członków (w tym 1500 księży i 15 biskupów) w 80 krajach.

Następny dowód uznania dla organizacji Watykan dał w roku 1992, gdy Escrivá de Balaguer został beatyfikowany podczas uroczystości na placu Świętego Piotra w obecności 300 000 jego zwolenników. Beatyfikacja zaledwie kilkanaście lat po jego śmierci w roku 1975 – przez co „wyprzedził" takie znaczące postaci jak papież Jan XXIII – wydaje się co najmniej kontrowersyjna. „Przedwczesna świętość dla założyciela wpływowej grupy katolickiej?" – pytał w nagłówku „The New York Times" w styczniu 1992 roku. Inne pisma także zawierały krytyczne

* Wydanej w Polsce w 1982 roku.

wypowiedzi. „London Spectator" opublikował wywiady z byłymi bliskimi współpracownikami Balaguera, którzy zarzucili mu zachowanie dalekie od świętości. „Był niezwykle gwałtowny – powiedział jeden z nich – i popierał nazistów. Ale o tym się nie mówi".

Opus Dei w Stanach Zjednoczonych

Ponad 3000 obywateli Stanów Zjednoczonych należy do Opus Dei. Organizacja ma 64 ośrodki mieszkalne – oddzielne dla mężczyzn i kobiet – w 17 miastach (...). W typowym ośrodku są miejsca dla 10 do 15 osób. Opus Dei sponsoruje też domy opieki dla małżeństw katolickich, pomoc dla ubogich i edukację dzieci w południowym Bronksie (...).

Wobec coraz bardziej widocznej obecności Opus Dei w tym kraju, skontaktowałem się z każdym z siedmiu kardynałów amerykańskich i jednym arcybiskupem, prosząc ich o komentarz. Miałem nadzieję, że w ten sposób poznam opinię władz amerykańskiego Kościoła katolickiego na temat Opus Dei. Jednak większość moich rozmówców powiedziała, że za mało wie o tej organizacji albo że nie ma z nią kontaktu, choć Opus Dei jest aktywne niemal w każdej dużej archidiecezji w Stanach.

Tajemniczość a prywatność

W rzadko której wypowiedzi na temat Opus Dei nie pojawia się wzmianka o jej rzekomej tajemniczości. („Papież beatyfikuje założyciela tajemniczej konserwatywnej grupy" – napisał w nagłówku „The New York Times" w roku 1992). Istotnie, niewielu członków Opus Dei to osoby publiczne. Do takich należy Joaquin Navárro-Valls, rzecznik prasowy Watykanu. O większości nic nie wiadomo. Krytycy wskazują również, że większość organizacji wchodzących w skład Opus Dei nie określa wyraźnie swojego z nim związku.

Opus Dei zaprzecza oskarżeniom o tajemniczość. „To nie tajemniczość", mówi dyrektor do spraw kontaktów zewnętrznych, Bill Schmitt. „Tylko ochrona prywatności. A to różnica". Pan Schmitt nazywa członkostwo w Opus Dei sprawą prywatną, osobistym związkiem z Bogiem. Członkowie nie ukrywają przynależności do wspólnoty przed swoimi rodzinami, znajomymi, sąsiadami, kolegami w pracy. Nawet Escrivá powiedział w wywiadzie w roku 1967: „Członkowie nie znoszą tajemnicy".

Ale większości krytyków nie obchodzi, czy członkowie przyznają się publicznie do związków z Opus Dei, czy nie (...). Mówiąc o „tajemniczości", mają na myśli swoje bezskuteczne próby zdobycia informacji o działalności i praktykach Opus Dei.

W czasie moich badań spotkałem się z takim problemem bodaj raz. Poprosiłem Billa Schmitta o egzemplarz reguły Opus Dei, sądząc, że po jej przeczytaniu lepiej zrozumiem organizację i łatwiej odrzucę błędne opinie. Dał mi egzemplarz z roku 1982, ale po łacinie – w dodatku w specyficznej łacinie kościelnej. Zapytany, czy mógłbym dostać statut po angielsku, powiedział, że przekład nie istnieje. Wyjaśnił, że Opus Dei nie miała czasu na przetłumaczenie tego tekstu. Wydało mi się to dziwne, skoro regulamin powstał 12 lat wcześniej, a *Drogę* wydano w 38 językach.

„To dokument kościelny – powiedział Schmitt – nie jest naszą własnością. Stolica Apostolska chce, żeby był po łacinie". (...) Więc jak, w takim razie, angielskojęzyczni członkowie mogą się zapoznać z regułą własnej organizacji? Odrzekł, że dogłębnie studiują jej treść: „Dla nich wszystko powinno być jasne".

Wciąż nie byłem przekonany, więc zadałem pytanie jeszcze raz, lecz dostałem taką samą odpowiedź: „Dokument należy do Stolicy Apostolskiej, a Stolica Apostolska nie chce, żeby był przetłumaczony. Na pewno jest jakiś powód".

Zasięgnąłem opinii trzech ekspertów od prawa kanonicznego. Jeden z nich odrzekł: „Własność Stolicy Apostolskiej? Nigdy nie słyszałem o czymś takim". Drugi ekspert, John Martin z Towarzystwa Jezusowego, wykładowca prawa kanonicznego w Regis College w Toronto, zauważył, że zakony i stowarzyszenia świeckie publikują swoje reguły w miejscowych językach i, o ile wie, „nie ma kościelnego zakazu tłumaczenia dokumentów zakonnych". (...) Zatem okazuje się, że to nie Stolica Apostolska, lecz Opus Dei nie dopuszcza do przetłumaczenia statutu.

Dwudziestoczteroletnia Ann Schweninger była członkinią Opus Dei. Mieszka teraz w Columbus w stanie Ohio i pracuje w tamtejszej diecezji. Kiedy opowiedziałam jej o moich problemach, nie okazała zdumienia. „Opus Dei działa według własnych reguł – wyjaśniła. – Jeśli nie chcą czegoś ujawnić, nie udostępniają tego". Powiedziała też: „Nigdy nie pokazali mi statutu. Był nieosiągalny. Wspominano o nim, ale nie omawiano go". Panna Schweninger dodała, że jedynym dostępnym oficjalnym dokumentem jest katechizm Opus Dei, który nawet członkowie mogą czytać tylko za zgodą dyrektora ośrodka. „Jest trzymany pod kluczem". Wspomniała też, że podczas katechezy zachęcano ją do szyfrowania notatek, żeby niewtajemniczeni nie mogli ich odczytać.

Instytucja świecka

W skład Opus Dei wchodzą zaangażowani, energiczni katolicy wykonujący różne obowiązki, a także grono księży, członków etatowych i nieetatowych, współpracowników, osób stowarzyszonych, dyrektorów i administratorów. Opus Dei nazywa różne rodzaje członkostwa różnymi poziomami powołania. Krytycy twierdzą, że przez nacisk Opus Dei na zachowanie hierarchii, celibat i posłuszeństwo organizacja ta naśladuje życie zakonne, jedynie udając świecką (...).

Członkowie etatowi (w przybliżeniu 20% ogółu) to osoby stanu wolnego, które ślubowały celibat i mieszkają w ośrodkach. Oddają Opus Dei swoje dochody i dostają pensję na osobiste wydatki. Trzymają się „planu życia", codziennego rozkładu zajęć, który obejmuje mszę, czytanie książki do nabożeństwa, indywidualną modlitwę i – w części przypadków – umartwianie ciała. Uczestniczą też w letnich kursach Opus Dei. Co roku składają ustną przysięgę Opus Dei, po 5 latach przysięgają „wierność" na całe życie. Istnieją oddzielne ośrodki dla mężczyzn i kobiet. Każdym zarządza kierownik. Mężczyzn zachęca się, by rozważyli przyjęcie święceń kapłańskich. Po 10 latach nauki ci, którzy czują powołanie, są wysyłani do seminarium Opus Dei w Rzymie – rzymskiego Kolegium Świętego Krzyża.

Większość członków to żonaci mężczyźni i zamężne kobiety. Członkowie nieetatowi wspierają Opus Dei finansowo i czasami pomagają w jego działalności, na przykład ucząc w szkołach. Stowarzyszeni – osoby samotne, „mniej osiągalne" – mieszkają u siebie z powodu swoich obowiązków, na przykład opieki nad rodzicami w podeszłym wieku. Współpracownicy nie są członkami w ścisłym znaczeniu tego słowa, gdyż „nie mają jeszcze powołania". Ich wkład to praca, pomoc finansowa i modlitwa (...).

Według relacji dwóch byłych członków etatowych, od kobiet – członkiń etatowych wymaga się, żeby sprzątały w ośrodkach dla mężczyzn i gotowały dla nich. Kiedy kobiety przychodzą, mężczyźni opuszczają ośrodek, żeby się z nimi nie stykać. Zapytałem Billa Schmitta, czy dla kobiet stanowi to jakiś problem. „Absolutnie nie". Ta płatna praca dla „rodziny" Opus Dei jest uważana za apostolstwo (...). „To nieprawda – powiedziała Ann Schweninger. – Nie miałam wyboru. W Opus Dei prośba to rozkaz" (...).

Zarzucając szeroką sieć

Z najcięższą krytyką spotyka się sposób, w jaki Opus Dei przyciąga nowych członków (...). Pewien mężczyzna, który na początku lat 80. studiował w Columbia University, prosząc, bym nie ujawniał jego nazwiska, opisał mi przebieg werbunku do Opus Dei. „Kazali komuś zaprzyjaźnić się ze mną" – powiedział wprost. Pewnego dnia po mszy podszedł do niego inny student. Wkrótce zostali dobrymi kolegami. W końcu zaproszono go do Riverside Study Center niedaleko kampusu. Nie wiedział, co to za miejsce: „Myślałem, że ten ośrodek to studencki klub dyskusyjny czy coś w tym rodzaju". Po kolacji krótką przemowę wygłosił ksiądz, a mojemu rozmówcy zaproponowano wstąpienie do „koła", które opisał jako rodzaj nieformalnej grupy wiernych. Wkrótce potem ktoś z Opus Dei zasugerował mu, żeby wybrał któregoś księdza z ośrodka na swojego przewodnika duchowego.

Mężczyzna, który wówczas już regularnie spotykał się z grupą, postanowił przeprowadzić własne śledztwo. Po rozmowie z kilkoma duchownymi i profesorami na Columbia University był zaskoczony tym, jak mało w rzeczywistości wie: „Nic nie wiedziałem o obowiązku tajemnicy, członkach etatowych i nieetatowych, o żadnej z tych spraw. Nie miałem pojęcia, że członkowie ślubują celibat. Zdenerwowałem się, bo pomyślałem, że nie powiedzieli mi szczerze i otwarcie, kim są. Byłem oburzony".

Na następnym spotkaniu koła zapytał o kilka problemów, które go nurtowały – na przykład o obecność kobiet i przedstawicieli etnicznych mniejszości w Opus Dei. „Nie odpowiedzieli mi i poprosili, żebym więcej nie przychodził – opowiadał. – Mój kolega już nigdy się do mnie nie odezwał. Zupełnie się odciął".

Zdaniem dwóch byłych członkiń etatowych, gdyby ten mężczyzna został w grupie, musiałby się zdecydować na wstąpienie do Opus Dei. Tammy DiNicola tak wspomina swoje doświadczenia: „Zaaranżowali moment przełomowy mojego powołania. Wtedy nie zdawałam sobie sprawy, że było to zainscenizowane, ale to normalna praktyka. Osoba, która nad tobą pracuje, konsultuje się z kierownikiem ośrodka i razem decydują, kiedy najlepiej podsunąć nowicjuszowi propozycję członkostwa".

„Członkowie Opus Dei dokładnie planują twój moment przełomowy! – wyjaśniła Ann Schweninger. – Wszystko jest opracowane. Mówią ci, że musisz podjąć decyzję teraz, że Bóg puka do drzwi, że musisz mieć siłę i hart ducha, żeby powiedzieć: tak". Tammy DiNicola usłyszała, że to jej jedyna szansa. „Twierdzą, że taka okazja już się nie powtórzy – jeśli z niej nie skorzystasz, do końca życia nie zaznasz łaski boskiej".

Opus Dei widzi to inaczej. Podkreśla, że wstąpienie do organizacji jest dobrowolne. „Nie ma werbunku do Opus Dei" – twierdzi Bill Schmitt.

A jednak nawet Balaguer kładł nacisk na werbunek. W roku 1971 Escrivá napisał w międzynarodowym magazynie „Cronica": „Święty przymus jest konieczny, *compelle intrare*, mówi nam Pan". I dalej: „Musicie być gotowi umrzeć za nawracanie".

Ann Schweninger powiedziała, że to pokrywa się z jej doświadczeniami: „Będąc członkiem, w każdej chwili werbujesz nowych ludzi".

Na kampusach

Opus Dei prowadzi coraz aktywniejszą działalność na kampusach amerykańskich uczelni. Starając się pozyskać nowych członków, tradycyjnie już kieruje uwagę na college'e i uniwersytety. Czasami dochodzi do konfliktów.

Donald R. McCrabb jest wiceprzewodniczącym stowarzyszenia duszpasterzy katolickich środowisk akademickich (CCMA), organizacji zrzeszającej 1000 spośród 1800 amerykańskich kapelanów katolickich. Co słyszał na temat Opus Dei od członków swojego stowarzyszenia? „Wiem, że Opus Dei jest obecna w szeregu kampusów w całym kraju. Wiem też, że niektórzy duszpasterze w kampusach uważają to zjawisko za niepożądane". Jedną z jego trosk jest werbunek do Opus Dei, który wspierają najwyraźniej duże fundusze. „[Członkowie Opus Dei] nie biorą na siebie większej odpowiedzialności, niż spoczywa na kapelanie kampusu". Ma też inne zmartwienia: „Słyszałem od naszych duszpasterzy, że każdemu kandydatowi przydziela się przewodnika duchowego, który może czytać jego listy, decydować, na jakie wykłady ma chodzić i jakie książki czytać".

Były student Columbia University potwierdza: „Zalecali, żebym nie czytał pewnych książek, zwłaszcza Marksa, tylko streszczenia. Dziwiłem się temu – przecież to były moje lektury!"

Przełożony duszpasterzy akademickich na Stanford University w latach 1984–1992, Russell J. Roide z Towarzystwa Jezusowego, początkowo podchodził do Opus Dei bez uprzedzeń. Ale studenci zgłaszali się do niego ze skargami, że są werbowani: „Opus Dei po prostu nie dawało im spokoju. Studenci prosili, żeby ich od tego uwolnić". Uznał, że najlepszym wyjściem będzie przekazywanie studentom informacji o Opus Dei, również krytycznych artykułów prasowych. W odpowiedzi pracownicy etatowi Opus Dei złożyli ojcu Roide wizytę i zarzucili mu, że „ingeruje w ich program". W końcu, wobec ciągłych skarg studentów, postanowił nie dopuszczać członków organizacji w pobliże kampusu. Teraz opisuje ich jako „przebiegłych oszustów".

Sieć Świadomości Opus Dei

Dianne DiNicola, matka Tammy DiNicoli, wie niemało na temat Opus Dei dlatego w roku 1991 założyła Opus Dei Awareness Network (Sieć Świadomości Opus Dei), grupę wsparcia dla rodziców, których dzieci należą do Opus Dei.

Kilka lat temu pani DiNicola zauważyła, że Tammy – wówczas studentka Boston College – „przechodzi jakąś zmianę osobowości". Według słów pani DiNicoli, jej córka stała się „oziębła i skryta". Inaczej niż zawsze, nie chciała spędzać czasu z rodziną.

Kiedy Tammy napisała w liście, że już nie wróci do domu, pani DiNicola zaniepokoiła się jeszcze bardziej. W końcu dowiedziała się, że córka wstąpiła do Opus Dei jako członek etatowy i mieszka w jednym z ośrodków organizacji w Bostonie. „Nasza córka – wspomina DiNicole – zupełnie się od nas odizolowała. Trudno opisać, co wtedy przeżywaliśmy. Próbowaliśmy utrzymywać z nią kontakt, ale zachowywała się jak ktoś obcy".

Pani DiNicola początkowo starała się pogodzić z decyzją córki. Spotkała się z przedstawicielami Opus Dei i diecezji, żeby uzyskać więcej informacji: „Nie chciałam mieć uprzedzeń do Opus Dei. Kocham moją wiarę, a Opus Dei to nie jakaś egzotyczna sekta, tylko część Kościoła katolickiego". Pani DiNicola odniosła jednak wrażenie, że Kościół albo nie może, albo nie chce jej pomóc.

W roku 1990 państwo DiNicola, zwróciwszy się wcześniej do specjalisty, poprosili Tammy, żeby przyjechała do domu na uroczystość wręczenia dyplomu wyższej uczelni. Później dowiedzieli się, że byłby to jej ostatni pobyt w domu, gdyż kazano jej zerwać wszystkie kontakty z rodziną. Pani DiNicola i Tammy powiedziały mi, że rozmowa ze specjalistą pozwoliła Tammy po raz pierwszy spojrzeć krytycznie na Opus Dei.

Po trwającej dobę sesji ze specjalistą Tammy zdecydowała się odejść z Opus Dei (...). „Miałam zamęt w głowie", wspomina 26-letnia teraz Tammy. Mówi, że w Opus Dei „wyłączono" jej wszystkie uczucia i po odejściu doznała ich nagłego przypływu. Pani DiNicola kieruje teraz Siecią Świadomości Opus Dei (ODAN), dzięki której, według jej słów, może oszczędzić innym takiego bólu, jakiego doznała jej rodzina.

Działalność Opus Dei jest alarmująca dla ODAN, a ODAN stała się obiektem krytyki Opus Dei.

„Chcę podkreślić, że nikomu nie zabraniamy rozmawiać z rodzicami – powiedział mi Bill Schmitt. – Proszę pamiętać, że niektórzy rodzice nie akceptują wiary lub mieli »inne plany« wobec swoich synów czy córek. Nie muszę chyba zaznaczać, że metody stosowane przez tych ludzi są wysoce niewłaściwe. Ale nie drążymy tej sprawy".

Pani DiNicola odpowiada, że byłaby bezradna, gdyby jej córka zdecydowała się zostać w Opus Dei: „Na pewno nie powstrzymywalibyśmy jej siłą".

Jeden z pracowników etatowych ośrodka w Riverside mówi, że słysząc o ODAN, czuje, jak krew wrze w nim z wściekłości: „Stolica Apostolska uznaje naszą działalność! Nie jesteśmy sektą. Wobec tych ludzi [których przekonano, żeby odeszli] użyto przymusu. Modlimy się za nich, oczywiście. Ale wokół takich spraw narasta mnóstwo nieporozumień, a rodzice zaczynają zachowywać się irracjonalnie".

„To było dla mnie bardzo trudne – wspomina pani DiNicola. – Teraz próbuję ich usprawiedliwić. Jak coś takiego może się dziać w Kościele katolickim? Opus Dei aprobuje papież, Escrivá został beatyfikowany, a jednocześnie ta organizacja niszczy rodziny. Trudno się z tym pogodzić".

Reakcja Opus Dei na *Kod Leonarda da Vinci*

STANOWISKO PRAŁATURY OPUS DEI W STANACH ZJEDNOCZONYCH
Fragmenty tekstu *The Da Vinci Code, the Catholic Church and Opus Dei: A Response to The Da Vinci Code from the Prelature of Opus Dei in the United States* (Kod Leonarda da Vinci, Kościół katolicki i Opus Dei: odpowiedź prałatury Opus Dei w Stanach Zjednoczonych na Kod Leonarda da Vinci). Copyright © 2004 by Information Office of Opus Dei, www.opusdei.org. Opus Dei zareagowało na krzywdzącą, zdaniem członków tej organizacji, charakterystykę jego przekonań i działalności w *Kodzie Leonarda da Vinci*, zamieszczając na swojej stronie internetowej niebywale długą i szczegółową listę najczęściej zadawanych pytań i odpowiedzi, czyli FAQ (*Frequently Asked Questions*). Organizacja twierdzi, że została opisana „dziwacznie" i „niedokładnie", i ustosunkowuje się do wielu opinii wykreowanych przez powieść. Poniżej publikujemy dwa pytania i dwie odpowiedzi oraz dostarczone przez Opus Dei opinie przedstawicieli Kościoła katolickiego. Pełny tekst FAQ jest dostępny na stronie internetowej Opus Dei: www.opusdei.org.

Czy opis Opus Dei jest – jak twierdzi Dan Brown w Kodzie Leonarda da Vinci *– „sektą katolicką"?*

Kod Leonarda da Vinci fałszywie opisuje Opus Dei jako sektę katolicką. Zawsze w pełni było ono i pozostaje częścią Kościoła katolickiego. Opus Dei po raz pierwszy zostało oficjalnie zatwierdzone przez biskupa Madrytu w roku 1941, a w roku 1947 przez Stolicę Apostolską. Potem, w roku 1982, Stolica Apostolska nadała Opus Dei status prałatury personalnej, dzięki czemu znalazło się ono w strukturze organizacyjnej Kościoła. (Inne jednostki organizacyjne Kościoła to na przykład diecezje i ordynariaty). Jedną z cech wyróżniających Opus Dei jest wierność naukom papieża i Kościoła. Wszystkie przekonania, praktyki i zwyczaje Opus Dei są zgodne z doktryną Kościoła. Opus Dei ma również doskonałe stosunki z wszystkimi innymi instytucjami Kościoła katolickiego i uważa wielką różnorodność sposobów wyrażania wiary katolickiej za wspaniałą rzecz. Nazywanie Opus Dei sektą jest po prostu niewłaściwe.

Kardynał Christoph Schönborn: Nie trzeba kończyć studiów teologicznych, żeby zauważyć podstawową sprzeczność w określeniu „sekta wewnątrz Kościoła". Przypuszczenie, że w Kościele istnieją sekty, jest pośrednim zarzutem wobec papieża i biskupów, którzy mają obowiązek ustalać, czy nauki i praktyki grup wyznaniowych zgadzają się z nauką Kościoła. Z teologicznego i kościelnego punktu widzenia grupę uważa się za sektę, jeśli nie zostanie uznana przez odpowiednie władze Kościoła (...). Błędne jest więc, gdy wspólnoty zatwierdzone przez Kościół są określane jako sekty (przez instytucje, osoby czy media) (...). Wspólnoty i ruchy zatwierdzone przez Kościół nie powinny być w żadnym wypadku nazywane sektami, gdyż kościelna aprobata potwierdza i uzasadnia ich przynależność do Kościoła. („L'Osservatore Romano", 13/20 sierpnia 1997). [Kardynał Schönborn jest arcybiskupem Wiednia i redaktorem *Katechizmu Kościoła katolickiego*].

Papież Jan Paweł II: Kościół z wielką nadzieją kieruje swą macierzyńską troskę i myśl na Opus Dei, które, pod wpływem natchnienia Bożego, założył w Madrycie w dniu 2 października 1928 roku sługa Boży Josemaría Escrivá de Balaguer, aby się stało mocnym i skutecznym narzędziem zbawczego posłannictwa Kościoła dla życia świata. Instytucja ta od swoich początków usilnie stara się o to, aby nie tylko jasno określić powołanie świeckich, lecz również zrealizować je w praktyce (...) (*Konstytucja Apostolska Ut Sit*, 28 listopada 1982)*.

Czy Opus Dei zachęca do praktyk umartwiania ciała, które opisane zostały w Kodzie Leonarda da Vinci*?*

* Cytat z treści konstytucji, zamieszczonej na stronie: www.niedziela.pl/dp.php?doc-dpkon.05.xml.

Jako część Kościoła katolickiego, Opus Dei stosuje się do jego nauk, także do tych, które mówią o wyrzeczeniach i pokucie. Kościół naucza, że należy umartwiać ciało, gdyż Jezus Chrystus, z miłości do rodzaju ludzkiego, świadomie wybrał cierpienie i śmierć (podczas Męki Pańskiej), by zbawić świat od grzechu. Chrześcijanie są zobowiązani do gorliwego naśladowania wielkiej miłości Jezusa i do towarzyszenia mu również w cierpieniu. Są zobowiązani do „umierania dla siebie". Kościół nakazuje pewne wyrzeczenia w okresie Wielkiego Tygodnia – umartwianie ciała w formie postu i powstrzymywania się od jedzenia mięsa. Niektóre postaci w historii czuły się zobowiązane do większych poświęceń, jak częsty post, noszenie włosiennicy czy biczowanie, i wiele z nich Kościół uznaje za wzorce świętości, jak św. Franciszka z Asyżu, św. Teresę z Avila, św. Ignacego Loyolę, św. Thomasa More'a, św. Franciszka Salezego, św. Jana Vianneya i św. Teresę z Lisieux. Członkowie Opus Dei praktykują umartwianie ciała, ale kładą większy nacisk na codzienne wyrzeczenia niż na wielkie poświęcenia. Nie odpowiada to fałszywemu i przesadnemu opisowi w *Kodzie Leonarda da Vinci*.

New Catholic Encyclopedia (2003): Umartwianie ciała: świadome powstrzymywanie naturalnych odruchów w akcie posłuszeństwa kanonom wiary, prowadzące stopniowo do oczyszczenia duszy. Jezus Chrystus wymaga takiego wyrzeczenia od każdego, kto chce za Nim podążać (Łk 9,29). Umartwianie lub (jak nazywa to św. Paweł) ukrzyżowanie ciała, wraz z jego lubieżnością i skłonnością do występku (Ga 5,24), wyróżnia tych, którzy są z Chrystusem. Wszyscy zgadzają się, że umartwianie ciała jest konieczne do zbawienia, gdyż otaczający świat, ciało i szatan tak silnie nakłaniają człowieka do zła, iż musi to prowadzić do ciężkiego grzechu. Kto chce uratować swą duszę, musi przynajmniej unikać okazji do popełnienia śmiertelnego grzechu. Ucieczką od takiej okazji jest umartwianie ciała.

Papież Paweł VI: Żal za grzechy nie może jednak nigdy być szczery bez ascezy (...). Konieczność umartwiania ciała staje się jasna, gdy zważymy ułomność naszej natury, w której, od czasu grzechu pierworodnego, ciało i dusza mają przeciwstawne pragnienia. Praktyka umartwiania cielesnego – daleka od jakiejkolwiek formy stoicyzmu – nie oznacza potępiania ciała, które w swej łasce zechciał przyjąć Syn Boży. Wręcz odwrotnie – celem umartwiania ciała jest „wyzwolenie" człowieka (List apostolski *Paenitemini*, 17 lutego 1966).

Część III

Tajne kody

7. Tajemnica kodów

Nie ma bowiem nic ukrytego, co by nie miało być ujawnione,
ani nic tajemnego, co by nie było poznane i na jaw nie wyszło.

Ewangelia według św. Łukasza 8,17

W filmie z 1997 roku, zatytułowanym *Teoria spisku*, Mel Gibson wciela się w rolę Jerry'ego Fletchera, nowojorskiego taksówkarza-paranoika dręczonego obsesją spisku, który rządzi światem. Jarry wycina z „The New York Times" artykuły zawierające (jego zdaniem) zaszyfrowane informacje o tajnych planach NASA, ONZ, a nawet Olivera Stone'a, których celem jest zniszczenie Ameryki. Niestety, całkiem przypadkowo jedna z teorii Fletchera okazuje się zgodna z prawdą. I – jak w bajce o chłopcu, który bez potrzeby wołał: „Ratunku! Wilk!" – wilki wreszcie ruszają za nim w pogoń.

Ten film ukazuje, jak dalece teorie konspiracji w ogóle, a w szczególności opowieści o sekretnych kodach o groźnym ukrytym znaczeniu, popularne są we współczesnym społeczeństwie. Zwłaszcza amerykańskim. I rzeczywiście, szeroko rozpowszechniona wiara, że – zacytujmy tu Mela Gibsona, nie zaś postać, w którą się wcielił – „istnieje ukryta siła, która zataja istotne fakty i podaje do wiadomości publicznej jedynie niewielką ich część", ma pewne podstawy w rzeczywistości. (Nie, nie! Prosimy nie uważać tych słów za zaszyfrowane przesłanie naszej opinii na temat kontrowersyjnego filmu Mela Gibsona *Pasja*; jest to jedynie subtelna aluzja do świata popularnej kultury).

Ostatecznie rząd amerykański bez wiedzy społeczeństwa brał udział w sprawach takich jak Watergate albo Iran-contras, a Kościół rzeczywiście zatajał coraz liczniejsze dowody molestowania seksualnego nieletnich przez kapłanów. Lista przypadków konspiracji o podłożu politycznym lub sądowniczym, wykrytych i udowodnionych przez docieklìwych dziennikarzy, jest doprawdy zatrważająco długa!

Co się zaś tyczy tajnych kodów, nie trzeba koniecznie wierzyć – jak paranoik Jerry Fletcher czy schizofreniczny geniusz John Nash w *Pięknym umyśle* – że „Life" lub „The New York Times" zamieszczają na swych łamach ukryte przesłania, by wiedzieć, iż wszechobecne i potężne sekretne kody stanowią część naszego codziennego życia. Bez nich machina biznesu i finansów zaczęłaby szwankować, a w końcu zatrzymałaby się z okropnym zgrzytem. Armia i rząd nie byłyby w stanie skutecznie funkcjonować ani bronić państwa przed wrogami. Żaden obywatel nie mógłby dokonywać zakupów ani pobierać gotówki z bankomatów. Kodowanie informacji to dziś temat artykułów wstępnych z pierwszych stron gazet, w których dziennikarze przestrzegają, byśmy chronili przed niepowołanym okiem PIN karty kredytowej albo debatują nad problemem kopiowania płyt z muzyką i filmami.

Gdy dojdzie do szokującego wydarzenia lub masowej tragedii, natychmiast ktoś „spoza głównego nurtu" podaje do publicznej wiadomości tajny szyfr i zapewnia o istnieniu spisku. Najlepszym tego przykładem może być 11 września. Tysiące ludzi wymieniało za pomocą Internetu uwagi na temat tajnych sygnałów i kodów – poczynając od symbolicznej wymowy samej daty: 911 (obowiązujący w całej niemal Ameryce numer alarmowy) do ilustracji na okładkach albumów rockowych oraz scen z filmów, które – w popularnym ultraagresywnym stylu – przedstawiały wysadzane w powietrze domy. Inteligentni z pozoru ludzie argumentowali, że administracja Busha wiedziała, co się wydarzy 11 września, ale – podobnie jak niegdyś Franklin Delano Roosevelt w sprawie ataku na Pearl Harbor – „chciała, by doszło do tragedii, która poderwałaby cały kraj do wojny". Albo twierdzili, że 11 września jest wynikiem „żydowskiego spisku", który miał na celu... miał na celu... No cóż, żadna z osób wyznających ten pogląd nie była w stanie dokończyć tego zdania w sensowny sposób. Ale według zwolenników teorii o tajnych sprzysiężeniach motywy spiskowców są albo irracjonalne, albo pozbawione większego znaczenia. Tak więc, mimo zażartej polemiki i dyskusji, którą wywołał *Kod Leonarda da Vinci*, prawie nikt nie poświęcił chwili na zastanowienie się, jak skrajnie nieprawdopodobne i nielogiczne były przyczyny, dla których Nauczyciel kazał zamordować Saunière'a i innych seneszalów, albo jak zatrważająco nieprawdopodobna jest struktura spisku bazującego na doprawdy obłąkańczym sojuszu najbardziej zaangażowanych poszukiwaczy świętego Graala z najzagorzalszymi przeciwnikami ujawnienia (wątpliwej) prawdy o świętym Graalu.

„Pod koniec tego niezwykle męczącego stulecia – pisał ostatnio „Newsweek" – teoria spiskowa stanowi całkiem wygodny sposób na doszukanie się odrobiny logiki w tym poplątanym świecie. Jest to uniwersalne wyjaśnienie: wszystko wokół nas się rozpada na skutek działań tajnego wroga!"

Społeczeństwo potrzebuje również bohaterów płci obojga – takich jak Robert Langdon i Sophie Neveu. (Zwróćmy uwagę, że stanowią dwie równoprawne połówki męsko-żeńskiej wspólnoty). Tak nieskalanie równorzędny status to prawdziwa rzadkość w tego rodzaju chałturze! Biorąc pod uwagę zalew szalonych i częstokroć sprzecznych ze sobą informacji, które docierają do nas w codziennym życiu, wszyscy chętnie upodobnilibyśmy się do tej pary nadludzi z ery New Age. Langdon i Neveu potrafią domyślić się w mgnieniu oka, co się rzeczywiście dzieje i jakie to ma znaczenie, a potem zadziałać inteligentnie i heroicznie, by – wytężając umysł i ciało – rozwiązać wszystkie problemy i zapobiec nieszczęściu! W tym rozszerzonym do wymiarów powieści poradniku łamania kodów Robert i Sophie kroczą w ślady Tezeusza, Odysa, Mojżesza, Hioba, Jezusa, hobbita Froda, Harry'ego Pottera oraz wielu, wielu swych mitycznych pierwowzorów.

W rozdziale tym prezentujemy wypowiedzi dziennikarki Michelle Delio i profesora Brendana McKaya na temat roli tajnych kodów w historii ludzkości – oraz w *Kodzie Leonarda da Vinci.*

Da Vinci: ojciec kryptografii

MICHELLE DELIO

Zamieszczony tu artykuł jest fragmentem publikacji z czasopisma „Wired", z kwietnia 2003 roku. Michelle Delio wielokrotnie pisywała już na temat kodowania informacji, bezpieczeństwa Internetu, hakerów, prawa do prywatności oraz poruszała inne pokrewne problemy. Poniższy tekst został przedrukowany z „Wired News", www.wired.com.

Osią, wokół której obraca się akcja książki *Kod Leonarda da Vinci*, jest historia kryptografii – rozlicznych metod kodowania, jakie stosowano na przestrzeni wieków, by ustrzec prywatne zapiski przed wzrokiem nieupoważnionych osób. Akcja powieści zaczyna się w chwili, gdy Robert Langdon, symbolog z Harvardu, odbiera w środku nocy pilny telefon: stary kustosz z Luwru został zamordowany na terenie muzeum.

W pobliżu ciała policja znalazła tajemnicze przesłanie. Korzystając z pomocy utalentowanego kryptologa, Langdon rozwiązuje tę zagadkę. Jest to jednak dopiero początek zawikłanego tropu; wskazówki ukryte są w dziełach Leonarda da Vinci. Jeśli Langdon nie zdoła złamać kodu, tajemnica sprzed wieków będzie na zawsze stracona.

Bohaterowie powieści Browna to postacie fikcyjne, autor zapewnia jednak, że „wszystkie opisy dzieł sztuki, obiektów architektonicznych, dokumentów oraz tajnych rytuałów, zamieszczone w powieści, są zgodne z prawdą". Oznajmia również, że zamieścił szczegółowe dane na temat historycznego tła książki na swojej stronie internetowej; sugeruje jednak czytelnikom, by zajrzeli na nią dopiero po przeczytaniu powieści, gdyż niektóre informacje mogą przedwcześnie zdradzić im dalszy bieg akcji i ostateczne rozwiązanie intrygi.

Podczas kampanii reklamowej powieści Browna napomykano tajemniczo, iż książka ta „ujawnia istnienie największego sprzysiężenia ostatnich 2000 lat". Może to i prawda… ale nikt, kto poważnie interesuje się tą tematyką, nie znajdzie w tej książce nic nowego.

Pod jednym względem jednak *Kod Leonarda da Vinci* istotnie zadziwia: w niezwykle błyskotliwy sposób Brown zapoznaje czytelnika z odkryciami w dziedzinie kryptologii, zwłaszcza z metodami kodowania opracowanymi przez Leonarda da Vinci, który w swych dziełach oraz manuskryptach zawarł wiele niejednoznacznych symboli i użył licznych tajemniczych kodów.

Brown, autor wielu poczytnych książek, w których ważne miejsce odgrywają prawo do prywatności oraz rozwój techniki, przedstawia Leonarda da Vinci w zaskakującej perspektywie: jako obrońcę prywatności i pioniera sztuki kodowania. Zamieszczone w powieści opisy urządzeń kryptograficznych Leonarda są wprost fascynujące.

Od zarania dziejów przesyłanie prywatnych (i tajnych) wiadomości stanowiło poważny problem. W czasach Leonarda da Vinci największym zagrożeniem była możliwość przekupienia posłańca: jeśli wrogowie nadawcy zaoferowali większą sumę od tej, którą obiecano mu za doręczenie przesyłki, „listonosz" po prostu wręczał im pakiet.

Sygnalizując w swej powieści istnienie takiego problemu, Brown zapewnia, iż da Vinci już przed wiekami wynalazł jedno z podstawowych zabezpieczeń tajnych dokumentów, a mianowicie specjalny pojemnik na nie, czyli inaczej mówiąc – przenośny sejf.

Ten kryptograficzny majstersztyk Leonarda da Vinci ma formę walca zaopatrzonego w oznakowane literami tarcze. Należało je obracać w ustalonej kolejności, by litery ułożyły się we właściwe hasło; tylko wówczas cylinder można było otworzyć. A zatem przesłanie zabezpieczone we wnętrzu tego pojemnika mógł odebrać jedynie ktoś znający hasło.

Dodatkowe zabezpieczenie stanowił fakt, że próba otwarcia pojemnika „na siłę" powodowała automatyczne zniszczenie wiadomości.

Leonardo zapisywał treść listów na zwojach papirusu, które owijał wokół fiolki z bardzo cienkiego szkła, wypełnionej octem. Gdy ktoś niepowołany próbował otworzyć pojemnik, fiolka się tłukła, a zawarty w niej ocet niszczył papirus.

Brown prowadzi również swych czytelników w czeluści tak zwanej Katedry Kodów; jest to kaplica na terenie Wielkiej Brytanii (kaplica Rosslyn w Szkocji), z której sklepienia sterczą setki kamiennych bloków. Na każdym z nich wyryto jakiś symbol. Połączone, stanowią podobno największy w świecie zapis kodowy.

„Żaden ze współczesnych ekspertów w dziedzinie kryptografii nie był w stanie rozszyfrować tego kodu. Wyznaczono wysoką nagrodę dla pierwszego, kto odczyta to niedostępne do dziś przesłanie – informuje Brown. Ostatnimi czasy geologiczne badania za pomocą ultradźwięków ujawniły zaskakujący fakt: pod kaplicą znajduje się olbrzymia podziemna krypta, która – jak się zdaje – nie posiada żadnego wejścia ani wyjścia. Do dziś gremium odpowiedzialne za stan kaplicy Rosslyn (nazwijmy ich kuratorami) nie wyraziło zgody na wszczęcie prac wykopaliskowych".

Specjalnością Browna i stałym motywem powtarzającym się w jego poprzednich książkach jest również problem specyficznych „wykopalisk" – odgrzebywania dawnych tajemnic (ukazany zarówno od strony tych, którzy strzegą sekretu, jak i tych, którzy starają się rozwikłać zagadkę). Autor zwraca uwagę na konflikt interesów pomiędzy osobami broniącymi swych praw (np. prawa do prywatności) a ludźmi reprezentującymi interesy państwa (np. bezpieczeństwa narodowego) lub ważnych instytucji.

Brown wspominał w swych powieściach między innymi o NRO – National Reconnaissance Office (Narodowym Biurze Rekonesansu) – działającej na rozkaz państwa agencji, która projektuje i konstruuje satelity zwiadowcze oraz nimi kieruje. Pisał również na temat Watykanu oraz NSA – National Security Agency (Agencji Bezpieczeństwa Narodowego).

Pierwsza powieść Browna, *Cyfrowa twierdza*, wydana w 1998 roku, opisuje z detalami atak hakerów na ściśle tajny superkomputer NSA, Transltr, który kontroluje i rozszyfrowuje przesyłane pocztą e-mailową komunikaty i rozkazy terrorystów.

Jednak ów komputer może również potajemnie przejmować zwykłą korespondencję osób prywatnych. Odkrywa to pewien haker, który, ponieważ zyskał dostęp do superkomputera, żąda, by NSA przyznała się publicznie do posiadania i wykorzystywania takiego urządzenia. W razie odmowy grozi sprzedaniem tajemnicy dostępu do komputera na zasadzie licytacji – czyli po prostu temu, kto mu najwięcej zapłaci.

„Tajnymi stowarzyszeniami zacząłem się interesować już we wczesnej młodości – mówi Brown. – Wychowałem się w Nowej Anglii, gdzie istnieją tajne kluby na wyższych uczelniach należących do Ivy League*, loże masońskie zrzeszające niegdyś twórców konstytucji amerykańskiej oraz miejsca spotkań szarych eminencji, kryjących się w cieniu za plecami najwcześniejszych władz naszego państwa. Nowa Anglia od dawna słynie z elitarnych prywatnych klubów, bractw i wszelkich tajemnic".

Czy Bóg jest matematykiem?

WYWIAD Z BRENDANEM MCKAYEM

Brendan McKay jest profesorem informatyki na Australian National University. Przed kilkoma laty okrył się sławą, obalając teorię „kodu Biblii", wychwalaną pod niebiosy przez jej twórcę, Michaela Drosnina. Utrzymywał on, że w hebrajskim tekście Biblii znajdują się pozornie przypadkowe, ale w rzeczywistości zamierzone słowa lub zwroty (w postaci liter znajdujących się w równych odstępach jedna od drugiej). Są to przepowiednie dotyczące różnorakich historycznych wydarzeń – od zabójstw po trzęsienia ziemi. McKay udowodnił, że stosując tę samą metodę (zestawianie liter znajdujących się w równych odstępach, do innych książek, można natknąć się w nich na nie mniej „rewelacyjne" proroctwa. McKay odnalazł nawet w trakcie analizy matematycznej *Moby Dicka* „przepowiednię" dotyczącą śmierci Michaela Drosnina. Odnotował wówczas: „Rezultat naszych badań, prowadzonych na bardzo szeroką skalę, jest następujący: wszelkie rzekomo naukowe dowody na istnienie »biblijnych kodów« to zwykłe brednie".

W latach 90. ubiegłego wieku *Kod Biblii* był równie wielką sensacją jak obecnie *Kod Leonarda da Vinci*. Choć książka Michaela Drosnina nie została ani razu wymieniona w bestsellerze Browna, doświadczenie

---

* Dosłownie „Liga Bluszczu" (prawdopodobnie od pnącza porastającego mury zabytkowych budynków), nazwa grupy starych, elitarnych uczelni we wschodniej części USA, w skład której wchodzą Harvard, Yale, Princeton, Cornell, Columbia, Dartmouth, Brown oraz University of Pennsylvania.

podpowiada McKayowi, że to studium tajemnych przesłań, symboli i kodów z epoki biblijnej wymaga chłodnej krytycznej oceny.

Jak do tego doszło, że zainteresował się pan analizą „biblijnego kodu"?
Zawsze ciekawiły mnie prawdziwie naukowe badania nad pseudonauką. A ponieważ jestem również matematykiem, naturalnym odruchem było dla mnie zbadanie teorii „kodu Biblii" jako matematycznej odmiany pseudonauki. Tym terminem określam coś, co zachowuje pozory nauki, ale po bliższym zbadaniu okazuje się, że nie opiera się na żadnych naukowych podstawach. W teorii „biblijnego kodu" najbardziej zaintrygowało mnie to, że części dowodów na poparcie tej hipotezy dostarczyli naukowcy, a efekty ich pracy – przynajmniej na pierwszy rzut oka – sprawiały wrażenie przekonujących i ważkich.

A co wykazało pańskie śledztwo?
Ustaliliśmy, że przesłania i przepowiednie rzekomo odnajdywane w Biblii są dziełem przypadku i że można trafić na takie „przekazy" w każdej innej książce.

Podczas naszego dochodzenia pamiętaliśmy, że na przestrzeni czasów tekst Biblii ulegał różnym zmianom. Zwłaszcza w epoce poprzedzającej narodzenie Chrystusa dokonano zapewne bardzo istotnych zmian. Co więcej, obecna pisownia tekstów biblijnych – które stanowiły podstawę rzekomych odkryć utajnionych „wieści" – opiera się na innych zasadach niż te, które obowiązywały w odległej epoce powstawania Biblii. Tekst został więc przeredagowany zgodnie z przyjętymi dziś zasadami. Wynika z tego jasno, że gdyby nawet w pierwotnym tekście zostały zakodowane jakieś przesłania, uległyby zniszczeniu podczas dokonywania zmian. A zatem w samych założeniach teorii „biblijnych kodów" istnieje widoczna skaza. Z naukowego punktu widzenia możemy stwierdzić, że nie odnaleźliśmy żadnego dowodu na występowanie w Biblii jakichś słów-haseł czy tajnych przesłań, prócz tych, które zawsze mogą powstać przypadkowo. Wykazaliśmy również niezbicie, że podobne niezamierzone „przepowiednie" da się odszukać w każdym niemal tekście.

Jednak niektórych ludzi nie można przekonać, gdyż wcale sobie tego nie życzą. Skutkiem tego dyskusje nie mają końca.

Jaka jest – pańskim zdaniem – przyczyna takiego uporu?
Taka sama jak w przypadku innych wierzeń okultystycznych albo teorii spiskowych. Nie sposób wpłynąć na ludzi, którym przypadła do gustu efektowna

teoria spisku. Niektórzy chętnie wierzą w takie teorie; zaspokaja to widocznie jakieś ich wewnętrzne potrzeby.

Co powie pan na temat koncepcji uświęconej geometrii czy boskich proporcji, omawianej w Kodzie Leonarda da Vinci? *Opisano tam przecież zadziwiający fakt, że proporcje dzieł ludzkiej ręki, a nawet istniejące w naturze (np. stosunek długości ręki do przedramienia), wydają się pochodnymi uniwersalnego wzorca, określonego jako liczba fi (1,61804)?*

Myślę, że istnieje naturalne wytłumaczenie tego zjawiska. Otóż wszechświat funkcjonuje w oparciu o szereg stałych zasad. Jeśli wierzyć fizykom, są one nieliczne i bardzo proste. Z tego automatycznie wynika, że pewne aspekty natury, na przykład proporcje, powtarzają się wielokrotnie, za każdym razem w nieco odmiennej postaci. A zatem sam fakt objawiania się tak zwanych boskich proporcji w wielu różnych formach – w kształcie linii brzegowej, w układzie liści i tak dalej – nie powinien nikogo dziwić. Nie jest to dowód interwencji jakiejś wszechwładnej ręki. To tylko potwierdzenie, że we wszechświecie obowiązuje niewielka liczba prostych zasad.

Jak ciąg Fibonacciego, który odgrywa tak wielką rolę w książce Dana Browna?

Istnieje ważki powód tak częstego występowania w naturze ciągu Fibonacciego. To bardzo prosty matematyczny ciąg, w której każda następna liczba to suma dwóch liczb ją poprzedzających. A więc za każdym razem, gdy natrafiamy na system, który się rozwija – na przykład roślinę, która rośnie i ma coraz więcej liści, a każdy nowy przyrost jest zależny od dwóch poprzednich – natrafiamy na ten ciąg. Ma on także szereg innych, matematycznych właściwości, porównywalnych ze sposobem, w jaki działa natura.

A zatem Bóg jest matematykiem?

Ujmijmy to tak: współczesna nauka zakłada, że cała natura działa zgodnie z zasadami matematyki. Jeśli więc ktoś dopatruje się „boskich" czy mistycznych przyczyn w tym, że sprawy układają się tak, a nie inaczej, pragnie oczywiście przybrać swe poglądy w matematyczną pseudonaukową szatę. I tacy właśnie ludzie czynią Boga matematykiem.

8. Leonardo i jego tajemnice

Mądrość jest córką doświadczenia.

Leonardo da Vinci

Leonardo da Vinci jest uczniem doświadczenia.

Leonardo da Vinci

Duch Leonarda da Vinci unosi się nad *Kodem Leonarda da Vinci* od samego początku akcji (w Luwrze) do jej zakończenia (również w Luwrze). Jest wszechobecny w powieści Dana Browna. Spogląda na rozwój wypadków oczyma Mony Lisy umieszczonej na okładce. Czy istotnie Leonardo zawarł w *Ostatniej Wieczerzy* tajne zakodowane przesłanie? A jeśli tak, to czy dotyczy ono Marii Magdaleny i jej małżeństwa z Jezusem? Czy też odnosi się ono do wszystkich kobiet i ich zmysłowości? Czy jest to szyderstwo heretyka? Czy też sekretne wyznanie homoseksualisty? A może coś jeszcze bardziej dla nas niepojętego, wiążącego się z postaciami Chrzciciela i Jezusa Chrystusa?

Czy Leonardo był sekretnym zwolennikiem templariuszy, a może nawet wielkim mistrzem społeczności zwanej Zakonem Syjonu? Czy wiedział o świętym Graalu coś więcej niż pierwszy lepszy wykształcony człowiek epoki renesansu? Czy wierzył, iż święty Graal nie był legendarnym kielichem, lecz metaforą odnoszącą się do łona Marii Magdaleny? Czy był wyznawcą kultu żeńskiej świętości? (Z cytowanych powyżej dwóch aforyzmów Leonarda da Vinci można wywnioskować, że według niego, podobnie jak zdaniem gnostyków, mądrość i wiedza miały cechy kobiece).

Dlaczego Leonardo posługiwał się szyfrem? Kim była Mona Lisa? A może jest to rzeczywiście autoportret artysty? Co wydarzyło się pod koniec jego życia, gdy przeniósł się do Francji? Dlaczego ten największy z malarzy namalował tak mało obrazów? Skąd czerpał swe niezwykłe pomysły dotyczące fizyki, anatomii, medycyny, teorii ewolucji, teorii chaosu, awiacji oraz innych dziedzin, w których jego geniusz wyprzedził o setki lat największe osiągnięcia mędrców i wynalazców światowej sławy?

Z osobą Leonarda wiąże się tyle tajemnic... Starczyłoby materiału na wiele innych thrillerów i wzlotów postmodernistycznej imaginacji na długo po tym, jak *Kod Leonarda da Vinci* stanie się tematem popularnych quizów.

W prezentowanych tu komentarzach staraliśmy przedstawić dwa zasadnicze podejścia do tego tematu. Dominujący osąd, oparty przede wszystkim na opiniach uczonych i historyków sztuki zajmujących się postacią Leonarda da Vinci oraz jego dorobkiem artystycznym, zakłada, że istnieją nadal niezliczone tajemnice i wątpliwości związane z życiem i działalnością Leonarda, nie ma jednak żadnych dowodów na potwierdzenie wniosków aż tak krańcowych jak domniemanie, iż postać św. Jana w *Ostatniej Wieczerzy* jest w rzeczywistości portretem Marii Magdaleny albo że Leonardo był wielkim mistrzem Zakonu Syjonu lub wreszcie że pozostawił w swych obrazach zakodowane przesłanie dla potomności.

Inny pogląd – dobitnie wyrażony w tej publikacji przez Lynn Picknett i Clive'a Prince'a, a znacznie obszerniej udokumentowany w ich książkach – jest z pewnością bardziej interesujący, choć potwierdzające go dowody wydają się ubogie. Badacze rozstrzygają kwestie, które eksperci o bardziej ustalonej pozycji dopisaliby tylko do długiej listy pytań bez odpowiedzi. Może się oczywiście okazać, że te rewelacje na temat Leonarda da Vinci nie zostaną potwierdzone, ale czytając wywody Picknett i Prince'a, widzimy niemal, jak obracają się kółka i trybiki w głowie Dana Browna, i słyszymy, jak mówi do siebie: „No to teraz uszczknę trochę tego... a potem tamtego... i z tych nitek i strzępków utkam na przykład taką intrygę..."

Tajny kod Leonarda da Vinci

LYNN PICKNETT I CLIVE PRINCE

Lynn Picknett i Clive Prince to angielscy pisarze mieszkający w Londynie. W swoich analizach Dan Brown cytuje wielokrotnie ich prace na różne tematy, poczynając od Marii Magdaleny, a kończąc na Leonardzie da Vinci i templariuszach; znalazły się one też w bibliografii *Kodu Leonarda da Vinci*.

Chociaż większość rzeczoznawców akademickich głównego nurtu i naukowców nie zgadza się z Lynn Picknett, dostrzegając niewiele dowodów lub wręcz nie widząc żadnego potwierdzenia jej interpretacji symboli w pracach Leonarda, nie można zaprzeczyć, że przedstawia szereg intrygujących i wyjątkowych pomysłów i fascynujących skojarzeń, dzięki którym zakwestionowała status quo debaty akademickiej nad wieloma z owych tematów. Przytoczony fragment jest tego doskonałym przykładem.

Fragment książki *Templariusze. Tajemni strażnicy tożsamości Chrystusa* wykorzystano za zgodą Simon & Schuster Adult Publishing Group oraz tłumacza wydania polskiego.

Aby więc zacząć naszą historię od początku, musimy wrócić do *Ostatniej Wieczerzy* Leonarda i spojrzeć na nią w nowy sposób. Nie będziemy rozpatrywać tego dzieła w kontekście znanych założeń artystyczno-historycznych. Czas spojrzeć na nie oczami osoby, która ogląda słynny fresk po raz pierwszy, przyglądając mu się naprawdę dokładnie i bez żadnych uprzedzeń.

Centralną postacią jest, oczywiście, Jezus, którego Leonardo nazywał w swoich notatkach do obrazu Zbawicielem. (Mimo wszystko ostrzegamy czytelnika, by niczego z góry nie zakładał). Jezus spogląda w zamyśleniu w dół, nieco na lewo, rozkładając ręce na stole, jakby ofiarowywał widzowi jakiś dar. Ponieważ jest to Ostatnia Wieczerza, podczas której, według Nowego Testamentu, Jezus ustanowił sakrament chleba i wina, zobowiązując swoich wyznawców, by spożywali je jako jego „krew" i „ciało", należałoby oczekiwać, że powinien mieć przed sobą i trzymać w dłoniach jakiś kielich albo puchar wina. Według chrześcijan wieczerza ta odbyła się w ogrodzie Getsemani tuż przed ukrzyżowaniem Jezusa. Jezus modlił się żarliwie, aby „oddalić od niego ten kielich..." – to kolejne nawiązanie do symboliki chleba i wina. Podobnie śmierć na krzyżu i przelanie świętej krwi za całą ludzkość nawiązuje do tych symboli. A jednak przed Chrystusem nie stoi naczynie z winem (a i na całym stole jest niewiele wina). Czy to możliwe, że rozłożone ręce Jezusa czynią coś, co artyści nazywają pustym gestem?

Skoro na stole nie ma wina, czy nie powinniśmy zastanowić się również nad tym, że i chleba jest na tej wieczerzy tak niewiele? Ponadto chleb leżący na stole jest połamany. Jezus utożsamiał chleb ze swoim ciałem, które miało zostać rozdarte podczas najwyższej ofiary, a więc czy nie ma tu subtelnej aluzji do rzeczywistego charakteru jego cierpień?

Te nieortodoksyjne treści malowidła to jednak zaledwie wierzchołek góry lodowej. W opowieści biblijnej młody święty Jan – określany mianem „Umiłowanego" – miał być podczas wieczerzy tak blisko Jezusa, że wspierał się „na jego piersi". Natomiast postać na obrazie Leonarda nie zajmuje pozycji zgodnej z biblijnymi „wskazówkami scenicznymi", lecz jest wręcz przesadnie odsunięta od Zbawiciela, niemal kokieteryjnie odchylając głowę w prawo. Nasuwają się jednak inne jeszcze spostrzeżenia na jej temat. Można mieć nawet pewne uzasadnione wątpliwości co do osoby świętego Jana. Co prawda artysta miał skłonności do przedstawiania nieco zniewieściałych typów mężczyzn, ale w tym przypadku namalował niewątpliwie postać kobiety „Święty Jan" jest wprost uderzająco kobiecy. Na starym i wyblakłym fresku widać drobne, delikatne dłonie, piękne, subtelne rysy twarzy, wyraźnie kobiece piersi i złoty naszyjnik. Kobieta z obrazu ubrana jest również w szczególny sposób. Jej strój stanowi lustrzane odbicie ubioru Zbawiciela: jedno z nich nosi niebieską szatę i czerwony płaszcz, drugie czerwoną szatę i niebieski płaszcz o identycznym kroju. Nikt inny przy stole nie jest ubrany tak samo jak Jezus. Nie ma tam też drugiej kobiety.

Kluczowe znaczenie dla kompozycji całego obrazu ma gigantyczna, przypominająca rozpostarte skrzydła ptaka litera M, którą tworzą postacie Jezusa i owej kobiety, jakby były dosłownie zrośnięte biodrami, lecz rozeszły się lub nawet oddzieliły. O ile nam wiadomo, wszyscy badacze określają kobiecą postać z fresku mianem „świętego Jana", nikt nie zwrócił też uwagi na ową literę M. Stwierdziliśmy w trakcie naszych studiów, że Leonardo był znakomitym psychologiem i bawiło go malowanie nieortodoksyjnych obrazów dla mecenasów, którzy zlecali mu wykonanie standardowych religijnych dzieł. Wiedział, że ludzie przyjmą spokojnie najbardziej nawet wstrząsające herezje, ponieważ dostrzegają zwykle tylko to, czego oczekują. Jeśli artysta, mający namalować jakąś scenę znaną z chrześcijańskiej tradycji, przedstawi publiczności jej na pozór standardową wersję, nikt nie zakwestionuje dwuznacznej symboliki obrazu. Leonardo musiał jednak mieć nadzieję, że może dostrzegą ją ludzie, którzy podzielali jego niezwykłą interpretację Nowego Testamentu, albo że kiedyś jakiś obiektywny obserwator zwróci uwagę na wizerunek tajemniczej kobiety powiązany z literą M i zada właściwe pytania. Kim była „M" i dlaczego miała tak duże znaczenie? Po co Leonardo narażałby swą reputację – a nawet życie, bo były to czasy płonących stosów – żeby umieścić ją w tej scenie, tak istotnej dla chrześcijaństwa?

Niezależnie od tego, kim jest ta kobieta, wydaje się, że jej coś zagraża, gdyż jej pochylonej wdzięcznie szyi dotyka jak topór złowieszcza dłoń. Również Zbawicielowi grozi czyjś wskazujący palec, wrogo uniesiony w górę w pobliżu jego twarzy. Zarówno Jezus, jak i „M" nie zwracają uwagi na te groźby, pogrążeni w myślach, na swój sposób spokojni i opanowani. Możemy domniemywać, że obraz zawiera ukrytą symbolikę. Chodzi nie tylko o ostrzeżenie Jezusa i jego towarzyszki, jaki czeka ich los, lecz również o przekazanie (albo przypomnienie) widzowi informacji, których publiczne ujawnianie byłoby niebezpieczne. Czy Leonardo posługuje się tym obrazem, by przekazać osobiste poglądy, których głoszenie w bardziej konwencjonalny sposób graniczyłoby z szaleństwem? Czy to możliwe, że wiedział o czymś, co miało znaczenie nie tylko dla najbliższych mu osób, lecz także dla nas?

Spójrzmy ponownie na jego zadziwiające dzieło. Po prawej stronie fresku wysoki brodaty mężczyzna pochyla się nisko, rozmawiając z ostatnim siedzącym przy stole uczniem. Odwraca się w ten sposób plecami do Zbawiciela. Powszechnie wiadomo, że pierwowzorem tej postaci – świętego Tadeusza lub świętego Judy – był sam Leonardo. W malarstwie renesansu nie ma niczego przypadkowego ani pozbawionych znaczenia ozdobników, a da Vinci – wzorcowy przedstawiciel swojej epoki i profesji – uchodził za pedanta w sztuce wizualnej *double entendre*. (Jego troskę o to, by użyć odpowiedniego modelu do malowania każdego z uczniów, można dostrzec w złośliwej sugestii, by dokuczliwy przeor klasztoru Matki Boskiej Łaskawej pozował mu osobiście do postaci Judasza!). Dlaczego więc Leonardo namalował siebie ostentacyjnie odwróconego od Jezusa?

To jeszcze nie wszystko. Tajemnicza dłoń przykłada sztylet do brzucha ucznia, który znajduje się obok mężczyzny, siedzącego przy „M". Jest fizyczną niemożliwością, by mogła to być ręka któregokolwiek z biesiadników. Naprawdę zdumiewające jest jednak nie tyle istnienie owej tajemniczej dłoni, lecz fakt, że we wszystkich opracowaniach dotyczących Leonarda znaleźliśmy zaledwie parę wzmianek na jej temat, a autorzy analiz jakoś dziwnie nie chcą dostrzec w niej niczego niezwykłego. Podobnie jest z postacią świętego Jana, który okazuje się kobietą. Gdy tylko zwracamy uwagę na ten fakt, staje się on całkiem oczywisty. I nader dziwny jednocześnie. A jednak widz zwykle tego nie dostrzega i nie dopuszcza do świadomości po prostu dlatego, że jest to tak niezwykłe i obrazoburcze.

Słyszeliśmy często opinie, że Leonardo był pobożnym chrześcijaninem, którego religijne obrazy odzwierciedlała głębię jego wiary. Jak widać jednak, co najmniej jedno z dzieł zawiera symbolikę wysoce dwuznaczną z punktu widzenia chrześcijańskiej ortodoksji, a nasze dalsze badania dowodzą, jak bardzo mylne jest przekonanie, że Leonardo był głęboko wierzący – przynajmniej w świetle powszechnie akceptowanej formuły chrześcijaństwa. Skoro w *Ostatniej Wieczerzy* starał się on zawrzeć nieortodoksyjne treści, to możemy założyć, że próbował nadać znanej biblijnej scenie jakiś nowy sens, a pod tradycyjnym przekazem ukryć sprytnie inne wartości, zawrzeć inne przesłanie.

Heretyckie akcenty dzieła były całkowicie sprzeczne z ortodoksyjnym chrześcijaństwem. Wielu współczesnych materialistów i racjonalistów uważa Leonarda za pierwszego prawdziwego naukowca, człowieka, który nie przywiązywał wagi do przesądów czy religii w jakiejkolwiek postaci, który stanowił antytezę wszelkiej mistyki i okultyzmu. A jednak nawet oni nie zauważyli tego, co wyraźnie rzuca się w oczy. Namalować Ostatnią Wieczerzę bez wina, to jakby uwiecznić kluczowy moment koronacji bez korony: całkowicie pozbawia to obraz sensu albo też jego sens jest zupełnie inny, do tego stopnia, że malarz okazuje się stuprocentowym heretykiem, którego poglądy w sprawach wiary różnią się od uznanego kanonu chrześcijaństwa albo nawet są mu wrogie. Także w innych dziełach Leonardo podkreśla swe specyficzne heretyckie przekonania, stosując starannie dobrane i konsekwentnie pojawiające się symbole, co nie miałoby miejsca, gdyby twórca był jedynie ateistą, zarabiającym na życie malowaniem. Te niestosowne akcenty i symbole są czymś o wiele poważniejszym niż ironiczną reakcją sceptyka na otrzymane od mecenasa zlecenie – nie są równoznaczne, na przykład, z namalowaniem św. Piotrowi czerwonego nosa. W *Ostatniej Wieczerzy* Leonarda da Vinci i innych jego dziełach mamy do czynienia z tajnym kodem artysty, który – naszym zdaniem – ma istotne znaczenie dla współczesnego świata.

[Picknett i Prince kontynuują następnie swoje dywagacje na temat innego obrazu Leonarda *Madonna wśród skał*, znanego też jako *Dziewica wśród skał*. Ten obraz także jest szeroko omawiany w powieści *Kod Leonarda da Vinci*. Kiedy Sophie Neveu udaje się rozszyfrować anagram *So dark the can of man*, po uporządkowaniu poprzestawianych liter odczytuje *Madonna of the Rockes* (Madonna wśród skał) i odnajduje w ten sposób klucz do skrytki w banku szwajcarskim, ukryty za obrazem. To rozszyfrowanie zakodowanej informacji pozwala Robertowi Langdonowi na wyjaśnienie Sophie jego domysłów co do obrazów – domysłów wyraźnie wziętych z artykułów Picknett i Prince'a, jak to zobaczymy poniżej].

To wyraźne odwrócenie tradycyjnych roi Jezusa i Jana widać również w jednej z dwóch wersji *Madonny wśród skał* Leonarda da Vinci. Historycy sztuki nie potrafili nigdy wyjaśnić w zadowalający sposób, dlaczego powstały dwie wersje tego dzieła. Jedna jest obecnie wystawiana w Galem Narodowej w Londynie, druga – dla nas o wiele bardziej interesująca – w paryskim Luwrze.

Obraz został zamówiony przez Bractwo Niepokalanego Poczęcia. Chodziło o malowidło mające stanowić centralną część tryptyku ołtarza w kaplicy kościoła św. Franciszka w Mediolanie. (Pozostałe dwa obrazy tryptyku mieli namalować inni artyści). Zachował się kontrakt, noszący datę 25 kwietnia 1483 r. Rzuca on interesujące światło na to, czego oczekiwali członkowie bractwa i co w istocie otrzymali. Określają oni dokładnie, jaki ma być kształt i wymiary dzieła, ponieważ istniała już rama tryptyku. Co ciekawe, obie ukończone przez Leonarda wersje odpowiadały tym wymogom, nie wiadomo jednak, dlaczego namalował dwa obrazy. Możemy jedynie zaryzykować hipotezę na temat tych odrębnych interpretacji dzieła, która ma niewiele wspólnego z perfekcjonizmem twórcy, wynika raczej ze świadomości ich niszczycielskiego potencjału.

W kontrakcie sprecyzowano również temat obrazu. Miał on przedstawiać wydarzenie nieopisane w Ewangelii, ale obecne od dawna w chrześcijańskiej tradycji. Podczas ucieczki do Egiptu Józef, Maryja i Dzieciątko Jezus schronili się w grocie na pustyni i spotkali tam małego Jana Chrzciciela, którego strzegł archanioł Uriel. Historia ta pozwala udzielić odpowiedzi na jedno z najbardziej oczywistych i kłopotliwych pytań, jakie pojawiają się w kontekście ewangelicznej opowieści o chrzcie Jezusa. Po co wolny od grzechów Chrystus miałby być chrzczony, skoro rytuał ten stanowi symboliczne obmycie z win i ślubowanie przyszłej pobożności? Po co Syn Boży miał poddawać się obrzędowi, w którym Jan Chrzciciel odgrywał dominującą rolę?

Opowieść mówi o tym, jak w trakcie owego przypadkowego spotkania Jezus upoważnił swego kuzyna Jana, aby ten ochrzcił go, gdy obaj dorosną. Z kilku powodów zakrawa na ironię losu, że bractwo zleciło namalowanie tego obrazu właśnie Leonardowi, można jednak podejrzewać, że był on tym zachwycony – i skorzystał z okazji, by przynajmniej w jednej wersji dzieła zinterpretować przedstawianą scenę po swojemu.

Zgodnie z obowiązującym stylem epoki członkowie bractwa zażyczyli sobie bogatego i zdobnego malowidła, którego przestrzeń miało wypełniać mnóstwo złotych liści, roje cherubinów i groźne postacie proroków ze Starego Testamentu. Otrzymali jednak dzieło na tyle odmienne, że doszło do ostrego konfliktu z artystą, który zakończył się trwającym przez ponad 20 lat procesem.

Leonardo postanowił namalować realistyczną scenę bez zbędnych postaci. Nie chciał wprowadzać ani pulchnych cherubinków, ani zwiastujących zagładę proroków. Może zredukował nawet za bardzo liczbę osób dramatu, bo na obrazie przedstawiającym ucieczkę Świętej Rodziny do Egiptu nie ma Józefa.

Wystawiana w Luwrze wcześniejsza wersja malowidła ukazuje Maryję w niebieskiej szacie, osłaniającą ręką jedno z dzieci, podczas gdy drugie jest pod opieką Uriela. Obaj chłopcy są identyczni, ale co jeszcze bardziej zaskakujące, błogosławieństwa udziela ten, któremu towarzyszy anioł, a dziecko Maryi pokornie klęczy. Doprowadziło to historyków sztuki do wniosku, że Leonardo postanowił namalować małego Jana w objęciach Maryi. Chłopcy nie mają identyfikatorów, a ten, który ma prawo udzielać błogosławieństwa, to Jezus.

Istnieją jednak także inne interpretacje obrazu, które nie tylko sugerują, że zawiera on działające silnie na podświadomość wysoce nieortodoksyjne treści, lecz także potwierdzają kod, stosowany w innych dziełach artysty. Być może podobieństwo obu chłopców świadczy o tym, że Leonardo z premedytacją maskuje ich tożsamość. Maryja osłania lewą ręką chłopca uważanego powszechnie za Jana, ale prawą trzyma wyciągniętą nad głową „Jezusa" we wrogim geście. Serge Bramly w wydanej ostatnio biografii Leonarda pisze, że jej palce „przypominają szpony orła". Uriel wskazuje na dziecko Maryi, ale również, co charakterystyczne, spogląda z niewiadomych powodów poza obraz, odwracając głowę od Matki Boskiej i chłopca. Łatwo interpretować ów gest jako wskazanie tego, który ma być Mesjaszem. Ale istnieją też inne wyjaśnienia.

Przyjmijmy logiczne skądinąd założenie, że wystawiana w Luwrze wersja *Madonny wśród skał* przedstawia Maryję z Jezusem i Uriela z Janem. Pamiętajmy, że w tym przypadku to Jan błogosławi Jezusa, który poddaje się jego władzy. Uriel, opiekun Jana, nie chce nawet patrzeć na Jezusa. Maryja, osłaniając syna, wyciąga groźnie rękę wysoko nad głową małego Jana. Kilkanaście centymetrów poniżej jej dłoni widać wyciągniętą rękę Uriela. Te dwa gesty wydają się zawierać jakąś zakodowaną informację. Leonardo chce przekazać, że przestrzeń pomiędzy wyciągniętymi rękami powinien wypełniać jakiś przedmiot – znaczący, choć niewidzialny. W tym kontekście nie wydaje się wcale abstrakcyjne przypuszczenie, że rozpostarta dłoń Maryi spoczywa na koronie, wieńczącej niewidzialną głowę, a wskazujący palec Uriela jest wymierzony dokładnie w szyję niewidocznej postaci. Tajemnicza głowa unosi się tuż nad chłopcem, któremu towarzyszy Uriel... Jego tożsamość została więc tu jednak określona (wszak wiadomo, któremu z nich ścięto głowę). A skoro chłopiec ten jest Janem Chrzcicielem, to właśnie on udziela błogosławieństwa i okazuje swoją zwierzchność.

Oglądając wystawianą w londyńskiej Galerii Narodowej o wiele późniejszą wersję obrazu, stwierdzimy, że brak w niej wszystkich elementów, które posłużyły do wysnucia naszych heretyckich wniosków – ale tylko tych elementów. Obaj chłopcy różnią się znacznie wyglądem, a dziecko Maryi trzyma charakterystyczny dla Jana Chrzciciela podłużny krzyż (możliwe jednak, że został on domalowany przez innego artystę). Maryja trzyma i na tym obrazie swoją prawą dłoń nad głową drugiego chłopca, ale w geście tym nie ma groźby. Uriel nie wskazuje na nic palcem ani nie odwraca głowy. Leonardo zdaje się nas zachęcać do dostrzeżenia tych różnic – i wyciągnięcia z nich stosownych wniosków.

Tego rodzaju analiza dzieł Leonarda ujawnia mnóstwo prowokujących i niepokojących podtekstów. Motyw Jana Chrzciciela powtarza się stale w formie sugestywnych symboli i sygnałów. Jest on wynoszony wielokrotnie – w dosłownej lub alegorycznej postaci – ponad osobę Jezusa, nawet, o ile się nie mylimy, w przewrotnej metaforyce samego Całunu Turyńskiego.

Jest coś szczególnego w tej obsesji Leonarda, nie tylko ze względu na stosowaną przez niego zawiłą symbolikę, ale i ryzyko, jakie podejmował, przedstawiając światu nawet tak zręcznie zakamuflowaną herezję. Być może, jak już sugerowaliśmy, ukończył tak niewiele dzieł nie tyle z zamiłowania do perfekcjonizmu, ile dlatego, że uświadamiał sobie aż nadto dobrze, co by się z nim stało, gdyby ktoś wpływowy dostrzegł pod cienką warstwą ich ortodoksyjnej treści jawne bluźnierstwo. Może nawet taki intelektualny mocarz i silny mężczyzna jak Leonardo bał się narazić władzom – wystarczyła mu jedna nauczka.

Z pewnością nie kładłby jednak głowy pod topór, przemycając w swych obrazach heretyckie idee, gdyby nie miał przekonania co do ich słuszności. Jak już zauważyliśmy, Leonardo nie był bynajmniej, wbrew rozpowszechnionym dziś opiniom, wzorem ateistycznego materialisty. Zaangażował się poważnie i głęboko w praktyki sprzeczne i zasadami ówczesnej i współczesnej wiary chrześcijańskiej. Określa się je mianem „okultyzmu".

U większości ludzi słowo to budzi dziś jednoznacznie negatywne skojarzenia. Przywodzi na myśl czarną magię i ekscesy zdeprawowanych szarlatanów. W rzeczywistości termin „okultystyczny" znaczy po prostu „ukryty" i stosowany jest powszechnie w astronomii, na przykład przy opisywaniu ciała niebieskiego, które przesłania, czyli „zakrywa" inne. Leonardo faktycznie miał w życiu do czynienia z magicznymi praktykami i ponurymi rytuałami, poszukiwał jednak nade wszystko prawdy. Dostępu do niej „strzegło" skutecznie społeczeństwo, a zwłaszcza pewna wszechobecna i potężna organizacja – w całej niemal Europie Kościół patrzył wówczas z dezaprobatą na wszelkie naukowe eksperymenty i podejmował zdecydowane kroki, aby uciszyć tych, którzy próbowali rozpowszechniać nieortodoksyjne, indywidualistyczne poglądy.

Jednakże Florencja, w której Leonardo wychował się i rozpoczął swą dworską karierę, była kwitnącym ośrodkiem nowej wiedzy. Wynikało to z faktu, że w mieście tym mieszkało wielu wpływowych okultystów i magów. Rządzący Florencją Medyceusze, pierwsi protektorzy Leonarda, czynnie wspierali okultyzm, a nawet finansowali poszukiwania i przekłady konkretnych zaginionych manuskryptów.

Fascynacja tajemną wiedzą nie była renesansowym odpowiednikiem dzisiejszego zainteresowania prasowymi horoskopami. Istniały praktyki, które uznalibyśmy obecnie za naiwne czy wręcz zabobonne, wiele badań stanowiło jednak poważną próbę zrozumienia wszechświata i miejsca zajmowanego w nim przez człowieka. Magowie posuwali się jeszcze dalej, dociekając, w jaki sposób można kontrolować siły natury. Patrząc z tej perspektywy trudno się dziwić, że właśnie Leonardo był, jak sądzimy, czynnym uczestnikiem ruchu okultystycznego w swojej epoce. Wybitny historyk, pani Frances Yates, sugeruje nawet, że być może we współczesnej artyście magii należy szukać klucza do jego niezwykłego geniuszu.

Wyznawaną przez okultystów z Florencji filozofię przedstawiliśmy szczegółowo w naszej poprzedniej książce, przypomnijmy jednak pokrótce, że wszystkie ich grupy cechował nade wszystko hermetyzm. Określenie to wywodzi się od imienia Hermesa Trismegistusa, wielkiego legendarnego maga z Egiptu, który opisał w swych księgach spójny system tajemnej wiedzy. Najważniejszym punktem ideologii hermetyzmu jest pogląd, że człowiek posiada w pewnym sensie boską naturę. Pogląd ów musiał wzbudzać sprzeciw Kościoła, zagrażał bowiem jego władzy nad duszami i umysłami wiernych.

W dziełach i życiu Leonarda widoczne są zasady hermetyzmu, choć na pierwszy rzut oka dostrzegamy sprzeczność między wyrafinowanymi ideami filozofii i kosmologii a jego heretyckimi koncepcjami, które gloryfikowały biblijne postacie. (Należy podkreślić, że innowiercze poglądy Leonarda i ludzi z jego kręgu nie stanowiły jedynie reakcji na korupcję i dyletantyzm Kościoła. Jak pokazała historia, Kościół rzymskokatolicki spotkał się z silnym i wcale nieutajonym oporem ze strony ruchu protestanckiego. Gdyby jednak Leonardo żył współcześnie, nie byłby wcale protestantem).

Istnieje wszakże wiele dowodów na to, że hermetycy mogą również być heretykami. Giordano Bruno (1548–1600), fanatyczny głosiciel hermetyzmu, twierdził, że jego wiara ma swe źródła w starej egipskiej religii, która poprzedzała chrześcijaństwo i była o wiele bardziej znacząca.

Do kwitnącego świata okultyzmu – działającego w podziemiu z obawy przed szykanami ze strony Kościoła – należeli także alchemicy, również krzywdząco dziś oceniani. Uważa się ich za głupców, którzy marnowali życie, usiłując bezskutecznie przetworzyć nieszlachetny metal w złoto. Takie zmyślenia stanowiły zasłonę dymną dla poważnych alchemików, których bardziej interesowały prawdziwe naukowe eksperymenty, w tym również transformacja jednostki, umożliwiająca sprawowanie pełnej kontroli nad własnym losem. Nietrudno się domyślić, że ktoś tak spragniony wiedzy jak Leonardo będzie brał udział w podobnych doświadczeniach, a może nawet odgrywał w nich wiodącą rolę. Nie ma na to bezpośrednich dowodów, wiadomo jednak, że zadawał się on z rozmaitymi okultystami, a wyniki naszych badań na temat jego roli w sfałszowaniu Całunu Turyńskiego wskazują, iż widoczny na płótnie obraz stanowi bezpośredni efekt „alchemicznych" eksperymentów. (Doszliśmy nawet do wniosku, że umiejętność fotografowania była jedną z wielkich tajemnic alchemii).

Krótko mówiąc: jest mało prawdopodobne, by Leonardowi obca była jakakolwiek dziedzina wiedzy, dostępnej w jego epoce, ale wziąwszy pod uwagę ryzyko otwartego głoszenia pewnych poglądów, trudno sądzić, by przyznawał się do nich na piśmie. Widzieliśmy jednak, że w swych rzekomo chrześcijańskich obrazach stosował wielokrotnie symbole i sceny, które nie wzbudziłyby z pewnością uznania władz kościelnych, gdyby dostrzeżono ich prawdziwy charakter.

Zafascynowanie Leonarda hermetyzmem pozostaje, przynajmniej na pozór, w całkowitej sprzeczności z jego obsesją na punkcie Jana Chrzciciela i domniemanym znaczeniem kobiety, którą określiliśmy jako „M". Sprawa ta była tak zastanawiająca, że postanowiliśmy dogłębnie ją zbadać. Można oczywiście twierdzić, że pojawiający się motyw uniesionego ostrzegawczo wskazującego palca świadczy jedynie o tym, iż pewien renesansowy geniusz wykazywał obsesyjne zainteresowanie Janem Chrzcicielem. Czy nie kryje się za tym jednak coś głębszego? Czy jego obrazy nie przekazują obiektywnej prawdy?

W kręgach okultystów uważa się od dawna, że mistrz był w posiadaniu tajemnej wiedzy. Podczas naszych badań na temat jego roli w sfałszowaniu Całunu Turyńskiego wielokrotnie zetknęliśmy się z pogłoskami, że Leonardo był nie tylko twórcą Całunu, lecz również znanym magiem. Istnieje nawet dziewiętnastowieczny paryski plakat, reklamujący Salon Róży i Krzyża – miejsce spotkań okultystów o artystycznych zamiłowaniach – który przedstawia Leonarda jako strażnika Świętego Graala (czyli, w języku okultystów, strażnika tajemnic). Plotki i artystyczne wizje same w sobie o niczym nie świadczą. Ale w zestawieniu z przytoczonymi wcześniej informacjami zachęciły nas one do dalszych studiów nad nieznanym Leonardem.

Stwierdziliśmy na razie, że jego największą obsesją był Jan Chrzciciel. To oczywiste, że gdy Leonardo mieszkał we Florencji, zlecano mu malowanie lub rzeźbienie tego świętego, będącego patronem miasta. Faktem jest jednak, że później robił to nadal. Ostatnie malowidło, nad którym pracował przed śmiercią w 1519 r. i którego nikt u niego nie zamawiał, przedstawiało właśnie Jana Chrzciciela. Może chciał, umierając patrzeć na jego wizerunek. Nawet gdy płacono mu za namalowanie jakiejś chrześcijańskiej sceny zgodnie z wersją Kościoła, zawsze, gdy tylko mógł, podkreślał w niej znaczenie Jana Chrzciciela.

Jak widzieliśmy, wizerunki Jana zawierają zakodowane przemyślnie informacje, choć docierają one do nas w sposób niedoskonały i nieuświadomiony. Jan przedstawiany jest z pewnością jako postać znacząca, ale był przecież zwiastunem i krewnym Jezusa, podkreślanie jego roli należałoby więc uznać za rzecz naturalną. Leonardo nie mówi nam jednak, że Jan Chrzciciel był, jak wszyscy ludzie, poddanym Jezusa. Na obrazie *Madonna wśród skał* anioł wskazuje najprawdopodobniej na Jana, który błogosławi Jezusa, a nie odwrotnie. W *Pokłonie Trzech Mędrców* zdrowi, normalnie wyglądający ludzie oddają cześć wyrastającym nad ziemię korzeniom chleba świętojańskiego, czyli drzewa Jana, a nie bezbarwnej Maryi i jej dziecku. W *Ostatniej Wieczerzy* widać obok twarzy Jezusa uniesiony ku górze wskazujący palec prawej ręki. Ów „gest Jana" nie wyraża z pewnością miłości ani poparcia. Wydaje się jednoznacznie ostrzegać „pamiętaj o Janie". Najmniej znane dzieło Leonarda, Całun Turyński, zawiera tego samego rodzaju symbolikę w wizerunku odciętej głowy, umieszczonej „nad" korpusem ukrzyżowanego ciała. Liczne dowody wskazują więc, że – przynajmniej według Leonarda – Jan Chrzciciel był ważniejszy od Jezusa.

Można by sadzić, że to tylko głos wołającego na puszczy. W końcu wielu wybitnych ludzi było, delikatnie mówiąc, ekscentrykami. Może i w tej dziedzinie życia Leonardo pozostał człowiekiem skłóconym z kanonami epoki, niedocenionym i samotnym. Już na samym początku naszych studiów, pod koniec lat osiemdziesiątych, dowiedzieliśmy się o powiązaniach Leonarda z pewnym złowieszczym i potężnym tajnym stowarzyszeniem. Do organizacji tej, istniejącej podobno już wiele stuleci wcześniej, należały najbardziej wpływowe osoby i rody w dziejach Europy. Według niektórych źródeł istnieje ona nadal. Ponoć kiedyś odgrywali w niej wiodącą rolę arystokraci, a teraz kontynuują jej działalność dla własnych celów czołowi przedstawiciele życia politycznego i gospodarczego (...).

Wychodząc daleko poza ramy...
Dalsze myśli Lynn Picknett na temat Leonarda

LEONARDO GEJEM... AUTOPORTRET MONY LISY... FALLUSY I DZIEWICA
Jeśli zainteresowały was rozważania Lynn Picknett na temat Leonarda *Ostatniej Wieczerzy* i *Madonny wśród skał*, z pewnością zechcecie śledzić jej nowe pomysły, które zebrała w książce wydanej w roku 2003 pod tytułem *Mary Magdalene* (Maria Magdalena). Poniżej zamieściliśmy kilka krótkich wyjątków.

Kim była Mona Lisa? Czemu się uśmiecha – i czy naprawdę się uśmiecha? A może to tylko wrażenie, efekt genialnej techniki malarskiej Leonarda? I jeśli to portret jakiejś włoskiej czy francuskiej damy, dlaczego jej rodzina nigdy nie zgłosiła pretensji do jego posiadania?

Odpowiedź na wszystkie te pytania może być prosta i – co charakterystyczne, jeśli chodzi właśnie o tego artystę – trącąca skandalem. Choć zasłynął jako artysta, w którego głowie zrodziły się czołg i maszyna do szycia, Leonardo da Vinci jest niemal równie sławny jako autor dowcipów i psikusów (...).

Leonardo da Vinci znany był w swojej epoce jako dowcipniś i żartowniś: straszył damy dworu mechanicznymi lwami, a papieża przekonał, że w pudełku ma smoka! Ale niekiedy jego żarty bywały ponure i zjadliwe. Niektóre przekształcały się w większe projekty. Być może poświęcał im więcej czasu, uwagi i przeznaczał na nie więcej środków niż w przypadku dzieł robionych na zamówienie.

Mona Lisa jest, jak się wydaje, autoportretem – tak jak święty Juda w *Ostatniej Wieczerzy* [Picknett uważa, że św. Tomasz Juda w *Ostatniej Wieczerzy* to autoportret artysty, podobnie jak postać Jezusa na Całunie Turyńskim, którą szczegółowo opisała] i inne postaci w dziełach Leonarda (...). Ta zaskakująca, na pozór sensacyjna i nieprawdopodobna hipoteza została wysunięta w latach 80. XX wieku przez dwoje niezależnie od siebie działających badaczy: doktora Digby'ego Questeda z londyńskiego Maudsley Hospital i Lillian Schwartz ze słynnych Bell Laboratories w Stanach Zjednoczonych (...). Oboje zauważyli, że twarz *Mony Lisy* przypomina autoportret artysty z roku 1514 – jako starego człowieka – rysowany czerwoną kredką, a znajdujący się obecnie w Turynie (...).

Jeżeli, jak się wydaje, zarówno Mona Lisa, jak i twarz z Całunu noszą rysy Leonarda, malarz osiągnął jedyne w swoim rodzaju podwójne mistrzostwo: nie tylko stał się rozpoznawalnym przez każdego wizerunkiem Syna Bożego, ale także „najpiękniejszej kobiety świata" – nic dziwnego, że Mona Lisa uśmiecha się tak tajemniczo!

Przez wiele lat nawet poważne autorytety sugerowały, że Mona Lisa jest w rzeczywistości portretem nieznanej kochanki Leonarda. Ta hipoteza wydaje się o wiele mniej prawdopodobna niż „teoria autoportretu", jako że niemal na pewno wiadomo, iż Leonardo był homoseksualny (...).

Jeśli na portrecie zagadkowej kobiety Leonardo istotnie przedstawił siebie, to dlaczego to zrobił – i dlaczego trzymał obraz u siebie aż do dnia śmierci? Być może po prostu uważał, że stworzył arcydzieło i nie chciał się z nim rozstawać. Może lubił patrzeć na siebie jako na kobietę, bez brody i w długiej szacie. A może na widok Mony Lisy uśmiechał się, tak jak ona uśmiechała się do niego (...). Mamy jednak powody przypuszczać, że pod powierzchnią tego obrazu kryją się tajemnice – takie same, jakie pod gładką wytwornością ukrywał jego twórca.

Podobnie jak Maria Magdalena, Leonardo, nieślubny syn i prawdopodobnie homoseksualista, to autsajder – umęczony geniusz bez formalnego wykształcenia. Na dworach na zmianę kpiono z niego i pochlebiano mu. Zależny od swego patrona, ciągle musiał zważać na słowa, niemal zawsze samotny, nigdy nie czuł się pewny siebie. Był artystyczną prostytutką. Płacono mu za wykonywanie portretów lub słynnych fresków religijnych (a nie zawsze płacono na czas); zawsze stał z boku. Jako autsajder sięgnął poprzez mroczne stulecia do innego autsajdera: może ów odziany w zwiewne szaty Leonardo, w kobiecym welonie, z dziwnym, jakby wypchanym biustem, miał przedstawiać samą Magdalenę. To byłoby bardzo w stylu Leonarda, który wyraźnie bardzo dobrze rozumiał tę najbardziej oczernianą świętą sprzed wieków (...).

Zanim powrócimy do kwestii źródeł, z których czerpał Leonardo, powinniśmy przyjrzeć się jednemu z jego wielu „pięknych religijnych obrazów": *Madonnie wśród skał* (...). Pewien szczegół czeka tam na odkrycie – chociaż autor, który chce być traktowany poważnie, nie powinien w ogóle poruszać tego tematu.

Nowicjusz w świecie tych rewelacji mógłby uznać – nawet grzecznie powstrzymując niedowierzanie – że być może w swoich obrazach Leonardo dawał wyraz joannityzmowi, a nawet podziwiać jego subtelność i odwagę w przedstawieniu tak przewrotnych treści ufnemu spojrzeniu tłumów. Ale kiedy napisaliśmy *Templariuszy*, zarówno dla Clive'a [Prince'a, współpracownika Picknett], jak i dla mnie stało się jasne, że *Madonna wśród skał* to kolejna bitwa w niezwykłej i niezwykle wyrafinowanej kampanii Leonarda przeciwko chrześcijaństwu.

Ta kolejna rewelacja jest tak szokująca, tak śmieszna, że wydaje się freudowskim złudzeniem lub produktem dziecięcej fantazji. Trzeba jednak pamiętać, że Leonardo był żartownisiem, kpiarzem, iluzjonistą – i że nienawidził Świętej Rodziny (...). Najrozsądniej zapomnieć o wszystkim, co kiedykolwiek zostało napisane czy powiedziane na temat „poważnych" dzieł Leonarda. Clive i ja napisaliśmy w *Templariuszach*, że Leonardo w subtelny sposób szyfrował swe herezje, tak by dostrzegli je „ci, którzy mieli oczy do patrzenia", i nie posunąłby się do tego, by przyczepić św. Piotrowi czerwony nos klauna. Ale – co odkryliśmy dopiero niedawno – byliśmy w wielkim błędzie.

Nasze odkrycie nie należy do świata wielkich galerii sztuki, w których zwiedzający na palcach podchodzą do liczących sobie 500 lat dzieł pędzla Leonarda. Lepsze skojarzenie to chichoczący chłopcy, którzy smarują na murach brzydkie słowa albo takie gwiazdy sztuki brytyjskiej, jak Tracey Emin* czy Damien Hirst** – kontrowersyjni obrazoburczy geniusze. Chociaż tego, o czym mówimy, można się dopatrzyć w obu wersjach *Madonny wśród skał* – tej z National Gallery i tej z Luwru – jest ona o wiele wyraźniejsza w tej drugiej, bardziej „heretyckiej" z tych dwóch prac. Klucz tkwi w tytule obrazu: „skały" to włoskie slangowe określenie męskich jąder, a więc powiedzenia „ze skałami" – to odpowiednik naszego „z jajami". I tu interpretacja masy skał nad głowami Świętej Rodziny staje się szokująco jednoznaczna.

Dosłownie z głowy Madonny wyrastają dwie wspaniałe męskie „skały", zwieńczone masywnym fallusem, sięgającym aż do nieba, a zajmującym nie mniej niż połowę obrazu. Choć ten wstydliwy element tkwi w ogólnej masie skał, można go wyraźnie odróżnić – został nawet nieprzystojnie zwieńczony niewielkim pęczkiem roślin. Być może jest to odpowiednik „magicznego oka" – kształtu, który nie od razu można wyłowić wzrokiem, a czas, w którym go sobie „uświadamiamy", zależy od indywidualnej spostrzegawczości; trochę przypomina to popularną zabawę w szukanie kształtów zwierzęcych w chmurach. Nasza gra nie wymaga zbyt wybujałej wyobraźni, po prostu trzeba umieć spojrzeć na ten obraz na nowo, świeżym okiem bez żadnych uprzedzeń. Oto Leonardo – kpiarz i heretyk w swoim najodważniejszym, najbardziej złośliwym wcieleniu – wymalował organy płciowe, co wydaje się tym bardziej perwersyjne i okrutne, że obraz zamówiło Zgromadzenie Zakonne Niepokalanego Poczęcia. Gigantyczny penis wyrastający z głowy Madonny wyraźnie mówi – „tym, którzy mają oczy do patrzenia" – że żadna z niej Dziewica.

---

* Tracey Emin (ur. 1963) opowiada w swej sztuce o intymnych doświadczeniach, często dając im drastyczny wyraz (np. w pracy *Everyone I Have Ever Slept with 1963–1995* (Wszyscy, z którymi spałam w latach 1963–1995).

** Damien Hirst debiutował w latach 90. rzeźnickimi instalacjami, na które składały się fragmenty pociętych tusz krów, rekinów, baranów i pawianów.

Próba odczytania „wyblakłej plamy" Leonarda

Wywiad z Denise Budd

Denise Budd otrzymała tytuł doktora filozofii na Columbia University. W swej pracy habilitacyjnej na temat Leonarda da Vinci skoncentrowała się na nowej interpretacji źródeł dotyczących pierwszej połowy jego życia i kariery.

Czy istnieją jakieś dowody potwierdzające hipotezę, że Leonardo był członkiem Zakonu Syjonu lub innego tajnego stowarzyszenia tego rodzaju?

Nie ma żadnych konkretnych dowodów na to, że Leonardo da Vinci należał do Zakonu Syjonu czy innej tajnej organizacji. Dokumenty, na których Dan Brown tak bezkrytycznie się opiera, podobno odnalezione w latach 60. XX wieku w Bibliothèque Nationale w Paryżu, okazały się XX-wiecznymi falsyfikatami.

Czy oprócz pisma odwróconego, którym się niekiedy posługiwał, Leonardo używał jakichś szyfrów czy kodów?

Owszem, istnieją dowody na to, że posługiwał się kodem w niektórych swoich pismach; jednym z takich przykładów może być tak zwane „memorandum Ligny'ego", w którym przestawiał litery w nazwiskach i nazwach miejscowości. Być może zajmował się również szpiegostwem w okresie, gdy pełnił funkcję inżyniera wojskowego w armii Cesare Borgii. Ale „pismo lustrzane" byłoby bardzo kiepskim kodem, niezwykle łatwym do odczytania; wynika ono raczej z leworęczności Leonarda i nie jest próbą utajnienia zapisu.

Leonardo umieszczał w swych dziełach liczne symbole, a nawet, jak twierdzą niektórzy, przesłania o heretyckiej wymowie; na przykład w obrazie Madonna wśród skał. *Czy zgadza się pani z tym twierdzeniem?*

Nie, nie zgadzam się. *Madonna wśród skał* jest obrazem o treści religijnej, namalowanym na zamówienie Zgromadzenia Zakonnego Niepokalanego Poczęcia dla kościoła pod wezwaniem świętego Franciszka w Mediolanie, nie dla jakiegoś żeńskiego klasztoru, jak twierdzi Brown. Leonardo da Vinci otrzymał to zamówienie w 1483 roku. W związku z samym obrazem i jego kopią wynikły pewne skomplikowane problemy prawne, między innymi kwestia zapłaty dla Leonarda i jego pomocnika, Ambrogia de Predis. Jedną z przyczyn, dla której Dan Brown doszukał się w tym dziele heretyckich akcentów, jest jego własna omyłka: źle odczytał treść obrazu, i pomyliły mu się dwie znajdujące się na nim postacie i uznał świętego Jana Chrzciciela za Chrystusa i vice versa. Maryja została przedstawiona przez Leonarda w ten sposób, że jedna z jej rąk, uniesiona nad głową synka, stanowi dominującą oś kompozycji. Drugą ręką Maryja przygarnia kuzyna Chrystusa, świętego Jana, który klęczy na znak szacunku. Jan Chrzciciel jako pierwszy uznał boskość Chrystusa, kiedy obaj znajdowali się jeszcze w łonach swych matek. A więc pod tym względem obraz oddaje brzmienie tradycji.

Wprowadzając do swej kompozycji dodatkowy element w postaci anioła Uriela, Leonardo łączy dwa odrębne wydarzenia: scenę z najwcześniejszego dzieciństwa Jezusa ze sceną odwiedzin Jana Chrzciciela (który według tekstu apokryficznego pozostawał jako mały pustelnik pod opieką anioła Uriasza) u Świętej Rodziny, przebywającej na wygnaniu w Egipcie. Leonardo ułatwia oglądającym właściwe odczytanie kompozycji za pomocą gestów rąk, wiążących ze sobą poszczególne postacie. Prawdopodobnie tematyka obrazu została ustalona z przedstawicielami zgromadzenia zakonnego; wskazują na to pewne aluzje do niepokalanego poczęcia Maryi Panny, które w owej epoce nie było jeszcze przyjęte przez Kościół jako dogmat. W dobie renesansu artystom nie pozostawiano wolnej ręki w wyborze i przedstawieniu tematu, zwłaszcza jeśli chodziło o ważne zamówienie. Malarz otrzymywał wówczas ścisłe instrukcje. Zapewne i Leonardo musiał się do nich dostosować.

Czy może pani wyrazić swoją opinię na temat rzekomych skłonności homoseksualnych Leonarda? W jaki sposób orientacja seksualna mogła wpłynąć na jego twórczość?

Aczkolwiek rzadko można natrafić na dowody dotyczące orientacji seksualnej ludzi epoki renesansu, posiadamy kilka informacji na ten temat. W 1476 roku we Florencji Leonardo został dwukrotnie oskarżony (na podstawie anonimowego donosu) o homoseksualizm. Mieszkał wówczas w domu malarza Verrocchia. Identyczne oskarżenie skierowano pod adresem jednego z Medyceuszów, co może sugerować polityczny podtekst oskarżenia, które zresztą upadło. Leonardo nigdy się nie ożenił, podobnie jak wielu innych renesansowych artystów: Michał Anioł, Donatello, Brunelleschi, della Robbia i inni. Przekonanie o homoseksualnych skłonnościach Leonarda opiera się przede wszystkim na

Co niektórzy dostrzegają w *Ostatniej Wieczerzy* Leonarda da Vinci

1. W powietrzu wisi nóż, mający zapewne wymowę symboliczną, jako że jest oddzielony od reszty obrazu.

2. Autor książki *Kod Leonarda da Vinci* sugeruje, że postać po prawej stronie Jezusa, powszechnie uważana za apostoła Jana, nie jest mężczyzną, lecz kobietą. Ma to być portret Marii Magdaleny, która – zgodnie z wizją Leonarda – zajmuje najbardziej zaszczytne miejsce, obok Jezusa.

3. Ręka Piotra, wyciągnięta w groźnym geście w stronę „Marii Magdaleny", może być oznaką rywalizacji Piotra z Marią Magdaleną o przewodnią rolę wśród wyznawców Jezusa po jego śmierci oraz wyrazem zazdrości Piotra o wysoką pozycję, jaką Jezus zapewnił Marii Magdalenie w tworzącej się chrześcijańskiej społeczności.

4. Rozdzielająca postacie Jezusa i rzekomej Marii Magdaleny przestrzeń w formie kąta prostego to (zgodnie z sugestią zawartą w *Kodzie Leonarda da Vinci*) znak V – symbol świętego kielicha, a także waginy, łona i kobiecej seksualności.

5. Zarys sylwetek Jezusa i „Marii Magdaleny” przypomina literę M. Zgodnie z kolejną sugestią zamieszczoną w *Kodzie Leonarda da Vinci* może to być aluzja do imienia Marii Magdaleny lub do słowa *matrimonium* (małżeństwo).

6. Szaty Jezusa i „Marii Magdaleny”, utrzymane w tych samych odcieniach czerwieni i błękitu, są swymi „lustrzanymi odbiciami”.

7. Kolor błękitny oznacza miłość duchową, wierność i prawdę. Czerwień i błękit to barwy królewskie, w tym wypadku zapewne symbolizują „królewską krew” i nawiązują do królewskiego rodu Beniamina (z którego miała się rzekomo wywodzić Maria) oraz rodu Dawida, którego potomkiem był podobno Jezus.

8. W tej malarskiej wizji *Ostatniej Wieczerzy* zabrakło – przedstawianego tradycyjnie na centralnym miejscu – pucharu czy kielicha z winem; zamiast tego każda z siedzących przy stole osób ma przed sobą małą szklaną czarkę.

późniejszych źródłach (z końca XVI wieku), które powstały już po śmierci artysty, oraz na niewątpliwym upodobaniu Leonarda do młodych i niezbyt utalentowanych czeladników, którzy w dodatku po zakończeniu terminu w pracowni mistrza nie opuszczali go, jak było w zwyczaju, lecz pozostawali z nim przez wiele lat. Czy zatem Leonardo był homoseksualistą? Prawdopodobnie był. Nie sądzę jednak, by miało to jakikolwiek wpływ na jego malarstwo. Nawiasem mówiąc, portrety kobiece Leonarda należą do najpiękniejszych dzieł renesansu.

Jeden z rysunków w jego notatniku stanowi studium anatomiczne miłosnego aktu. Twórca opatrzył szkic uwagą, że przedstawione na tej stronie ciała prezentują się tak nieapetycznie, że gdyby nie piękno niektórych twarzy, rodzaj ludzki skazany byłby na wymarcie. Jednakże w pracach Leonarda nie znajdziemy żadnych dowodów takich czy innych preferencji seksualnych. I chyba nie warto ich tam szukać.

Co pani sądzi o teorii Dana Browna na temat Ostatniej Wieczerzy*?*

Na obrazie nie ma żadnej bezcielesnej ręki, której doszukuje się Dan Brown. Ręka z nożem – która zdaniem Browna zagraża Marii Magdalenie – to po prostu ręka Piotra. Ten zaś nie grozi Marii Magdalenie ani nie stara się „zdusić w zarodku" kobiecego nurtu w Kościele. To, że Piotr trzyma w ręku nóż, jest zapowiedzią jego gwałtownej reakcji w momencie pojmania Chrystusa: niebawem obetnie on ucho jednemu z rzymskich żołnierzy. Jest to zatem dość typowy motyw ikonograficzny.

Dan Brown czyni z braku kielicha punkt wyjściowy dla efektownego wprowadzenia na scenę postaci Marii Magdaleny. Wystarczy jednak spojrzeć na obraz, by dostrzec rozpostarte na stole ręce Chrystusa: prawa sięga po kawałek chleba, lewa zaś – całkiem wyraźnie – wskazuje czarkę z winem. Na obrazie Leonarda zostało dobitnie przedstawione ustanowienie sakramentu Komunii Świętej pod postacią chleba i wina. Jeśli zaś chodzi o sam kielich, podobny do kielichów mszalnych znajdujących się we współczesnych kościołach, to istotnie nie ma go na obrazie. Jest tam natomiast czarka z winem. Właśnie taka, jakiej należałoby się spodziewać na stole podczas Ostatniej Wieczerzy.

A co pani sądzi o sugestii, że na obrazie znajduje się Maria Magdalena, a nie święty Jan?

Postać siedząca przy Jezusie to niewątpliwie święty Jan Ewangelista. Był on ulubionym uczniem Chrystusa i nieodmiennie przedstawia się go u boku Mistrza. Największa różnica pomiędzy *Ostatnią Wieczerzą* Leonarda i wcześniejszymi florenckimi obrazami o tej samej tematyce polega na tym, że Leonardo umieścił Judasza w gronie uczniów, nie zaś osobno, po drugiej stronie stołu. Ale Jan na obrazie Leonarda wygląda tak jak na innych przedstawieniach: znajduje się u boku Jezusa, pozbawiony zarostu i piękny. Niekiedy artyści jeszcze mocniej podkreślali jego młodość i naiwność, ukazując go śpiącego w chwili, gdy jego Mistrz oznajmia, że zostanie zdradzony. Doskonałym przykładem takiego naiwnie kobiecego Jana jest postać uwieczniona przez Rafaela w *Ukrzyżowaniu*, namalowanym około 1500 roku. Obecnie obraz znajduje się w London National Gallery.

Drugą sprawą, którą należy koniecznie poruszyć, jest bardzo zły stan *Ostatniej Wieczerzy*, który pozwala dostrzec jedynie kontury kompozycji. I taki stan – prawdopodobnie – utrzyma się nadal. Nazywano *Ostatnią Wieczerzę* całkowitą ruiną już 20 lat po powstaniu obrazu, jeszcze za życia Leonarda da Vinci. I zawsze powtarzano, że jest już ledwie dostrzegalny. W XVI wieku Vasari nazwał go „wyblakłą plamą". Próbowano go odrestaurować w latach 1726 i 1770; w pomieszczeniu, w którym się znajdował, w 1799 roku urządzono koszary dla wojsk Napoleona i stajnię; został uszkodzony podczas powodzi w 1800 roku; w jego dolnej części wycięto drzwi; w 1821 roku próbowano usunąć go ze ściany; dokonywano kolejnych prób restauracji w latach 1854–1855, 1907–1908, 1924, 1947–1948, 1951–1954 oraz nieprzerwanie w latach 80. i 90. XX wieku. Żadna z przedstawionych na nim twarzy nie zachowała się w takim stopniu, by na jej podstawie można było o czymkolwiek wnioskować. Na przykład twarz Chrystusa to współczesna kopia.

Nie wierzę, że w *Ostatniej Wieczerzy* bierze udział kobieta...

WYWIAD Z DIANE APOSTOLOS-CAPPADONĄ

Diane Apostolos-Cappadona jest wykładowcą kontraktowym sztuki sakralnej i historii kultury w Center for Muslim-Christian Understanding (Centrum Porozumienia Muzułmańsko-Chrześcijańskiego) oraz na Wydziale Podstawowym Kultury i Sztuki w Liberal Studies Program (Programie Studiów Humanistycznych); oba ośrodki należą do Georgetown University. Wraz z Deirdre Good zorganizowała szereg warsztatów i wykładów specjalnych na temat *Prawda o kodzie Leonarda da Vinci*.

Jak pani wie, niektórzy ludzie (z Danem Brownem na czele), dopatrzyli się w Ostatniej Wieczerzy *najrozmaitszych znaczeń i symboli, których tradycyjnie myślący historycy sztuki i uczeni nie dostrzegają. A co pani widzi, patrząc na ten obraz?*

Ostatnia Wieczerza jest, podobnie jak cała sztuka Leonarda, dziełem niezwykle „ludzkim". To właśnie stanowi jej największy urok. W oparciu o swą znajomość sakralnej sztuki chrześcijańskiej mogę stwierdzić, że obraz ten ma szczególne znaczenie, gdyż Leonardo potraktował dobrze znany temat całkiem inaczej niż jego poprzednicy. Skoncentrował uwagę na czymś zgoła innym. Historycznie rzecz biorąc, wszystkie wcześniejsze dzieła sztuki o tej tematyce: rzeźby i płaskorzeźby zdobiące świątynie z zewnątrz i wewnątrz, hafty na szatach liturgicznych, obrazy, posągi i ozdobne inicjały manuskryptów, dla których natchnieniem stała się ta ostatnia uczta, miały ze sobą bardzo wiele wspólnego. Twórca kładł główny nacisk na zdradę Judasza, która wielu ludziom wydaje się najważniejszym wydarzeniem Ostatniej Wieczerzy, albo na ustanowienie sakramentu Komunii Świętej, które przydawało niezwykłego blasku temu zgromadzeniu.

Tymczasem przypatrując się obrazowi Leonarda, jesteśmy świadkami nie wypowiedzenia przez Jezusa przerażających słów: „Jeden z was wyda mnie", lecz reakcji apostołów na te słowa. Uczniowie są w stanie szoku. Spoglądają jeden na drugiego, wskazują się nawzajem przesadnymi gestami, jakby mówili: „To na pewno nie ja, więc musi to być ktoś z was... ale jak to możliwe? Jak może to być któryś z nas?!" W dodatku słowa Jezusa znaczą nie tylko: „Wiem, że zostanę zdradzony", ale i: „Wiem, który z was to uczyni" (...).

Jeśli oceniać *Ostatnią Wieczerzę* Leonarda w szerszym kontekście całej jego twórczości, trzeba przyznać, że gesty przedstawionych na tym obrazie postaci nie tylko uczłowieczają tę scenę i przybliżają ją nam. Mają również wymowę symboliczną. W tym konkretnie wypadku gesty apostołów wyrażają zdumienie, niedowierzanie, oskarżenie, zbożny lęk lub podziw. I właśnie to uważam za najistotniejszą cechę tego obrazu. Postać Jezusa wyróżnia się w osobliwy sposób. Jezus nie został – jak wszyscy inni – porażony wieścią. On jeden jest świadomy przyszłych wydarzeń jako zwiastun rychłej zbrodni, a równocześnie jej ofiara.

Jakie jest pani zdanie na temat przedstawionej w książce Kod Leonarda da Vinci *hipotezy, że rzekomy apostoł Jan jest w gruncie rzeczy Marią Magdaleną?*

W pierwszej chwili pomyślałam, że to bardzo interesująca interpretacja: kobieta bierze udział w Ostatniej Wieczerzy! Doskonale pasuje ona do feministycznej teologii... a może do teologii ery postfeministycznej?... Ale nie zmieni w prawdę czegoś, co nie jest prawdą.

Jeśli przestudiujemy uważnie motywy Ostatniej Wieczerzy w chrześcijańskiej sztuce sakralnej, przede wszystkim zwrócimy uwagę na postać Jezusa, zajmującego centralne miejsce przy stole albo na samym jego końcu. Stół może być okrągły, kwadratowy lub prostokątny – zależnie od panujących w danej epoce zwyczajów i od rozmiarów obrazu. Niemal równocześnie z Jezusem dostrzegamy Jana Ewangelistę (zwanego również świętym Janem lub ukochanym uczniem Jezusa). Zgodnie z wielowiekową tradycją Jan jawi się także i nam – ludziom z przełomu XX i XXI wieku – jako uosobienie młodości i delikatnego, kobiecego wdzięku.

Jednakże, jeśli przyjrzymy się dokładniej dziełu Leonarda, zauważymy także innych uczniów bez zarostu i takich, o których można by powiedzieć, że mają kobiece rysy. Chciałabym tu podkreślić, iż pojęcia „męski" i „kobiecy" są uwarunkowane kulturowo i społecznie. To, co dziś uważamy za „typowo męskie" lub „bardzo kobiece", zapewne nie pokrywa się z przekonaniom panującym we Florencji lub Mediolanie w XV wieku. Jeśli przyjrzeć się uważnie dziełom chrześcijańskiej sztuki sakralnej, a zwłaszcza przedstawionym tam postaciom męskim i kobiecym, ich twarzom i gestom, to *Ostatnia Wieczerza* przestanie się wydawać obrazem wyjątkowym!

Czy może pani wyjaśnić to dokładniej?

Podam jako przykład anioły występujące w sztuce renesansowej za czasów Leonarda albo namalowane przez samego Leonarda. W założeniu ich ciała miały być męskie. A jednak niektórzy z moich studentów reagują bardzo gwałtownie na slajdy przedstawiające średniowieczne i renesansowe malowidła. Zwłaszcza te z aniołami. Pytają niemal z rozpaczą: „Czemu on ma takie długie włosy?! I w dodatku w loczkach! A twarz nastolatka!" No, cóż... musimy wówczas przerwać wykład i zastanowić się nad własnymi uprzedzeniami i stereotypami związanymi z płcią, którymi się posługujemy.

Nie wierzę, by na obrazie Leonarda przedstawiającym Ostatnią Wieczerzę mogła znaleźć się kobieta. A już z pewnością nie Maria Magdalena! I sądzę, że ów znak V, który Dan Brown uważa za symbol kobiecości, został umieszczony na obrazie przede wszystkim po to, by uwydatnić postać Chrystusa. Dodaje także freskowi głębi, stwarzając złudzenie perspektywy.

Jak ważną rolę odgrywa, pani zdaniem, forma artystyczna i perspektywa obrazu?

Ogólnie rzecz biorąc, perspektywa odgrywała ogromną rolę w sztuce renesansu, zwłaszcza w dziełach Leonarda. W *Ostatniej Wieczerzy* rozmieścił apostołów tak, że tworzą grupy o zarysie trójkąta. Na jeden z tych trójkątów składają się postaci tak zwanej Marii Magdaleny (czyli Jana), znajdującego się z tyłu osobnika z siwą brodą (Judasza) i mężczyzny na pierwszym planie (Piotra). Dan Brown nie bawił się w rozważania na temat piramidalnej kompozycji dzieła Leonarda, nie docenił czterech trójkątnych układów figuralnych, które odgrywają bardzo ważną rolę: stanowią przeciwwagę centralnej postaci Jezusa, również tworzącej trójkąt. A zatem figura znajdująca się w samym środku obrazu ma kształt piramidy. Taka właśnie kompozycja piramidalna stanowi bezcenny (choć nie jedyny) wkład Leonarda do sztuki Zachodu.

Obecnie oglądamy *Ostatnią Wieczerzę* w atmosferze muzealnej, niemal kościelnej. Jednak malowidło miało zdobić ścianę refektarza, czyli klasztornej sali jadalnej. W trakcie posiłków zakonnicy spoglądali to na dzieło Leonarda, to znów na przedstawioną na drugiej ścianie scenę Ukrzyżowania. Wybór zależał od tematu rozmowy, jakości posiłku, charakteru wspólnie odmawianych modlitw. Obraz Leonarda odgrywał w życiu klasztoru niemałą rolę, zgoła odmienną niż obecnie. Stanowiąc element życia mnichów, brał w nim niejako udział, miał różne znaczenie w różnych okresach kalendarza liturgicznego. Dan Brown nie zwraca najmniejszej uwagi na ten oryginalny klasztorny kontekst.

Rozważania nad manuskryptami Leonarda da Vinci

SHERWIN B. NULAND

Sherwin Nuland jest autorem bestsellera *How We Die* (Jak umieramy), który zdobył w 1994 roku National Book Award for Nonfiction (krajową nagrodę literacką za najlepszą pozycję literatury faktu). Profesor Nuland jest wykładowcą chirurgii na Yale University; prowadzi również zajęcia z historii medycyny i bioetyki. Poniższy tekst jest fragmentem zaczerpniętym z książki *Leonardo da Vinci*.

Oto jak pojmuję intencje Leonarda da Vinci, który przez 35 lat z górą pokrył odręcznymi zapiskami ponad 5000 stron, nawet jeśli liczyć tylko te, które się zachowały – a z pewnością mnóstwo zaginęło. W Mediolanie Leonardo, który przekroczył już trzydziestkę, rozpoczął swego rodzaju korespondencję z samym sobą. Złożyła się na nią niezliczoną ilość zapisków, niektórych bardzo krótkich i niepowiązanych z całą resztą, niektórych w formie starannie opracowanych szkiców na temat problemów artystycznych, naukowych czy filozoficznych. Zazwyczaj towarzyszą im rysunki – albo wypracowane, albo bardzo proste. Prawdę mówiąc, należałoby raczej powiedzieć, że to rysunkom (czasem kompletnym, częściej nieukończonym) towarzyszą krótkie wyjaśnienia, gdyż z całą pewnością rysunki odgrywają znacznie większą rolę niż słowny komentarz. Rozmiary kart z notatkami są bardzo zróżnicowane: od całkiem dużych (w większości wypadków) do karteczek o wymiarach osiem na sześć centymetrów. Więcej niż połowa manuskryptów została zapisana na luźnych kartkach, reszta w różnego rodzaju notatnikach. Ponadto, jakby tego było nie dość, Leonardo używał niekiedy złożonych arkuszy papieru, które następnie rozcinał i układał w strony – tak osobliwie, że poprzednia kolejność i powiązania między notatkami całkiem się zacierały.

Prawie zawsze zapis kończy się na tej samej stronie, gdzie się zaczął. Zdarzyło się jednak w kilku (naprawdę tylko kilku) wypadkach, że w notatniku oprawnym w skórę, z numerowanymi kartkami, znajdowałem polecenie: „Odwróć stronę!", a na owej wskazanej stronie objaśnienie: „Kontynuacja tekstu z poprzedniej strony". Leonardo nie stawiał znaków przestankowych ani akcentów, a na dodatek miał wyraźną skłonność do łączenia kilku stojących obok siebie krótkich wyrazów w jeden długi. Zresztą równie ochoczo dzielił zbyt długie wyrazy na połówki. Od czasu do czasu można się natknąć na rzeczowniki własne czy pospolite, w których – jakby w wielkim pośpiechu – poprzestawiano litery. Niektóre słowa i liczby wyróżnia dziwaczna, niekonsekwentna, charakterystyczna dla Leonarda pisownia. Z początku trudno takie słowa rozszyfrować, ale z czasem rozpoznawanie ich staje się łatwiejsze. Podobnie sprawy się mają w przypadku używanych przez Leonarda skrótów, rodzaju prywatnej stenografii.

Dodatkowym problemem jest tak zwane „lustrzane pismo". Da Vinci pisał od prawej strony do lewej, co znakomicie utrudnia odcyfrowanie jego manuskryptów. Prawdopodobnie w związku z tym „lustrzanym" sposobem pisania przekładał czasem kartki notatnika w odwrotnym kierunku. Dlatego też trzeba niekiedy cofnąć się, by odczytać cały ustęp. Strona takich niewyraźnych zapisków może równie dobrze zawierać rozważania na temat jakiegoś problemu naukowego, jak prywatne notatki dotyczące zajęć gospodarskich. Niekiedy znajdujemy szkic niejednego z wydawnictw opatrzony żadnym komentarzem, kiedy indziej notatkę bez rysunku, czasami zdarza się szkic połączony z tekstem w niesłychanie przejrzysty sposób. Kiedy na którejś ze stron natkniemy się na pozornie z niczym niezwiązane notatki i rysunki, niejednokrotnie po dokładnym zbadaniu ich przez ekspertów okazuje się, że dotyczą – bezpośrednio lub pośrednio – znajdującego się obok materiału.

Istnieje co prawda „ukończone" dzieło Leonarda – księga, którą wkrótce po śmierci autora opatrzono tytułem *Traktat o malarstwie**. Jest to jednak praca nieznanego kompilatora, który po prostu zebrał razem fragmenty, tworząc dość spójną całość. Kodeks *O locie ptaków* robi wrażenie bardziej dopracowanego, ale także nie zawiera wszystkich szkiców i uwag Leonarda na temat lotu ptaków. Wiele z nich przemieszało się z innymi szkicami i notatkami Leonarda da Vinci. Żaden z jego manuskryptów nie został ukończony. Cała spuścizna Leonarda to tysiące stron i stroniczek, na których – jak my wszyscy – zapisywał „dla pamięci" palące problemy. Niestety, wiele z tych kart po prostu przepadło.

Jednakże istnieją również takie strony jego zapisków, których nie tylko nie zagubił, ale niejednokrotnie do nich wracał. Taki nawrót zainteresowania mógł nastąpić po kilku tygodniach, po paru miesiącach, a niekiedy po latach. Leonardo uzupełniał pierwotny zapis czy rysunek, gdyż zapoznał się lepiej z tematem. Najbardziej rzuca się to w oczy w przypadku studiów anatomicznych. Zachował się cykl rysunków splotu ramieniowego: pęk splecionych ze sobą, rozgałęziających się nerwów, które zasilają ramię ze źródła, czyli z rdzenia kręgowego. Ostatni rysunek, przedstawiający zdumiewający splot włókien, został wykonany 20 lat po pierwszym szkicu z tej serii.

Mimo że wymaga dużej koncentracji przy odcyfrowywaniu, „lustrzane pismo" sprawia czytelnikowi znacznie mniej trudności, niż można by przypuszczać. Osoby leworęczne z reguły nie miewają kłopotu z odczytaniem takiego zapisu. Być może jest dla nich bardziej czytelny od zwykłego pisma. Szkolny dryl potrafi wyplenić tę „nienaturalną" skłonność młodocianych mańkutów, ale w dalszym życiu bez trudu przypominają sobie oni dawne umiejętności. Wielu praworęcznych potrafi także pisać od prawej do lewej, i to całkiem czytelnie. Istnieje bardzo duże (choć nie stuprocentowe) prawdopodobieństwo, że Leonardo był mańkutem. Luca Pacioli wspomina o leworęczności przyjaciela; czyni to również niejaki Saba da Castiglioni w swoich *Ricordi* (Zapiskach), opublikowanych w 1546 roku w Bolonii. Zwrócono również uwagę na to, że przy cieniowaniu artysta przeważnie stawia kreski od lewej do prawej na skos, jak zrobiłby to ktoś leworęczny.

Wziąwszy to wszystko pod uwagę, trzeba przyznać, że za niezwykłym sposobem pisania Leonarda nie kryje się zapewne żadna tajemnica. Artysta – niemal na pewno mańkut – zapisując swe spostrzeżenia i wnioski, bazgrolił najszybciej jak

* Leonardo da Vinci *Traktat o malarstwie*, tł. M. Rzepińska, Warszawa 1961.

mógł, gdyż ręka nie nadążała za niezwykle lotnym umysłem. I tak oto coś, co niektórzy uznali za szyfr, okazuje się zwykłymi gryzmołami, a błędy ortograficzne – czymś w rodzaju prywatnej stenografii, umożliwiającej jak najszybsze przelewanie myśli na papier. Z różnych zachowanych do dziś wypowiedzi Leonarda jasno wynika, że zamierzał ostatecznie uporządkować większość tego materiału, choć zapis lustrzany był dla niego równie – a może nawet bardziej? – czytelny niż ogólnie obowiązujące pismo, a notatki przeznaczone wyłącznie dla jego własnych oczu.

Powyższe uwagi mogą się wydawać przekonujące, lecz nadal istnieje możliwość, że Leonardo z całą premedytacją zapisywał swe myśli w taki sposób, by stały się niedostępne dla wszystkich... z wyjątkiem kogoś, komu tak zależało na zapoznaniu się z nimi, że gotów był poświęcić na to długie godziny. Vasari pisał, że Leonardo był heretykiem i raczej filozofem niż chrześcijaninem. Niektórzy uważali go zapewne za ateistę, ukrywającego swe przekonania; wiele jego opinii bardzo odbiegało od kościelnych dogmatów. Warto przypomnieć, że to właśnie on, Leonardo, na długo przed procesem Galileusza napisał: „Słońce nie porusza się wokół Ziemi". I to właśnie on, da Vinci, dostrzegał na każdym kroku dowody – w postaci skamielin, formacji skalnych albo przypływów i odpływów morskich – tego, jak stara jest Ziemia i jak bez ustanku zmienia się charakter formacji geologicznych i form życia na naszej planecie. Aż do początków XIX wieku, gdy zaczął publikować swe prace utalentowany angielski geolog, sir Charles Lyell, żaden uczony równie jasno i zrozumiale jak Leonardo nie sformułował teorii na temat cech powierzchni Ziemi, które są rezultatem niewiarygodnie długotrwałych procesów geologicznych. „Ponieważ zaś twory natury – pisał da Vinci – istniały znacznie wcześniej, niż wynaleziono alfabet, nic dziwnego, że do naszych czasów nie przetrwały żadne relacje o tym, jak morza zalewały obszary wielu obecnych państw. Zresztą choćby nawet czyniono kiedyś takie obserwacje, to wojny, pożary i powodzie, a także zmiany językowe i obyczajowe zniszczyłyby wszelkie ślady owej przeszłości. Powinno jednak wystarczyć nam świadectwo w postaci tworów uformowanych niegdyś przez słone wody, a odnajdywanych dziś na górskich szczytach, bardzo daleko od morza".

Leonardo przedstawiał te osobliwe dowody na niektórych swych obrazach. Są to przede wszystkim *Madonna wśród skał*, *Święta Anna Samotrzecia* oraz *Mona Lisa*. W tle każdego z tych malowideł można zobaczyć, jak da Vinci wyobrażał sobie pierwotny świat przed ewolucją (używam tego terminu z całym rozmysłem: niewiele brakowało, by da Vinci stworzył teorię ewolucji!), w wyniku której przybrał obecną formę.

Ponieważ Leonardo niejeden raz powtarzał, że każda cząstka wszechświata związana jest nierozerwalnie ze wszystkim, co ją otacza, z pewnością porównywał etapy rozwoju świata z okresami ludzkiego życia. Fascynowały go oba te problemy – rozdzielnie i łącznie.

To nieprzewidywalna natura (zdaniem Leonarda) była twórczynią wszystkich nieustannie zmieniających się cudów Ziemi. Da Vinci nie zawahał się wyłożyć swych poglądów: „Natura, niestała, płodna i ustawicznie tworząca nowe formy, gdyż wie, że dzięki temu powiększają się zasoby Ziemi, jest bardziej chętna i szybka w swym dziele tworzenia niż czas w swej żądzy zniszczenia". Nie znajdujemy tu żadnej wzmianki o Bogu, nie ma miejsca na biblijną opowieść o dziele stworzenia. Choć nie zgadzam się w tym względzie z Leonardem da Vinci, sądzę, że trzeba pamiętać o jego poglądach przy tworzeniu teorii wyjaśniającej, czemu Leonardowi mogło zależeć na kodowaniu prywatnych zapisków. W epoce dominacji Kościoła niezwykle łatwo można było zyskać opinię heretyka; wszyscy aż za dobrze wiemy, jak skończył nie tylko Galileusz, ale i inni, którzy ośmielili się kwestionować kościelną doktrynę.

Niewielu uczonych w ciągu kilku wieków zdołało rozszyfrować zapiski Leonarda; wysiłki tej gromadki wydały cenny owoc: myśli autora manuskryptów stały się dostępne dla reszty ludzkości. Nawet zamieszczone gdzieniegdzie w tej książce cytaty dowodzą mistrzostwa języka Leonarda. Do tytułów wielkiego malarza, architekta, uczonego i wszystkich innych należy dodać „mistrz słowa". Najbardziej zadziwia fakt, że zarówno słowa, jak i myśli przeznaczone były wyłącznie dla oczu twórcy… nawet jeśli powodem był lęk przed oskarżeniem o herezję. Leonardo – esteta, wnikliwy obserwator człowieka i natury, filozof moralista przemawia do nas z tak całkowitym zrozumieniem, z taką siłą i głębią uczucia, jak gdyby strumień jego świadomości nie wysychał ani na moment w ciągu tych 30 z okładem lat, w ciągu których powstawały manuskrypty. Nie odezwał się w nim przez ten czas żaden wewnętrzny cenzor, jedynie kryształowo czysty głos szczerości, przekonania i – niezwykła rzadkość w owej epoce – wolnej od uprzedzeń ciekawości.

Gdyby Leonardo zabiegał o wydanie zbioru zasad, którymi kierował się w życiu, albo aforyzmów, dzięki którym chciał utrwalić swe imię w ludzkiej pamięci, albo kompendium swojej wizji wszechświata i ludzkości… gdyby takie były rzeczywiście jego zamiary, nie mógłby urzeczywistnić ich skuteczniej, niż uczynił to za pomocą tej pozornie przypadkowej zbieraniny oderwanych myśli, nagryzmolonych na luźnych kartkach lub w notatnikach, pomiędzy szkicami, projektami architektonicznymi, obserwacjami naukowymi, konstrukcjami matematycznymi, cytatami z dzieł innych autorów i anegdotkami z codziennego życia. Leonardo równocześnie wyjawia swe najbardziej utajone myśli i przesłanie, które przez całe życie starał się przekazać: istotę ludzką można zrozumieć w pełni tylko wówczas, gdy zwrócimy się do natury; sekrety natury można odkryć dzięki obserwacji i doświadczeniom wolnym od uprzedzeń; możliwości umysłu ludzkiego są nieograniczone, a wszystkie elementy wszechświata tworzą jedność; studiowanie formy jest konieczne, ale prawdziwy klucz mądrości to studia nad ruchem i działaniem; badanie sił i energii prowadzi do całkowitego zrozumienia dynamiki natury; nauki ścisłe należy sprowadzić do zasad matematycznych, które można udowodnić; rozstrzygające pytanie na temat życia i całej natury brzmi nie „jak?", lecz „dlaczego?"

„Istota ludzka może być zrozumiana jedynie w powiązaniu z naturą". Uwaga ta zawiera znacznie więcej treści, niż się wydaje na pierwszy rzut oka. Natchnieniem dla Leonarda była starożytna teza: człowiek to mikrokosmos w ogromnym makrokosmosie wszechświata. W ujęciu Leonarda jednak owa więź ma charakter nie duchowy, lecz mechanistyczny: wszystko jest podporządkowane działaniu sił natury. Wszystko powstaje ze wszystkiego i odzwierciedla się we wszystkim. Budowa naszej planety podobna jest do budowy ludzkiego ciała:

> Starożytni nazywali człowieka maleńkim światem i rzeczywiście jest to odpowiednie określenie, wziąwszy pod uwagę, że człowiek składa się z ziemi, wody, powietrza i ognia; z tych samych elementów co ciało Ziemi. Jak u człowieka kości stanowią podporę ciała, tak świat ma skały, na których opiera się Ziemia. Jak człowiek nosi w sobie zbiornik krwi, a jego płuca rozdymają się i kurczą podczas oddechu, tak ciało Ziemi ma swój ocean, który wznosi się i opada co sześć godzin zgodnie z tchnieniem świata. A jak ze zbiornika z krwią rozchodzą się po ludzkim ciele naczynia krwionośne, tak ocean poi ciało Ziemi dzięki niezliczonym żyłom wodnym.

Niektóre aforyzmy Leonarda cechuje wzniosłość wersetów biblijnych; można w nich dostrzec także paralelizmy, jak w Księdze Przysłów, w Księdze Psalmów czy w Księdze Mądrości. Objawia się nam znów ten Leonardo, który rozsławił się powiedzeniem: „W życiu nie sztuka ginie, lecz piękność". Da Vinci twierdzi z całkowitym przekonaniem, że malarstwo jest najwyższą formą sztuki: „Prędzej uschnie ci język, a całe ciało zmarnieje z braku snu, nim zdołasz wyrazić słowami to, o czym malarskie dzieło może przekonać cię naocznie i w jednej chwili".

A oto jego uwaga o nieśmiertelności, którą zdobywamy dzięki użytkowi, jaki czynimy z życia, i dzięki spuściźnie, jaką pozostawiamy potomności: „O ty, który śpisz, czym jest sen? Podobieństwem śmierci. Czemu nie przyłożysz się raczej do swego dzieła, by zapewniło ci nieśmiertelność po śmierci, zamiast marnować życie, z własnej woli upodobniając się do trupa?" A w innym jeszcze miejscu argument koronny: „Wystrzegaj się działania, którego owoce zginą wraz z tobą".

Albo ta myśl, jakby żywcem wzięta z Księgi Przysłów: „Nie zwij bogactwem tego, co możesz łatwo stracić. Jedynie cnota jest prawdziwym bogactwem i prawdziwą nagrodą dla tego, kto ją posiada (...). Majątku zaś i wszelkich dóbr materialnych powinieneś się lękać; zbyt często znikają, okrywając w dodatku dawnego posiadacza sromotą i narażając go na szyderstwa, że nie upilnował swego skarbu". I pomyśleć, że wszystkie te myśli pochodzą od człowieka, którego współcześni nazywali „kompletnym niedouczkiem"!

Oczywiście wiele zapisków Leonarda nie sięga takich zawrotnych wyżyn. Można znaleźć wśród nich spisy książek, które postanowił przeczytać lub pragnie kupić; wzmianki o bardzo prozaicznych sprawach, jak kłopoty z prowadzeniem dużego gospodarstwa lub z nadzorowaniem pracy innych artystów i rzemieślników; listy do bogatych klientów, w których skarży się, że wciąż czeka na zapłatę. I tak na przykład, w pozszywanym niezdarnie z różnych fragmentów tomie, który ostatecznie nazwano *Codex Atlanticus,* można natrafić na następujące słowa (w liście skierowanym do Lodovica Sforzy podczas pierwszego pobytu Leonarda w Mediolanie): „Dręczy mnie wielce, że konieczność zarabiania na życie [tzn. przyjmowanie zamówień od innych klientów] zmusiła mnie do przerwania pracy, którą Wasza Miłość mi powierzył; mam jednak nadzieję, że wkrótce zdołam zarobić dość, by ze spokojnym umysłem zadość uczynić życzeniom Waszej Wysokości, którego łaskawości się polecam. Gdyby zaś Wasza Miłość sądził, że mam dość pieniędzy, pozwolę sobie wyprowadzić Waszą Wysokość z błędu: mam sześć gąb do wyżywienia, a w ciągu ostatnich 36 miesięcy otrzymałem ledwie 50 dukatów".

Leonardo nigdy nie ukrywał swych talentów. I nie wstydził się chwalić, jeśli nadarzała się po temu okazja, jak choćby w liście do nieznanego adresata, który pochodzi z tego samego okresu co poprzednio cytowany: „Mogę cię zapewnić, że w tym mieście znajdziesz tylko partackie wyroby niegodnych zaufania, nieudolnych twórców. Nie ma tu ani jednego utalentowanego człowieka, możesz mi wierzyć! Oczywiście z wyjątkiem Leonarda z Florencji, który szykuje właśnie konia z brązu dla księcia Francesca i nie zamierza się przechwalać tym, że powierzono mu zadanie, któremu poświęci zapewne resztę życia... Zaczynam już powątpiewać, czy kiedykolwiek je skończy, takim ogromem pracy go obarczono!"

Co pewien czas czytelnik natrafia na słowa, które można chyba nazwać proroczą wizją Leonarda. Zatrzymuje się wtedy, odczytuje powtórnie tekst, potem jeszcze raz, żeby się upewnić, że właściwie zrozumiał. W głowie Leonarda wciąż rodziły się nowe pomysły i stąd tendencja do przypisywania mu nieograniczonych wprost możliwości intelektualnych. Nie powinniśmy nadinterpretować niektórych jego twierdzeń, choć sama nasuwa się myśl, że Leonardo w następnym fragmencie swych manuskryptów wyjaśnia fundamentalną zasadę ewolucji, do której niejednokrotnie nawiązywał w innych notatkach, dotyczących obserwacji formacji geologicznych, ruchu wód oraz skamielin. „Potrzeba jest mentorką i nauczycielką natury – pisze. – To ona jest motywacją i inspiracją natury, hamulcem i regulatorem jej działania". Ta potrzeba, a inaczej mówiąc, instynkt samozachowawczy, jest katalizatorem procesu ewolucji.

Podobnie rzecz się ma z zasadami, które w przyszłych wiekach zostaną nazwane „rozumowaniem indukcyjnym". Leonardo – jak się wydaje – instynktownie je pojmuje, podobnie jak docenia znaczenie doświadczeń przy objaśnianiu podstawowych praw natury:

> Najpierw muszę wykonać kilka eksperymentów, zanim posunę się dalej, gdyż zamierzam najpierw stwierdzić doświadczalnie, a następnie wykazać za pomocą rozumowania, dlaczego ten czy ów eksperyment daje takie, a nie inne wyniki. I to właśnie jest słuszna zasada, którą powinni się kierować ci, którzy analizują efekty działania natury. Mimo że działanie natury zaczyna się od przyczyny, a kończy na doświadczeniu, my musimy obrać kierunek odwrotny, a mianowicie (jak już powiedziałem wcześniej) zaczynać od doświadczenia i w oparciu o jego wyniki analizować przyczynę.

Jest to rozumowanie charakterystyczne dla XVII wieku. Leonardo żył we wcześniejszej epoce, gdy ogromna większość uczonych postępowała wręcz odwrotnie, a mianowicie sięgała po uogólniające teorie dla wyjaśnienia swych doświadczeń i obserwacji. Dopiero po upływie 100 lat z górą William Harvey, który w 1628 roku opisał krążenie krwi, zawrze w jednym zwięzłym zdaniu nową regułę, którą „kompletny niedouczek" Leonardo sformułował już wcześniej w naukowej próżni: „Najpierw sprawdzajmy na własne oczy, a dopiero potem wspinajmy się z dolin na wyżyny".

9. Świątynie symboli, katedry kodów

Tajemna mowa architektonicznego symbolizmu

O bracie, gdybyś znał Artura dawny dwór!...
(Przed laty Merlin gmach dla króla swego wzniósł).
I wiodła stroma perć do Camelotu bram,
Ku niemu dążył wzwyż zasobny, wielki gród:
Przy wieży wieża szła, przy dachu piął się dach.
I łąka, las i sad, szemrzący nawet zdrój
Spieszyły raźno tam, gdzie wznosił się ów gmach...
Poczwórnym kręgiem go kamienna strzegła straż:
Na każdej widniał z rzeźb magiczny, tajny znak (...).

Alfred Tennyson*

Znaleźć ukryte więzi łączące Debussy'ego z templariuszami?
To żadne osiągnięcie! Każdy by sobie z tym poradził. Prawdziwe wyzwanie
to znaleźć tajemne ogniwa pomiędzy (dajmy na to) Kabałą
a świecami zapłonowymi w samochodzie (...).

Umberto Eco

---

* Alfred Tennyson *The Holy Grail*, *Idylla of the King* (1859–1885).

Od czasu, gdy na ścianach jaskini pojawiły się pierwsze plastyczne wyobrażenia tego, co w ludzkim umyśle jawiło się jako święte, znaki i symbole stanowiły niezwykle istotny element przeżyć religijnych, będąc wyrazem tego, co uświęcone, boskie, związane z rytuałem i z wyznawaną wiarą.

Wraz z bohaterami *Kodu Leonarda da Vinci* spędzamy wiele czasu we wnętrzach kościołów: Saint-Sulpice, Świątyni Grobu Pańskiego, w Opactwie Westminsterskim, kaplicy Rosslyn... oraz w Luwrze, gdyż to muzeum, jak twierdzi Jacques Saunière, jest prawdziwą świątynią. Przysłuchujemy się również dyskusji na temat katedry Notre Dame i katedry w Chartres, świątyni króla Salomona w Jerozolimie i innych. Słyszymy również, jak symbolog Robert Langdon wyjaśnia swoje teorie na temat architektury sakralnej, która miała być odbiciem żeńskiej świętości.

Egipcjanie, Grecy i Rzymianie dawali wyraz swej religijnej kosmologii w sposobie projektowania i wznoszenia budowli sakralnych. Z całą pewnością także templariusze i masoni, mistrzowie budownictwa, wyrażali swe przekonania religijne w architekturze.

W tym rozdziale odbędziemy wirtualną podróż w poszukiwaniu wymienionych w *Kodzie Leonarda da Vinci* głównych tematów, które znalazły swe odbicie w architekturze i symbolach wizualnych.

Paryż
Śladami bohaterów Kodu Leonarda da Vinci

David Downie

David Downie to mieszkający w Paryżu niezależny pisarz, dziennikarz i tłumacz. Jego artykuł ukazał się pierwotnie na łamach „San Francisco Chronicle", 25 stycznia 2004 roku. W zamieszczonym tu fragmencie Downie zabiera swych czytelników na krótką wycieczkę po Paryżu ze specjalnym uwzględnieniem charakterystycznych obiektów, symboli i ciekawostek, które po ukazaniu się książki *Kod Leonarda da Vinci* szczególnie przyciągają uwagę turystów.

Co mają ze sobą wspólnego: Place Vendôme, portret Mony Lisy, astronom Dominique François Arago* i średniowieczny biskup Sulpicjusz? To proste: te miejsca i postaci łączy *Kod Leonarda da Vinci* i zapierający dech pościg Dana Browna za świętym Graalem (przeważnie po ulicach Paryża).

Bohater thrillera, profesor Robert Langdon, to „symbolog" z Harvardu, dość zamożny, by mógł sobie pozwolić na nocleg w Ritzu (za jedne 1000 dolarów doba) przy wytwornym Place Vendôme. Właśnie tam przebywa, gdy całkiem blisko, w Luwrze, zaczyna się jatka. Dyrektor muzeum, a zarazem wielki mistrz pewnego tajemnego stowarzyszenia, które ma strzec tajemnicy świętego Graala, zostaje zamordowany w odległości niespełna 30 metrów od tajemniczej *Mony Lisy* Leonarda da Vinci, której portret stanowi jeden z ważnych śladów we wspomnianym pościgu. Niewidzialna linia północ–południe biegnie przez Luwr i położony na południe od Sekwany kościół Saint-Sulpice. Ową tajemniczą linią jest paryski południk, po raz pierwszy oznakowany w 1718 roku, potem zaś wytyczony dokładniej w początkach XIX wieku przez Arago. Jest „starszy" od południka biegnącego przez Greenwich i od 1994 roku oznakowany 135 mosiężnymi plakietkami.

Inne wspomniane w thrillerze miejsca Paryża składają się na nieco surrealistyczny obraz tego miasta. Znajdziemy wśród nich Palais-Royal, Pola Elizejskie, ogród Tuileries, Lasek Buloński i dworzec kolejowy Saint-Lazare.

Jednakże przesiąknięty krwią Luwr i strzelista wieża Saint-Sulpice oraz tropienie mosiężnych plakietek Arago stanowią w chwili obecnej największą atrakcję, przyciągając gromady poszukiwaczy świętego Graala, z których wielu nie rozstaje się z zaczytanym egzemplarzem *Kodu Leonarda da Vinci*.

Do 1645 roku w miejscu, gdzie obecnie wznosi się imponująca, zdobna kolumnadą bryła Saint-Sulpice – pomiędzy ogrodem Luksemburskim na lewym brzegu Sekwany a bulwarem Saint-Michel – znajdowały się romański kościół i cmentarz… Od dawna znany ze swych niezrównanych organów o 6588 piszczałkach oraz ponurego malowidła *Jakub walczący z aniołem* pędzla Eugene'a Delacroix, Saint-Sulpice ma mniej więcej te same wymiary co katedra Notre Dame: 108 metrów długości, 55 metrów szerokości i 52,5 metra wysokości. Poszukiwacze Graala tłoczą się tu, by podziwiać astronomiczny gnomon**, który zajmuje poczesne miejsce w akcji powieści Browna. Gnomon posiada w tej

* Dominique François Arago, wybitny francuski fizyk (1786–1853), od 1831 roku dyrektor paryskiego obserwatorium astronomicznego. Wytyczaniem południka zajmował się we wczesnej młodości.

** Gnomon (po grecku. „wskazówka") to zegar słoneczny lub przyrząd astronomiczny w formie słupka; według jego cienia określa się moment południa i kierunek południka.

powieści podwójne znaczenie: pozwala zlokalizować jeden z sekretnych tropów i zaznajamia czytelników z paryskim południkiem. Autor thrillera przechrzcił południk na „linię róży". Podobno róże są symbolem świętego Graala, a co za tym idzie – Marii Magdaleny.

Służący do oznaczania wiosennej równonocy (a w związku z tym również Wielkanocy) mosiężny pas gnomonu przecina posadzkę transeptu, by wspiąć się następnie na kamienny obelisk wzdłuż północno-południowej osi. W południe promienie słońca, wpadające przez otwór w południowej ścianie transeptu, oświetlają pas, wyznaczając datę na słonecznym kalendarzu. Wielkanoc (ruchome święto kościelne o przedchrześcijańskich korzeniach) przypada na pierwszą niedzielę po równonocy, toteż gnomon pozwala ustalić dokładnie jej datę.

W bestsellerze Browna zbrodniczy mnich albinos imieniem Sylas w poszukiwaniu kolejnego tropu wyłamuje płytki u podstawy obelisku, by następnie zatłuc na śmierć zakonnicę, której powierzono pieczę nad tym obiektem. Podczas swej ostatniej wizyty w Saint-Sulpice miałem okazję zobaczyć poszukiwaczy Graala leżących plackiem na ziemi i obstukujących podłogę przed obeliskiem. Inni przysłuchiwali się przewodnikom wyjaśniającym, jak działa gnomon, lub poszukiwali znajdującej się podobno na górze celi nieszczęsnej zakonnicy.

W rzeczywistości paryski południk przebiega w pobliżu, ale nie pokrywa się całkowicie z osią gnomonu. Nie znalazłem w dziele Browna najmniejszej wzmianki o prowincjonalnym francuskim mieście Bourges i znajdującym się tam grobowcu Sulpicjusza, przez który również przechodzi paryski południk.

Paul Roumanet, zakrystian Saint-Sulpice, zaprzecza twierdzeniom Browna, jakoby pod sanktuarium znajdowała się świątynia Izydy. Podczas niedzielnego popołudniowego zwiedzania krypty, w którym wzięła udział grupa miłośników thrillera, nie udało się odnaleźć żadnej starożytnej świątyni, jedynie mury i kolumny romańskiego kościoła.

Jednak miłośników tajnych sprzysiężeń ucieszy zapewne wieść o istnieniu podziemnej krypty mieszczącej w sobie pięć grobów i niedostępnej dla publiczności. Co więcej, według *Guide de Paris Mysterieux* (Przewodnika po tajemnicach Paryża), właśnie na cmentarzu obok romańskiego kościoła w 1619 roku trzy wiedźmy usiłowały przywołać diabła, potem zaś przez wiele lat okoliczni mieszkańcy urządzali sobie *danse macabre* na wywróconych nagrobkach.

Mosiężne plakietki Arago to część instalacji zatytułowanej *Hommage à Arago* (W hołdzie dla Arago) według projektu Holendra Jana Dibbetsa. Po linii niewidzialnego południka plakietki biegną szeregiem na północ od domu nr 28 przy Rue de Vaugirard (w pobliżu Saint-Sulpice) do bulwaru Saint-Germain, Rue de

Seine, Quai Conti i Pont des Saints-Pères. Po drugiej stronie rzeki, na terenie Luwru, trzy plakietki wyznaczają szlak w skrzydle Denona (w dziale starożytności rzymskich, na schodach i w korytarzu). Pięć innych plakietek wtepowano na Cour Carrée za piramidą ze szkła, zaprojektowaną przez I.M. Peia na zamówienie byłego prezydenta Francji, François Mitterranda,

(Ostrzeżenie! Jeśli nie czytaliście jeszcze *Kodu Leonarda da Vinci*, może lepiej przerwać lekturę w tym miejscu: z dalszej części artykułu możecie przed czasem poznać rozwiązanie niektórych wątków).

W epilogu książki szlak plakietek Arago wiedzie Langdona na południe przez Palais Royal i Passage Richelieu do piramidy (w której, według Browna, znajduje się dokładnie 666 szyb – a 666 to symboliczna liczba Bestii). W tym właśnie miejscu „linia róży" skręca ostro na zachód i biegnie przez podziemną halę targową Carrousel do „odwróconej piramidy", zwieszającej się z sufitu.

Główny bohater książki odwróconą piramidę kojarzy z metaforycznym kielichem Graala, symbolizującym żeńską świętość, której niegdyś oddawano tu cześć pod postacią starożytnej bogini ziemi. Na podłodze pod świetlikiem stoi nieduża kamienna piramida, symbol ostrza miecza albo fallusa. Wymierzone w siebie czubki obu piramid jakby wskazywały, że pod spodem można znaleźć tajną kryptę, a w niej – kto wie? Może skrzynię pełną starożytnych dokumentów i grobowiec Marii Magdaleny – czyli świętego Graala.

Dziewięćdziesiąt procent z 6 000 000 gości odwiedzających każdego roku Luwr pędzi prosto do *Mony Lisy*. Tłum utrudnia obserwowanie poszukiwaczy Graala, którzy rozglądają się za śladami krwi albo jakimiś innymi tropami w pobliżu słynnego obrazu. Mimo to wielu nieopierzonych „symbologów" udaje się przyciągnąć uwagę: liczą szyby w piramidzie Mitterranda albo padają na kolana przed świetlikiem.

Gdyby nie nazbyt butne zapewnienia autora, że „wszystkie opisy dzieł sztuki [i] obiektów architektonicznych (...) w tej powieści są zgodne z prawdą", byłoby w złym stylu i niekoleżeńskie ujawnianie takich drobiazgów, że 666 szyb w żaden sposób nie da się rozłożyć na czterech płaszczyznach piramidy. Albo że poganie nigdy nie tańczyli w hali targowej, a pod „fallusem" nie ma żadnej krypty. Cudowna „linia róży", zdolna wykonać zwrot o 90°, to nic innego jak tak zwana Droga Triumfalna, perspektywa wytyczona w 1670 roku przez Le Nôtre'a, nadwornego ogrodnika Ludwika XIV.

Może jednak znajdziemy w Paryżu jeszcze trochę materiału na drugą część opowieści o Graalu?... Droga Triumfalna wiedzie od starożytnego egipskiego obelisku na placu Zgody, a Mitterrand mógł był z powodzeniem należeć do jednego albo dwóch tajnych stowarzyszeń. A kto wie, co odkryje symbolog, kiedy w 2007 roku podziemna hala targowa Luwru zostanie rozbudowana, by umożliwić szybszy dostęp do muzealnych sklepów i *Mony Lisy*?

„Symbologia" *Kodu Leonarda da Vinci*

Wywiad z Diane Apostolos-Cappadoną

W poprzednim rozdziale Diane Apostolos-Cappadona ustosunkowała się do uwag Browna na temat Leonarda. Tu zaś omówi szczegółowo sposób, w jaki Brown posługuje się symboliką. Pod koniec tego wywiadu Diane Apostolos-Cappadona przyznaje, że nigdy nie słyszała o żadnym „symbologu", dopóki nie przeczytała powieści Browna, który swego głównego bohatera, Roberta Langdona, uczynił specjalistą od symbologii z Harvardu. Diane Apostolos-Cappadona twierdzi jednak, że jej działalność jest tak dalece zbliżona do tego, co Brown nazywa „symbologią", iż mogłaby ubiegać się o tytuł jedynego w świecie (żyjącego, a nie fikcyjnego!) symbologa.

Jakie jest znaczenie symboli w chrześcijaństwie... lub, ujmując sprawę ogólniej, w religii?

Symbole są formą komunikacji. Jest to jednak komunikacja tak wielopoziomowa czy wielopłaszczyznowa, że nie ma mowy o bezpośredniej, równorzędnej wymianie zdań. Skutkiem tego symbole stają się jeszcze bardziej fascynujące, ale i trudniejsze do zrozumienia. Symbolami można się posługiwać na różnych poziomach. Mogą być pomocne przy tak prostych (z pozoru) zadaniach, jak nauczanie podstawowych pojęć z zakresu danej religii, zapoznawanie z jej historią i tradycją, przekazywanie opowieści o tematyce religijnej lub związanych z lokalną tradycją, wykładanie doktryny religijnej, wyjaśnianie, jak gestem i postawą zaznaczyć swój udział w nabożeństwach liturgicznych. Symbole pomagają nawiązać kontakt z członkami danej społeczności i budzą poczucie więzi z tą społecznością. Ponadto według powszechnego przekonania – i dotyczy to nie tylko chrześcijaństwa, lecz wszystkich religii świata – za pomocą symboli można przekazać przynależność religijną i tożsamość danej społeczności. A zatem symbolika i symbole stanowią integralną część procesu uspołecznienia.

Czy znaczenie symboli z czasem ulega zmianie?

Tak, wymowa symboli może się zmienić pod wpływem zmian zachodzących w teologii, w doktrynie, w sztuce sakralnej, a także przemian politycznych i ekonomicznych. Na przykład ogromne zmiany w symbolice zaszły w okresie reformacji, która była nie tylko rewolucją religijną, ale wiązała się z transformacją ekonomiczną, polityczną i społeczną. Cały kłopot z symbolami, a zarazem ich największy urok polega na tym, że nigdy nie są tak jednoznaczne jak światła sygnalizacyjne: czerwone – stop! zielone – marsz!

Znaczenie którego z chrześcijańskich symboli najbardziej zmieniło się z biegiem czasu?

W pierwszych opisach *Ostatniej Wieczerzy* pojawia się ryba. We wczesnym okresie chrześcijaństwa ryba miała wiele znaczeń; potem znikły one niemal całkowicie ze świadomości przeciętnego chrześcijanina... aż do triumfalnego powrotu pod koniec XX wieku. Wówczas *ichthys* (ryba) została odkryta na nowo jako symbol. To ona, a nie krzyż, była pierwotnym symbolem przynależności do grona chrześcijan. Krzyż stał się takim znakiem tożsamości i widomym symbolem wiary dopiero w IV i V wieku. Ryba, a raczej określające ją greckie słowo *ichthys*, zasłynęła jako anagram najwcześniejszej – według tradycji – chrześcijańskiej modlitwy. Jeśli połączymy litery początkowych słów tej modlitwy „Jezus Chrystus, Boży Syn, Zbawiciel" (*Iesous Christos, Theou [H]yios, Soter*) otrzymamy słowo ICHTHYS. W hebrajskiej i chrześcijańskiej Biblii można znaleźć wiele powiązań między Mesjaszem a rybą: na przykład zwrot „rybacy ludzi" czy inne skojarzenia z wodą, rybami, rybołówstwem i łodziami, charakterystyczne dla początków chrześcijaństwa.

Jakie symbole łączyły się historycznie z postacią Marii Magdaleny?

Najważniejszym symbolem jest flakon z wonnym olejkiem, który przypomina o namaszczeniu Chrystusa przez Marię Magdalenę i łączy ją symbolicznie, jeśli nie metaforycznie, z innymi kobietami z Biblii, które dokonywały namaszczenia, między innymi z kobietą, która namaściła głowę i stopy Jezusa przed jego śmiercią na krzyżu. Kobieta, która troszczy się o zwłoki – a więc myje, namaszcza i ubiera je – to charakterystyczny element obyczajowości ludów żyjących w basenie Morza Śródziemnego. Takim przygotowaniem do pochówku zajmowała się zawsze kobieta, nigdy mężczyzna. Kobiety uważano za „nieczyste", a zatem powierzanie im mycia czy namaszczenia zmarłego nie było czymś niestosownym. Dziś może się to wydawać zniewagą dla kobiet. Wystarczy jednak wspomnieć twierdzenie Junga, że w życiu każdego mężczyzny są trzy kobiety:

matka, żona i córka. Każda z nich wprowadza go w inny etap życia, a jednym z obowiązków córki, jej ostatnią powinnością, jest umycie i namaszczenie zwłok rodziców. Wróćmy jednak do starożytności. Zachowały się do dziś cudowne legendy o flakonie z wonnościami Marii Magdaleny. Moja ulubiona opowieść tego typu pochodzi z rozdziału 5 *Ewangelii Dzieciństwa Arabskiej*. Maria Magdalena kupuje flakon pachnidła, by namaścić ciało Jezusa z Nazaretu. Okazuje się, że nabyła taki, który przeleżał na półce od narodzin dzieciątka Jezus; prócz nardu zawiera on pępowinę noworodka. I tak oto namaszczenie ciała Chrystusa nabiera nowej symbolicznej wymowy: dzięki niemu pod koniec życia staje się znów „całością" i odzyskuje więź łączącą go z matką.

Jaka jest symbolika pentagramu, który występuje w Kodzie Leonarda da Vinci*?*

Pentagram to figura o pięciu bokach. Przesłanie tego symbolu wiąże się z numerologią i z symbolicznym znaczeniem liczby 5. W tradycji chrześcijańskiej kojarzy się ono z pięcioma ranami ukrzyżowanego Jezusa (rany na obu rękach, na obu stopach i przebity włócznią bok). W szerszym rozumieniu piątkę wiąże się z „istotą ludzką", posiadającą dwoje ramion, dwie nogi i głowę. Niektóre liczby mają specjalne znaczenie. Istnieją liczby mistyczne (zwykle nieparzyste, i niepodzielne). Siódemka, na przykład, oznacza spełnienie, ponieważ stworzenie świata wymagało siedmiu dni. Trójka również jest mistyczną liczbą, podobnie jak 5 i 7.

A róża, kolejny ważny symbol z książki Browna?

Mam pewne problemy z zaakceptowaniem takiej wymowy tego symbolu, jaką przedstawił w *Kodzie Leonarda da Vinci*. Mam zwłaszcza na myśli jego wywody na temat genitaliów. Brown utrzymuje, że róża zawsze była symbolem kobiety, jej płci i zmysłowości. Sądzę, że znalazł tę informację w jakimś kompendium symboli. Ja jednak nie uważam, by taka była wymowa róży, zwłaszcza w krajach chrześcijańskich Europy Zachodniej. W starożytności w krajach basenu Morza Śródziemnego różę poświęcano Wenus czy Afrodycie; może tą drogą Brown skojarzył ją sobie z seksualnością kobiet. Jednak panowanie Wenus/Afrodyty nie ograniczało się do sfery stosunków płciowych. Podlegała jej również miłość romantyczna, miłość w wielu różnych znaczeniach, nie tylko miłość fizyczna. Jeśli chodzi o romantyczną miłość, ogromne znaczenie miała barwa róży. Dawniej symbolika kolorów była znacznie prostsza niż dziś. W epoce wczesnego chrześcijaństwa i w średniowieczu znano róże w czterech tylko kolorach: biała oznaczała miłość niewinną i czystą; różowa była symbolem pierwszej miłości; czerwona to miłość prawdziwa; żółta mówiła: „Zapomnij, już po wszystkim".

Jednak najważniejszy element róży, mający związek z postacią Marii, to cierń. Według powszechnego mniemania – wyprowadzonego nie z Biblii, ale z legend – w rajskim ogrodzie krzewy różane były pozbawione kolców. Dlatego też różany krzew przedstawiony w pobliżu Maryi, zwłaszcza Madonny z Dzieciątkiem, to symbol raju, gdyż właśnie dzięki Maryi rozpoczął się proces umożliwiający nam wszystkim powrót do raju – miejsca, w którym róże nie mają cierni. I tak oto róża stała się symbolem albo znakiem, jeśli wolimy użyć tego słowa, roli Maryi w naszym zbawieniu. Jej róża jest znakiem łaski; rozety okienne w kościołach stworzono ku chwale Bożej Matki, a nie Marii Magdaleny. Róże były zresztą symbolem wielu świętych, ale Maria Magdalena nie należała do ich grona.

Wobec tego przejdźmy do lilii. Pomówmy o fleur-de-lys, *który odgrywa tak ważną rolę w książce Dana Browna (...).*

Fleur-de-lys jest zarówno symbolem Francji, jak włoskiej Florencji. To oczywiście lilia – kwiat uważany w chrześcijaństwie za symbol Trójcy Świętej. Według tradycji król Chlodwig – pierwszy chrześcijański król Francji – dodał do swego herbu kwiat lilii na znak uzdrowienia własnej duszy (podczas chrztu) oraz oczyszczenia Francji z grzechów. *Fleur-de-lys* stał się emblematem królów Francji, później zaś atrybutem wielu francuskich świętych, między innymi Karola Wielkiego. W powieści *Kod Leonarda da Vinci* odgrywa ważną rolę, gdyż klucz ze znakiem *fleur-de-lys* stanowi trop prowadzący do uzdrowienia Francji.

W niektórych przypadkach, takich jak ten, Dan Brown doskonale posługuje się symbolami. Właśnie dzięki takim fragmentom *Kod Leonarda da Vinci* staje się wiarygodną lekturą dla czytelników nieco obeznanych ze znaczeniem symboli, a fascynującym objawieniem dla laików. *Fleur-de-lys* kojarzy się wizualnie z lilią, a ta z kolei posiada w tradycji chrześcijańskiej wiele znaczeń, zwłaszcza w odniesieniu do kobiet, jako atrybut czystości, niewinności lub godności królewskiej. Cudowny zapach lilii odurza zmysły. W krajach śródziemnomorskich kwiat ten poświęcano tradycyjnie w czasach przedchrześcijańskich bóstwom dziewiczym lub boginiom-matkom. Potem lilia stała się ważnym symbolem Maryi. Popularna legenda głosi, że kwiat lilii zrodził się z łez Ewy, opłakującej wygnanie z raju. Wystarczy połączyć ze sobą wszystkie te znaczenia i dodać, jak wielką rolę odegrał ten symbol w historii Francji – i Brown zdobywa potężną broń, którą umie się posłużyć. Osobiście podejrzewam, że wykorzystał *fleur-de-lys* przede wszystkim dlatego, że jest to symbol Francji.

Tu nasuwa się pytanie o związki Marii Magdaleny z Francją.

Istnieją liczne legendy o Marii Magdalenie jako misjonarce nawracającej Francję na chrześcijaństwo, patronce Francji, zbawczyni Francji. Podobno to ona schrystianizowała Francję, spędziła we Francji swe ostatnie dni i tam została pochowana: w Vézelay, jak twierdzą benedyktyni, lub – zdaniem dominikanów – w Aix-en-Provence. We Francji przetrwała po dziś dzień tradycja związana z Marią Magdaleną, na przykład ciasteczka „magdalenki", które kiedyś pieczono i podawano tylko raz w roku, 22 lipca, w dniu św. Marii Magdaleny zgodnie z rzymskim kalendarzem. Pachnące cytryną ciasteczka w kształcie wachlarza przypominają zarówno o miejscu pobytu świętej – na południu Francji – jak o jej srogiej pokucie. Albowiem bez względu na to, czy Maria Magdalena przeżyła w la Sainte Baume na Lazurowym Wybrzeżu 30 czy też 50 lat (zależnie od wersji legendy), podobno nie brała do ust żadnego pożywienia. Karmiła się wyłącznie zapachem drzew cytrynowych i mistycznym chlebem, który przyjmowała w codziennej komunii świętej. Prawdę mówiąc, nigdy nie potrafiłam zrozumieć, jak może osoba przy zdrowych zmysłach wybrać się na 30 (czy 50) lat na południe Francji, żeby właśnie tam pościć?!

Czy według pani święty Graal jest metaforą, czy realnym przedmiotem? A może i jednym, i drugim?

Wierzę, że istniał – i zawsze będzie żywy – mit o świętym Graalu. Co więcej, znamy opowieści potwierdzające realne istnienie Graala – kielicha, którego można dotknąć, który chrześcijanie otaczali najwyższą czcią i który z jakichś powodów zniknął. Zgodnie z tymi podaniami Graal przepadł, by pojawić się w Anglii, dokąd przywiózł go podobno Józef z Arymatei. Legendy wiążą jego ponowne pojawienie się z Camelotem*.

Równocześnie zaś niezwykle ważna wydaje mi się koncepcja pogoni za świętym Graalem jako metafory poszukiwań duchowych. Zatem, jeśli mam być szczera, dla mnie Graal jest zarówno metaforą, jak realnym obiektem.

Na łamach amerykańskiej edycji pisma „Newsweek" 12 sierpnia 2003 roku pojawił się artykuł *The Bible's Lost Stories* (Zapomniane opowieści biblijne) z komentarzem w ramce z boku: „Rozszyfrowanie kodu Leonarda da Vinci", ilustrowany fotografiami *Ostatniej Wieczerzy* i kielicha, który należał do opata Sugera, a obecnie znajduje się w National Gallery of Art w Waszyngtonie. Alabastrową**

---

* Zamkiem króla Artura, którego rycerze (zwłaszcza Galahad) poszukiwali świętego Graala.

** Inne źródła jako materiał, z którego wykonano czaszę, wymieniają sardoniks.

część tego kielicha uważano za fragment świętego Graala. Suger kazał oprawić ją w złoto i ozdobić klejnotami. Użył kielicha podczas pierwszej mszy, którą odprawił w paryskiej katedrze Saint-Denis – pierwszym gotyckim kościele katedralnym. Wzniesiono ją w czasach wypraw krzyżowych i pielgrzymek do Ziemi Świętej, skąd pobożni chrześcijanie przywozili wiele relikwii. Datowanie metodą węgla ^{14}C wykazało, że alabastrowa część kielicha pochodzi z właściwego okresu**. Ja jednak skłaniam się bardziej ku poglądowi, że święty Graal to raczej metafora niż namacalny obiekt; tym bardziej że – biorąc pod uwagę historyczne realia – Jezusa i jego uczniów po prostu nie było stać (w każdym sensie, włącznie z finansowym) na zdobycie przed ostatnią wspólną wieczerzą tak kosztownego nakrycia. A gdyby nawet mogli sobie pozwolić na takie luksusy, czy posłużyliby się akurat takim kielichem? Czy nie wybraliby raczej szklanej czarki, dzbana czy dzbanuszka?

W XIX wieku metaforyczna koncepcja świętego Graala odgrywała niezwykle ważną rolę w malarstwie i literaturze prerafaelitów. Powróciła niejako na fali zainteresowania Dantem i opowieściami o rycerzach króla Artura. Motyw Graala można odnaleźć w najrozmaitszych dziełach literackich, muzycznych i dramatycznych, poczynając od *Pierścienia Nibelungów* Wagnera po *Władcę Pierścieni* Tolkiena – zarówno w formie książkowej, jak i w adaptacji filmowej. To znów ta sama, ponawiana wciąż opowieść o poszukiwaniu duchowego wybawienia. Konkretny przedmiot, z którym wiążą się nadzieje poszukiwaczy, przybiera różne kształty: u Wagnera i Tolkiena jest to pierścień, nie kielich.

Co pani myśli o lansowanej w Kodzie Leonarda da Vinci *hipotezie, że owym Graalem jest w rzeczywistości Maria Magdalena?*

To iście Jungowska koncepcja! Maria Magdalena, czy w ogóle kobieta, potraktowana jako zbiornik, pojemnik, po prostu jako naczynie. Co prawda to skojarzenie powstało na długo przed Jungiem. Przykłady podobnej symboliki można znaleźć w klasycznych mitach, które odznaczają się wielką różnorodnością metafor. Jedną z najważniejszych jest mistyczne zespolenie, ukazane w formie zbliżenia fizycznego. W trakcie stosunku seksualnego kobieta przyjmuje w siebie mężczyznę, poczyna dziecko i przechowuje je w swym łonie – świętym naczyniu. Wreszcie „wypędza" dziecko z tego schronienia. Myślę, że jakiś zwolennik poglądów Junga mógłby poprzeć teorię o Marii Magdalenie jako świętym Graalu. Mnie koncepcja Browna po prostu nie odpowiada. Uważam, że postać Marii Magdaleny odgrywa ważną rolę w wierzeniach chrześcijańskich, ale

** Z II lub I wieku p.n.e.

nie na tym polega jej wielkość. Maria Magdalena jest zagadką i właśnie dlatego tyle się pisze na jej temat. Przypuszczam, że w roku – dajmy na to – 3000 ludzie nadal będą toczyć spory na temat tej postaci. Nie chodzi mi o dyskusje o tym, czy była prostytutką, czy posiadała majątek, czy była obdarzona temperamentem. W całym świecie chrześcijaństwa być może tylko w Marii Magdalenie, jak w zwierciadle, odbijają się wszelkie aspekty ludzkiego życia. Z jednym wyjątkiem: nie była nigdy, o ile wiem, żoną i matką.

Jak wobec tego wytłumaczyć, że Jezus po zmartwychwstaniu objawił się najpierw jej?

Nie sądzę, by postąpił tak dlatego, że byli kochankami, czy też (jak sugeruje Dan Brown) mężem i żoną. Sadzę, że ukazał się jej, bo doskonale nadawała się na świadka. W pełni wiarygodnego. W przeciwieństwie do niej Tomasz musiał dotknąć ran Jezusa i wyczuć pod palcami jego żywe ciało (czyli potrzebował dowodu empirycznego), by uwierzyć w zmartwychwstanie Chrystusa. Poza tym sądzę, że można odczytać Nowy Testament i w taki sposób, że Jezus wyjdzie na zagorzałego feministę. Ale to właśnie kobiety, które mu towarzyszyły w wędrówkach, nadal wierzyły w jego boskie posłannictwo, dotrzymywały mu wiary aż do momentu śmierci, potem zaś zatroszczyły się o całą niezbędną oprawę w postaci pochówku i żałoby. To właśnie kobiety zjawiły się u grobu; nie powstrzymał ich strach. Moim zdaniem Jezus Marii Magdalenie objawił się jako pierwszej, ponieważ nigdy nie traciła wiary ani nadziei, a zobaczyć znaczyło dla niej uwierzyć. Na tym właśnie, według mnie, polega siła kobiet. Intuicja jest dla nich ważniejsza od rozumu. Wszystkie Marie Magdaleny tego świata kierują się intuicją, na co nie poważy się żaden Tomasz.

Jak ocenia pani opis kościoła Saint-Sulpice, w którym rozgrywa się rozstrzygająca scena powieści Browna, i jego ikonografii?

To prawda, że chrześcijanie wznosili kościoły, bazyliki i katedry na miejscu dawnych pogańskich świątyń. W całym Rzymie, w Atenach i we Francji budowano je na ruinach świątyń Mitry, Ateny i innych dawniejszych bóstw. Przykładem może być rzymski kościół zwany Santa Madonna Sopra Minerva – Madonna nad Minerwą. W omawianym przypadku postawiono kościół ku czci Maryi na miejscu dawnej świątyni Minerwy, gdyż Maryja – jak Minerwa – była uosobieniem boskiej mądrości.

Według mnie hipoteza, że kościół Saint-Sulpice został zbudowany na miejscu dawnej świątyni Izydy, jest pozbawiona sensu, gdyż Izyda kojarzy się raczej z Maryją, Matką Bożą niż z Marią Magdaleną. Gdyby w książce *Kod Leonarda da Vinci* Brown poświęcił więcej miejsca Maryi, matce Jezusa, może uznałabym zasadność tej hipotezy. Na przykład, w kulcie Czarnej Madonny spotykają się kult Matki Boskiej oraz kult Izydy; dlatego właśnie wiele kościołów z obrazem Czarnej Madonny wzniesiono na miejscu dawnych świątyń tej egipskiej bogini. I tak się rzeczy mają z całą tradycją chrześcijańską.

W książce Dana Browna Kod Leonarda da Vinci *główny bohater jest symbologiem. Czy istnieje w ogóle taka specjalność i dyscyplina akademicka zwana symbologią?*

Wiedzę o symbolach religijnych zazwyczaj nazywa się ikonografią lub historią sztuki sakralnej, nie „symbologią". Po raz pierwszy zetknęłam się z tym określeniem przy lekturze książki Dana Browna *Anioły i demony*, pierwszej z serii „Tajemnice Roberta Langdona", którą przeczytałam na początku.

Gdyby termin „symbologia" był używany, bardzo by pasował do tego, czym się zajmuję. Nie jestem bowiem pracownikiem naukowym w tradycyjnym sensie – nie prowadzę badań i obserwacji naukowych na płaszczyźnie interdyscyplinarnej czy multidyscyplinarnej. Zajmuję się sztuką, historią sztuki, historią społeczności kulturowych i religijnych, teologią, tematyką genezy, a wreszcie religiami świata – nie poświęcam się jednej akademickiej dyscyplinie. Jednak nie znam nikogo, kto podawałby się za symbologa. Nie ma też, o ile mi wiadomo, dyscypliny naukowej, którą oficjalnie określano by jako symbologię. Być może teraz sytuacja ulegnie zmianie pod wpływem zamieszania wokół książki Browna.

Kaplica Rosslyn: Katedra Kodów i Symboli

Pod koniec książki *Kod Leonarda da Vinci* wskazówki Saunière'a prowadzą Roberta Langdona i Sophie Neveu do kaplicy Rosslyn w Szkocji. Kiedy para niestrudzonych detektywów trafia do kaplicy w poszukiwaniu Graala, przekonują się, że sens legendy jest bardziej skomplikowany, niż sądzili.

Kaplica Rosslyn istnieje naprawdę i może się poszczycić fascynującą historią. Budowę tej kaplicy (znanej również pod nazwą Katedry Kodów) rozpoczęto w 1446 roku na życzenie sir Williama St. Claira (lub Sinclaira), dziedzicznego wielkiego mistrza szkockich masonów (wolnomularzy) oraz rzekomego potomka rodu Merowingów. Sir William osobiście czuwał nad postępem robót, które zostały wstrzymane wkrótce po jego śmierci w 1484 roku. Całkowicie ukończony został tylko chór – część kościoła zajmowana podczas nabożeństwa przez członków chóru oraz duchowieństwo.

W kaplicy znajduje się bardzo wiele religijnych symboli, na temat znaczenia których bez końca spekulują ezoteryczni autorzy, poszukiwacze świętego Graala i zwolennicy spiskowej teorii dziejów. Trudno się dziwić, że przedostatnia scena bestsellerowej książki Dana Browna rozgrywa się w tym właśnie miejscu, otaczanym czcią przez okultystów z całego świata.

Panuje przekonanie, że kaplica Rosslyn jest dość wierną kopią starożytnej Świątyni Salomona. Zdobią ją niezliczone płaskorzeźby o symbolice judaistycznej, celtyckiej, nordyckiej, a także z symbolami templariuszy i masonów, które uzupełniają ikonografię chrześcijańską. Mnóstwo rozmaitych znaków i symboli wywodzących się z różnych kultur tworzy jedyną w swoim rodzaju architektoniczną kompozycję. To im kaplica Rosslyn zawdzięcza miano Katedry Kodów.

Kustosze kaplicy Rosslyn lubią pokazywać szyfr, wypisany podobno na ścianach krypty przez masonów. Legenda głosi, że zawiera on informację o kryjącej się w tych murach wielkiej tajemnicy lub ukrytym skarbie. Jednakże do tej pory nikt nie zdołał odczytać sekretnego przekazu.

Za pomocą nowoczesnej technologii może uda się w końcu rozwiązać wiele sekretów kaplicy. W styczniu 2003 roku wielki herold lokalnego odgałęzienia Szkockich Templariuszy – samozwańczych następców tych wojowniczych mnichów, którzy w XIV wieku zbiegli do Szkocji, by uniknąć prześladowań religijnych – obwieścił, że rycerze Templum dysponują nowym rodzajem technologii, „pozwalającym na dokonywanie odczytów do głębokości półtora kilometra". Templariusze mają nadzieję odkryć pod kaplicą Rosslyn starożytne krypty, a w nich legendarny skarb.

Księga II

Kod Leonarda da Vinci odszyfrowany

Część I

24 godziny, dwa miasta i przyszłość kultury Zachodu

10. Apokryfy i rewelacje

FAKTY: Zakon Syjonu – Prieuré de Sion *– działające w Europie tajne stowarzyszenie, założone w 1099 roku, istnieje naprawdę. W 1975 roku w paryskiej Bibliotece Narodowej odkryto pergaminy, znane jako* Dossiers Secrets, *w których wymienione zostały nazwiska licznych członków Zakonu, między innymi sir Isaaca Newtona, Botticellego, Victora Hugo oraz Leonarda da Vinci (...). Wszystkie opisy dzieł sztuki, obiektów architektonicznych i dokumentów, a także sekretnych obrzędów, są zgodne z rzeczywistością.*

Dan Brown *Kod Leonarda da Vinci*

To stwierdzenie Dana Browna bardzo zasugerowało czytelników. *Kod Leonarda da Vinci* jest jednak powieścią, innymi słowy – fikcją literacką, co oznacza, że nie każdy szczegół czy fakt z książki musi odpowiadać rzeczywistości. Fikcja literacka to wytwór wyobraźni i owoc inwencji twórczej autora. A jednak znakomicie wkomponowane w akcję szczegółowe odniesienia do ważnych wydarzeń historycznych – o których czytelnik już trochę wie, a czuje, że powinien wiedzieć więcej – wsparte przekonującą logiką teorii spisku (nie wiemy o czymś, bo celowo zatajają to przed nami jakieś potężne siły) sprawiają, że czytelnicy traktują tę powieść bardzo poważnie – jakby wcale nie była fikcją.

Miłośnicy *Kodu Leonarda da Vinci* starają się rozszyfrować tę powieść, oddzielając fakty od fikcji, sami zmieniając się w poszukiwaczy świętego Graala. Aby dodatkowo urozmaicić te poszukiwania, w niniejszej książce zamieszczamy listę najczęściej powtarzających się pytań dotyczących *Kodu Leonarda da Vinci*. Przekazaliśmy tę listę znanemu z rzetelności i drobiazgowości dziennikarzowi, Davidowi Shugartsowi, który, choć zafascynowany *Kodem Leonarda da Vinci*, nie mógł się zgodzić z pewnymi szczegółami fabuły. Pragnąc odpowiedzieć na pytania czytelników i rozwiązać własne wątpliwości, Shugarts zaczął tropić fakty.

Powiedzmy sobie jasno i wyraźnie: wiemy, że *Kod Leonarda da Vinci* to fikcja literacka. W pełni doceniamy inwencję twórczą Dana Browna, który tak umiejętnie wplótł wiele ciekawych faktów i teorii historycznych w książkę sensacyjną o wartkiej akcji. Ale ponieważ autor na wstępie bardzo silnie podkreślił prawdziwość opisywanych zdarzeń i miejsc, a wiele osób bardzo poważnie zaangażowało się w dyskusje na temat powieści, doszliśmy do wniosku, że byłoby dobrze uzmysłowić tym ostatnim liczne nieścisłości i błędy, wykryte przez Shugartsa. Chcemy również zwrócić uwagę czytelników na pewne zgodne z prawdą szczegóły, które dziennikarz uznał za wyjątkowo intrygujące, a które mogły umknąć przy niezbyt wnikliwej lekturze. Spostrzeżenia Shugartsa, które zamieszczamy w książce, oraz wiele innych można znaleźć na naszej stronie internetowej, www.secretsofthecode.com.

Uwaga: numery stron w tym komentarzu odnoszą się do amerykańskiego wydania *Kodu Leonarda da Vinci* (*The Da Vinci Code*), w twardej oprawie, z 2003 roku (chociaż Shugarts zaczął swoje badania od obwoluty książki). Zauważyliśmy drobne różnice pomiędzy amerykańskimi wydaniami. Shugarts też je opisuje. Dlatego każdy czytelnik powinien bez trudu odnieść nasze uwagi do dowolnego wydania.

Nieścisłości i intrygujące szczegóły w *Kodzie Leonarda da Vinci*

DAVID A. SHUGARTS

OBWOLUTA: *Czy na obwolucie książki (w wydaniu angielskim) znajduje się jakiś szyfr lub kod, który wskazuje, czego będzie dotyczyć następna powieść Dana Browna?*

Tak, i zaraz go zinterpretujemy. Uważnie przyglądając się obwolucie, zobaczymy, że niektóre litery są wydrukowane nieco grubszą czcionką niż pozostałe. Jeśli odszukamy je wszystkie i odczytamy po kolei, ułożą się w pytanie: *Is there no hope for the widow's son?* (Czy nie ma nadziei dla syna wdowy?).

Łatwo zorientować się, że to pytanie odnosi się do *Księgi Henocha*, w której pojawia się ulubiony temat Dana Browna: zaginiony skarb ze Świątyni Salomona. W Księdze Rodzaju czytamy: „Żył więc Henoch w przyjaźni z Bogiem, a następnie znikł, bo zabrał go Bóg" (Rdz 5,24). Tajemnica, otaczająca Henocha, była tematem chętnie poruszanym w hebrajskich apokryfach, także tych sprzed czasów Chrystusa.

„Czy nie ma pomocy dla syna wdowy" to tytuł wykładu wygłoszonego przed mormonami w 1974 roku, w którym rzekomo wykazano związek między wolnomularstwem i założycielem Kościoła Jezusa Chrystusa Świętych Dnia Ostatniego, Josephem Smithem.

Podobno Smith nie tylko wykorzystywał symbolikę masońską, lecz także nosił talizman z tajemniczymi symbolami. Co więcej, w Stanach znajdują się związane z mormonami tajemne miejsca, leżące na zachód od Świątyni Salomona (oczywiście nieprzypadkowo).

Wykład traktuje również o iluminatkach, kobietach z kręgów masonerii, reprezentujących dwa typy – przyzwoity i rozpustny. To kolejny lubiany przez Dana Browna temat: stłumienie żeńskiej świętości przez męską hierarchię.

Tematykę tę poruszał już – przynajmniej w części – weteran literatury science fiction i fantasy, Robert Anton Wilson. Jeden z tomów w jego trylogii o iluminatach nosi tytuł *Widow's Son*. Motyw „syna wdowy" do dziś pojawia się w obrzędach wielu lóż masońskich. W *Księdze Henocha* znajduje się wiele motywów, które mogłyby przyciągnąć uwagę Dana Browna, począwszy od odniesień do anioła Uriela (Brown wykazuje zainteresowanie tym aniołem, analizując *Madonnę wśród skał* Leonarda) po fragmenty pochodzące podobno z zaginionej *Księgi Noego* (czy wybierzemy się na poszukiwanie zaginionej arki?)

Jak się domyślamy, nowej książki Dan Brown nie zatytułuje raczej *Syn wdowy*, ale może podobnie. Opisze w niej prawdopodobnie poszukiwanie mormońsko-masońskich skarbów w całej Ameryce. W roli głównej wystąpi oczywiście Robert Langdon. Ale czy powróci jego nowa znajoma, Sophie Neveu? To się okaże.

STRONA 3: *Sylas ma „skórę białą jak duch i rzednące białe włosy. Jego tęczówki są różowe, a źrenice – ciemnoczerwone". Czy tak wygląda albinos?*

Albinizm, czyli bielactwo, to wrodzony brak pigmentu, występujący u jednego na 17 000 Amerykanów. Chociaż może przybierać wiele form (co objawia się między innymi różnicami w kolorze skóry), najpopularniejsze wyobrażenie albinosa to ktoś o białej skórze i włosach oraz o różowych oczach.

National Organization for Albinism and Hyperpigmentation, w skrócie NOAH (Krajowa Organizacja na rzecz Albinizmu i Hiperpigmentacji), stwierdza: „Powszechnie uważa się, że ludzie dotknięci bielactwem mają czerwone oczy. Istnieją jednak rozmaite typy bielactwa, a ilość barwnika w oczach jest różna u różnych osób. Choć oczy niektórych albinosów są czerwonawe lub fioletowe, większość ma oczy niebieskie, a część orzechowe lub brązowe".

Prawie we wszystkich przypadkach zaburzenie to wiąże się z wadami wzroku, a nawet ślepotą. „W typach bielactwa, w których występuje najmniej pigmentu, włosy i skóra są koloru kremowego, a ostrość wzroku często mieści się w granicach 20/200. W przypadkach małej pigmentacji włosy wydają się żółtawe lub czerwonawe, a wzrok jest nieco lepszy, 20/60", informuje NOAH. Dlatego Sylas może powinien zostać przedstawiony jako człowiek niedowidzący, w okularach o grubych szkłach.

NOAH nieustannie walczy z typowym hollywoodzkim wizerunkiem albinosa – istoty nieludzkiej, złej lub niezrównoważonej umysłowo. *Kod Leonarda da Vinci* stanowi doskonały przykład takiego podejścia. Jednym z powodów, dla których organizacja używa skrótu NOAH, jest fakt, że biblijny Noe, zdaniem niektórych, był albinosem.

STRONA 3: *Sylas strzela i trafia Saunière'a w ciemności, z odległości 5 metrów. Czy to prawdopodobne?*

Każdy, kto w mroku trafiłby w kogoś z pistoletu, miałby szczęście, ale Sylas raczej nie mógłby tego dokonać bez okularów, o których nie znajdujemy wzmianki w tekście. Bardzo rzadko zdarza się, żeby albinos dobrze widział.

STRONA 4: *Sylas wystrzelił raz i trafił Saunière'a w brzuch. Wycelował na ślepo w głowę Saunière'a i pociągnął spust, ale „trzask iglicy odbił się echem w korytarzu". Sylas „zerknął na swoją broń, niemal ubawiony. Sięgnął po drugi magazynek, ale rozmyślił się i tylko spojrzał na Saunière'a ze spokojnym, lekceważącym uśmiechem".*

Sylas zabił tego wieczoru trzy osoby. Prawdopodobnie wszystkie z zaskoczenia. Jego broń to trzynastostrzałowy Heckler and Koch USP 40 (zob. s. 73). Firma produkująca tę broń nazywa się Heckler&Koch (HK). Ale rodzi się poważne pytanie: jak to możliwe, że magazynek jest pusty? Czy trzeba wystrzelać aż 12 nabojów, żeby zabić trzech starszych ludzi? A może zaczął wieczór z połową nabojów w magazynku?

Dan Brown tego nie wyjaśnia. Może Sylas nadrabia wadę wzroku, więcej strzelając.

STRONA 4: *Saunière zostaje trafiony kilka centymetrów poniżej mostka. Ponieważ jest „weteranem* la guerre d'Algèrie*", wie, że „będzie żył jeszcze 15 minut, a w tym czasie kwasy żołądkowe będą się przedostawać do klatki piersiowej i powoli zżerać ją od środka". Czy naprawdę tak umierają ludzie ranni w brzuch? Czy mężczyzna w podeszłym wieku mógłby przeżyć 15 minut z taką raną?*

Sprawdziliśmy w literaturze medycznej. Śmiertelność w wypadku ran postrzałowych w brzuch wynosi około 12%, jeśli jednak nie nastąpi uszkodzenie głównych naczyń krwionośnych, śmiertelność nie osiąga 5%. Postrzał może wywołać obrażenia wielu narządów w jamie brzusznej. Najczęściej w takich przypadkach uszkodzeniu ulegają: jelito cienkie, wątroba i układ żółciowy, śledziona, układ krwionośny, żołądek.

Śmiertelność zależy w dużej mierze od tego, który narząd został uszkodzony przez kulę. Jeśli na przykład pocisk przebije tętnicę lub śledzionę, obfity krwotok szybko doprowadzi do wstrząsu i zgonu.

Jednak jeśli postrzał w jamę brzuszną nie zniszczy dużych naczyń krwionośnych, nie powoduje natychmiastowej śmierci. Zanim człowiek umrze, może upłynąć wiele godzin. Jeśli więc Saunière był zdrowy i nie miał innych ran, to powinien był jeszcze żyć, gdy strażnicy muzeum podnieśli kratę. Zatem miałby dość czasu (a nie tylko kwadrans, co wydaje się nieprawdopodobne) na chodzenie po Luwrze i zostawianie sekretnych wiadomości.

STRONA 4: *Saunière jest „weteranem* la guerre d'Algérie*". Czy, skoro teraz ma 76 lat, mógł walczyć w wojnie algierskiej?*

Tak. Wojna algierska trwała od 1954 do 1962 roku. Jeśli akcja *Kodu Leonarda da Vinci* toczy się w 2001 lub 2002 roku, Saunière urodził się w latach 20. Podczas wojny algierskiej miałby więc od dwudziestu kilku do trzydziestu kilku lat.

STRONA 15: *Chłodne, kwietniowe powietrze wpada przez okno citroëna, kiedy Langdon jedzie z hotelu do Luwru. W którym dniu kwietnia i w którym roku toczy się akcja powieści?*

Wskazówki w tekście są sprzeczne. Jedna z nich odsyła nas do poprzedniej książki Dana Browna, pod tytułem *Anioły i demony*. Akcja tamtej powieści również rozgrywa się w ciągu 24 godzin w kwietniu – tylko że w Rzymie. Robert Langdon, którego poznajemy w *Aniołach i demonach*, przypomina sobie w *Kodzie Leonarda da Vinci*, że poprzednia przygoda wydarzyła się „nieco ponad rok wcześniej" (s. 11), oznaczałoby to, że *Kod Leonarda da Vinci* dzieje się w kwietniu, ale w późniejszym dniu niż akcja *Aniołów i demonów*. Jesteśmy skłonni umiejscowić akcję książki raczej w połowie lub pod koniec miesiąca, bo w 2001 roku na początek kwietnia przypadała Wielkanoc – pojawiłyby się więc opisy tłumów, wzmożonego ruchu drogowego itp.

Kwiecień 2001 roku wydaje się prawdopodobną datą z kilku powodów. Z książki wynika, że akcja toczy się w XXI wieku – prawdopodobnie rok po zakończeniu poprzedniego stulecia. Teabing, który manipuluje członkami Opus Dei i księżmi z Watykanu, rozpoczął swoją działalność po spotkaniu z Aringarosą i innymi ludźmi Kościoła w Castel Gandolfo w listopadzie poprzedniego roku (s. 149). Postanowił wziąć sprawę w swoje ręce, ponieważ Zakon Syjonu, który miał ujawnić tajemnicę Graala na przełomie tysiącleci, nie zrobił tego.

Wydarzenia z 11 września 2001 roku wstrząsnęły całym światem i zmieniły poglądy na temat bezpieczeństwa w Europie. Gdyby Dan Brown umiejscowił akcję swojej książki w kwietniu 2002 roku, musiałby poruszyć tematy terroryzmu, fundamentalizmu religijnego oraz napięć religijnych na Bliskim Wschodzie i wziąć pod uwagę wszelkie zmiany, które zaszły od czasu tamtej tragedii. Wspomnienie 11 września było wówczas bardzo świeże na całym świecie. Z pewnością w książce nie znaleźlibyśmy takich przykładów pobłażliwości i beztroski władz, jak scena z celnikami, którzy wpuszczają Teabinga do Anglii. Autor musiałby zmienić wiele wątków i motywów: od skarbca banku szwajcarskiego po środki bezpieczeństwa w budynkach publicznych.

Ale w powieści znajdziemy też dowody obalające „hipotezę kwietnia 2001". Langdon ma w portfelu euro, które zostało wprowadzone 1 stycznia 2002 roku, a więc akcja powieści musiałaby się rozgrywać w kwietniu 2002 roku. Inna wskazówka to artykuł z „The New York Times" o historyku sztuki, Mauriziu Seracinim (wspomniany w *Kodzie Leonarda da Vinci* na s. 169). Tekst ten, dotyczący sekretnych znaczeń w niektórych pracach Leonarda da Vinci, został opublikowany 21 kwietnia 2002 roku. Zatem Langdon nie mógł o nim wiedzieć rok wcześniej. Czy więc akcja toczy się w kwietniu 2002 roku, a znany badacz symboli po prostu ignoruje niedawną tragedię z 11 września (w książce nie ma do niej ani jednego odniesienia)? Czy może *Kod Leonarda da Vinci* dzieje się w kwietniu 2001 roku, a znany badacz symboli po prostu przepowiada wprowadzenie wspólnej waluty i publikację artykułu o Seracinim w „The New York Times"?

STRONA 15: *Nocny wiatr pachnie kwiatami jaśminu. Czy jaśmin rośnie w tej okolicy i czy kwitnie w kwietniu?*

W pobliskich ogrodach Tuileries rosną krzewy jaśminów, ale roślina ta kwitnie latem, od lipca. Zapach jaśminów jest najintensywniejszy w sierpniu*.

---

* Jaśminowiec wonny kwitnie od maja do czerwca.

STRONA 15: *Citroën „mknął na południe, mijając gmach Opery i przecinając plac Vendôme". Czy to możliwe?*

Nie, żeby dotrzeć z hotelu Ritz przy placu Vendôme do Opery, trzeba jechać na północ, a nie na południe.

STRONA 15: *Citroën jedzie na południe ulicą Castiglione i skręca w stronę Luwru. „Skręcił w lewo, na zachód, w stronę centralnego bulwaru parku". Czy to możliwe?*

Nie, po skręcie w lewo – do Luwru – jedzie się na wschód.

STRONA 18: *Zwiedzający musiałby poświęcić jakieś pięć tygodni na „dokładne obejrzenie 65 300 dzieł sztuki znajdujących się w tym budynku" [w Luwrze].*

Zastanówmy się. Gdybyśmy spędzali średnio minutę przed jednym dziełem sztuki i nie zmrużyli oka, zwiedzanie zajęłoby 45 pełnych dób – ale nie można tego przecież nazwać „dokładnym oglądaniem" dzieł sztuki. Na szczęście nie wszystkie z 65 300 eksponatów są wystawione! Niemniej jednak liczba dzieł dostępnych dla zwiedzających jest imponująca – około 24 400. Gdybyśmy oglądali je, każde przez minutę, po 8 godzin dziennie przez 6 dni w tygodniu, spędzilibyśmy w Luwrze ponad 8 tygodni.

STRONA 21: *Langdon mówi, że „na wyraźne życzenie prezydenta Mitterranda" piramida przy wejściu do Luwru została zbudowana z dokładnie 666 bloków szkła. To była „dziwna prośba i gorący temat dla tropicieli spisków, którzy twierdzili, że 666 to liczba Szatana". Z ilu bloków naprawdę składa się piramida?*

Aby uzyskać odpowiedź na to pytanie, zwróciliśmy się do pracowni architektonicznej słynnego I.M. Peia. Rzeczniczka powiedziała nam, że piramida składa się z 698 bloków szkła, co wyliczył jeden z architektów pracujących nad projektem. Jej zdaniem stwierdzenie, że prezydent Mitterrand określił liczbę szklanych bloków, „nie opiera się na faktach".

Powiedziała nam również, że plotka o liczbie 666 została podana jako fakt przez niektóre francuskie gazety w połowie lat 80. „Gdyby ktoś łatwowierny korzystał z tych artykułów i nie sprawdził informacji, mógłby dać się nabrać" – dodała.

Skontaktowaliśmy się również z Carterem Wisemanem, autorem biografii I.M. Peia, którą Dan Brown umieścił w bibliografii swojej powieści. Wiseman podkreśla, że I.M. Pei to architekt, którego interesują prawie wyłącznie wzory geometryczne i abstrakcja. Stwierdzenie, że przemycał w swoich dziełach symboliczne treści, świadczyło o całkowitym niezrozumieniu estetyki jego prac, twierdzi Wiseman.

STRONA 25: *Fache nosi* crux gemmata. *Jakie jest pochodzenie tego terminu?*

Jest to krzyż z 13 drogocennymi kamieniami, opisany przez Browna jako „chrześcijańskie przedstawienie Chrystusa i jego 12 uczniów". Oczywiście częściej spotykany jest drewniany krzyż lub krzyż z ciałem Chrystusa. Krzyże z drogocennymi kamieniami umieszczono w niektórych średniowiecznych kościołach, jako symbole zmartwychwstania. Jednak *crux gemmata* może być uważany nie tylko za symbol religijny, ale także za oznakę dumy, potęgi i bogactwa.

STRONA 26: *Brown pisze, że wszystkie kamery przemysłowe w Luwrze są fałszywe i że w większości muzeów stosowany jest system „bezpieczeństwa przez zatrzymanie złodzieja". Czy to prawda?*

Nie. Opadające kraty, które więżą złodzieja, to koncept z filmów takich jak *Różowa pantera* czy *Afera Thomasa Crowna*. Nie stosuje się ich w rzeczywistości. Ochrona Luwru korzysta z kamer przemysłowych, a niedawno znacznie ulepszono system bezpieczeństwa, który nadzoruje francuska firma Thales Security&Supervision. Kamery wideo są istotnym elementem tego systemu. Firma zainstalowała w Luwrze „w sumie 1500 czujników zbliżeniowych, 10 000 magnetycznych kart dostępu, 800 kamer wideo, w tym 195 z możliwością zapisu cyfrowego, oraz ponad 1500 czujników, alarmujących w razie wtargnięcia" – tak powiedzieli nam jej przedstawiciele.

STRONA 27: *Langdon zauważa, że krata bezpieczeństwa jest uniesiona na wysokość 60 centymetrów. „Ułożył dłonie płasko na wypolerowanym parkiecie, położył się na brzuchu i przesunął w przód. Gdy przesuwał się pod kratą, kołnierzyk jego tweedowej marynarki od Harrisa zahaczył o jej krawędź i Langdon uderzył tyłem głowy w żelazo". Czy to prawdopodobne?*

Nie. W *Aniołach i demonach* czytamy, że Langdon ma „metr osiemdziesiąt wzrostu i umięśnione ciało pływaka, o które dba, codziennie przepływając 15 długości uniwersyteckiego basenu". Ciało wysportowanego człowieka ma co najwyżej 25 centymetrów grubości. Jeśli Langdon leży na brzuchu i przesuwa się po podłodze, jest nieprawdopodobne, żeby jego marynarka czy głowa mogły dotknąć krawędzi kraty, która znajduje się na wysokości 60 centymetrów nad ziemią.

STRONA 28: *Brown pisze, że główna siedziba Opus Dei mieści się w Murray Hill Place, na Lexington Avenue pod numerem 243 w Nowym Jorku. Gmach, którego wzniesienie kosztowało 47 000 000 dolarów, o powierzchni 12 000 metrów kwadratowych, został zbudowany z cegły oraz z wapienia z Indiany. Zaprojektowany przez firmę Nay&Pinska, ma ponad 100 pokojów sypialnych, sześć jadalni. Na 2, 8 i 16 piętrze znajdują się kaplice. Całe 17 piętro zajmują pomieszczenia mieszkalne. Mężczyźni korzystają z głównego wejścia od Lexington Avenue, natomiast kobiety wchodzą bocznymi drzwiami i są „akustycznie i wizualnie" oddzielone od mężczyzn przez cały czas przebywania w budynku. Czy to prawda?*

Chyba tak. Zgodnie z innym źródłem, Opus Dei „ma zaledwie 84 000 członków na całym świecie – z czego 3000 w Stanach Zjednoczonych – ale nowy, 17-piętrowy gmach w centrum Manhattanu, który kosztował 55 000 000 dolarów, każe myśleć, że organizacja jest znacznie potężniejsza".

STRONA 29: *Według Browna założyciel Opus Dei, Escrivá, wydał w 1934 roku książkę pod tytułem* Droga, *z 999 punktami medytacji, które miały pomagać w życiu i pracy dla Boga. Dodaje, że obecnie na świecie istnieją ponad 4 000 000 egzemplarzy tej książki w 42 językach.*

Ogólnie rzecz biorąc, wszystko się zgadza. Oryginalny tytuł książki z 1934 roku brzmi *Rozważania duchowe*. Książka została wielokrotnie przeredagowana. Zgodnie ze stroną internetową Opus Dei (www.josemariaescriva.info) „przetłumaczono ją na 45 różnych języków i sprzedano w liczbie ponad 4 500 000 egzemplarzy na całym świecie". W *Drodze* rzeczywiście znajduje się 999 punktów medytacji.

STRONA 30: *Brown pisze o organizacji śledzącej działania Opus Dei, która nazywa się Opus Dei Awareness Network (Sieć Świadomości Opus Dei), a jej oficjalna strona internetowa ma adres www.odan.org. Czy ta grupa istnieje?*

Tak. ODAN istnieje i rzeczywiście prowadzi stronę internetową pod tym adresem.

STRONA 30: *Brown twierdzi, że szpieg FBI, Robert Hanssen, był znanym członkiem Opus Dei.*

To prawda. Brat Bonnie Hanssen jest kapłanem Opus Dei w Rzymie. Jego biuro znajduje się bardzo niedaleko pałacu papieskiego. Jedna z córek Boba i Bonnie złożyła w Opus Dei śluby czystości, chociaż pozostaje w stanie świeckim.

Bob Hanssen zaprzyjaźnił się z autorem szpiegowskich bestsellerów, Jamesem Bamfordem i, wypytawszy najpierw o informacje, których udzielili mu radzieccy przywódcy, zaprosił go na spotkania Opus Dei. „Bob miał na tym punkcie lekką obsesję. Atakował organizacje takie jak Planned Parenthood (Planowane Rodzicielstwo) i mówił, że aborcja jest niemoralna" – wspominał Bamford.

STRONA 32: *Fache i Langdon wyruszają ze wschodniego krańca Wielkiej Galerii i mijają leżący na ziemi obraz Caravaggia. Czy właśnie tam wiszą dzieła tego malarza?*

Nie. Są kilkadziesiąt metrów dalej, niedaleko miejsca, w którym leżały zwłoki Saunière'a.

STRONA 35: *Saunière namalował na swym ciele pentagram, posługując się palcem wskazującym lewej ręki. Czy jest leworęczny?*

Tak. W całej książce znajdujemy wskazówki, że Saunière jest mańkutem. Podkreśla to jego podobieństwo do Leonarda da Vinci, który, zdaniem licznych specjalistów, był leworęczny.

STRONA 35: *Brown pisze: „Białe nakrycie głowy członków Ku-Klux-Klanu kojarzy się z nienawiścią i rasizmem w Stanach Zjednoczonych, a jednak taki sam strój w Hiszpanii był wyrazem wiary religijnej". Czy to prawda?*

Długie ciemne szaty i kaptury to w całej Hiszpanii strój pokutników podczas Wielkiego Tygodnia. Obecnie najbardziej spektakularne uroczystości odbywają się w Sewilli. Tysiące penitentów z 57 bractw niosą świece podczas procesji na cześć Dziewicy Maryi i dla upamiętnienia cierpienia Chrystusa. Noszą kaptury, ponieważ nikt nie powinien znać tożsamości grzeszników błagających o przebaczenie. Każde z bractw ma kaptury i szaty innego koloru. Białe nakrycia głowy członków Ku-Klux-Klanu są mniej spiczaste niż kaptury hiszpańskich penitentów. Nie wiadomo, czy istnieje między nimi jakiś związek.

Ku-Klux-Klan został założony w Fort Pulaski w stanie Tennessee, w 1866 roku, przez sześciu oficerów Konfederacji. Jeden z nich, pierwszy przywódca Ku-Klux-Klanu, to dawny generał Konfederacji i mason, Natan Bedford Forrest. Został on wspomniany w książce Winstona Grooma *Forrest Gump*, której ekranizację nagrodzono Oscarem w 1994 roku. Bohater książki podobno jest dalekim krewnym Forresta.

STRONA 36: *Langdon mówi, że pentagram jest „symbolem żeńskiej połowy wszechrzeczy – koncepcję tę historycy religii nazywają »żeńską świętością« lub »boginią«". Czy to prawda?*

Nie. Pentagram symbolizuje zarówno pierwiastek męski, jak i żeński, podobnie jak jin i jang.

STRONA 36: *„W hołdzie Wenus Grecy organizowali swoje olimpiady co 4 lata. Obecnie niewielu ludzi wie, że 4-letni cykl igrzysk olimpijskich to pamiątka po cyklu Wenus. Jeszcze mniej osób wie, że oficjalnym symbolem igrzysk olimpijskich miała być pięcioramienna gwiazda, ale w ostatniej chwili jej pięć wierzchołków zmieniono w pięć przecinających się kół, by w ten sposób lepiej oddać ducha harmonii i jedności". Czy to prawda?*

Częściowo tak, częściowo nie, a cała ta kwestia jest znacznie bardziej skomplikowana. Grecy nie organizowali igrzysk w hołdzie Wenus*. Igrzyska w Olimpii były poświęcone Zeusowi.

W kalendarzu greckim nie było dekad, lecz 8-letnie cykle, które później podzielono na 4-letnie okresy, zwane olimpiadami.

Podstawowym powodem ustalenia cyklu 8-letniego był fakt, że Grecy zaobserwowali zbieżność między 99 cyklami Księżyca i 8 cyklami Ziemi. W większości kultur starożytnych okresy miesięczne wyznaczano na podstawie przemian Księżyca. (Jednakże Grecy wiedzieli też, że Wenus w tym samym 8-letnim okresie wykonuje pięć pełnych obrotów wokół Słońca). Podzielono więc okres 99 cyklów Księżyca i 8 cyklów Ziemi na 5 lat 12-miesięcznych i trzy 13-miesięczne. Dodatkowy miesiąc pojawiał się w 3, 5 i 8 roku. Po ulepszeniu kalendarza Grecy dzielili cykl 8-letni na dwie części, złożone z 50 i 49 cyklów księżycowych, które zyskały miano olimpiad. Nie był to kalendarz doskonały – ale zawsze kalendarz!

Przeciętny Grek nie byłby w stanie tego zauważyć, ale cierpliwy astronom mógłby wyznaczyć pięć wierzchołków drogi, jaką Wenus odbywa po nieboskłonie. Na niebie obserwowanym z Grecji tworzyłyby bardzo nieregularny pentagram.

Pięć kół to symbol nowoczesny. Wymyślił je w 1913 roku Pierre de Coubertin, prezes Międzynarodowego Komitetu Olimpijskiego. Z początku pragnął, żeby symbolizowały pięć pierwszych igrzysk, ale później zaczęto interpretować je jako symbole pięciu kontynentów.

Symbolowi pięciu kół błędnie przypisano antyczne pochodzenie, gdy nazistowski filmowiec propagandowy przed igrzyskami w 1936 roku (na których był obecny Hitler) kazał wyrzeźbić pięć kół w kamieniu i sfilmował je na tle Delf.

STRONA 37: *Langdon mówi: „Symbole są bardzo odporne, ale znaczenie pentagramu zmienił wczesny Kościół rzymskokatolicki. Watykan zwalczał religie pogańskie i chciał nawracać masy na chrześcijaństwo. Kościół wytoczył wojnę*

---

* Grecka bogini miłości to Afrodyta.

pogańskim bogom i boginiom, przypisując ich świętym symbolom negatywne znaczenie".

Brown, dla własnej wygody, całkowicie zignorował fakt, że chrześcijański cesarz Konstantyn Wielki – którego w całej książce opisuje jako zażartego wroga gnostyków, bogiń i pogańskich tradycji – używał pentagramu, wraz z symbolem Chi-Rho (powstałym z pierwszych dwu liter, X i P, z greckiego słowa oznaczającego Chrystusa) w swojej pieczęci i amulecie.

STRONA 45: *Brown pisze, że Leonardo „miał ogromny wkład we wspaniałą sztukę chrześcijańską (...). Przyjmował setki lukratywnych zleceń od Watykanu i malował obrazy o tematyce chrześcijańskiej nie jako wyraz własnej wiary, lecz dla pieniędzy – żeby móc sobie pozwolić na wystawne życie". Czy to prawda?*

Nieprawda. Wkład Leonarda w sztukę wcale nie był ogromny. Artysta zwykle bardzo długo wykańczał swoje dzieła. Liczba ukończonych obrazów jest bardzo mała w porównaniu z dokonaniami innych wielkich artystów.

STRONA 52: *Kod w automatycznej sekretarce Sophie to 454. Czy ta liczba ma jakieś szczególne znaczenie dla Dana Browna, czy została wybrana przypadkowo?*

Nie wiemy, ale wydanie [amerykańskie] w twardej oprawie liczy 454 strony.

STRONA 55: *Siedmioletni Sylas opuszcza dom zabiwszy ojca, który zamordował jego matkę. Trafia do więzienia w wieku 18 lat, skąd, jako 30-latka, uwalnia go trzęsienie ziemi. Aringarosa nazywa go Sylasem. Dan Brown pisze, że mężczyzna ten zapomniał „imienia, które nadali mu rodzice".*

Trudno uwierzyć, że naprawdę zapomniał własnego imienia. Jak nazywał siebie przez 23 lata? Jak mówili do niego policjanci, którzy aresztowali go, uznając, że jest zbyt niebezpieczny, by przebywać na wolności w Marsylii? Jak wołali go strażnicy więzienni przez 12 lat?

STRONA 58: *Brown mówi, że w rozdziale 16 Dziejów Apostolskich Sylas, nagi, pobity, leży w więziennej celi i śpiewa hymny do Boga, gdy uwalnia go trzęsienie ziemi. Albinosa także uwolniło trzęsienie ziemi, więc biskup nazwał go Sylasem. O jakim zdarzeniu z wczesnej historii Kościoła mowa?*

Według Dziejów Apostolskich (16,16–46) Paweł i Sylas zostali uwięzieni na podstawie fałszywych oskarżeń. Trzęsienie ziemi uwolniło wszystkich więźniów, ale Paweł i Sylas nie wyszli. Najpierw nawrócili strażnika na chrześcijaństwo i ochrzcili go, a wyszli dopiero wtedy, gdy ludzie, którzy ich oskarżyli, przyszli, przeprosili i wyprowadzili ich z więzienia.

STRONA 60: *Sophie rozszyfrowuje kod numeryczny i uzyskuje liczby 1-1-2-3--5-8-13-21, które nazywa ciągiem Fibonacciego, „jednym z najsłynniejszych ciągów matematycznych w historii". Czy wszystko się tu zgadza?*

Nie. Matematycy są zgodni co do tego, że ciąg Fibonacciego obejmuje 0, czyli początek wygląda tak: 0-1-1-2-3-5-8-13-21... Ciąg liczbowy zapisuje się z wielokropkiem po ostatniej podanej liczbie, co oznacza, że jest nieskończony.

STRONA 65: *Sophie mówi Langdonowi o „pluskwie GPS". Urządzenie jest opisane jako „metalowy krążek, przypominający guzik, wielkości baterii do zegarka". Sophie wyjaśnia, że „stale przekazuje swoje położenie do satelity GPS, więc DCPJ może je cały czas monitorować, i że w tym systemie możliwe jest namierzanie obiektów z dokładnością do kilkudziesięciu centymetrów na całym świecie". Czy taki system istnieje?*

Tak, ale urządzenia są o wiele większe niż to, które opisuje Sophie. Na przykład nadajniki stosowane do namierzania dzikich zwierząt mają kształt dużych obroży dla psów (czy raczej ptaków lub ryb). Rozpoznają swoje położenie przez GPS i przekazują je satelitom – ale nie satelitom GPS. Są to raczej satelity Argos lub GlobalStar. (Satelity GPS nie odbierają sygnału z odbiorników GPS). Niestety, nie można korzystać z Argosa cały czas we wszystkich punktach globu, bo satelita orbituje i znika z widoku.

Można natomiast zbudować mniejsze urządzenia, zapewniające stały namiar, jeśli tylko nie będą musiały przekazywać danych do satelitów. Mają niewielkie nadajniki radiowe, o zasięgu do 25 kilometrów. W tym zasięgu można monitorować ich ruch 24 godziny na dobę. Jednak najmniejsze z takich urządzeń jest około 10 razy większe od „pluskwy GPS", którą opisuje Sophie.

Wszystkie takie urządzenia wymagają anten. Długość anteny ma związek z czułością odbioru i z mocą nadawczą. Zatem nawet gdyby się udało skonstruować tak mały nadajnik, być może potrzebowałby kilkunastocentymetrowej anteny.

STRONA 78: *Okno męskiej toalety znajduje się na „zachodnim krańcu skrzydła Denona" w Luwrze. Sophie wygląda i widzi, że „Place du Carrousel niemal styka się z budynkiem i tylko wąski chodnik oddziela go od zewnętrznego muru Luwru. Na jezdni, jak zwykle w nocy, stoi rząd ciężarówek, czekających, aż zmieni się światło". Czy mogła to rzeczywiście zobaczyć?*

W zachodnim krańcu skrzydła Denona nie ma toalety męskiej, zresztą ta część budowli nie jest otwarta dla gości. Przyjmijmy jednak, że zwiedzający mogliby tam wejść. Place du Carrousel nie styka się z zewnętrzną ścianą Luwru. Nie biegnie też tamtędy duża ulica, na której mogłyby stać w korku ciężarówki.

STRONA 79: *Sophie mówi, że ambasada Stanów Zjednoczonych jest „zaledwie półtora kilometra stąd". Czy to prawda?*

Mniej więcej. Odległość wynosi jakieś 1250 metrów i ambasadę można zobaczyć z miejsca opisanego jako okno męskiej toalety, ale Sophie i tak zabłądzi, kiedy będzie tam jechać!

STRONA 82: *Fache ma manurhina MR-93. Czy takiej broni używa francuska policja?*

Tak, taką bronią posługują się francuscy policjnci. Jest to rewolwer o charakterystycznym kształcie.

STRONA 85: *Brown pisze: „Ostatnie 60 sekund zatarło mu się w głowie". Potem pisze, jak Sophie wyrzuciła nadajnik GPS przez okno. Skoro w tym czasie Fache przebiegł całą Wielką Galerię, jak szybko się poruszał?*

Trzeba go zgłosić do francuskiej drużyny olimpijskiej! Przebiegnie 1500 metrów w 3,5 minuty!

STRONA 85: *Brown stwierdza, że duży tir jechał od strony Luwru na południe, w kierunku Pont du Carrousel (na drugi brzeg Sekwany), a potem skręcił w prawo na most Saint-Pères. Czy to możliwe?*

Nie. Jeśli przejedzie się przez Pont du Carrousel na południe, trzeba skręcić w prawo w quai Voltaire, jednokierunkową ulicę biegnącą na zachód. Tym samym oddalamy się od mostu Saint-Pères, a nie zbliżamy do niego. Most Saint-Pères jest jednokierunkowy i prowadzi na północ.

STRONA 86: *Brown mówi, że ciężarówka minęła o 3 metry koniec budynku (zachodniego krańca skrzydła Denona w Luwrze). Potem jedzie na południe, przez Sekwanę. Wrzucając na ciężarówkę nadajnik GPS, bohaterowie chcieli zasugerować policji, że Langdon wyskoczył z okna na ciężarówkę. Czy to możliwe?*

Nie. Przede wszystkim publiczne toalety Wielkiej Galerii w Luwrze nie znajdują się przy końcu budynku. Ale nawet gdyby tam były, to od Place du Carrousel do ściany budynku jest ponad 15 metrów. Nikt nie zdołałby doskoczyć do ulicy, nawet z samego końca budynku. W Paryżu obowiązuje ruch prawostronny, więc jezdnia prowadząca na północ byłaby o kolejne 6 metrów dalej od budynku Luwru. Wątpimy, żeby Fache uwierzył, że Langdon skoczył na ciężarówkę.

STRONA 92: *Brown mówi, że w talii tarota są 22 karty, w tym Pentagramy, oraz karty Papieżycy, Cesarzowej i Gwiazdy. Czy tak naprawdę jest w kartach tarota?*

Tak i nie. Jak na kogoś, kto zna się na okultyzmie, Brown pomija kluczowe fakty. Najpopularniejsza talia tarota składa się z 78 kart: 22 kart Wielkich Arkanów i 56 kart Małych Arkanów. Wielkie Arkana nazywa się czasami kartami atutowymi, ale dosłownie chodzi o Wielkie i Małe Tajemnice.

Małe Arkana dzielą się na cztery kolory: buławy, kielichy, miecze i monety. O kielichach Brown wspomina w dalszej części książki.

Pełna talia tarota, którą zresztą można dowolnie powiększyć, obejmuje (przynajmniej) Masonerię, Gnostyków, Papieżycę, świętego Graala* i wiele innych, ale nie zawsze połączonych ze sobą tak, jak jest to opisane w *Kodzie Leonarda da Vinci*. Karta Wielkich Arkanów, znana powszechnie jako Kapłanka, pochodzi z pierwotnej talii i wywodzi się z legendy o kobiecie-papieżu – papieżycy Joannie.

Zgodnie z szeroko rozpowszechnioną średniowieczną legendą, kobieta o imieniu Joanna, która w męskim przebraniu wstąpiła do klasztoru, została papieżem. Zaszła jednak w ciążę z księdzem i nie tylko nie zdołała tego ukryć, ale urodziła dziecko na ulicy, gdzie tłum rozszarpał ją na kawałki. Inna legenda głosi, że w epoce renesansu papieżem została pewna Włoszka.

W każdym razie około 1450 roku kilka talii *Tarocchi* (tarota) zamówiła wielka rodzina Viscontich. Wśród nich była talia, uważana za jedną z najwcześniejszych, talia Viscontich-Sforzów. W tej talii znajduje się już karta Papieżycy.

STRONA 93: *Brown wprowadza scenę wykładu, w której Langdon rozprawia o boskiej proporcji i gratuluje studentowi, który rozpoznaje liczbę 1.618 jako fi. Czy to się zgadza?*

Pewnie ktoś powiedział Danowi Brownowi, że są dwie liczby, jedna pisana wielką literą, a druga – małą, a on zróżnicował to w wymowie. Liczba, zapisywana jako Fi, oznacza boską proporcję, a fi – jej odwrotność. Po angielsku wymawia się „faj".

---

* Do tzw. tarota marsylskiego, do którego zazwyczaj odwołują się badacze przy opisie innych talii, jako że jest uważany za standardowy, należą karty atutowe: Głupiec, Mag, Papieżyca, Cesarzowa, Cesarz, Papież, Kochankowie, Rydwan, Sprawiedliwość, Pustelnik, Koło Fortuny, Siła (lub Męstwo), Wisielec, Śmierć, Umiarkowanie, Diabeł, Wieża (lub Dom Boży), Gwiazda, Księżyc, Słońce, Sąd Ostateczny, Świat (wg R.T. Prinkego *Tarot. Dzieje niezwykłej talii kart*, Warszawa 1991).

Bardzo nas dziwi, że tak sławny badacz symboli, jak Robert Langdon, nie użył symboli opisujących tę parę liczb, greckich liter Φ i φ, skoro w książce pojawia się tak wiele innych symboli?

Prawdą jest, że liczba fi wywodzi się z ciągu Fibonacciego, jest często spotykana w przyrodzie, matematyce i architekturze, i bywa nazywana złotym środkiem czy boską proporcją.

Fi to liczba niewymierna (ciągnie się w nieskończoność po przecinku). Można obliczyć dalsze miejsca – na przykład 1,618033988 to fi podana z dokładnością do dziewiątego miejsca po przecinku. Niektórzy matematycy wyliczyli wartość fi z dokładnością do tysięcy miejsc po przecinku.

STRONA 94: *„Zaraz, zaraz – powiedziała młoda kobieta z pierwszego rzędu. – Studiuję biologię, ale nigdy nie zauważyłam tej boskiej proporcji w przyrodzie".*

– Nie? – Langdon uśmiechnął się szeroko. – Bada pani związek między liczbą samic a samców pszczół w ulu?

– Oczywiście. Samic zawsze jest więcej.

– Zgadza się. A czy wiedziała pani, że jeśli podzieli się liczbę samic przez liczbę samców w dowolnym ulu na świecie, zawsze uzyska się tę samą liczbę?

– Tak?

– Tak. Fi".

Miód ma złoty kolor, ale czy pszczoły uznają złoty środek?

Tutaj Brown paskudnie się pomylił. Populacja w ulu zmienia się w zależności od pory roku, a skoro w różnych miejscach świata w tym samym momencie panują różne pory roku, nie może się zdarzyć, żeby we wszystkich ulach świata istniała ta sama proporcja liczby samców i samic. Zła wiadomość dla facetów: jesienią prawie wszystkie trutnie (czyli samce) są wypędzane z ula i giną śmiercią głodową, więc populacja samców zbliża się do zera.

Wiosną i latem trutni jest więcej. Ale entomolodzy liczyli osobniki w ulach i nie uzyskali wyników zbliżonych do boskiej proporcji. Na przykład w przeciętnym ulu żyje jedna królowa, od 300 do 1000 trutni (samców) i 50 000 robotnic (samic). Jeśli, jak proponuje Langdon, podzielimy liczbę samic (50 001) przez liczbę samców (przyjmijmy, że to 1000), uzyskamy 50 – nawet nie w przybliżeniu 1,618.

STRONA 98: *Brown mówi: „Francuscy królowie w całym renesansie byli tak przekonani o magicznej mocy anagramów, że mieli nadwornych anagramatyków, którzy pomagali im podejmować decyzje, analizując słowa w ważnych dokumentach".*

Nie wydaje nam się, żeby wielu francuskich królów uległo fascynacji anagramami „w całym renesansie", okresie, który trwał od końca XV do początku XVII wieku. Ale wiadomo na pewno, że król Ludwik XIII, który panował od 1610 do 1643 roku, miał nadwornego anagramatyka, Thomasa Billona. Brak dowodów na to, aby Billon odgrywał ważną rolę w podejmowaniu decyzji. Stwierdzono, że zadaniem Billona było „bawienie dworu wesołymi anagramami nazwisk".

Ten cytat przytaczany bywa zawsze, gdy miłośnicy anagramów mówią o historii tej sztuki. Ludwik XIII wstąpił na tron w wieku 9 lat, ale nie wiemy, kiedy przyjął na dwór Billona. Młody król długo pozostawał pod wpływem matki – regentki, a potem doradców, takich jak kardynał Richelieu.

STRONA 98: *Brown mówi: „Rzymianie uważali anagramy za* ars magna – *wielką sztukę".*

Czy Rzymianie mówili po angielsku? Litery z angielskiego słowa *anagrams* można przestawić tak, żeby utworzyły słowa *ars magna*. Po łacinie jest to *anagrammat* lub *anagramma*, a słowa te wywodzą się z greki.

STRONA 99: *Saunière napisał kiedyś słowo* planets *i powiedział Sophie, że „to zadziwiające, ale z tych liter można ułożyć aż 92 angielskie słowa". Czy to prawda?*

To zadziwiające, że Saunière nie podał wyższej liczby. My wymyśliliśmy 101 słów, a wcale nie jesteśmy tacy mądrzy.

STRONA 106: *Brown pisze: „Do dziś podstawowym przyrządem nawigacyjnym jest róża kompasowa; północ wskazuje strzałka (...) lub, częściej, symbol* fleur-de-lys*". Czy to prawda?*

Zapewne widzieli państwo niejeden film o piratach, na którym różę kompasową, narysowaną na mapie z drogą do skarbu, zdobi duży znak *fleur-de-lys*. Chciałoby się wierzyć, że taki symbol można powszechnie spotkać na współczesnych mapach, lecz tak nie jest. Trudno nam określić, jaki rodzaj róż kompasowych stosuje się dziś najpowszechniej. Ale możemy coś powiedzieć o standardowych, amerykańskich mapach lotniczych i morskich. Nie ma na nich *fleur-de-lys*.

Na mapach lotniczych północ wskazuje strzałka. Są one już zorientowane na północny biegun magnetyczny. Na mapach morskich wyraźnie zaznacza się północ na zewnętrznym obrzeżu, a mniejsza, prosta strzałka oznacza północ magnetyczną na wewnętrznym obrzeżu. A jak wygląda symbol północy? Ciekawe, że jest to pięcioramienna gwiazda. Zdaniem marynarzy: Gwiazda Polarna.

Ponieważ większość ludzi nie używa kompasu, posługując się mapami drogowymi, które chyba są najczęściej spotykanymi mapami, na mapach tych nie ma róż kompasowych. Zwykle znajdują się na nich tylko strzałki wskazujące północ. Na starych mapach – szczególnie tych sporządzonych przez mistrzów kartografii, Portugalczyków – najczęściej północ oznacza *fleur-de-lys*. Co ciekawe, często na wschodzie znajduje się na nich krzyż – zazwyczaj maltański. Symbol ten stosowano dlatego, że wschód to kierunek „w stronę Jerozolimy". Dan Brown przegapił więc okazję wskazania kolejnego symbolu templariuszy!

STRONA 106: *Brown pisze: „Długo przed tym, jak postanowiono, że początkowy południk będzie przechodził przez Greenwich, linia, wyznaczająca długość geograficzną 0 na całym świecie, przebiegała bezpośrednio przez Paryż i kościół Saint-Sulpice. Mosiężna linia, przecinająca Saint-Sulpice, to pamiątka pierwszego południka na świecie, i chociaż Greenwich odebrało Paryżowi ten honor w 1888 roku, to oryginalną linię róży widać tam do dziś".*

Przez Paryż wcale nie przebiegał pierwszy południk świata. Przynajmniej nie przez 1400 lat. Pierwszą znaną próbę wytyczenia początkowego południka podjęto w II wieku przed naszą erą, gdy Hipparch z Bitynii zaproponował, by wszystkie odległości mierzono od południka, przecinającego wyspę Rodos, leżącą przy południowym wybrzeżu Turcji. Klaudiusz Ptolemeusz, który pisał swoje dzieła między 127 a 141 rokiem n.e.*, wyznaczył południk początkowy, który przecinał Wyspy Kanaryjskie. Ten pomysł, rozwinięty przez niemieckiego benedyktyna, Nicholasa Germanusa około 1470 roku, zyskał dużą popularność i stał się inspiracją dla Krzysztofa Kolumba.

Wiele krajów, które podbijały terytoria na całym świecie, próbowało wytyczyć swój własny początkowy południk. Spory i niejasności w tej kwestii trwały setki lat, aż wreszcie Anglia stała się światową potęgą w dziedzinie kartografii i nawigacji. A skoro drukowała najlepsze mapy, mogła decydować o tym, gdzie znajduje się południk zerowy.

W 1884 roku prezydent Chester A. Arthur zwołał konferencję w Waszyngtonie, na której przedstawiciele 25 krajów mieli dojść do porozumienia w sprawie południka zerowego i wprowadzenia 24-godzinnego dnia na całym świecie. W owych czasach nawigatorzy, próbując określić położenie jednostki na morzu, musieli to robić w odniesieniu do jednego z 11 różnych południków zerowych, biegnących przez: Greenwich, Paryż, Berlin, Kadyks, Kopenhagę, Lizbonę, Rio, Rzym, Sankt Petersburg, Sztokholm i Tokio. Ale wówczas nawigatorzy 72% statków handlowych uznawali za początkowy południk biegnący przez Greenwich, a tylko 8% – południk przechodzący przez Paryż.

---

* To jedynie ogólne datowanie; Klaudiusz Ptolemeusz żył w latach ok. 100–178 n.e.

Dwadzieścia dwa z 25 krajów zagłosowały, by południk zerowy przebiegał przez Greenwich. Od głosu wstrzymała się Brazylia i – co łatwe do przewidzenia – Francja. We Francji uznawano paryski południk do 1911 roku dla celów określania czasu i do 1914 roku dla celów nawigacyjnych.

STRONA 120: *Profesor Langdon często nazywa malarza „da Vincim". Czy to poprawne?*

Nie. Takie przekręcenie irytuje każdego, kto zna się na sztuce. Artysta nazywał się Leonardo di ser Piero i pochodził z miasta Vinci, dlatego nazywano go Leonardo di ser Piero da Vinci (z Vinci). Historycy sztuki skracają jego nazwisko do „Leonardo".

STRONA 121: *Profesor Langdon „odsłania" tajemnicę Leonarda, czyli połączenie męskości i żeńskości w obrazie* Mona Lisa, *anagramując tytuł tak, by uzyskać Amon L'Isa, domniemane androgyniczne połączenie. Czy takie mogły być intencje Leonarda?*

Wywód opiera się na tytule *Mona Lisa*. Ponieważ Leonardo nie nazwał tak swego obrazu, dowodzenie jest absurdalne. W czasach Leonarda obraz w ogóle nie miał tytułu. Nazywano go różnie, między innymi „kurtyzaną w szalu z gazy".

STRONA 121: *Brown pisze: „Z początku Langdon nic nie widział. Potem, uklęknąwszy przy niej, zauważył kropelkę zaschniętego płynu, który lśnił w ciemności. Atrament? Nagle przypomniał sobie, do czego używano ultrafioletu. Do wykrywania krwi". Czy to prawda?*

Panie Brown, jeśli chce pan dalej oglądać telewizyjny program CSI o badaniu miejsc zbrodni, proszę bardziej uważać! Krew nie świeci w ultrafiolecie sama z siebie. Do stosowania luminolu (tak lubianego przez twórców CSI) nie jest potrzebne żadne oświetlenie, a badanie musi odbywać się w ciemnym pomieszczeniu. Dzieje się tak dlatego, że odczynnik powoduje chemiluminescencję i wydzielanie niesamowitego blasku.

Natomiast gdy stosuje się fluoresceinę (substancję, której częściej używa się do badania starych śladów krwi) potrzebne jest źródło światła ultrafioletowego. Ale najpierw trzeba spryskać obszar poszukiwań świeżym roztworem fluoresceiny, a potem wodą utlenioną. Sophie nie miała czasu ani materiałów, żeby to zrobić.

STRONA 124: *Na gablocie z* Moną Lisą *znajduje się napis:* So dark the con of man. *Langdon uważa to za doskonały przykład filozofii Zakonu Syjonu, przeświadczonego, że władze wczesnego Kościoła chrześcijańskiego okłamywały cały świat (Ciemne jest oszustwo człowieka).*

Jako naukowiec Langdon nie powinien od razu przyjmować, że słowo *con* oznacza „oszustwo". Terminu tego zaczęto używać około 1886 roku, czyli dość późno. W czasach Szekspira czasownik *con* oznaczał „wiedzieć", „dowiadywać się" lub „zapamiętywać". Naukowiec odczytałby to zdanie jako: *So dark the knowledge of man* (Niejasna jest ludzka wiedza).

STRONA 128: *Dan Brown każe Sylasowi sprawdzić werset 11 z 38 rozdziału Księgi Hioba w Biblii na ołtarzu kościoła Saint-Sulpice. „Sylas odnalazł i przeczytał jedenasty werset, który składał się tylko z siedmiu słów. Zdziwiony Sylas przeczytał go jeszcze raz, czując, że stało się coś bardzo złego. Tekst brzmiał:* Hitherto shalt thou come, but no further".

W wersecie tym jest więcej niż siedem słów. Według *King James Version (Authorized Version)* werset 11 składa się z 17 słów: *And said, Hitherto shalt thou come, but no further: and here shall thy proud waves be stayed?* (I rzekłem: aż dotąd, nie dalej! Tu zapora dla twoich nadętych fal!).

Wydaje się również bardzo wątpliwe, żeby Sylas czytał z anglojęzycznej Biblii na ołtarzu francuskiego kościoła w sercu Paryża.

STRONA 131: *Sophie bierze klucz zza ramy* Madonny wśród skał *Leonarda. Brown opisuje: „Arcydzieło, któremu się przyglądała, miało półtora metra wysokości". Później mówi, że Sophie: „zdjęła duży obraz z lin, na których wisiał, i oparła go na podłodze przed sobą. Obraz zasłonił ją prawie całą (...). Płótno zaczęło się wybrzuszać w środku (...). Kobieta naciskała kolanem w obraz od tyłu!"*

Obraz nie ma 1,5 metra wysokości, lecz prawie 2 metry, nie licząc ramy. Mierzy też około 120 centymetrów szerokości. Sophie musiałaby być olbrzymką, żeby było ją widać zza obrazu, poza tym musiałaby dysponować niewyobrażalną siłą, żeby zdjąć płótno ze ściany i postawić je na podłodze, nie upuszczając go.

STRONA 137: *„To był najmniejszy samochód, jaki Langdon kiedykolwiek w życiu widział. – Smart – powiedziała [Sophie]. – Litr na 100".*

Przykro nam. Smarty są śliczne i zwrotne. Palą bardzo mało, ale jednak nie litr na 100 kilometrów, lecz o wiele więcej! Przeciętnie 5 litrów na 100 kilometrów. Przez kilka lat smarty robiły furorę w Europie. Budowano je w Niemczech i Francji, a teraz marka należy do Daimlera-Chryslera z grupy Mercedes Benz. Samochody te można obejrzeć na stronie internetowej www.daimlerchrysler.com.

Istnieje dwuosobowa wersja smarta (zaprojektowana przez firmę Swatch). Autko ma 2,5 metra długości, więc dwa smarty mogą się zmieścić na miejscu parkingowym normalnej wielkości. Dwuosobowych smartów nie można kupić w Ameryce. Nowe, czteroosobowe modele zostaną wprowadzone na rynek amerykański w 2006 roku.

STRONA 128: *Sophie i Langdon szukają ambasady amerykańskiej. Sophie jedzie na północ, na rue de Rivoli, a potem kieruje się tą ulicą na zachód, 400 metrów do „dużego ronda". Zjeżdżają z „dużego ronda" na Pola Elizejskie. Teraz do ambasady zostało im, zdaniem Browna, „jakieś półtora kilometra". Sophie ostro skręca w prawo „przy luksusowym Hôtel de Crillon", wjeżdżając w dzielnicę dyplomatyczną. Nagle orientują się, że są 100 metrów od blokady policyjnej na avenue Gabriel.*

Sophie przydałby się lepszy plan miasta. Kiedy jechała na zachód rue de Rivoli i dotarła do „dużego ronda", znalazła się na Place de la Concorde, ogromnym placu w centrum Paryża. Po północnej stronie placu stoi Hôtel de Crillon. Ambasada amerykańska jest w pobliżu, tam gdzie rue de Rivoli przechodzi w avenue Gabriel. Nie można się zgubić. (Zresztą jedną z atrakcji pokoi w Hôtel de Crillon jest widok na ambasadę).

STRONA 147: *Langdon i Sophie jadą na dworzec Saint-Lazare. Opuszczając avenue Gabriel, zablokowaną przez policję, Sophie zawraca na zachód, na Pola Elizejskie, jedzie do Łuku Triumfalnego i na rondzie kieruje się na północ (najprawdopodobniej w avenue Wagram). Mija kilka przecznic, jadąc na północ, a potem ostro skręca w prawo na boulevard Malesherbes. W końcu, po jednym czy dwóch zakrętach, dojeżdża do dworca kolejowego.*

Sophie naprawdę powinna sobie sprawić lepszy plan. Zjeżdżając z avenue Gabriel, znajduje się około 400 metrów od dworca Saint-Lazare i powinna skierować się na północ. Ale ona, zamiast tego, długo jedzie na zachód, potem na północ, potem z powrotem na południe i jeszcze na wschód. Wraca w to samo miejsce, przejechawszy 2 kilometry więcej, niż było trzeba. Może krąży, bo chce trochę lepiej poznać Langdona?

STRONA 148: *Dan Brown pisze: „Czasopismo »Architectural Digest« nazwało budynek Opus Dei »lśniącą latarnią katolicyzmu, pięknie wtopioną w nowoczesny pejzaż«". Czy to prawdziwy cytat?*

Zapytaliśmy redakcję „Architectural Digest". Odpowiedziano nam krótko: „»Architectural Digest« nigdy nie opisywał siedziby Opus Dei".

STRONA 153: *Bohaterowie chcą wyjechać z Paryża. Sophie daje wskazówki taksówkarzowi, który wiezie ich na północ rue de Clichy. Wyglądając przez okno po prawej stronie, Langdon widzi Montmartre i Sacré-Coeur.*

Tak. Mógł je widzieć.

STRONA 154: *Jadąc na północ rue de Clichy, Sophie odkrywa na kluczu adres: rue Haxo 24. Taksówkarz mówi, że rue Haxo jest „niedaleko stadionu tenisowego [Rolanda Garrosa] na zachodnich przedmieściach Paryża" (...) „Najszybciej dotrzemy tam przez Lasek Buloński" – mówi taksówkarz.*

Taksówkarzowi również przydałby się lepszy plan miasta. Nie trzeba krążyć przez Lasek Buloński, żeby dotrzeć na stadion tenisowy. Można tam dojechać drogą szybkiego ruchu, która nazywa się Boulevard Périphérique.

Ale tutaj Brown popełnił duży błąd, bo rue Haxo nie znajduje się w tej części Paryża, lecz po wschodniej stronie miasta.

STRONA 155: *Fache dowiaduje się, że Langdon kupił bilety na pociąg. „Dokąd?" – pyta. „Do Lille" – odpowiada Collet. „Chcą nas zmylić" – mówi Fache. Skąd ta pewność?*

Zapewne Fache wie, że pociągi do Lille nie odjeżdżają z dworca Saint-Lazare, tylko z Gare du Nord. Na s. 152 wcześniejszych wydań *Kodu Leonarda da Vinci* Langdon i Neveu kupują bilety na pociąg o 3.06 z dworca Saint-Lazare do Lyonu. W późniejszych wydaniach mają odjechać z tego samego dworca i o tej samej porze, ale do Lille. Tak czy inaczej, do żadnego z tych miast nie wyrusza się z dworca Saint-Lazare.

STRONA 157: *Sophie poprosiła Langdona, żeby opowiedział jej o Zakonie Syjonu. Historia bractwa obejmuje ponad 1000 lat, pomyślał. (...) „Zakon Syjonu – zaczął – został założony w Jerozolimie w 1099 roku przez późniejszego króla Królestwa Jerozolimy, Gotfryda de Bouillon".*

Skoro zakon został założony w 1099 roku, to jak jego historia mogła trwać „ponad 1000 lat"?

STRONA 157: *Dan Brown pisze, że park, zwany Laskiem Bulońskim, jest nazywany przez paryżan „ogrodem rozkoszy ziemskich", z powodu „setek lśniących ciał do wynajęcia, ziemskich rozkoszy, które zaspokajają najgłębsze, niewypowiedziane pragnienia – mężczyzn, kobiet i tego, co pomiędzy".*

Nasi francuscy przyjaciele nie nazywają Lasku Bulońskiego ogrodem rozkoszy ziemskich. Może był to pretekst dla Browna, żeby wprowadzić aluzję do znanego obrazu Hieronima Boscha. Ale rzeczywiście, nocą w Lasku Bulońskim roi się od prostytutek obu płci oraz transwestytów.

STRONA 160: *Langdon opisuje spisek, uknuty przez papieża Klemensa V i króla Francji, Filipa IV Pięknego, w celu jednoczesnego aresztowania i zabicia templariuszy o świcie w piątek 13 października 1307 roku. Ma to być prawdziwe źródło przesądu, że piątek trzynastego przynosi pecha.*

To zaledwie jedno z rozmaitych wyjaśnień tego przesądu.

STRONA 166: *Biskup Aringarosa pyta Sylasa: „Czy nie wiedziałeś, że sam Noe był albinosem"? Czy takie słowa mógł wypowiedzieć biskup?*

W Biblii nie ma na ten temat wzmianki, ale w *Księdze Henocha* – jednej z apokryficznych ksiąg, które nie weszły w skład Biblii – znajduje się następujący opis narodzin Noego:

> Po [paru] dniach syn mój Matuzalem wziął dla swojego syna Lamecha żonę, która zaszła w ciążę i urodziła syna. Ciało jego było białe jak śnieg i czerwone jak kwiat róży, a włosy na jego głowie [były] białe jak wełna (...) miał piękne oczy. Kiedy otworzył swe oczy, napełnił cały dom jasnością jak słońce, tak że cały dom był nad wyraz jasny*.

Fragment ten stanowi jakby dodatek do *Księgi Henocha*. Tak czy inaczej trudno przypuszczać, żeby tak znakomity członek Opus Dei jak Aringarosa powoływał się na pisma z wrogiego obozu.

STRONA 168: *Sophie siada za kierownicą i „samochód z cichym pomrukiem jedzie na zachód, Allée de Longchamp, pozostawiając za sobą ogród rozkoszy ziemskich".*

Sophie przypomina, że zdaniem taksówkarza rue Haxo jest blisko „stadionu tenisowego Rolanda Garrosa". Sądzi, że trafi tam bez trudu. „Znam tę okolicę" – mówi.

Sophie powinna sobie sprawić lepszy plan miasta. Allée de Longchamp biegnie z północy na południe. Jest jednokierunkowa i jedzie się nią na północ. Stadion tenisowy nie leży na zachód od parku, lecz na południe. Jak już powiedzieliśmy, rue Haxo znajduje się po wschodniej stronie Paryża, wiele kilometrów dalej.

---

* *Księga Henocha etiopska* w: *Apokryfy Starego Testamentu*, tł. ks. R. Robinkiewicz, Warszawa 1999.

STRONA 169: *Słynny* Pokłon Trzech Króli *Leonarda został tylko naszkicowany przez mistrza, a kolorami wypełnił go jakiś anonimowy malarz. Ustalono to na podstawie zdjęć rentgenowskich i reflektografii w podczerwieni. Włoski historyk sztuki, Maurizio Seracini, odkrył sekrety obrazu, co opisano w „The New York Times".*

Wszystko to prawda. Seracini naprawdę jest znanym historykiem sztuki. Artykuł, pióra Melindy Henneberger, został opublikowany 21 kwietnia 2002 roku. Pani Henneberger pisze teraz książkę o poszukiwaniach zaginionego fresku Leonarda, *Bitwy pod Anghiari,* czym szczególnie interesuje się Seracini.

STRONA 172: *Neon Banku Depozytowego Zurychu przypomina Langdonowi, że na szwajcarskiej fladze narodowej znajduje się równoramienny krzyż.*

Nie tylko krzyż jest równoramienny, ale i flaga Szwajcarii ma niezwykły kształt kwadratu (nie prostokąta), co jeszcze mocniej podkreśla symetrię.

STRONA 176: *Czy Bank Depozytowy Zurychu naprawdę istnieje?*

Sprawdzając tę nazwę w internetowej przeglądarce Google, znajdujemy stronę, która na pierwszy rzut oka wygląda na prawdziwą. Ale szybko odkrywamy, że to strona „poszukiwaczy skarbów" Dana Browna. Znajduje się tam wiele żartów, zrozumiałych dla czytelników książki. Jeśli wpiszemy w przeglądarce hasło „Robert Langdon", także znajdziemy „fałszywą" stronę.

STRONA 181: *Collet jest na Gare du Nord, gdy dzwoni do niego Fache. Dlaczego właśnie tam?*

Fache kazał „zawiadomić następną stację, zatrzymać i przeszukać pociąg". Wysłał Colleta, żeby to nadzorował. Fache chyba zapomniał, że pociągi do Lille nie odjeżdżają z dworca Saint-Lazare, więc Gare du Nord nie jest „następną stacją". Jeszcze bardziej nieprawdopodobna wydaje się ta sprawa we wcześniejszych wydaniach książki, w których Sophie i Robert kupują bilety do Lyonu, położonego na południe od Paryża.

STRONA 184: *Vernet mówi, że Sophie powinna znać 10-cyfrowy numer konta. „Dziesięć cyfr. Sophie niechętnie oszacowała liczbę możliwości. Dziesięć miliardów możliwych kombinacji. Nawet gdyby mogła sprząc najsilniejsze komputery, jakie ma do dyspozycji DCPJ, i tak potrzebowałaby kilku tygodni na złamanie kodu".*

Zauważamy tu kilka błędów. Po pierwsze, sprawdzenie przez komputer 10 miliardów możliwych kombinacji wcale nie jest trudne. Dla zwykłego dzisiejszego komputera jest to kwestia minut. Nie trzeba więc sprzęgać ogromnych komputerów. Ale jeśli zdecydujemy się na wydrukowanie wszystkich możliwych kombinacji, przyjdzie nam długo czekać przy drukarce laserowej i zapłacimy krocie za papier i toner.

Jednak czasy zabezpieczeń, które zezwalały na nieskończenie wiele prób wprowadzenia kodu, dawno już minęły. Ponieważ ludziom czasami zdarza się źle wcisnąć przycisk na klawiaturze, niektóre systemy zezwalają na trzy próby, ale Bank Depozytowy Zurychu ma surowsze zasady – kod można wprowadzić tylko raz, o czym Sophie dowiaduje się na s. 188.

STRONA 201: *Sophie zastanawia się: „Gdyby ktoś próbował otworzyć krypteks siłą, szklana fiolka by pękła i ocet szybko rozpuściłby papirus. Zanim ktoś zdążyłby wyciągnąć tajemną wiadomość, stałaby się kłębem włókien".*

To nie wydaje nam się prawdopodobne. Papirus wyrabiano z włókien cibory papirusowej, sklejając je masą mączną (do której podczas wytwarzania dodawano odrobinę octu). Włókna składają się głównie z celulozy, która jest bardzo trwała i na pewno nie rozpuści się natychmiast pod wpływem octu. Gdyby nam powiedziano, że wiadomość na papirusie zostało napisana atramentem, rozpuszczającym się pod wpływem octu, bylibyśmy bardziej skłonni uwierzyć w sens takiego zabezpieczenia. Zauważmy też, że krypteks prawdopodobnie zawierałby papirus, wytworzony przez Saunière'a, w czasie jego życia, a nie sprzed 500 lat.

STRONA 201: *Krypteks ma pięć obręczy, na każdej z nich znajduje się 26 liter. Sophie oblicza: „To jest 26 do piątej potęgi, czyli około 12 000 000 możliwości".*

Tak, dokładnie 11 881 376.

STRONA 218: *Langdon zaczyna mówić o posiadłości sir Leigha Teabinga, która znajduje się „w pobliżu Wersalu". Później (s. 220), Dan Brown opisuje ją tak: „Rozciągająca się na 75 hektarach posiadłość Château Villette znajdowała się 25 minut jazdy na północny zachód od Paryża, w okolicach Wersalu (...). Posiadłość stała się znana jako Mały Wersal". Czy Château Villette istnieje naprawdę i jest blisko Wersalu?*

Prawdziwy zamek Villette może wynająć każdy turysta, którego stać, żeby zapłacić 5000 dolarów za noc, i który spędził jakiś czas w sieci, szukając nieruchomości na wakacje. W ogłoszeniu reklamowym kalifornijskiej firmy wynajmującej domy czytamy, że Villette znajduje się „niedaleko Wersalu, na północny zachód od Paryża". Historia domu opowiedziana w *Kodzie Leonarda da Vinci* zgadza się z tym, co możemy wyczytać na stronie internetowej tej firmy. Jest tam informacja, że w XVII wieku zamek i jego otoczenie przeprojektowali Le Nôtre (projektant wielu ogrodów w Wersalu) i Mansard. To przepiękna, historyczna posiadłość. Jednak nie powiedzielibyśmy, że znajduje się niedaleko Wersalu – chyba że w żargonie agentów nieruchomości. Wersal leży około 15 kilometrów na zachód od centrum Paryża i 5 kilometrów na południe, natomiast Château Villette – około 30 kilometrów na zachód od Paryża i 15 na południe. Odległość drogowa między tymi miejscami wynosi mniej więcej 30 kilometrów.

STRONA 224: *Vernet dzwoni do szefa nocnej zmiany w banku i każe mu włączyć „transponder alarmowy furgonetki opancerzonej". Ten idzie do tablicy kontrolnej LoJack i robi to, ostrzegając, że automatycznie zostanie zawiadomiona policja. Vernet czeka przy telefonie na informacje o miejscu, gdzie znajduje się furgonetka. Czy tak działa LoJack?*

Nie całkiem. We Francji system LoJack nazywa się Traqueur. Trzeba zawiadomić policję, żeby włączyć nadajnik w pojeździe. Wtedy policja odszukuje obiekt, używając sprzętu namierzającego w radiowozach i śmigłowcach. Nie można otrzymać raportu o pozycji obiektu, dopóki policja nie skoordynuje działań i nie przygotuje się do akcji, a to może potrwać kilka godzin. (Natychmiastowe wyniki mógłby zapewnić system podający własne współrzędne GPS – jak na przykład „pluskwa GPS" ze s. 65).

System Traqueur ma jednak wiele zalet. Po pierwsze, działa w całej Francji, gdzie obsługuje go ponad 23 000 samochodów policyjnych i 42 śmigłowce (to znacznie skuteczniejsze pokrycie terenu niż w Stanach Zjednoczonych). Po drugie, sygnał, emitowany przez urządzenia, jest dyskretny i zakodowany, co ułatwia działanie policjantom – w przeciwieństwie do sygnałów niekodowanych, które może przechwycić i zrozumieć każdy.

STRONA 227: *Gargulce! W retrospekcji widzimy, jak Saunière zabrał małą Sophie do Notre Dame podczas ulewnego deszczu. Z gargulców z pluskiem wydobywa się woda. „One gulgoczą – powiedział dziadek. –* Gargariser*! Stąd wzięła się ta śmieszna nazwa »gargulce«".*

Nie. *Gargariser* po francusku znaczy „płukać gardło". Słowem, od którego wywodzi się nazwa „gargulce", nie jest *gargariser*, lecz *gargouille*. To stare, francuskie słowo oznacza „przełyk" lub „gardło" i ma bardzo ciekawą etymologię. Zgodnie ze starym podaniem, w VII wieku nad Sekwaną grasował smok. Zamiast ziać ogniem, wypluwał z siebie strumienie wody. Nazywał się Gargouille, czyli Gardło. Zatapiał miasteczka wokół Paryża, póki nie poskromił go św. Roman, arcybiskup Rouen, pokazując mu znak krzyża, który utworzył, składając palce wskazujące. Smok został zaprowadzony do Paryża, zabity i spalony, ale przedtem odcięto mu łeb i przymocowano do budynku.

Wiele domów, starych i nowych, ma dekoracje w formie stylizowanych przerażających stworów. Tylko te, które stanowią część systemu ściekowego i odprowadzają wodę, można nazwać gargulcami (na cześć smoka Gargouille'a). Pozostałe takie dekoracje to maszkarony.

STRONA 227: *Sophie mówi, że „studiowała w Royal Holloway". Czy tam można się nauczyć kryptologii?*

Tak, Royal Holloway to część University of London, gdzie wykłada się matematykę i informatykę. Można tam zdobyć stopień magistra i doktora. W Royal Holloway działa też Information Security Group (Zespół Bezpieczeństwa Informacji), złożony z naukowców zajmujących się kryptologią.

STRONA 233: *„Chwileczkę – powiedziała Sophie. – Twierdzisz, że boskość Jezusa była wynikiem głosowania?" „Wygrał o mały włos" – dodał Teabing.*

Na świętego Chada, zobaczmy, jak rozsądzi to Sąd Najwyższy!

Wynik głosowania wynosił 316 do 2*. Teabing nazywa to „wygraną o mały włos"? Przy okazji, św. Chad istniał naprawdę. Pokornie usunął się na bok w 669 roku n.e., gdy rozpętał się spór o to, kto powinien być biskupem Yorku.

STRONA 234: *Dan Brown pisze, że „zwoje znad Morza Martwego znaleziono w latach 50. XX wieku w grocie w pobliżu Qumran na Pustyni Judzkiej.*

Stało się to w 1947 roku. Beduińscy pasterze, szukając zabłąkanej kozy, przypadkiem natrafili na grotę z kamiennymi dzbanami, które zawierały starożytne zwoje. Na początek wydobyto stamtąd siedem zwojów, ale w trakcie dalszych badań, które trwały około 10 lat, znaleziono tysiące fragmentów zwojów.

STRONA 234: *„Ponieważ Konstantyn podwyższył status Jezusa niemal cztery wieki po jego śmierci, istniały już tysiące dokumentów" – mówi Teabing.*

Znowu błąd w obliczeniach: jeśli Jezus zmarł około 30 roku n.e., a sobór nicejski odbył się w 325 roku n.e., to ile wieków upłynęło? Naszym zdaniem około trzech, a nie czterech.

---

* Według tradycji w soborze nicejskim brało udział 318 ojców kościoła, lecz w rzeczywistości przybyło ich tam około 200.

STRONA 243: *„Nasze przeświadczenie o tym, co przedstawia ta scena, jest tak silne, że umysł blokuje nieścisłości i nie przyjmuje informacji przekazywanych przez wzrok" – powiedział Teabing.*

„Nazywa się to scotoma*" – dodał Langdon.*

To ciekawy syndrom, ale nazwa się nie zgadza. Teabing nie opisuje scotomy, która jest zaburzeniem wzroku lub chorobą, a nie złudzeniem optycznym.

Definicja scotomy to „ubytek pola widzenia lub mroczek". Medycznie mówiąc, „scotoma może być centralna, jeśli wywołuje ją choroba plamki żółtej lub nerwu wzrokowego, albo peryferyjna, jeśli jest wynikiem uszkodzeń naczyniówki lub siatkówki". Podczas migrenowych bólów głowy zdarza się zjawisko „mroczka migocącego", który pulsuje i ma poszarpane brzegi.

Coś dla tropicieli nieprawidłowości: w pierwszym wydaniu w twardej oprawie *Kodu Leonarda da Vinci* słowo zostało błędnie zapisane, jako *skitoma.*

STRONA 246: *Sophie przypomina, że „rząd Francji, pod presją księży, zgodził się zakazać rozpowszechniania amerykańskiego filmu pod tytułem* Ostatnie kuszenie Chrystusa*".*

Francuski rząd nie wydał takiego zakazu. Film z 1988 roku, w reżyserii Martina Scorsese, jest adaptacją powieści z 1955 roku, autorstwa Nikosa Kazantzakisa, który zyskał sławę jako twórca *Greka Zorby.* Rzeczywiście, w filmie Jezus (w tej roli wystąpił Willem Dafoe) pożąda Marii Magdaleny (którą zagrała Barbara Hershey).

Powieść Kazantzakisa wywołała protesty i została zakazana w niektórych miejscach (szczególnie w Watykanie), ale nie we Francji. Grecki Kościół prawosławny ekskomunikował Kazantzakisa, który był jego członkiem. Gdy film Scorsese wszedł na ekrany, protesty zdarzały się wszędzie. W jednym z paryskich kin podłożono bombę, doszło do demonstracji w całym kraju. Gwałtowne protesty wybuchały na całym świecie. W Stanach Zjednoczonych ktoś wjechał autobusem do holu kina. Przynajmniej dwa rządy zakazały wyświetlania filmu – chilijski i izraelski – lecz nie francuski.

Przy okazji, skoro Saunière unika rozgłosu, to dlaczego pisze taki artykuł? Sophie, 32-letnia w czasie, gdy dzieje się akcja powieści, urodziła się w roku 1969 czy 1970 – dlaczego więc, rozmawiając z dziadkiem (s. 247) o filmie z 1988 roku, pyta z dziecięcą naiwnością, czy Jezus miał dziewczynę?

STRONA 251: *Aringarosa „wyczarterował samolot odrzutowy" na lotnisku Ciampino. Ale na s. 272 leci „wyczarterowanym samolotem beechcraft baron 58".*

Beech Baron 58 to nie odrzutowiec. Jest wyposażony w benzynowe silniki tłokowe. Natomiast odrzutowce mają turbiny napędzające silniki odrzutowe przelotowe, które działają na specjalne paliwo do silników turboodrzutowych.

STRONA 271: *Policja znalazła audi Sylasa. „Miało tablice rejestracyjne wypożyczalni. Collet dotknął maski. Silnik był ciepły. Nawet gorący". Co to są „tablice rejestracyjne wypożyczalni"?*

Nie istnieją specjalne tablice rejestracyjne dla wypożyczonych samochodów, ale tablice zawierają informacje, które mogą wykorzystać na przykład złodzieje. Każdemu departamentowi Francji przyporządkowano kod, zawarty w dwóch ostatnich cyfrach numeru rejestracyjnego. Wypożyczalnie na ogół mają samochody o numerach zakończonych na 92, 51 lub 26, zarejestrowane w departamentach, w których podatki są najniższe. Firmy wynajmujące samochody powoli odchodzą od tej praktyki. Ale mieszkańcy danego rejonu potrafią natychmiast stwierdzić po numerze rejestracyjnym, skąd pochodzi samochód.

STRONA 272: *Aringarosa leci „na północ" nad Morzem Tyrreńskim, samolotem z lotniska Ciampino do Paryża.*

Lecąc z Rzymu na północ, nie można dotrzeć nad Morze Tyrreńskie. Trzeba lecieć na północny zachód lub na zachód.

STRONA 279: *Na s. 220 Langdon zahamował opancerzoną furgonetką na początku podjazdu długości 1,5 kilometra. Na s. 279 „morze niebieskich świateł policyjnych i syren przesuwało się po prawie kilometrowym podjeździe".*

Do domu Leigha Teabinga prowadzi niewątpliwie długi podjazd. Ale czy półtorakilometrowy czy kilometrowy?

STRONA 280: *„Collet i jego agenci wbiegli przez frontowe drzwi (...). Znaleźli dziurę po kuli w podłodze salonu oraz ślady walki (...)". Kilka stron dalej, na s. 296, czytamy, że „Collet cieszył się, iż technicy znaleźli w podłodze dziurę po pocisku, co przynajmniej potwierdzało jego słowa (...)".*

Można by przypuszczać, że Collet powiedziałby technikom o znalezieniu dziury po kuli – ale widać łaskawie pozwolił, żeby odkryli ją sami.

STRONA 281: *Czytamy następujący opis: „Collet pobiegł do drzwi, próbując coś zobaczyć w ciemności. Dostrzegał tylko niewyraźny kontur lasu w oddali". Ale już na s. 283 Rémy „doskonale się spisywał, manewrując pojazdem podczas jazdy przez oświetlone księżycem pola".*

Może księżyc świecił inaczej na jednym krańcu pola, a inaczej na drugim?

STRONA 293: *„Zahuczały dwa silniki odrzutowe hawkera 731, Garrett TFE-731".*

Domyślamy się, o którym samolocie Dan Brown mówi, ale praktycznie nikt nie nazwałby go „hawkerem 731". Chodzi o samolot Hawker-Siddeley HS-125 z silnikami odrzutowymi Garrett 731, a opisany model to HS-125-400-731. Samoloty te produkowano w wytwórni de Havilland, potem w British Aerospace, a teraz powstają w fabrykach Raytheon.

STRONA 300: *Dan Brown pisze, że Bill Gates kupił za 3 800 000 dolarów „18 kartek papieru", czyli notatek Leonarda, znanych jako* Kodeks Leicester.

Osiemnaście kartek, zapisanych obustronnie i zgiętych na pół, tworzy 72-stronicową książeczkę. Zamożny Armand Hammer kupił Kodeks Leicester w 1980 roku za 5 200 000 dolarów i nazwał go Kodeksem Hammera, lecz Gates przywrócił pierwotną nazwę. Obecnie kodeks znajduje się w Muzeum Sztuki w Seattle, ale pokazywano go na całym świecie i na jego podstawie stworzono interaktywną płytę CD.

STRONA 322: *Policja „czekała, by silniki samolotu przestały działać. Wtedy ktoś z obsługi technicznej* [runway attendant] *miał umieścić podstawki klinowe* [safety wedges] *pod oponami, żeby samolot nie mógł ruszyć".*

Praktycznie na całym świecie podstawki klinowe nazywa się *chocks*. W Anglii pracownik, którego Brown nazywa *runway attendant,* to *marshaller*.

STRONA 332: *„Silniki hawkera wciąż huczały, gdy odrzutowiec zakończył obrót w hangarze i ustawił się nosem na zewnątrz, żeby przygotować się do odlotu. Gdy samolot wykonał zwrot o 180 stopni i toczył się w stronę przodu hangaru..."*

Żaden pilot nawet nie spróbowałby tego zrobić. Odrzutowcami po prostu nie manewruje się w hangarach. Wiry powietrza porwałyby wszystkie niezamocowane przedmioty, zmieniając je w śmiercionośne pociski, a ciąg prawdopodobnie zmiótłby ściany hangaru. Pilot z Biggin Hill powiedział nam, że „za coś takiego od razu straciłby pracę".

STRONA 343: *Zdaniem Dana Browna kościół Temple „został poważnie zniszczony przez bomby zapalające Luftwaffe w 1940 roku".*

Bomby zapalające spadły w nocy 10 maja 1941 roku.

STRONA 343: *Gdy Teabing i spółka przybyli pod kościół Temple, „ściany z ciosanego kamienia lśniły w deszczu". Minutę czy dwie później „Teabing wskazał witrażowe okno, przez które przeświecało słońce, rozjaśniając sylwetkę ubranego na biało rycerza, dosiadającego konia w kolorze róży".*

Możemy się tylko domyślać, że był to jedyny promień słoneczny tego pochmurnego, deszczowego poranka. Wszystkie opisane w powieści sceny w Londynie dzieją się w czasie deszczu – niekiedy ulewnego.

STRONA 346: *Teabing musiał kiedyś leżeć na scenie przez pół godziny z* todger *na wierzchu. Co to jest* todger*?*

To brytyjskie slangowe określenie penisa.

STRONA 347: *Kilka stron wcześniej Teabing mówi o kościele Temple, że „znajduje się w nim 10 najbardziej przerażających grobów, jakie kiedykolwiek widzieliście". Teraz, wewnątrz kościoła Langdon zauważa „10 kamiennych rycerzy. Pięciu po lewej stronie. Pięciu po prawej. Rzeźbione figury naturalnej wielkości leżą na wznak na podłodze w pełnych spokoju pozach. Rycerzy wyrzeźbiono w zbrojach, z tarczami i mieczami (...). Figury były mocno zniszczone przez upływ czasu, ale każda zachowała swój unikalny charakter". Wszyscy są zaskoczeni, ponieważ „brakuje jednego rycerza".*

Niczego nie brakuje. W świątyni jest tylko dziewięć rzeźb rycerzy. Wie to każdy, kto zna kościół Temple.

Swój obecny stan rzeźby zawdzięczają przede wszystkim odłamkom, które spadły na nie po zrzuceniu przez Niemców bomb zapalających 10 maja 1941 roku. Najpierw spłonął dach, a potem wszystkie drewniane elementy kościoła.

STRONA 360: *Broń Legaludeca to „meduza o szkielecie J, małego kalibru". Co to jest?*

Wydaje się, że autor pomylił dwa typy broni. Szkielet J posiadają serie rewolwerów Smith&Wesson, takich jak Model 60, pięciostrzałowy, kaliber .357.

Meduza to wyjątkowa broń firmy Philips&Rodgers, do której pasują różne rodzaje amunicji podobnego kalibru, na przykład .357, 9mm i .38. To mały, sześciostrzałowy rewolwer. Co ciekawe, na prośbę specjalistów sądowych, broń ma gwint o dziewięciu polach, dzięki czemu prawdopodobnie jest jedyna w swoim rodzaju.

STRONA 365: *W stajni w Villette znajdują się urządzenia do nasłuchu, które francuska policja uważa za „bardzo nowoczesne (...) równie wyszukane jak nasz sprzęt. Miniaturowe mikrofony, fotoelektryczne samoładujące się baterie, chipy pamięci o dużej pojemności. Ma nawet nowe nanodyski". Policjanci odkrywają system odbioru radiowego i są zdania, że bezprzewodowe pluskwy są „aktywowane głosowo, żeby oszczędzić miejsca na twardym dysku, i że [oni] nagrywali fragmenty rozmów w ciągu dnia, przekazując skompresowane pliki audio nocą, żeby uniknąć wykrycia. Po przekazie twardy dysk sam się czyścił i przygotowywał do działania następnego dnia". Collet patrzy na półkę, na której stoi „kilkaset kaset audio, opisanych datami i numerami". Co tu jest nie tak?*

Szybko! Proszę znaleźć dziesięciolatka i zapytać go, czy miałoby sens przechowywanie plików MP3 na kasetach audio! (Tylko przedtem radzimy wytłumaczyć, czym była kaseta i jak wyglądał magnetofon!).

Tym, którzy nie mogą się tego dowiedzieć od dziecka, wyjaśniamy, że skompresowane pliki audio mogą być odtwarzane bezpośrednio z komputera. Przechowuje się je na twardym dysku lub na płytach CD albo DVD. Nagrywanie na kasety audio byłoby czasochłonne i niepotrzebne. Przy okazji – co to są nanodyski? Śledzimy rozwój nanotechnologii i wyobrażamy sobie wiele urządzeń, które mogą powstać w przyszłości, ale nie jesteśmy pewni, o czym mówi Dan Brown – najwyraźniej chciał, by nazwa zabrzmiała „futurystycznie".

STRONA 367: *Langdon i Sophie „przeszli przez bramkę na stacji metra Temple" w drodze z kościoła Temple do biblioteki* Institute of Systematic Theology *(Instytutu Teologii Systematycznej). Czy w to miejsce można się dostać metrem?*

Nie. Zresztą widzimy tu dwie niezgodności problemy. Institute of Systematic Theology mieści się w pokoju 2E w Cresham Building na Surrey Lane w Londynie (w dniu, gdy spotykają się tam uczeni tworzący instytut). Stacja metra Temple znajduje się bardzo blisko Cresham Building, więc nie ma sensu jechać na żadną inną stację.

Ale ośmiokątnego pomieszczenia, które jest opisane jako biblioteka instytutu, nie znajdziemy w Cresham Building. Najbardziej do tego opisu pasuje Okrągły Pokój, który mieści się w Maugham Library w King's College. Żeby tam się dostać z kościoła Temple, trzeba udać się na północ, przeciąć Strand i pójść Chancery Lane. To zaledwie przecznicę dalej. Idąc do stacji metra, oddalalibyśmy się od celu.

STRONA 377: *Dan Brown pisze, że w King's College w Londynie działa „Instytut Badawczy Teologii Systematycznej". Czy to prawda?*

Tak. Instytut ten istnieje na Wydziale Teologii i Religioznawstwa King's College. Jednak w rzeczywistości jest to grupa naukowców, którzy spotykają się regularnie w sali seminaryjnej i często organizują konferencje na tematy teologiczne.

STRONA 377: *Dan Brown pisze, że w Instytucie Badawczym Teologii Systematycznej w King's College jest pomieszczenie, które wygląda jak „ośmiokątna komnata". Sophie i Langdon przychodzą w chwili, kiedy bibliotekarka parzy herbatę i przygotowuje się do pracy. Czy to się zgadza?*

Opisywane pomieszczenie istnieje w King's College, ale znajduje się w Maugham Library na Chancery Lane. Nie należy do instytutu. W soboty biblioteka jest otwarta od 9.30, a my szacujemy, że Sophie i Langdon dotarli tam najpóźniej o 8.45 (mimo że trochę błądzili).

STRONA 379: *Dan Brown pisze, że Instytut Badawczy Teologii Systematycznej w King's College od 20 lat używa „oprogramowania do skanowania tekstów i rozpoznawania znaków. Programy te zapisują w postaci cyfrowej i katalogują ogromną kolekcję tekstów – encyklopedii religii, biografii, egzemplarzy Pisma Świętego w kilkudziesięciu językach, książek historycznych, listów watykańskich, dzienników prowadzonych przez kleryków, wszystkiego, co wiąże się z ludzką duchowością". Do danych można się dostać dzięki „ogromnemu komputerowi", który potrafi przeszukiwać z prędkością 500 megabajtów na sekundę zbiór „kilkuset terabajtów" informacji. Czy ten system istnieje?*

Nie. Skontaktowaliśmy się z instytutem. Jego pracownicy byli zaskoczeni i ubawieni, gdy powiedzieliśmy im o ich ogromnym komputerze i bazie danych.

Jeden z profesorów wyraził się tak: „Nasz sprzęt informatyczny to komputery osobiste dla personelu [obecnie są to komputery G3 iMac]". Powiedział też: „Niestety nie mamy sprzętu komputerowego przeznaczonego na stworzenie i obsługiwanie ogromnej [a nawet skromnej] bazy danych dzieł teologicznych", i dodał: „Raz próbowałem skorzystać ze skanera i oprogramowania rozpoznającego znaki, ale była to taka katastrofa, że w końcu sam przepisałem tekst do komputera".

STRONA 392: *Szukając „rycerza, którego pochował papież", Langdon uzyskuje z komputera Instytutu Badawczego następującą informację: „Pogrzeb sir Issaca Newtona, na który przybyli królowie i szlachta, prowadził Alexander Pope, jego przyjaciel i współpracownik, który wygłosił poruszającą mowę pogrzebową, rzucając ziemię na grób". Czy Pope naprawdę prowadził ceremonię i wygłosił mowę?*

Nie. Pogrzeb Newtona odbył się 28 marca 1727 roku. Sir Isaacowi oddano wielkie hołdy. Był czczony niemal jak bóstwo. Zgodnie z ówczesnymi kronikami, jego ciało przynieśli z kaplicy Jerozolimskiej Opactwa Westminsterskiego żałobnicy – między innymi jeden lord, dwaj książęta i trzej hrabiowie. Ceremonię prowadził sir Michael Newton, a mszę odprawił biskup Rochester.

Natomiast Alexander Pope, chyba największy poeta tamtych czasów, do powiększenia chwały Newtona przyczynił się znacznie później. Cztery lata po śmierci wielkiego uczonego postanowiono wznieść mu pomnik. Ponieważ Pope zasłynął jako autor wspaniałych epitafiów (na czym bardzo dobrze zarabiał), wybrano go, by napisał słowa, które miały być wyryte na pomniku. Tak powstało jedno z najsłynniejszych epitafiów wszech czasów:

ISAACUS NEWTONUS
Quem Immortalem
Testantur, Tempus, Natura, Caelum:
Mortalem
Hoc marmor fatetur.
(Tego, którego nieśmiertelność głoszą czas, natura i niebo,
śmiertelność potwierdza ten marmur).

Natura and Nature's laws lay hid in Night.
God said, Let Newton be! And All was Light.
(Natura i prawa natury leżały skryte w nocy.
Bóg rzekł: Niech stanie się Newton! I stała się światłość).

STRONA 393: *Sophie i Langdon przybyli do King's College około ósmej w sobotę, a jednak biblioteka już była otwarta i zostali przywitani przez przyjazną, kompetentną Pamelę Gettum. To wydaje się nieprawdopodobne. O której godzinie te ranne ptaszki przychodzą do Opactwa Westminsterskiego i otwierają bibliotekę?*

Z naszych obliczeń wynika, że Sophie i Langdon dotarli do Opactwa Westminsterskiego około 8.45. Chociaż w książce dostają się tam bez kłopotu, w rzeczywistości wejście jest otwierane o 9.30. To jedna z kilku nieścisłości, które wykryliśmy w związku z czasem trwania akcji *Kodu Leonarda da Vinci*. Inna niezgodność dotyczy podróży powietrznej biskupa Aringarosy. Naszym zdaniem podróże biskupa nie mieszczą się w ramach czasowych reszty wydarzeń. W najlepszym razie lot z Rzymu do Biggin Hill trwałby 6 godzin (trasą, która nie pasuje do opisu w książce). Potem biskup musiałby się natychmiast znaleźć na Orme Court 5, by zginąć od strzału Sylasa, ale jazda z Biggin Hill do centrum Londynu trwa około 50 minut.

Szczegółowo zbadaliśmy czas wydarzeń w *Kodzie Leonarda da Vinci* i stwierdziliśmy, że chociaż wydaje się to nieprawdopodobne, jest przynajmniej technicznie możliwe, żeby upakować całą akcję książki w jedną dobę. Więcej informacji na ten temat można uzyskać na stronie internetowej www.secretsofthe-code.com.

Po linii róży z Rosslyn do... Florencji?

Przemyślenia na temat ostatniego aktu Kodu Leonarda da Vinci

Dan Burstein

Nasz znakomity przewodnik, David Shugarts, doprowadził nas aż do tego miejsca. Przebrnęliśmy z nim przez 400 stron *Kodu Leonarda da Vinci*, poznając błędy i nieścisłości w akcji. Upłynęło już 20 przepełnionych wydarzeniami godzin: od 00.32, kiedy to telefon obudził Langdona ze snu (niewątpliwie o żeńskiej świętości) w wygodnym łóżku w hotelu Ritz w Paryżu, do około 8.45, kiedy to Robert i Sophie docierają do Opactwa Westminsterskiego. Teraz największe tajemnice zaczynają płynąć falą – jak woda z gargulców w czasie ulewy. Historia Nauczyciela dosłownie się rozpada. Motywy, które skłoniły go do uknucia całego spisku, wydają się nieracjonalne i nieprawdopodobne. Zakon Syjonu stchórzył i nie wykonuje swojego ważnego zadania, którego opisy zajęły dużą część książki. Groźne Opus Dei kładzie uszy po sobie i chyba straciło ochotę na intrygi i knowania. Aluzja do ostatecznego miejsca spoczynku świętego Graala wielu czytelnikom wydaje się głupawa.

Jest więc do czego się przyczepić, ale ja zajmę się moim ulubionym błędem w fabule tej powieści. Wszystko prowadziło nas do przekonania, że Sophie, znana również jako Princesse Sophie – księżniczka Sophie, hołubiona wnuczka wielkiego mistrza, dziadunia Saunière'a, jest potomkinią królewskiego rodu zapoczątkowanego przez Jezusa Chrystusa i Marię Magdalenę. Nasze podejrzenia zostają przekreślone w połowie książki, kiedy to Sophie zaczyna przypuszczać, że wywodzić się z rodu Jezusa. Langdon mówi wtedy, że skoro Saunière nie jest nazwiskiem Merowingów, a nikt z jej rodziny nie nazywa się Plantard ani Saint-Clair, „to niemożliwe", żeby kasztanowowłosa Sophie pochodziła z rodu wywodzącego się od Marii Magdaleny i Jezusa Chrystusa.

Jednak pod koniec książki okazuje się, że Dan Brown tylko nas podpuszczał. Marie Chauvel, żona Saunière'a i babcia Sophie, bez ogródek mówi wnuczce prawdę: matka i ojciec Sophie wywodzili się z rodu Merowingów i „byli w prostej linii potomkami Marii Magdaleny i Jezusa Chrystusa". Rodzice Sophie ze względów bezpieczeństwa dawno zrezygnowali z nazwisk Plantard i Saint-Clair.

„Ich dzieci, jako bezpośrednio wywodzące się z królewskiego rodu, są pilnie strzeżone przez Zakon".

Potężne, złe siły (prawdopodobnie związane z Kościołem) chcą zabić rodzinę Sophie i raz na zawsze wykorzenić ten święty ród. Ale Sophie i jej brat przeżyli wypadek samochodowy. Saunière musi działać szybko, bo niebezpieczeństwo jest ogromne. Rozdziela więc rodzeństwo, bierze Sophie do siebie, a jej brata wysyła ze swoją żoną do Szkocji (do kaplicy w Rosslyn), gdzie mieszkają, nie ujawniając swojej tożsamości. Całkowicie urywa się kontakt między paryską parą dziadek–wnuczka a szkocką parą babcia–wnuczek. Podjąwszy te wszystkie skomplikowane środki ostrożności, mające na celu zapewnienie świetlanej przyszłości ostatnim dzieciom królewskiego rodu, Saunière przystępuje do wychowania Sophie i przygotowania jej do roli, którą kiedyś będzie pełnić.

Potem następuje scena niefortunnych odwiedzin Sophie w wiejskiej posiadłości Saunière'a. Dziewczyna, która nie zawiadomiła go, że wcześniej wróci z college'u i przypadkowo widziała fragment obrzędu *hieros gamos*, jest tak poruszona, że zrywa wszelkie kontakty z dziadkiem, nie czyta listów od niego i przekreśla wszystkie jego próby wyjaśnienia sytuacji. Ale jak to możliwe, by błyskotliwy Saunière, Leonardo da Vinci naszych czasów i wielki mistrz Zakonu Syjonu, nie potrafił dotrzeć do ukochanej wnuczki? W przeszłości dla obrony tajemnic Zakonu organizowano krucjaty, toczono wojny, zabijano i torturowano ludzi. A teraz Saunière nie może znaleźć sposobu, żeby przekazać te sekrety swojej wnuczce?

Co więcej, skoro ciągłość rodu jest taka ważna, a *sang real* – królewska krew – leży u podstaw historii świętego Graala, jak raz po raz czytamy w tej powieści, to dlaczego zarówno Sophie, jak i jej brat – ostatni żyjący potomkowie Jezusa Chrystusa i Marii Magdaleny, których rodziny wspomagane przez tajne stowarzyszenie udaremniły wszelkie próby zniszczenia rodu przez dwa tysiąclecia – są tak niefrasobliwi? Czemu nie mają małżonków, narzeczonych ani nawet sympatii? W czasie, gdy toczy się akcja powieści, Sophie skończyła już 32 lata. Zegar biologiczny tyka. A jednak Sophie jest bezdzietna. Moim zdaniem to ogromna wada fabuły. Czy to już koniec?

Cóż – raczej nie. Langdon proponuje Sophie, żeby spotkała się z nim w przyszłym miesiącu we Florencji, gdzie będzie wygłaszał wykład. Mogą spędzić tydzień w luksusowym hotelu, który Langdon nazywa Brunelleschi. (Prawdopodobnie nazwa hotelu ma być aluzją do katedry Brunelleschiego, która jest centralnym punktem Florencji i chyba najlepszą architektoniczną metaforą kobiecej piersi). Sophie nie ma ochoty na muzea, kościoły, groby, dzieła sztuki ani relikwie. Langdon zastanawia się, co innego mogą robić. W tym momencie następuje pocałunek – w usta – i Robertowi przypomina się, co jeszcze można robić przez tydzień we Florencji. Tak więc zostawiamy Sophie i Langdona, marzących o Florencji, mieście Leonarda da Vinci, i pokoju hotelowym, który tam na nich czeka.

Zakładając, że Langdona nie obleci strach na myśl o seksie z kobietą pochodzącą z rodu Jezusa Chrystusa – a nie ma powodu przypuszczać, że tak się stanie, skoro Langdon czci żeńską świętość – może będą z tego jakieś dzieci. Zaczekajmy na ciąg dalszy.

Część II

Recenzje i komentarze na temat *Kodu Leonarda da Vinci*

11. Komentarze, krytyki, uwagi

Książka to przebój, krytycy podbici

Nagłówek z „The New York Daily News"

4 września 2003 roku

Odniósłszy spektakularny sukces wydawniczy, *Kod Leonarda da Vinci* z jednej strony usatysfakcjonował miliony czytelników, fanów i entuzjastów, z drugiej jednak wywołał szeroki odzew krytyki.

Zazwyczaj, mówiąc o krytyce literackiej, mamy na myśli wypowiedzi krytyków i recenzentów książek w mediach, które relacjonują wydarzenia kulturalne. Większość krytyków wyrażała się o *Kodzie Leonarda da Vinci* entuzjastycznie.

Janet Maslin z redakcji „The New York Times" określiła nowe dzieło Browna jako „skrzącą się dowcipem i olśniewającą erudycją powieść sensacyjną" i „pełen zagadek oraz szyfrów, podniecająco inteligentny dreszczowiec", podsumowując całość jednym krótkim słówkiem „*WOW*!" Zdołała nawet (całkiem w stylu Dana Browna) wyeksploatować to słówko do końca, dodając niejako w post scriptum, że wystarczy odwrócić jej finałowy okrzyk „do góry nogami" (*WOW*! *MOM*! – czyli „mama"), by otrzymać słowo jakże blisko związane ze świętym pojęciem macierzyństwa. „Gdyby nawet pan Brown nie osnuł całej powieściowej intrygi wokół pościgu za utraconą żeńską świętością, wszystkie czytelniczki i tak zakochałyby się w nim do szaleństwa!" – orzekła Maslin.

Patrick Anderson w swym artykule zamieszczonym na łamach „Washington Post" stwierdził, że „napisanie teologicznego thrillera, który zarazem fascynuje i bawi, jest niezwykłym osiągnięciem".

Nawet sporo ugrupowań religijnych zareagowało pozytywnie… może nie na wszystkie zamieszczone w książce rewelacje, lecz na okazję wyrażenia własnej opinii na tematy poruszone przez Dana Browna. W parafiach organizowano zbiorowe rozmyślania i spotkania miłośników książki, a także spotkania z ekspertami od tematów znanych tylko garstce wtajemniczonych, jak biografia Marii Magdaleny czy gnostycyzm.

Na stronie internetowej www.explorefaith.org. John Tintera napisał: „Mimo pewnych uproszczeń, żeby nie powiedzieć – przekłamań, moim zdaniem religijne treści zawarte w *Kodzie Leonarda da Vinci* stanowią konieczny w chwili obecnej bodziec, pobudkę dla Kościoła chrześcijańskiego. Zachęcają nas, chrześcijan, do spojrzenia świeżym okiem na nasze korzenie i na nasze dzieje – zastanowienia się nad tym, co dobre, i nad tym, co złe. Nieczęsto dokonujemy takiego rozrachunku, a szkoda!"

Wkrótce jednak – choć tłumy czytelników nadal emocjonowały się przygodami Roberta Langdona i Sophie Neveu – odezwały się głosy innego rodzaju krytyków, którzy nie recenzują zazwyczaj nowych pozycji książkowych. Ugrupowania religijne, głęboko urażone tym, co uznały za otwartą napaść i złośliwe zniesławianie katolicyzmu czy chrześcijaństwa, rozpoczęły kontratak. W długich komentarzach na stronach internetowych oraz w czasopismach religijnych polemizowano z każdym pomysłem Browna uznanym za błędny. W niektórych przypadkach krytycy mieli rację, a Dan Brown istotnie się mylił – na przykład co do dokładnej daty odnalezienia zwojów znad Morza Martwego albo w temacie soboru nicejskiego. Jednak w wielu wypadkach wystąpienia religijnych krytyków stanowiły wodę na młyn Dana Browna. Jego przeciwnicy byli tak przerażeni popularnością książki i tym, że okaże się ona silniejsza od kościelnych dogmatów i pozyska serca oraz umysły wiernych, ukazując im alternatywny obraz chrześcijaństwa, że uznali, iż muszą wypowiedzieć wojnę autorowi tej popularnej powieści.

Zapewnienia Browna, że przeprowadził szczegółowe badania, wywołały falę ataków na autora w kilka miesięcy po ukazaniu się powieści. Niektórzy dostrzegli niesłychane podobieństwo *Kodu Leonarda da Vinci* do książek *Święty Graal, święta krew* i *Templariusze: Tajemni strażnicy tożsamości Chrystusa* – obie pozycje Brown wymienił zresztą w swojej książce, a na stronie internetowej uznał, że wywarły istotny wpływ na jego rozważania. Jak wynika z wielu tekstów zamieszczonych w tym rozdziale, książka *Święty Graal, święta krew*, popularna od momentu publikacji przed ponad 20 laty, jest generalnie uznawana za okultystyczny zlepek mitologii, legend i kompletnej bujdy z niewielką domieszką pikantnych szczegółów historycznych.

Następnie pojawił się na scenie kolejny powieściopisarz, Lewis Perdue, który znacznie wcześniej niż Brown, bo w 1983 roku, wydał książkę *The da Vinci*

Legacy (Spuścizna Leonarda da Vinci) oraz następną pod tytułem *Daughter of God* (Córka Boga). Perdue zapewniał, że elementy fabuły obu jego książek i występujące w nich postacie są zdumiewająco podobne do wątków i bohaterów *Kodu Leonarda da Vinci*. Do tych podobieństw zaliczał: głęboko ukryty mroczny sekret z czasów wczesnego chrześcijaństwa, związany z osobą Sofii – kobiecej odpowiedniczki Mesjasza, zabójstwo kustoszów, powiązania z bankami szwajcarskimi, postacie Leonarda da Vinci i Marii Magdaleny, dyskusje o kulcie wielkiej Bogini i wiele innych. W związku z tymi podobieństwami przed sądem rozegra się, być może, dramatyczne widowisko. Na razie jednak wiele wskazuje na to, że nadciąga jeszcze jedna burza od strony Hollywood, gdzie Ron Howard pracuje nad filmową wersją *Kodu Leonarda da Vinci* dla Sony Pictures, podczas gdy Mart Purnett, producent programu telewizyjnego „Survivor", wykupił prawa do sfilmowania powieści Lewisa Perdue.

W dalszej części tego rozdziału prezentujemy różnorodne komentarze na temat *Kodu Leonarda da Vinci*, eseje krytyczne oraz interesujące obserwacje. Zapraszamy naszych czytelników, by włączyli się do dialogu i przesłali własne opinie na naszą stronę internetową www.secretsofthecode.com.

Prawdziwy kod Leonarda da Vinci

LYNN PICKNETT I CLIVE PRINCE

Lynn Picknett i Clive Prince to mieszkający w Londynie autorzy książki *Templariusze. Tajemni strażnicy tożsamości Chrystusa*, wymienionej z tytułu w *Kodzie Leonarda da Vinci*. Poniższy komentarz napisali specjalnie do niniejszej książki.

Musimy powiedzieć, że *Kod Leonarda da Vinci*, który jedno z nas dostało pod choinkę w 2003 roku, okazał się doskonałym prezentem. Od pierwszej sceny w Luwrze, podobnie jak miliony innych, daliśmy się usidlić, z zapartym tchem przewracając strony i czerpiąc z lektury masę radości.

W przeciwieństwie jednak do innych fanów powieści, mieliśmy dodatkowy powód, by czuć zainteresowanie: niecodziennie widujemy na kartach bestsellerowego thrillera tytuł naszej książki z 1997 roku, *Templariusze. Tajemni strażnicy tożsamości Chrystusa*, wymienionej jako jedno z czterech głównych źródeł. Nie mogliśmy więc po prostu w mniejszym lub większym stopniu cieszyć się akcją. Od samego początku staliśmy się również krytykami.

Oczywiście Brown wpisuje całą koncepcję podziemnej wspólnoty, Zakonu Syjonu, wraz ze związanymi z nią sekretami rodu Jezusa i Marii Magdaleny, w mroczną i burzliwą opowieść sensacyjną. Jego zasługą jest przedstawienie tych alternatywnych wizji, po raz pierwszy wyłożonych w 1982 roku w książce *Święty Graal, święta krew*, całkiem nowej publiczności, która zapewne w innym wypadku nigdy by ich nie poznała. Należy jednak pamiętać, że książka Browna jest fikcją i czerpie z innych prac – nie tylko naszych, ale także, a może przede wszystkim, ze *Świętego Graala, świętej krwi* Michaela Baigenta, Richarda Leigha i Henry'ego Lincolna. Ta ostatnia praca, oparta na materiałach zagadkowego tajnego stowarzyszenia, Zakonu Syjonu, zawiera dowodzenie, iż organizacja ta była strażnikiem wielkiej tajemnicy związanej z merowińską dynastią królów Franków i Marią Magdaleną. Według autorów Jezus i Maria Magdalena zawarli małżeństwo i mieli dzieci, które dorastały we Francji, a ich potomkowie dali początek rodowi Merowingów.

Chociaż większość ludzi wierzy, iż te informacje pochodzą od członków Zakonu Syjonu, w rzeczywistości jest to jedynie interpretacja Baigenta, Leigha i Lincolna, dementowana przez wielkiego mistrza Zakonu Syjonu Pierre'a Plantarda, dla którego znaczenie Merowingów polega na tym, że są oni prawdziwymi dziedzicami tronu Francji (o ile Francja zdecyduje się kiedykolwiek na przywrócenie monarchii).

Dalecy jesteśmy od wiary w teorię o świętym rodzie. Chociaż zgadzamy się, że istnieją liczne dowody na fizyczne stosunki Jezusa i Marii Magdaleny, które być może zaowocowały potomstwem, to jakaś nieprzyjemna atmosfera otacza ich rzekomy związek z rodem Merowingów. W końcu, nawet jeśli żyliby dziś wśród nas potomkowie Chrystusa, czemu mieliby być kimś szczególnym? Teologia powiada, że jedynie Jezus był Synem Boga. Tak więc jego dzieci i ich potomkowie przez całe wieki nie muszą mieć w sobie ani odrobiny boskości.

Wiele osób w obliczu tej ekscytującej i romantycznej historii sądzi, że jeśli żyją wśród nas potomkowie Jezusa, to musi być w nich coś specjalnego. W rzeczywistości Baigent, Leigh i Lincoln wcale tego nie twierdzą. Dla nich liczy się fakt, że ci potomkowie byliby prawdziwymi dziedzicami pewnych tytułów i władztw, na przykład tronu Jerozolimy. Ich istnienie dlatego ukrywa się przed Kościołem, gdyż stanowi ono dowód, iż Jezus był tylko śmiertelnym człowiekiem.

Bardzo wiele osób pomija ten wniosek, co prowadzi do teorii, że ród ten musi charakteryzować się jakąś wrodzoną, może nawet genetyczną, odmiennością. Postrzegamy ten pomysł jako potencjalnie niebezpieczny, jako zaczyn elitaryzmu, który stawia pewnych ludzi nad innymi z powodu ich cech fizycznych. Może on przybierać formę teorii rasy panów Hitlera, idei o wyższości białych czy tych, którzy mają w sobie geny rodu Jezusa, co czyni ich automatycznie lepszymi od reszty ludzkości.

Część wywodów Dana Browna dotycząca świętego rodu to być może kolos na glinianych nogach, zgadzamy się jednak, że „wielki heretycki sekret", tak znienawidzony przez Kościół, który się go lęka, to w rzeczywistości seksualność jako sakrament, żeńska świętość. To ten sekret należało chronić przed Kościołem i rzeczywiście miał on związek z Marią Magdaleną i Jezusem. Ujawnienie prawdziwej roli Marii Magdaleny jako kapłanki doprowadziłoby do zburzenia nauki Kościoła, szczególnie o miejscu i wartości kobiety. Wydaje się nawet, że Maria Magdalena była najważniejszą kobietą w dziejach po prostu dlatego, że z nienawiści i strachu wobec jej prawdziwej władzy, jak głoszą zaginione ewangelie gnostyczne, Kościół uciskał całe pokolenia kobiet i w jej imię degradował sferę seksualności.

Jednak wywody zawarte w *Kodzie Leonarda da Vinci* skupiają się na malowidłach Leonarda da Vinci, a na tym polu Dan Brown, według nas, również się gubi. Próbując połączyć nasze odkrycia „kodu" Leonarda da Vinci z główną teorią *Świętego Graala, świętej krwi*, Brown pozwala, by najbardziej zadziwiające i szokujące odkrycie przeszło niezauważone. „Prawdziwy kod Leonarda da Vinci" prowadzi nas do świata jeszcze mroczniejszego i jeszcze bardziej zdumiewającego.

Brown podsumowuje nasze odkrycie dziwnej symboliki *Madonny wśród skał* Leonarda (w wersji paryskiej; inna, mniej ciekawa, znajduje się w National Gallery w Londynie). Dzieciątko Jezus powinno być ze swą matką, a mały Jan Chrzciciel ze swym tradycyjnym stróżem, archaniołem Urielem. Tymczasem na obrazie dzieciom towarzyszą ewidentnie niewłaściwi opiekunowie. Jest to scena szczególnie interesująca, gdyż czerpie z opowieści, jaką Kościół wymyślił, by ukryć zakłopotanie faktem, że skoro Jan ochrzcił Jezusa, to musiał mieć nad nim pewną władzę. Malowidło więc przedstawia moment, a w każdym razie tak mamy wierzyć, gdy mały Jezus przelewa swą władzę na małego Jana. Rzeczywiście, dziecko przy Urielu podnosi rączkę, błogosławiąc drugiego chłopca, który klęka pokornie. Co jednak, jeśli dzieci są z właściwymi opiekunami? Jak wskazuje Brown, Jan błogosławiłby Jezusa, i to Jezus klękałby przed Janem. Na obrazie jest więcej elementów, które potwierdzają tę interpretację. Jak wszakże ta Janowa (od Jana Chrzciciela) interpretacja łączy się z podstawową tezą Browna o świętym rodzie? Nijak. Oto do czego prowadzi wpasowywanie na siłę w niewłaściwy kontekst nieprzetrawionych tajemnic Leonarda.

Przez dziesięciolecie badań odkrywaliśmy raz za razem, że Leonardo da Vinci zawsze, gdy mógł, umieszczał Chrzciciela wyżej niż Chrystusa. Na przykład w słynnym szkicu *Św. Anna Samotrzecia* (około 1499–1500) z londyńskiej National Gallery, grupa składa się z Dziewicy Marii, Jezusa, św. Anny i małego Jana Chrzciciela. Kiedy jednak Leonardo namalował ostateczną wersję *Św. Anny Samotrzeciej* (1501–1507), miejsce Chrzciciela zajęło jagnię, które Jezus tak mocno ciągnie za uszy, że między sobą nazywaliśmy dzieło *Obrywaniem uszu jagnięciu*. Jezus ściska tłustą nóżką kark jagniątka, wizualnie je przecinając. Ale skoro to Jezus jest w Nowym Testamencie nazywany przez Chrzciciela „Barankiem Bożym", to dlaczego Leonardo przedstawił Jana jako jagnię? Być może sekret tkwi w tradycjach templariuszy, którzy czcili Chrzciciela i przedstawiali go jako jagnię (na przykład na pieczęciach rycerzy z południowej Francji). Należy podkreślić, że to radykalny pomysł: niewielu nietemplariuszy pomyślałoby o przedstawieniu Jana jako baranka. Tak więc Leonardo był dziedzicem templariuszy, w 200 lat po brutalnym zniszczeniu zakonu?

Być może. Wiemy na pewno, że wewnętrzny krąg templariuszy oddawał niezwykłą – wielu uważa, że heretycką – cześć Janowi Chrzcicielowi, która znalazła wyraz w wielu innych dziełach Leonarda. Ostatnim obrazem, jaki stworzył – dla siebie, a nie na zamówienie – był mroczny i dziwny *Św. Jan Chrzciciel*, który – wraz z *Moną Lisą* – zdobił ściany komnaty we Francji, gdzie w 1519 roku zmarł artysta. Jego jedyna ocalała rzeźba, stworzona wspólnie z Giovannim Francesco Rusticim (cieszącym się złą sławą alchemikiem i nekromantą), przedstawia Jana Chrzciciela. Obecnie stoi ona przy wejściu do baptysterium we Florencji. Jan Chrzciciel był wszechobecny w życiu Leonarda, przypadkowo bądź nieprzypadkowo. Nawet jeśli zamawiający nie wymagał tej postaci, Leonardo zawsze znajdował sposób, aby przemycić jego symbolikę, na przykład szarańczyn – tradycyjny symbol Jana – w nieukończonym *Pokłonie Trzech Króli* (około 1481). Drzewu oddają hołd radośni, zdrowi, młodzi ludzie, podczas gdy Świętą Rodzinę otacza grupa ohydnych starców, przypominających zmarłych. Młodzieniec przy korzeniach drzewa czyni gest, który nazwaliśmy „gestem Jana" – podnosi prawą rękę palcem wskazującym w stronę nieba. Ten gest powtarza też rzeźba Leonarda, jak również postać na ostatnim malowidle, *Świętym Janie Chrzcicielu* (1513–1516) – ewidentnie gest ten ma przedstawiać lub symbolizować Chrzciciela, przedstawionego lub nie na tym obrazie. Jedna z postaci na słynnym fresku *Ostatnia Wieczerza* (1495–1497) również wykonuje „gest Jana", niemal grożąc Jezusowi. (Może to być choćby częściowa aluzja do relikwii, jaką rzekomo posiadali templariusze, palca wskazującego Jana Chrzciciela, przechowywanego w świątyni w Paryżu. Gest jednak może też mieć jeszcze co najmniej jedno znaczenie).

Leonardo, jak odkryliśmy, nie był odosobniony w tym joannityzmie. Podobną fascynację postacią Jana Chrzciciela wykazuje Zakon Syjonu, chociaż jego wierzenia są bardziej związane z romansem Marii Magdaleny. W rzeczywistości, ponieważ Zakon uważa Leonarda za jednego z członków, nie może to być, według nas, zbieg okoliczności. Fascynacja Janem Chrzcicielem zwróciła naszą uwagę już przy pierwszym kontakcie z członkiem Zakonu, znanym jedynie z imienia Giovanni (Jan!) w 1991 roku. Najoczywistszy jej dowód stanowi fakt, że ich wielki mistrz zawsze przyjmuje imię Jan (John, Jean albo Giovanni) – Leonardo był, według ich listy, Janem IX. (Czyż jest jedynie przypadkiem, że „Sion" to po walijsku Jan?) Co ciekawsze, Zakon rozpoczął odliczanie od Jana II; imię Jana I, jak mówi Pierre Plantard, „zostało symbolicznie zarezerwowane dla Chrystusa". Dlaczego jednak Chrystus ma być nazywany Janem? Czy może według joannitów Jan Chrzciciel jest prawdziwym Chrystusem – co w końcu znaczy przecież „namaszczony" albo „wybrany"?

Więcej elementów tego kłopotliwego joannityzmu znajdujemy w publikacji Zakonu z 1982 roku, gdzie templariuszy opisuje się jako „nosicieli miecza Kościoła Jana", równocześnie deklarując, że templariusze i Zakon to ta sama organizacja.

Dzięki heretyckiemu Leonardowi – nie wspominając o Zakonie Syjonu, czymkolwiek by był – zostaliśmy wrzuceni naprawdę na głęboką wodę. Wkrótce dokonaliśmy niezwykłego odkrycia, że istniała starożytna tradycja, według której czczono Jana Chrzciciela – a Jezusa uważano za mniej istotnego, a czasem nawet krytykowano

Ten Kościół janowy, z odnogami nie tylko w heretyckiej Europie, ale i wśród plemion Bliskiego Wschodu, był ignorowany zarówno przez uczonych akademickich, jak i przez badaczy alternatywnych. Trwał jednak pod powierzchnią, a jego sekrety wypływały na światło dzienne w rozmaity sposób – na pewno w dziełach wielkiego mistrza renesansu, Leonarda da Vinci. Bez względu na naszą opinię o tej herezji, jego prawdziwy „tajny kod" jest z pewnością bardziej ekscytujący niż pomysł, że Jezus i Maria Magdalena mieli dzieci.

Dlaczego nóżka Dzieciątka Jezus ewidentnie przygniata kark jagniątka? Dlaczego ciągnie ono baranka za uszy? Dlaczego jeden z uczniów groźnym gestem wznosi rękę przed twarzą Jezusa w *Ostatniej Wieczerzy*? Dlaczego Świętą Rodzinę na *Pokłonie Trzech Króli* otaczają złowrodzy starcy, zaś czciciele szarańczynu

Jana tryskają zdrowiem i młodością? Czy istnieje interpretacja stosunków Jezusa i Jana odmienna od tej, którą milcząco uznaje obecnie większość teologów?

Fikcja z podtekstem religijnym

DAVID KLINGHOFFER

Nowa książka Davida Klinghoffera nosi tytuł: *The Discovery of God: Abraham and the Birth of Monotheism* (Odkrycie Boga: Abraham i narodziny monoteizmu). Zamieszczono tu artykuł, który ukazał się na łamach „National Review" 8 grudnia 2003 roku. Wykorzystany został za zgodą „National Review", 215 Lexington Avenue, Nowy Jork, NY 10016.

Jesli powieść znalazła się na pierwszej pozycji listy bestsellerów „The New York Times" i tkwi tam przez pół roku, to bez wątpienia musi być w niej coś wyjątkowego. Taka książka uruchamia bardzo głośny sygnał alarmowy na frontowym wejściu do kultury! Na czym właściwie polega wyjątkowość powieści Dana Browna *Kod Leonarda da Vinci*? No cóż... chyba na tym, co nas fascynuje we wszelkich teoriach tajnych spisków czy sprzysiężeń.

Teoria spisku stanowiąca jądro imponującego (nawet swą objętością) bestsellera Dana Browna nie została przez niego stworzona; dopiero jednak Brown potrafił wykorzystać w pełni jej walory. Akcja powieści trzyma czytelników w napięciu, które jeszcze potęguje się pod koniec każdego (albo prawie każdego) ze 105 rozdziałów. Nie można się od niej oderwać! Jest to wyczyn sztuki narracyjnej, która w całej pełni zasługuje na nazwę sztuki, bez względu na szyderstwa krytyka literackiego z Yale, Harolda Blooma, na temat „niepomiernie niedoskonałego" warsztatu Stephena Kinga, gdy ten – obdarzony podobnym jak Brown talentem – pisarz otrzymał nagrodę literacką za całokształt osiągnięć twórczych. Jeśli ci się zdaje, snobie, że autor książek tego typu nie zasługuje na żadną nagrodę, spróbuj sam napisać *Kod Leonarda da Vinci*! Ponieważ dzieło Browna to powieść, autor może sobie pozwolić na potęgowanie napięcia – choćby kosztem wyważania starych drzwi, które może lepiej byłoby zostawić zamknięte. A poza tym jest dowcipny, konkretny i sprytny – choć warto przygotować czytelnika, że nieraz spotka się podczas tej lektury ze zwrotem „żeńska świętość".

Jeśli ktoś na samą myśl o tym dostaje mdłości, niech lepiej zostawi tę książkę na półce.

Ale największy plus *Kodu Leonarda da Vinci* to opisany w książce spisek: jaki dopracowany, jak starannie zamaskowany! Co za pożytek ze spisku, który od razu rzuca się w oczy? Mniejsza z tym, czy jest prawdziwy... a ten z pewnością do prawdziwych się nie zalicza (mimo przedmowy, w której Brown zuchwale podkreśla, że opiera się wyłącznie na faktach). By osiągnąć sukces, wystarczy jednak zebrać imponujący zbiór „dowodów". Brown zadbał o to: prezentuje wiele fascynujących historycznych i pseudohistorycznych ciekawostek – o symbolicznym znaczeniu róży, o fenomenie matematycznym zwanym ciągiem Fibonacciego, o starożytnym hebrajskim szyfrze atbasz i mnóstwo innych, które mają podkreślić ukryte znaczenie obrazów i rysunków Leonarda da Vinci. A wszystkie po mistrzowsku wplecione w fabułę powieściową!

Prawdziwe sprzysiężenie przede wszystkim musi posiadać ważny sekret, którego istnienia dotychczas nie podejrzewano, oparty na realiach (a przynajmniej pozorach prawdy) o wielkim znaczeniu (albo sprawiających takie wrażenie). W końcu chodzi tylko o rozrywkę! *Kod Leonarda da Vinci* spełnia te wymogi.

Jednak, z całą pewnością, nie jest to lektura dla każdego – z powodów, które zaraz wymienię. W dreszczowcu (thrillerze) tego rodzaju gra musi toczyć się o niezwykle wysoką stawkę – bo inaczej po co w ogóle zawiązywać spisek?! W powieści Browna stawką są – ni mniej, ni więcej – podstawy wiary chrześcijańskiej. Święty Graal (jak wynika z powieści) nie jest świętą relikwią, lecz świętą krwią, płynącą w żyłach potomków Jezusa z Nazaretu. Chrystus spłodził z Marią Magdaleną córkę Sarę. Jeśli ta hipoteza okazałaby się zgodna z prawdą, wielka część zasad, na których opiera się chrześcijaństwo, ległaby w gruzach.

Jako prawowierny Żyd nie muszę obawiać się pomówień o stronniczość i wyjątkowe względy dla chrześcijańskich dogmatów. Wobec tego moja opinia, którą zaraz wyjawię, powinna zostać uznana za wiarygodną. A twierdzę mianowicie: teoria „świętej krwi" (dotycząca potomków Jezusa) jest zbyt idiotyczna, by zasługiwać na roztrząsanie. Sam pomysł, że taką rewelację można by utrzymać w tajemnicy przez 2000 lat, to czysty absurd. Brown co prawda przyznaje, że chrześcijaństwo posiada pewne zalety – nieco prawdy i piękna; uważa jednak, że nie mają one nic wspólnego z prawdziwą wiarą w Chrystusa. Każdy chrześcijanin, który czuje się osobiście urażony fikcją literacką zadającą kłam podstawom jego wiary, nie powinien brać tej książki do rąk.

Jednakowoż, gdybym był chrześcijaninem, chyba ogarnąłby mnie lekki niepokój na myśl, że tylu moich braci w Chrystusie uważa to powieścidło za zagrożenie dla swej wiary! Na łamach niektórych czasopism katolickich opublikowano ostrą krytykę teorii Browna – ze szczegółowym wyliczeniem błędów i nieścisłości w *Kodzie Leonarda da Vinci*. Sam fakt, że pojawiły się te wypowiedzi, świadczy o tym, że wielu katolików – podobnie jak znaczna część ogółu czytelników – przywiązuje do tej książki znacznie większą wagę niż powinni. Wydaje się, że problemy z religijnym wychowaniem dzieci są istotnie tak poważne, jak od pewnego czasu utrzymują katoliccy konserwatyści. Gdyby podstaw wiary nauczali profesjonaliści przykładający się do swej pracy, każdy wierzący katolik po ukończeniu szkoły podstawowej wiedziałby doskonale, że rewelacje Browna to absolutne łgarstwo.

A jaki wpływ wywrze ta książka na kulturę w szerszym sensie? W tym miejscu pocieszyłem się refleksją, że w każdym sprzysiężeniu – można by rzec: z natury – tkwi coś głęboko religijnego, nawet jeśli samo sprzysiężenie jest fikcją. Przemyślcie to sobie następnym razem, gdy znajdziecie się na plaży w pochmurny dzień. Choć niebo jest zaciągnięte i wieje zimny wiatr, zawsze można zobaczyć ludzi siedzących na rozłożonych na piasku kocach i wpatrujących się w wodę. Po co?! Ponieważ spoglądając na ocean, nabieramy przekonania, że tuż pod powierzchnią znajduje się ogromny, ukryty świat osobliwych, niewidocznych dla nas stworzeń. Świadomość, że pod nami kipi całe to życie – pod pewnymi względami przypominające nasz świat na lądzie, pod innymi zaś zupełnie od niego różne – przyprawia o dreszcz. Dlatego właśnie ludzie nie odrywają oczu od oceanu, choć z pozoru nic się tam nie dzieje.

Dokładnie na tej samej zasadzie każde sprzysiężenie wydaje się nam pasjonujące; objawia nam, że otacza nas mnóstwo ukrytych i zawiłych problemów. Podobna fascynacja skłania niektórych z nas do rozmyślań o sprawach duchowych – mamy bowiem wewnętrzne przeświadczenie, niezwykle silne, choć niewytłumaczalne, iż nasza egzystencja wykracza daleko poza ramy powszedniego bytowania. Powieść *Kod Leonarda da Vinci* może być niezbyt mądrym czytadłem, ale na swój sposób przyprawia nas o emocje. Jeśli zaś popularność tej książki sprawia, że ludzie zaczynają się zastanawiać nad tym, co niewidoczne, ale nad wyraz realne – to dobry znak!

W powieści *Kod Leonarda da Vinci* Sophie Neveu odkrywa ze zdumieniem, że *Święty Graal, święta krew*, jedna z wielu książek opartych na faktach, które stoją na półkach biblioteki Leigha Teabinga, jest „międzynarodowym bestsellerem", o którym ona nawet nie słyszała.

„Jest pani za młoda – tłumaczy jej Teabing. – To dzieło wywołało spore zamieszanie w latach osiemdziesiątych. Uważam, że autorzy poszli na trochę wątpliwe skróty, ale podstawowe założenie obalić trudno – trzeba przyznać, że to właśnie dzięki nim myśl o królewskiej linii dynastycznej Chrystusa ujrzała światło dzienne".

W tym stwierdzeniu ironia walczy o lepsze z cynizmem. Po pierwsze, sam Teabing (postać fikcyjna) jest zlepkiem imion i osobowości trzech (jak najbardziej realnych) autorów książki *Święty Graal, święta krew.* Jego imię zostało zapożyczone od Richarda Leigha, nazwisko zaś to anagram nazwiska Michaela Baigenta. Oświadczając bez ogródek: „Uważam, że autorzy poszli na trochę wątpliwe skróty", Teabing (a zatem i sam Dan Brown) daje do zrozumienia, że zna teorie trzech autorów książki *Święty Graal, święta krew* oraz wie o oskarżeniach o fałszerstwo i oszustwo, wysuniętych przeciwko Pierre'owi Plantardowi i szeregowi innych obywateli Francji, którzy samozwańczo ogłosili się (i to w dzisiejszych czasach!) Zakonem Syjonu; a także o tym, że kilku pisarzy dowiodło jakimś cudem, iż ów Zakon Syjonu jest spadkobiercą (w linii prostej) zarówno templariuszy (rycerzy Templum, czyli Grobu Pańskiego) oraz królewskiej dynastii Merowingów.

Mimo wyraźnych zastrzeżeń Teabinga co do „łatwowierności" autorów, bez wątpienia książka *Święty Graal, święta krew* wywarła wielki wpływ na fabułę powieści Dana Browna. Żeby dopomóc czytelnikom niniejszej książki w lepszym zrozumieniu argumentów zawartych w *Świętym Graalu, świętej krwi*, zamieściliśmy fragment tego dzieła (w rozdziale 6).

Kod... czy kant?

LAURA MILLER

Tekst ukazał się na łamach „The New York Times Book Review", 22 lutego 2004 roku. Wykorzystany za zgodą „The New York Times on the Web".

Ciągle rosnąca fala popytu na powieść *Kod Leonarda da Vinci* okazała się tak silna, że spłynęły wraz z nią na wodę niektóre stare wraki, między innymi podejrzane i mentorskie dziwadło *Święty Graal, święta krew*, spłodzone przez Michaela Baigenta, Richarda Leigha i Henry'ego Lincolna. Ten bestseller lat 80. XX wieku znów idzie w górę (na listach tanich wydań) dzięki swemu związkowi z thrillerem Dana Browna. Ten z kolei stał się inspiracją dla szeregu nowych pozycji z literatury faktu, które ukazały się na wiosnę 2004 roku, od *Breaking Da Vinci Code* (Złamanie Kodu Leonarda da Vinci) do niniejszej pozycji. *Kod Leonarda da Vinci* to nieprzerwana ucieczka głównych bohaterów przed już to złowrogim paryskim policjantem, już to mnichem albinosem opętanym morderczą manią. Jednak sama sensacyjna fabuła i ostre tempo nie zrobią z powieści bestsellera aż na taka skalę. Toteż w regularnych odstępach następuje nagła przerwa w pędzącej na łeb na szyję akcji i machina twórcza wypluwa kapsułkę z informacją na temat istniejącego od setek lat sprzysiężenia, które strzeże niesłychanej tajemnicy, związanej z korzeniami wiary chrześcijańskiej. Te wstawki, wzbogacające fikcję o „historyczne fakty", które dodają powieści patyny autentyzmu, pochodzą z odzysku, a konkretnie z książki *Święty Graal, święta krew* – jednego z największych (niegdyś) sukcesów w dziedzinie rozpowszechniania pseudohistorycznych rewelacji. No i… „z każdą chwilą jaśniej dociera do nas światło prawdy…" (że posłużę się ulubionym zwrotem trójcy autorów wymienionego przed chwilą arcydzieła), iż *Kod Leonarda da Vinci,* podobnie jak *Święty Graal, święta krew,* opiera się na bezczelnej mistyfikacji.

Fabułę obu wspomnianych książek, podobnie jak większość teorii spisku, niezwykle trudno streścić w paru słowach. W jednym i w drugim wypadku zaczyna się od tajemnicy, która prowadzi tropicieli śladem coraz to rozleglejszych i groźniejszych zbrodni. W powieści Browna punktem wyjściowym jest zamordowanie kustosza w Luwrze. W *Świętym Graalu, świętej krwi* podejrzenia budzi niewytłumaczalne wzbogacenie się proboszcza niewielkiego miasteczka w południowej Francji. Pod koniec lat 60. ubiegłego stulecia Henry Lincoln, pisarz związany z brytyjską telewizją, zainteresował się miejscowością Rennes-le-Château, która stała się francuskim odpowiednikiem Rosswell czy Loch Ness i została rozsławiona dzięki popularnym książkom Gerarda de Sède. Rozpropagował on szeroko historię starych pergaminów, które znalazł podobno w pustym wnętrzu jednego z filarów miejscowy proboszcz w latach 90. XIX wieku. Owe pergaminy zawierały jakieś zakodowane informacje, które obrotny ksiądz potrafił wymienić na mnóstwo gotówki. Lincoln opracował cykl programów dokumentalnych o Rennes-le-Château, a potem zwerbował Baigenta i Leigha, by zajęli się dogłębnym zbadaniem sprawy.

Co ostatecznie wyłania się z kłębowiska nazwisk, dat, map i tablic genealogicznych, stłoczonych w książce *Święty Graal, święta krew*? Bajeczka o jakiejś tajemnicy i o niezwykle wpływowym stowarzyszeniu zwanym Zakonem Syjonu, które powstało w Jerozolimie w 1099 roku. Ta koteria była podobno w posiadaniu pilnie strzeżonych dokumentów oraz dowodu na to, że Maria Magdalena była żoną Jezusa (który może umarł, a może nie umarł na krzyżu) i nosiła w łonie jego dziecko. Po ukrzyżowaniu uciekła na tereny obecnej Francji, by stać się – w przenośni – świętym Graalem, w którym zachowała się krew Jezusa. Ich potomkowie zmieszali się z miejscową ludnością, dając podwaliny królewskiej dynastii Merowingów, i władali nad Frankami. Choć w VIII wieku utracili tron, ich ród nie wygasł; Zakon Syjonu nadal czuwał nad potomkami królewskiej dynastii, przechowywał i aktualizował tablice genealogiczne, oczekując chwili, gdy można będzie wyjawić zdumiewającą prawdę i osadzić prawowitego władcę na tronie Francji, a może nawet wskrzeszonego Świętego Cesarstwa Rzymskiego.

Autorzy wykorzystali wszystkie ograne chwyty i rekwizyty w tej obłąkańczej opowieści sprzed 1000 lat. Nie zabrakło heretyckich katarów, rycerskiego zakonu templariuszy, różokrzyżowców, Watykanu, wolnomularzy i nazistów. Znalazło się miejsce dla zwojów znad Morza Martwego, Protokołów Mędrców Syjonu, Złotego Świtu. Wszyscy, może z wyjątkiem „straszliwego człowieka śniegu", czyli yeti, wzięli udział w tej zabawie! *Święty Graal, święta krew* to majstersztyk pomówień i domniemań. Wykorzystano w nim dla pełnego efektu wszelkie triki, jakimi posługuje się pseudohistoria. Usprawiedliwiono zwykłe kuglarstwo, nazywając je „syntezą, nowoczesną metodą naukową". Książkę ponoć do niedawna potępiali jako zbyt spekulatywną ci, których sposób myślenia został wypaczony w wyniku „tak zwanego oświecenia w XVIII wieku". Porównując się do dziennikarzy, którzy wykryli skandal Watergate, autorzy *Świętego Graala, świętej krwi* utrzymywali, że „tylko za pomocą takiej syntezy można odkryć tajemną ciągłość, jednolitą i spoistą osnowę, która leży u podłoża każdego historycznego problemu. Żeby osiągnąć ten cel, trzeba uświadomić sobie, że „nie wolno ograniczać się do samych tylko faktów".

Zapewniwszy sobie w ten sposób wolną rękę, Lincoln i spółka wysmażyli teorię, która z samego założenia miała być nie tyle prawdziwa, co prawdopodobna. Zgromadzili dziesiątki robiących dobre wrażenie szczegółów, by stworzyć godziwą podściółkę pod absolutny nonsens. Wywlekali zakurzone mity (na przykład o Merowingach, którzy rzekomo uzdrawiali dotykiem) i zachwalali ten trzeciorzędny towar jako cenne informacje lub problemy domagające się rozwiązania. Wysoce kontrowersyjne hipotezy (na przykład: w jednej z najstarszych pieśni o świętym Graalu znajduje się wzmianka o tym, że święty obiekt jest od dawna strzeżony przez templariuszy) prezentowali jako niezbite pewniki. Źródła tej miary co Nowy Testament nazywali „wątpliwymi" lub „drugorzędnymi", jeśli nie potwierdzały teorii sprzysiężenia, a następnie, badając je pod lupą, wywlekali najmniejsze niekonsekwencje, by dowieść słuszności swojej oceny. Wszyscy trzej autorzy tkali jedną cieniutką pajęczynkę domysłów po drugiej, łącząc je w sieć na tyle gęstą, że stwarzała iluzję solidności. Odwalili doprawdy imponujący kawał roboty... szkoda wielka, że chodziło o kant.

Ostatecznie jednak wiarygodność historyjki o Zakonie Syjonu opiera się na zbiorze wycinków i fałszywych dokumentów, co do których nawet autorzy *Świętego Graala, świętej krwi* przyznawali, że zostały przeszwarcowane do Bibliothèque Nationale przez niejakiego Pierre'a Plantarda. Już w latach 70. XX w. jeden ze sprzymierzeńców Plantarda wyjawił, że pomagał mu przy fabrykowaniu dowodów, między innymi tablic genealogicznych, które czyniły Plantarda potomkiem Merowingów (i zapewne pra-pra-pra... wnukiem Jezusa Chrystusa), oraz listy poprzednich wielkich mistrzów Zakonu Syjonu. W tym niewiarygodnie głupim katalogu intelektualnych sław znaleźli się Botticelli, Isaac Newton, Jean Cocteau, no i – rzecz jasna – Leonardo da Vinci. I tę samą listę rozpowszechnia teraz triumfalnie Dan Brown wraz z równie podejrzanym 900-letnim rodowodem Zakonu Syjonu, na stronie początkowej *Kodu Leonarda da Vinci*, pisząc, że są to fakty. Plantard, jak się wreszcie okazało, miał kryminalną przeszłość (był oszustem i przynależał w czasie wojny do antysemickich i skrajnie prawicowych ugrupowań). Prawdziwy Zakon Syjonu to maleńka, absolutnie nieszkodliwa grupa dziwaków o podobnych zamiłowaniach, którzy spotkali się w 1956 roku.

Kant Plantarda wykryli autorzy serii francuskich (do dziś nieprzetłumaczonych na język angielski) książek oraz programów dokumentalnych BBC z 1996 roku, ale – o dziwo! – ten cykl szokujących rewelacji nie cieszył się taką popularnością jak wyssana z palca bajeczka opublikowana w *Świętym Graalu, świętej krwi*, oraz, ma się rozumieć, na kartach *Kodu Leonarda da Vinci.* Jak się okazuje, od światowego spisku potężniejsza być może tylko nasza niezłomna wiara w jego istnienie!

Francuski specjał

Dziwna opowieść o Rennes-le-Château: próba oddzielenia faktów od fikcji

Amy Bernstein

Amy Bernstein jest ekspertem w dziedzinie francuskiej poezji renesansowej. Na prośbę zespołu przygotowującego niniejszą pozycję zrecenzowała najnowsze pozycje literatury francuskiej dotyczące Zakonu Syjonu i omówiła dyskusję na ten temat. Ta tajna organizacja odgrywa znaczącą rolę w powieści *Kod Leonarda da Vinci*. Pragniemy ustalić, czy rzeczywiście istniała taka organizacja, czy też dowody jej działania spreparowano w XX wieku. Poniżej zamieszczamy raport Amy Bernstein.

Jak dobrze przyrządzony suflet, którego podstawowym składnikiem jest... powietrze, opowieść o Zakonie Syjonu z Rennes-le-Château to wspaniały francuski smakołyk: góra pseudohistorycznych faktów na cieniusieńkiej warstewce prawdy. Wiele osób próbowało już zgłębić plątaninę faktów i mitów, które składają się na tę opowieść. Po zapoznaniu się z najbardziej wiarygodnym – moim zdaniem – materiałem dowodowym, wyciągnęłam następujące wnioski: problem zrodził się w latach 50. XX wieku, kiedy niewielka grupka ludzi – nacjonalistów i antysemitów ogarniętych obsesją na punkcie „rycerstwa" – spreparowała niezwykle skomplikowaną bajeczkę, która do dziś wzbudza zainteresowanie, a niektórym wydaje się nawet wiarygodna.

Historia tej mistyfikacji jest bardziej porywająca niż niejeden bestsellerowy dreszczowiec. Nic więc dziwnego, że autor thrillera *Kod Leonarda da Vinci*, którego akcja w większej części osadzona jest w realiach dzisiejszej Francji, czerpie z dziejów Zakonu Syjonu, czyli z afery w Rennes-le-Château, opisanej z detalami w popularnej książce z 1982 roku – *Święty Graal, święta krew*. Już w pierwszym rozdziale *Kodu Leonarda da Vinci* dowiadujemy się o zamordowaniu dyrektora muzeum, Jacques'a Saunière'a. Wykorzystując w ten sposób nazwisko osoby, która odegrała główną rolę w tajemniczej aferze w Rennes-le--Château, Dan Brown podejmuje wątek dokładnie w tym miejscu, w którym skończyła się opowieść jego poprzedników. Nie on pierwszy zresztą postanowił wykorzystać tę aferę. I we Francji, i w Anglii wiele osób pragnęło zarobić na prowincjonalnym skandalu sprzed ponad 100 lat. A oto krótkie streszczenie pierwotnej wersji opowieści o Zakonie Syjonu z Rennes-le-Château.

W 1885 roku Bérenger Saunière, wykształcony młody człowiek pochodzący z miejscowej rodziny mieszczańskiej, został proboszczem w kościele Świętej Marii Magdaleny w Rennes-le-Château, miasteczku w departamencie Aude w południowo-zachodniej Francji, w pobliżu największego w tej okolicy górskiego szczytu Le Bezu. (Z pewnością od tej góry wywodzi się imię jednej z występujących w *Kodzie Leonarda da Vinci* postaci: gorliwego szefa policji Bezu Fache).

W tym samym roku, w którym Saunière objął stanowisko proboszcza, odbyły się wybory powszechne. Kandydaci z poszczególnych partii politycznych musieli się otwarcie wypowiedzieć na temat ustroju Francji: czy powinna stać się znowu monarchią o wyraźnym nastawieniu prokatolickim, czy pozostać republiką, z konstytucyjnym rozdziałem Kościoła od państwa. Bérenger Saunière dał się wciągnąć w debatę przedwyborczą i zyskał reputację zapalonego kaznodziei, zwolennika powrotu prokatolickiej monarchii. Dzięki temu proboszcz zdobył protekcję hrabiny de Chambord (wdowy po pretendencie do francuskiego tronu), która podobno dała mu 3000 liwrów na renowację kościoła.

Pod koniec lat 80. XIX wieku, w trakcie renowacji mocno podniszczonego kościoła parafialnego, Saunière miał rzekomo odnaleźć jakieś stare, zapisane szyfrem pergaminy ukryte w pustym wnętrzu filara podpierającego ołtarz. Za radą biskupa Arsène'a Billiarda Saunière zawiózł podobno pergaminy do Paryża, by poddać je oględzinom ekspertów. Podczas swego pobytu w stolicy zaznajomił się, jak mówią, z kręgiem okultystów i ezoteryków, m.in. z Emmą Calvé (podejrzewano, że miał z nią romans). Po powrocie z Paryża proboszcz – ni stąd, ni zowąd – wszedł w posiadanie dużej gotówki, dzięki czemu mógł sfinansować remont starego parafialnego kościoła oraz budowę obszernego domu (Villa Bethania) i wieży (Tour Magdala). W wieży urządził sobie gabinet i bibliotekę, która musiała pomieścić nieustannie powiększający się księgozbiór. Stać go było również na życie w wielkim stylu, choć dochody proboszcza tak małej parafii były niewielkie. Plotkowano, że Saunière często wymyka się nocą i bawi w jakieś poszukiwania w samym kościele i na przykościelnych gruntach. Wieść głosiła, że znalazł ukryte skarby, ale nie znaleziono na to żadnych dowodów.

Ostatecznie wyszło na jaw, że Saunière prowadził korespondencyjnie handel odpustami na terenie całej Europy. Odkrycie tego procederu dostarczyło przekonującego wytłumaczenia jego nieoczekiwanego bogactwa. Został usunięty z probostwa, zabroniono mu odprawiania mszy, wreszcie stanął przed sądem diecezjalnym w Carcassonne, który uznał go za winnego kupczenia odpustami. Zmarł 22 stycznia 1917 roku, pozostawiając zbudowany przez siebie dom i wieżę Marie Denardaud, swojej długoletniej gospodyni i towarzyszce (a także kochance, jak zapewniali niektórzy). Jednak zainteresowanie miejscową legendą o zakopanym skarbie nie wygasło i artykuł na ten temat pojawił się w gazecie „La Dépêche du Midi" w 1956 roku.

I tutaj wkracza na scenę Zakon Syjonu.

W tym samym roku w innym regionie Francji garstka przyjaciół stworzyła klub rekreacyjny. Było to 25 czerwca 1956 roku w Annemasse (departament Haute-Savoie). Założyciele nadali klubowi nazwę Zakon Syjonu – prawdopodobnie od pobliskiej góry, Col du Mont Sion. Stowarzyszenie zostało rozwiązane w ciągu roku, ale niebawem odżyło w innej, upolitycznionej formie pod kierownictwem Pierre'a Plantarda. Kierując się „neorycerskimi", utopijnymi zasadami o zabarwieniu nacjonalistycznym i antysemickim (zaczerpniętymi od Paula Le Coura, który w latach 30. i 40. XX wieku wywarł ogromny wpływ na Pierre'a Plantarda), Zakon Syjonu zaczął wydawać pismo periodyczne o nazwie „Circuit" (Krąg), które ukazywało się w nieregularnych odstępach w latach 50. i 60. ubiegłego wieku.

Plantard miał niezbyt ciekawą przeszłość: w latach 30. nawiązał kontakty z nacjonalistycznymi organizacjami o charakterze antymasońskim i antyżydowskim. W 1937 roku (po raz pierwszy) chciał założyć stowarzyszenie pod nazwą Francuska Unia, które miało „oczyścić i odnowić Francję". Była to organizacja opozycyjna wobec Frontu Ludowego i lewicowego rządu, na którego czele stał Leon Blum, pierwszy żydowski premier Francji. W 1941 roku Plantard próbował powołać do życia nową organizację: Francuskie Odrodzenie Narodowe, ale znów nie otrzymał oficjalnego zezwolenia francuskich władz. W tym okresie był już głęboko zaangażowany w działalność Wielkiego Zakonu Alfa Galatów. Według H.R. Kedwarda, profesora historii, Alfa Galaci byli częścią „skrajnie prawicowego stowarzyszenia, które kładło nacisk na tradycje rycerskie, katolicyzm, spirytualizm i coś, co można by określić jako okultystyczny nacjonalizm (...). To jeden z bardzo licznych ruchów »Zachodu«, przeciwstawiających autentyczną (ich zdaniem) francuską historię i kulturę »wolnomularskim i żydowskim wpływom Wschodu« (...). Epoką ich rozkwitu była wiosna Vichy (1940–1941), zaczęli tracić na popularności w 1942 roku i zeszli niemal całkowicie ze sceny politycznej w latach 1943–1944".

Potajemne konszachty Plantarda z prawicowymi i nacjonalistycznymi organizacjami trwały nadal po zakończeniu wojny, aż do założenia Zakonu. Przez cały ten czas Plantard nie miał (jak się wydaje) żadnego legalnego źródła zarobków. Na początku lat 50. spędził cztery miesiące w więzieniu we Fresnes, gdzie odsiadywał wyrok za oszustwo i sprzeniewierzenie. W roku 1958, podczas kryzysu politycznego związanego z toczącą się w Algierii wojną o niepodległość, Plantard – jak utrzymywał – czynnie działał w Komitetach Bezpieczeństwa Publicznego pod pseudonimem Pułkownik Way.

Z początkiem lat 60. Plantard postanowił z pomocą przyjaciół sfałszować komplet dokumentów potwierdzających, iż jest potomkiem królewskiego rodu Merowingów, a także ugruntować wiarygodność i pozycję Zakonu Syjonu. Historia skarbów z Rennes le Château była w owym czasie prawie nieznana, ale pasowała doskonale do planów Plantarda ze względu na prawicowe sympatie polityczne Saunière'a i jego kontakty z paryskimi okultystami. Historia ta stanowiła idealną pożywkę dla płodnej wyobraźni Plantarda.

W latach 60. liczne sfałszowane dokumenty zostały przemycone do Bibliothèque Nationale w Paryżu przez Pierre'a Plantarda i jego wspólników, którzy posługiwali się rozmaitymi pseudonimami. Pierwszy zestaw, zaprojektowany w 1965 roku i wykonany przez wspólnika Plantarda, Philippe'a de Chérisey, zawierał pergaminy rzekomo odnalezione przez Bérengera Saunière'a w Rennes-le-Château oraz inne dokumenty dotyczące Zakonu Syjonu i tablice genealogiczne dynastii Merowingów. Powstała również lista dawnych Braci Syjonu, wśród których znalazły się takie sławy jak Leonardo da Vinci, Isaac Newton i Jean Cocteau. Następnym krokiem oszustów było rozpowszechnianie bajeczki i nagłaśnianie sprawy.

Jednym z autorów, z którego usług skorzystano przy rozpowszechnianiu niezwykłej historii, był wspomniany już Gerard de Sède, który chętnie – jak się wydaje – zgodził się na współpracę z Zakonem Syjonu. Opublikował dwie książki na temat *Dossiers Secrets* (tajnych dokumentów) i legend z Rennes-le-Château: *L'Or de Rennes ou la vie insolite de Bérenger Saunière, curé de Rennes-le-Château* (Złoto Rennes, czyli niezwykłe życie Bérengera Saunière'a, proboszcza z Rennes-le-Château; Paryż 1967) oraz w wersji rozszerzonej, *Le Trésor maudit* (Przeklęty skarb; Paryż 1968). W swojej pierwszej książce de Sède zamieścił kopie dwóch zaszyfrowanych pergaminów odnalezionych przez Bérengera Saunière'a. Na jednym z nich znajdował się podpis „PS", łączący dokument z Zakonem Syjonu (Prieuré de Sion). Jak zauważył później dziennikarz Jean-Luc Chaumeil, „książki Gerarda de Sède były po prostu narzędziami w ręku Pierre'a Plantarda".

Kiedy jednak książki te zostały wydane, Plantard i de Sède posprzeczali się o tantiemy za *L'Or de Rennes,* i Plantard z de Cheriseyem zaczęli po cichu rozpowiadać, że pergaminy są fałszerstwem. Ale takie przecieki bardzo powoli docierają do opinii publicznej. W tym samym mniej więcej czasie Robert Charroux brał udział w zdjęciach do filmu dokumentalnego dla ORTF (Francuskiej Narodowej Organizacji Filmowej) i w 1972 roku opublikował książkę o Rennes-le-Château pod tytułem *Le Trésor de Rennes-le-Château* (Skarb z Rennes-le Château), w której podtrzymywał wersję o autentyczności pergaminów. Jednak w 1973 roku Jean-Luc Chaumeil, dziennikarz, który zabrnął już po szyję w machinacje z Pierre'em Plantardem, napisał artykuł, w którym zapewniał, że owe tajne dokumenty to zwykłe oszustwo.

Zainteresowanie sprawą Rennes-le-Château ponownie wzrosło; dziennikarze i historycy, dotąd rozprawiający o tajnych symbolicznych kodach zawartych w obrazach Poussina i Teniersa oraz wskazówkach dotyczących lokalizacji świętego Graala, mogli wreszcie podyskutować nad innymi aspektami tej opowieści!

W 1974 roku historyk René Descadeillas jako pierwszy podjął próbę zdemaskowania kłamliwej opowieści o skarbie z Rennes-le-Château w książce zatytułowanej *Mythologie du trésor de Rennes, ou l'histoire véritable de l'abbé Saunière, curé de Rennes-le-Château* (Mityczny skarb z Rennes, czyli prawdziwa historia księdza Saunière'a, proboszcza z Rennes-le-Château); stwierdził w niej, że Saunière wzbogacił się na sprzedaży odpustów. W następnym roku Gerard de Sède zrewanżował się, publikując *Le vrai dossier de l'énigme de Rennes: Réponse à M. Descadeillas* (Prawdziwe rozstrzygnięcie zagadkowej historii z Rennes: odpowiedź na zarzuty pana Descadeillas). Dowodził w tym dziełku, że odprawienie mszy zajmuje tyle czasu, a zapłata, jaką można za to otrzymać, jest tak niewielka, iż Saunière w żaden sposób nie mógł zbić na tym majątku. Na zakończenie dodał: „Wszyscy więc widzimy, że bajeczka Descadeillasa o kupczeniu mszą nie jest niczym więcej niż wyssanym z brudnego palca nonsensem".

Brytyjski producent filmowy, Henry Lincoln, zainteresował się opowieścią o Rennes-le-Château i przygotował dla BBC-TV trzy filmy dokumentalne: w 1972 roku *The Lost Treasure of Jerusalem* (Zaginiony skarb Jerozolimy), w 1974 roku *The Priest, the Painter, and the Devil* (Kapłan, malarz i diabeł) oraz w 1979 roku *The Shadow of the Templars* (Cień templariuszy). W żadnym z nich nie rozważał poważnie możliwości, że dokumenty Zakonu Syjonu są jednym wielkim oszustwem, mimo że do tego czasu ich autentyczność była coraz częściej kwestionowana i pojawiały się niedwuznaczne oskarżenia o oszustwo. Ponieważ programy BBC wzbudziły olbrzymie zainteresowanie, Henry Lincoln i jego dwaj koledzy, którzy również pracowali nad filmami dokumentalnymi (byli to Michael Baigent i Richard Leigh), postanowili iść za ciosem i opublikowali wspólnie napisaną książkę, *Święty Graal, święta krew*, poruszającą tajemnicze wydarzenia w Rennes-le-Château i zawierającą tezę, że królowie Francji z dynastii Merowingów to potomkowie Jezusa i Marii Magdaleny. Książka, wydana w 1982 roku w Anglii, okazała się bestsellerem i wzbudziła sensację na światową skalę. Brytyjski przebój księgarski został bardzo prędko przetłumaczony na język francuski i wydany we Francji pod tytułem *L'enigme sacrée* (Święta zagadka; Paryż 1983). A po latach, oczywiście, Dan Brown na treści zapomnianego już bestsellera oparł fabułę swej powieści.

Wróćmy jednak do Francji lat 70. i 80. XX wieku. Pierwsi śmiałkowie, którzy odważyli się zakwestionować autentyczność pergaminów, przedstawili swoje własne wyjaśnienia na ten temat. Jean-Luc Chaumeil w książce *Le Trésor du Triangle d'Or* (Skarb złotego trójkąta; Nicea 1979) włączył do tekstu wyznanie de Cheriseya, że dokumenty zostały podrobione w oparciu o starożytny tekst zamieszczony w *Dictionnaire d'archéologie chrétienne et de liturgie* (Słowniku archeologii chrześcijańskiej i liturgii, red. Fernand Cabrol, Paryż 1907–1953). Podobnie Pierre Jarnac w swojej książce *Histoire du Trésor de Rennes-le-Château* (Historia skarbu z Rennes-le-Château, Cabestany 1985) załącza kopię listu de Cheriseya z Liège w Belgii, datowanego na 29 stycznia 1974 roku, w którym przyznaje się on do sfałszowania pergaminów.

Długo po zdemaskowaniu oszustwa Gerard de Sède odważył się wreszcie wydać własną książkę na ten temat. *Rennes-le-Château: Le dossier, les impostures, les phantasmes, les hypothèses* (Rennes-le-Château: dokumenty, oszustwa, urojenia, hipotezy); seria *Les Enigmes de l'univers* (Zagadki Wszechświata, Robert Laffont 1988). De Sède oświadczył wreszcie, że dokumenty zostały spreparowane i że ród Merowingów nie przetrwał do dzisiejszych czasów. W 1997 roku BBC-TV przygotowała jeszcze jeden program, w którym stwierdzono, że historia skarbu w Rennes nie jest prawdziwa. Legendy jednak mają długi żywot, przede wszystkim dlatego, że ludzie tego właśnie pragną. Toteż lista francuskich książek o Rennes-le-Château i publikacji na tematy pokrewne nadal rośnie. Nie będziemy już rozwodzić się nad licznymi anglojęzycznymi publikacjami książkowymi i komentarzami w Internecie. Jeszcze w 1974 roku René Descadeillas bardzo trafnie podsumował fenomen Rennes, komentując swą wspomnianą wyżej książkę:

> Legenda o skarbie z Rennes wywodzi się – ni mniej, ni więcej – z czegoś, co przydarzyło się pewnego dnia w tej biednej, na wpół zrujnowanej mieścinie księdzu, którego powołanie nie było zgodne z wrodzonymi skłonnościami.
>
> I z tego oto powodu zostaliśmy uraczeni po kolei: sensacjami o skarbach hiszpańskiej królowej Blanki, katarów, templariuszy i Dagoberta, przemieszanymi zawartością tajnych archiwów Bóg wie ilu rozmaitych sekt. Po zgromadzeniu i pogmatwaniu wszystkich tych rozmaitych skarbów zmusza się zdezorientowanych biedaków, by uwierzyli, że ziemia w Rennes kryje w sobie także dowody spisku, którego członkowie pragną dokonać przewrotu politycznego we Francji! Odwiedziły Rennes niezliczone rzesze mężczyzn i kobiet. Niektórzy przywieźli nawet ze sobą kosztowny sprzęt (...). Wyrywali płytki ze ścian, badali nasze skały elektronicznymi sondami, kopali dołki na ulicach i placach, przetrząsali tunele.
>
> Kościół został przewrócony do góry nogami co najmniej czterokrotnie. Cmentarz zbezczeszczono. Zagryzmolono całe ryzy papieru. Gazety i czasopisma płynęły rzeką, zasypano nas broszurami i ulotkami, nakręcono dwa filmy, wydano trzy książki. Zjechały się hordy dziennikarzy – z Fran-

cji, Anglii, Niemiec, Belgii, Szwajcarii i innych krajów (...). Dogrzebano się do Starego Testamentu, nie oszczędzono plemienia Beniamina ani świętych ksiąg (...). Zetknęliśmy się z Tytusem i Dagobertem, widzieliśmy, jak plądrowano Rzym, spotkaliśmy Wizygotów i Blankę Kastylijską zmierzającą do Piotra Okrutnego. Zawarliśmy znajomość z Nicolasem Poussinem i królewskim nadintendentem Fouquetem. Próbowano ściągnąć tu jeszcze więcej cesarzy, królów, arcyksiążąt, książąt, arcybiskupów, wielkich mistrzów wszelkich zakonów i lóż, magów i alchemików, filozofów, historyków, nawet skromnych mnichów i księży (...). Mówiono o osobach, które być może istniały, i o takich, które z pewnością nie istniały. Zachwalano czarnoksiężników, przedstawiano media, wywoływano duchy i przesłuchiwano jasnowidzów. Produkowano księgi magiczne, podtykano pod nos drzewa genealogiczne i testamenty, odsłaniano przed nami tajemnice nieślubnego pochodzenia, morderstw i zbrodni. Wygłaszano najrozmaitsze kłamstwa, włącznie z najbardziej niedorzecznymi i wreszcie... to już doprawdy szczyt ogłupienia: wzywano imienia diabła!

Czego jeszcze moglibyśmy chcieć?... Absolutnie i zdecydowanie: niczego więcej!

Tekst według *Paul Smith's Priory of Sion Archives*, priory-of-sion.com/psp/id129.htm.

Co Francuzi mówią o *Kodzie Leonarda da Vinci*?

DAVID DOWNIE

David Downie jest amerykańskim dziennikarzem mieszkającym w Paryżu.

Wszystko wskazuje, że francuscy czytelnicy pójdą niebawem w ślady amerykańskich czcicieli Świętej Księgi Dana Browna, którzy padają na kolana przed odwróconą piramidą znajdująca się na terenie Luwru. Tydzień po ukazaniu się na francuskim rynku słynnego dreszczowca (w marcu 2004 roku) zajął on trzecie miejsce na krajowej liście bestsellerów, a znany wydawca z Lewego Brzegu, JC Lattès, sprowadził około 70 000 egzemplarzy. Z okładki francuskiego tłumaczenia Mona Lisa zerka na nas przez rozdarcie w szkarłatnym tle.

Francuzów i Francuzki, którzy oczekiwali, że krytycy zbędą książkę machnięciem ręki albo zmieszają autora z błotem za niestosowne udziwnienia w topografii Paryża oraz przedstawienie w krzywym zwierciadle francuskiej kultury i języka, zdumiały z pewnością generalnie życzliwy ton recenzji i rosnący w szalonym tempie popyt na książkę Browna.

Nawet przeintelektualizowany zazwyczaj magazyn „Lire", zganiwszy co prawda autora za bawienie się w eksperta od przedchrześcijańskich symboli, nazywa go jednak mistrzem inscenizacji i dostawcą ambitnej rozrywki zamiast tanich gagów hołdujących najniższym gustom.

Wiodący prym tygodnik „Le Point" oświadczył, że Francja będzie mogła wreszcie sama ustosunkować się do fenomenu, którego zawrotną karierę obserwowała dotąd z boku. Anne Berthod w innym liczącym się tygodniku „L'Express" wyraziła podziw dla „iście makiawelicznej intrygi i piekielnego tempa", określając dzieło Browna jako „wysmakowaną powieść kryminalną, która pozwala spojrzeć nowym okiem na *Ostatnią Wieczerzę* Leonarda da Vinci".

Ale prawie żaden z francuskich recenzentów nie uznał thrillera Dona Browna za wartościowe dzieło literackie. Zaszufladkowano go od razu w dziale „Rozrywka". Delphine Peras w swym artykule dla dziennika „France Soir" napisała: „Nie twierdzę, że to zła książka, to doskonała lektura na wakacje (...). Powinno się ją sprzedawać w każdym dworcowym automacie". „Oklepane zwroty i tanie triki mające trzymać czytelnika w ciągłym napięciu – odnotowała dalej – mogą nieco zepsuć przyjemność, jakiej dostarcza dobrze zaplanowana intryga". Peras cytuje następnie słowa François Hueta, księgarza z Montpellier, który rzucił książkę w kąt, ponieważ została napisana „topornym językiem", byle jak.

Choć większość francuskich czytelników zdaje się podzielać opinię pani Peras, walory językowe książki mają jednak w tym wypadku znaczenie drugorzędne.

Rewelacje na temat Opus Dei, rycerskiego zakonu templariuszy, Zakonu Syjonu oraz stanu cywilnego Jezusa i Marii Magdaleny wywołały zażarte dyskusje na rogach ulic i w „kawiarniach filozoficznych". Najbardziej zafascynowała francuskich czytelników marginalna uwaga, że były prezydent François Mitterrand i surrealistyczny poeta i dramaturg Jean Cocteau mogli być członkami jakichś tajnych stowarzyszeń.

Luwr – historyczna rezydencja królewska, a zarazem pierwsze i największe w całym kraju muzeum sztuki – ma dla każdego Francuza znaczenie ogromne i niepodważalne. Ale szklana piramida Mitterranda nadal budzi mieszane uczucia. Polityczne wpływy Watykanu i Opus Dei oraz potęga religijnych symboli są tematami akurat na czasie.

Francja to świecka republika, zamieszkana przez około 60 000 000 obywateli. Warto jednak pamiętać, że jest zarazem ojczyzną bardzo wielu katolików i protestantów oraz mniej więcej 5 000 000 muzułmanów i że wciąż trwa w niej spór pomiędzy Kościołem a państwem, szczególnie gorący w kwestii prawa do eksponowania znaków swojej wiary w państwowej szkole lub w miejscu pracy.

I nagle pojawia się ze swymi rewelacjami Robert Langdon (...).

Filozoficzne spojrzenie na *Kod Leonarda da Vinci*

Glenn W. Erickson

Glenn W. Erickson, doktor filozofii, jest autorem kilkunastu prac z dziedziny filozofii, krytyki literackiej, historii sztuki i historii matematyki.

Muszę przyznać, że połknąłem powieść Dana Browna jednym haustem. Ponieważ nie uważam się za kogoś tak wyjątkowego, żeby nie dotyczyły mnie względy zwykłej przyzwoitości, czuję się zobowiązany przedstawić książkę *Kod Leonarda da Vinci* w dobrym świetle. Nie mogłem się od niej oderwać, tuliłem ją czule do piersi – więc jakże mógłbym spędzić ją teraz brutalnie z kolan, i to przy ludziach?! A fe!

Powieść jest, po pierwsze, politycznie poprawna, jej morał bowiem brzmi: religie świata, zwłaszcza zachodniego, zmierzały z premedytacją zabić Kobietę-Boga albo nawet wszystkie boginie, a także wszelkie wartości, które reprezentują. Jakiś czas temu ta smutna opowieść poderwałaby do boju feministki wszelkiej maści. Ale obecnie w kręgach intelektualnych na Zachodzie feministyczne poglądy są ogólnie przyjęte. Chyba nawet w wśród badaczy religii porównawczych od mniej więcej połowy stulecia przeważa opinia, że zjawisko częściowego wycofania się ze sceny bóstw rodzaju żeńskiego w okresie co najmniej ostatnich 2000 lat (i to bóstw, które odgrywały pierwszoplanową rolę w okresie paleolitu i neolitu!) należy uwzględniać w badaniach nad powstaniem naszego zinstytucjonalizowanego systemu społecznego.

Nić przewodnia legendy, która w tym wypadku przybrała formę powieści, przedstawia się następująco: za panowania Konstantyna Wielkiego, w okresie formowania się kanonu Nowego Testamentu, z jego tekstu usunięto wszystkie wzmianki o małżeństwie Jezusa i Marii Magdaleny, która była jego prawowitą boską małżonką, najjaśniejszym uosobieniem żeńskiej świętości. I niech nikt nie myśli, że nasza MM to jakaś latawica, jak podszeptują złośliwi patriarchowie! Pochodziła z królewskiego rodu, a prócz tego była osobą liczącą się i potężną. Sprawę podsumowuje pierwsze równanie:

Maria Magdalena i Jezus = Batszeba i Dawid.

Główny wątek powieści można streścić w taki sposób: supertajne stowarzyszenie o nazwie Zakon Syjonu, stanowiące niegdyś nie tyle zbrojne, ile archeologiczne ramię rycerskiego zakonu templariuszy, od prawie 1000 lat strzeże bacznie trzech obiektów, które razem wzięte stanowią legendarną relikwię, zwaną świętym Graalem. Są to: 1) Mnóstwo starożytnych zwojów, między nimi bezcenny skarb: apokryficzna ewangelia, potwierdzająca ważną rolę Marii Magdaleny; 2) Szczątki wyżej wymienionej; oraz, na deser, 3) grono żyjących jeszcze wybitnych potomków Marii Magdaleny. Należy do nich wielki mistrz Zakonu Syjonu, a zarazem kustosz Luwru (zamordowany na samym początku *Kodu Leonarda da Vinci*); jego żona i wnuk, którzy od 10 lat ukrywają się w Szkocji, na głuchej prowincji; oraz jego wnuczka, Sophie Neveu, główna bohaterka powieści, zatrudniona jako kryptolog we francuskim odpowiedniku FBI.

Charakter i tempo powieściowej akcji narzuca cała seria kodów, które bohaterowie muszą złamać, by utrzymać bezpieczeństwo świętego Graala. Ponieważ trzech głównych współpracowników wielkiego mistrza – jedyne osoby, które (oprócz niego) znały sekret świętego Graala – zgładził fanatyczny mnich albinos, członek Opus Dei (organizacji, która istnieje do dziś w łonie Kościoła rzymskokatolickiego i cieszy się nie najlepszą sławą), sam wielki mistrz w godzinie śmierci musi powierzyć sekret świętego Graala swemu następcy. Przekazuje więc tajemnicę swej wnuczce i wychowance, Sophie, w taki sposób, by przy okazji zawarła ona znajomość z głównym bohaterem powieści, profesorem Harvardu, wykładowcą religijnej symbologii (sic!), Robertem Langdonem. Wspólnie rozwiązują pierwszą zagadkę, która prowadzi ich do portretu Mony Lisy; znajdują tam klucz i informację o lokalizacji bankowego sejfu, który należy otworzyć. W sejfie czeka na nich drewniane pudełko, w jego wnętrzu marmurowe naczynie, w którym tkwi jeszcze jeden pojemniczek. W tym ostatnim naczyniu ukryta jest zagadka, która po rozwiązaniu wskazuje tropicielom pewien grobowiec. Znajdują w nim kolejną zagadkę, która wiedzie ich ku świątyni, w tej zaś natykają się na jedną trzecią świętego Graala (czyli babkę i brata Sophie, która uważała ich za zmarłych), a także jeszcze jedną zgadywankę – wyjaśniającą, gdzie można znaleźć pozostałe dwie trzecie Graala. Zgodnie z tą wskazówką powracają tam, gdzie zaczęli pościg: do Paryża.

Kod Leonarda da Vinci jest niewątpliwie powieścią kryminalną, ale nie ma się czego wstydzić, znajduje się bowiem w dobrym towarzystwie: obok *Zbrodni i kary*, *Króla Edypa*, a nawet *Hamleta, księcia Danii*. Każdy czytelnik (lub czytelniczka, rzecz jasna!) może samodzielnie rozwiązać wszystkie szyfry: tego z Luwru, tego znalezionego w sąsiedztwie *Mony Lisy*, z bankowego sejfu, z drewnianego pudełka, z pierwszego i drugiego marmurowego naczynia, z grobu Newtona w Opactwie Westminsterskim, z kaplicy Rosslyn w Szkocji – i z powtórnej wizyty w Luwrze.

Niezależnie od tego, że akcja rozwija się w morderczym tempie, niezależnie od zawiłej kompozycji, która bezustannie przerzuca nas od postaci do postaci, z jednego miejsca na drugie... podobno pozwala to obserwować równocześnie losy każdego z bohaterów... (Znamy obecnie całkiem dobrze tę technikę; raczą nas nią w teatrze, filmie, w telewizji, a teraz jeszcze w powieści!)... Otóż, nie licząc tych mankamentów, książka jest fascynująca. A główny jej urok stanowią pomysłowe zagadki i wymagające pewnej inteligencji szyfry. Słuchamy także wyjątkowo uroczego wykładu na temat symboli ukrytych w dziełach Leonarda da Vinci. Niemal na własne oczy widziałem, jak Maria Magdalena tuli się do Jezusa w trakcie Ostatniej Wieczerzy!

A równocześnie, w znacznie głębszym sensie, Brown obsadza Marię Magdalenę w roli, którą Nietzsche, w ostatnim przebłysku syfilitycznego dowcipu, powierzył Ariadnie: kobiecej bogini – tak niezastąpionej w naszym nic niewartym życiu, by mówiła „nie" natrętom naganiającym do nihilizmu! I oto wyłania się następne równanie: Ariadna i Dionizos = Magdalena i Jezus. Nawiasem mówiąc, w niekończącym się paśmie kodów Ariadna jest prototypem (a może ładniej brzmiałoby „antytypem"?) Sophie, która na swojej nitce wyprowadza Boba „Tezeusza" Langdona z labiryntu.

W książce Browna zachowana została arystotelesowska jedność: czasu, miejsca i akcji. Z wyjątkiem sceny rozpoznania, która rozgrywa się w Szkocji, akcja kursuje regularnie (podobnie jak u Dickensa w *Opowieści o dwóch miastach*) między Paryżem a Londynem. No i wszystko – od zamordowania wielkiego mistrza do zaaresztowania tego, kto był duchowym sprawcą wszystkich zbrodni: sir Leigha Teabinga – odbywa się w ciągu 24 godzin.

Niestety, w jednym miejscu autorowi wyraźnie powinęła się noga. Jego pastisz naukowego wykładu w stylu New Age jest... nie ośmielę się powiedzieć „bardziej lekki niż lekkostrawny": jak chyba wszyscy cenię sobie firmowane przez New Age produkty, które kuszą nas w dziale zdrowej żywności każdego niemal supermarketu!... Jest więc głupi i lekceważący. Istnieje kilka możliwych – a nawet alternatywnych – wyjaśnień tego faktu.

Na pierwszy ogień usprawiedliwienie w stylu platońskim: artysta tworzy kopie rzeczy, które same przez się są już kopiami idei; więc bez względu na to, czy dzieło malarza jest dobre, czy złe, nie ma to żadnego znaczenia, bo i tak jest to kopia kopii... A D. Brown wyprodukował nam marną kopię wykładu mądrości okultystycznej. Niemal człowiek tęskni za, dajmy na to, *Wahadłem Foucaulta*, przypomniawszy sobie, jak Umberto Eco nie pożałował na swą okultystyczną intrygę czasu ni materiału... nie dążąc do historycznej ścisłości, lecz raczej pragnąc stworzyć wyrafinowanie paranoiczną konstrukcję, która mogłaby konkurować z *Bladym ogniem* Nabokova. Ja jednak tylko „niemal" tęsknię, gdyż *Wahadłu* rozpaczliwie brakuje narracyjnego rozmachu, który napędza *Kod Leonarda da Vinci*, aż czytelnikowi zapiera dech.

Drugie wyjaśnienie, w stylu Sama Waltona*: Pan Brown może i zna swój fach, ale jeszcze lepiej zna prawa rynku. Nie chce stracić klienta, ucząc go galopu na pierwszej lekcji konnej jazdy – jak to zrobił Harold Bloom** w swojej książce o wiedzy tajemnej... a była to jedyna jego książka, o której świat się dowiedział, potajemnie czy nie potajemnie! Ale wracając do Dana Browna: może czuł się zmuszony okroić jedno z dwóch największych odkryć starożytnej matematyki, by mogło się pomieścić w umysłach czytelników?... Ale żeby aż w przybliżeniu dziesiętnym!... 1,618, występujące w przeciętnych proporcjach w miriadach form organicznych i dzieł sztuki... Tak potraktować fi?! Wszystkie pachnidła Arabii nie zmyją tej pozłotki z jego rąk!

Trzecia wersja wyjaśnienia – horacjańska: Brown zakłada, że czytelnicy pogardzają neopogaństwem i potępiają je, więc wcale się nie łudzi, że wezmą za dobrą monetę rzekome prawdy na temat nauk tajemnych, zawarte w jego sporadycznych wyjaśnieniach. Posyła do diabła astrologów, łży hierofantów, szturcha w żebra zabobonników, co solą attycką chcą odpędzić czarnego kota, wydziera karty starym Cyganichom, zbija z nóg numerologów i – krótko mówiąc – kpi sobie ze wszystkich nocnych marków i szarlatanów. A czyni to z przymrużeniem oka... albo mówmy jak należy, po łacinie: satyrycznie: „Naszej podrzęd-

* Sam Walton jest założycielem ogromnej sieci tanich supermarketów Wal-Mart.

** Harold Bloom, amerykański literaturoznawca i krytyk, słynie z niekonwencjonalnych poglądów i bezkompromisowego ich wyrażania (jak Marcel Reich-Ranicki w Niemczech). Być może chodzi tu o jego książkę *Flight to Lucifer: Gnostic Fantasy* (Lot do Lucyfera: Fantazja gnostyczna) z 1980 roku. Wbrew ironicznej uwadze G.W. Erickssona, Harold Bloom wydał wiele książek, które cieszyły się dużą popularnością.

ności (...) winne są nie gwiazdy, ale my sami*", mój Horacjo. I tym sposobem, ponieważ Walt Disney zapłacił zaległe składki w najbliższej loży masońskiej (jak każdy rozumny człowiek, który liczy na podżyrowanie lewego weksla albo zawieszenie wyroku w sądzie apelacyjnym), Astarte zawróciła sobie głowę jakimś rogaczem i została matką Bambiego, Królewna Śnieżka to Izyda w kraju Liliputów, a Isztar jako niewinny podlotek przebiera się za Kopciuszka... Już widzę, jak Biała Bogini przewraca się w grobie! (...).

Nie ulega wątpliwości, że główny wątek tej powieści jest iście paranoiczny; nie da się tego uniknąć, pisząc o okultystycznym sprzysiężeniu. Ktoś ukrywa od dawien dawna taką bombę – prawdopodobnie w jak najgorszych zamiarach – a w książce mówi się o tym przyjaźnie, z lekką ironią albo w ogóle tak, że boki można zrywać. Cały dowcip polega na tym, że Zakon Syjonu ani myśli, by wyjawić światu tajemnicę, choć przez całe wieki robił wszystko, żeby zachować sekret w dobrym stanie!

Wreszcie wyjaśnienie w stylu Heideggera (czyli w duchu egzystencjalizmu): choć główne założenia powieści – dotyczące rywalizacji między Zakonem Syjonu a Opus Dei oraz wymagających złamania szyfrów – aż się proszą, by skorzystać z okultystycznych spekulacji, w tej sytuacji bowiem nie zdadzą się na nic pogańskie gusła ani natchnione przepowiednie chrześcijańskich dewotów. Punkt widzenia autora powieści jest konsekwentnie realistyczny. Zagadnienia doktrynalne mają li tylko psychologiczną wartość – mimo że reakcją na nową prawdę o świętym Graalu może być masowe rozczarowanie. Dowiadujemy się z ulgą, że celem tych wszystkich zabiegów jest bezcenny dar: Dar istnienia. Jak tłumaczy mądra stara dama w chwili rozwiązywania zagadki, w świetle wstającej zorzy wszechobecnego zrozumienia Bogini Matka odzyskuje pomału swoje miejsce w sztuce, a w przyszłości odnajdzie je także w szerzej pojmowanej kulturze. W tej perspektywie wyjaśnienie problemu w duchu okultystycznym stanie się zgoła niepotrzebne; przyda się raczej zasada: „Co dobre dla ciebie, przyda się i mnie". A ponieważ nawet najgłupsze odpowiedzi satysfakcjonują wielu ludzi, a prawdę mówiąc – większość, zafundujcie sobie wszyscy ośle uszy, moi drodzy! Będzie czym strzyc!

Biegnijmy zatem do belgijskich beguinek, by zatańczyć beguinę straconych nadziei i niewyjaśnionych kwestii! Doktorek Langdon, wykładowca z Harvardu, w chwalebnej solidarności wobec templariuszy, nie stroi uczonych min, lecz puszcza do nas perskie oko. Niewiele w nim z chrześcijanina, więcej z gnostyka. Odłóżmy na bok Wielką Boginię, nie zastanawiajmy się nad kwestią, czy sir

* William Szekspir *Juliusz Cezar*, tł. S. Barańczak, Poznań 1993, s. 19.

Steven Runciman pozował do literackiego portretu sir Leigha Teabinga, spytajmy tylko o jedno, a mianowicie: czemu, do licha, Brown nie popchnął legendarnego Graala w tradycyjnym, oczywistym kierunku – do begardów i bogumiłów?!* Autor podjął pewne starania, by wykazać zbieżności między Objawieniem św. Jana (Apokalipsą) a jego własnym dziełem. No cóż, niektóre fragmenty powieści Browna (dotyczące okultyzmu) to istotnie objawienie! Zostawmy lepiej czytelnikom odgadnięcie, kto jest świętym Michałem, kobietą obleczoną w Słońce, fałszywym prorokiem, Antychrystem – postaciami Apokalipsy, które zawędrowały do *Kodu Leonarda da Vinci.* Może by tak włączyć spis tych osób do książki Browna – bo jak bez podania obsady rozróżnić poszczególnych aktorów?

Co więcej, kiedy już wyżej wymienione postacie zostaną ostatecznie rozpoznane jako elementy Objawienia św. Jana, Brown rozprawi się szybko z kartami tarota. Jest to – jak wspominałem niejednokrotnie w swoich książkach i artykułach – seria miniaturowych rysunków, w których ukryta jest druga seria szkiców; każdy z nich składa się z dwóch wielokątów, będących pochodną trójkątów Pitagorasa i zachowujących ich proporcje. Te graficzne wyobrażenia, składające się na Język Aniołów, zajmują centralne miejsce w chrześcijańskiej kabale, która wyrosła ze swego neoplatońskiego odpowiednika. Choć Joachim de Fiore, Giotto, twórcy pierwszej talii kart do tarota, Fernando de Rojas i Szekspir rozumieli istotę tego języka i jego miejsce w teologii św. Jana, której podstawę stanowił Logos (czyli Słowo), Brown nie ma o tym najmniejszego pojęcia. Tak przynajmniej wynika z zamieszczonej w książce uwagi, że tarot jest metodą zachowania pogańskiego symbolizmu. Przewrotność tego pomysłu jest zaiste ogromna!

I na koniec jeszcze jedno: istnieje realna możliwość, że – podobnie jak wielu współczesnych powieściopisarzy i poetów, takich jak T.S. Eliot, Sylvia Plath, Mario Vargas Llosa i niezliczone rzesze drobnych gwiazdeczek – Dan Brown zakodował po kolei wszystkie Wielkie Arkana w swoim dziele. Nie natknąłem się jednak na żadne potwierdzenie tej hipotezy. Jednak bez względu na to, jak się sprawy mają, gdyby pan Brown wyeksploatował potężny zdrój tradycji okultystycznych, zamiast łowić w mętnej wodzie u jego brzegów, może zamiast niezłego czytadła stworzyłby powieść naprawdę wartościową.

---

* Begardowie to świecki zakon z XI wieku. Ich żeński odpowiednik – zakon beguinek – przetrwał w Belgii aż do wieku XX. Bogumiłowie to sekta gnostyczno-ascetyczna z XII wieku.

Zderzenie Indiany Jonesa i Josepha Campbella

WYWIAD INTERNETOWY CRAIGA MCDONALDA Z DANEM BROWNEM

Craig McDonald, gospodarz programu internetowego, przeprowadza wywiady z interesującymi autorami. Podczas zbierania materiałów do niniejszej książki stwierdziliśmy, że jest to jeden z najciekawszych wywiadów z Danem Brownem, autorem *Kodu Leonarda da Vinci*, na jakie się natknęliśmy. Wyjątki z niego wykorzystujemy za zgodą Craiga M. McDonalda.

Wykładał pan literaturę angielską w Exeter. Z jakiego rodzaju książek korzystał pan w trakcie nauczania?

Uczyłem i literatury, i pisania. Omawialiśmy pozycje takie jak *Iliada, Odyseja, Myszy i ludzie*... Coś z Szekspira, coś z Dostojewskiego... Klasyka.

Jak długo musiał pan czekać na to, że ktoś kupi pana pierwszą książkę?

Miałem wielkie szczęście, bo trwało to tylko 20 dni. Kupił ją pierwszy wydawca, któremu ją pokazałem. Po trosze pomogło to, że był to wyjątkowo gorący towar: temat na czasie. Konflikt bezpieczeństwa narodowego z prawem każdego obywatela do prywatności. Elektroniczne łamanie kodu... E-maila... National Security Agency (NSA – Agencja Bezpieczeństwa Narodowego). To była fikcja ściśle związana ze współczesnymi problemami Ameryki.

Czy napisałby pan Cyfrową twierdzę *inaczej, gdyby zabrał się pan do niej po 11 września, w obliczu kontrowersji dotyczących bezpieczeństwa narodowego?*

Nie sądzę. Zabawne jest to, że kiedy zabrałem się do tej książki i dowiedziałem się o działalności NSA, pomyślałem: O mój Boże! Przecież to wielkie naruszenie prywatności! Skontaktowałem się z dawnym szyfrantem NSA i powiedziałem mu: „Ludzie, co wy najlepszego robicie?! Czytanie e-maili i podsłuchiwanie rozmów przez telefon komórkowy to przecież pogwałcenie prawa do prywatności!" Facet miał klasę i zareagował wspaniale. Przefaksował mi kopię przesłuchania w Senacie, na którym ówczesny dyrektor FBI Louis Freeh oświadczył, że w ciągu jednego tylko roku – chyba to był 1994 – dzięki temu, że NSA miało dostęp do prywatnej korespondencji i telefonów, zdołano zapobiec zniszczeniu dwóch amerykańskich samolotów cywilnych i udaremnić atak chemiczny na naszej ziemi. Po ukazaniu się *Cyfrowej twierdzy* musiałem udzielić około 150 wywiadów radiowych; często słuchacze dzwonili i pytali: „Jak pan może popierać National Security Agency?! Przecież to Wielki Brat!" A potem, po 11 września, słuchacze zaczęli mówić: „Niech NSA robi, co chce! Mogą mi nawet zamontować na stałe wideokamerę w sypialni! Cokolwiek wymyślą, okiem nie mrugnę, byle się z tym uporali!" Poglądy na temat narodowego bezpieczeństwa i priorytetów zmieniły się całkowicie! Teraz pytanie brzmi: czy nie zapędziliśmy się za daleko? (...).

Biorąc pod uwagę kontrowersyjny temat książki i możliwość, że obrazi ona czyjeś uczucia religijne, jak pan ocenia niewiarygodną popularność Kodu Leonarda da Vinci*?*

Zbadałem dokładnie teren, zanim się zabrałem do pisania tej powieści, i doszedłem do wniosku, że czytelnicy dorośli już do tego tematu. Muszę jednak przyznać, że nie oczekiwałem aż takiego sukcesu. Ta książka po prostu bije wszelkie rekordy; właśnie się dowiedzieliśmy, że wraca znów w przyszłym tygodniu na pierwsze miejsce w kraju. Przyznam, że kiedy powieść miała się ukazać, trochę się bałem reakcji... ze strony księży, zakonnic, wszystkich ludzi związanych z Kościołem. Ale przeważnie odpowiedź była zdumiewająco pozytywna. Znalazło się trochę czytelników, których moja książka zaszokowała i zaniepokoiła, ale nie więcej niż 1%.

Robert Langdon występuje w pana drugiej i czwartej powieści. Doszły do nas słuchy, że przygotowuje pan całą serię jego przygód. Wielu autorów powieści kryminalnych i dreszczowców postąpiło w ten sposób, a później żałowali, ponieważ w ten sposób podcięli skrzydła własnej muzie i zatrzasnęli się na dobre w jednym schemacie. Nie ma pan podobnych obaw, podejmując tę ryzykowną decyzję?

Langdon to ktoś, kto podziela moje pasje – interesuje się na przykład zagadkami starożytności, historią sztuki, ukrytymi przekazami. Praca nad książką trwa rok, dla autora najlepiej więc, żeby mówiła o rzeczach, które go ciekawią. A chociaż fascynowało mnie wszystko, co wiązało się z NASA i z meteorami albo z National Security Agency, jednak najmocniej pociągają mnie sięgające czasów starożytnych zagadki i tajemnicze szyfry.

Czy zawsze interesowały pana sprawy tajemne?

Jeszcze jak! Wychowałem się na Wschodnim Wybrzeżu, dokładnie w Nowej Anglii: w świecie prywatnych szkół, Ivy League i pajęczej sieci korporacji, klubów i wszelkiego rodzaju tajnych stowarzyszeń. Wcześnie zetknąłem się z ludźmi z NSA. Każdego, moim zdaniem, pociągają sekrety, a kwestia tajnych stowarzyszeń wyjątkowo pobudza moją wyobraźnię... zwłaszcza od czasu wizyty w Watykanie.

Wszyscy mówili swego czasu o pańskiej audiencji u papieża.

Mnóstwo ludzi bierze udział w audiencji u papieża. W zasadzie sprowadza się ona do przebywania w jego obecności. Określenie „audiencja" brzmi bardzo tajemniczo, ale jest niezbyt mądre. Wraz z grupą innych osób znalazłem się w tym samym pokoju co on, i to wszystko.

Ale podobno miał pan okazję zwiedzić dokładniej Watykan?

To prawda. Dzięki serdecznemu przyjacielowi, który zna kogoś bardzo wysoko postawionego w Watykanie. Widzieliśmy część zabytków – na przykład nekropolię... Tylko 10 czy 11 osób dziennie dostaje pozwolenie na zwiedzenie jej. To chyba najlepiej strzeżony teren, jaki kiedykolwiek widziałem. Zupełnie wyjątkowe, niezapomniane miejsce! Odwiedziłem też watykańskie archiwa... Jedynie trzem Amerykanom w historii pozwolono tam wejść – dwóm kardynałom i jednemu profesorowi teologii, chyba z University of Florida. Nie znalazłem się w tym gronie. Zwiedziłem Bibliotekę Watykańską i część archiwów. Ale nie wpuszczono mnie do tajnego archiwum.

Myśli pan, że udałoby się to panu teraz, po opublikowaniu Aniołów i demonów *i* Kodu Leonarda da Vinci*?*

Szanse są niewielkie.

Słyszałem gdzieś, że ma pan w zanadrzu około tuzina z grubsza opracowanych szkiców następnych powieści z Robertem Langdonem w roli głównej.

To prawda. Boję się nawet, czy mi życia starczy na zrealizowanie wszystkich moich planów.

Biorąc pod uwagę skomplikowaną intrygę pańskich powieści, przypuszczam, że musi pan opracować bardzo dokładny plan, zanim zabierze się pan do pisania.

Oczywiście! Szkic wstępny do *Kodu Leonarda da Vinci* liczył ponad 100 stron! Moje książki mają zawsze bardzo skomplikowaną intrygę i wartkie tempo! Dużo zaskakujących zwrotów akcji, sporo kodów do odcyfrowania. Mnóstwo niespodzianek. Nie można czegoś takiego napisać od ręki. Wszystko trzeba starannie zaplanować.

Wspomniał pan, że napisanie jednej książki trwa mniej więcej półtora roku. Ile z tego czasu poświęca pan na badania wstępne?

Mniej więcej połowę.

Opisuje pan w swoich powieściach potężne organizacje: Kościół katolicki, masonerię, różne rzekomo tajne stowarzyszenia, instytucje rządowe. Czy nie boi się pan czasem o własną skórę?

Ani trochę. Staram się, i to bardzo, przedstawić je obiektywnie i chyba mi się to udaje. Na przykład uważam (i ukazałem to w książce), że – z całym szacunkiem dla Opus Dei – są ludzie, którzy widzą w nim cudowny dodatek do własnego życia, ale są i tacy, dla których Opus Dei było koszmarem. Przekazuję uczciwie poglądy jednych i drugich.

Jak pan sądzi, czy pańskie książki o przygodach Langdona mogłyby powstać, gdyby nie ożenił się pan z historykiem sztuki?

Moja żona ma na mnie ogromny wpływ, a jej wiedza i pasja zawodowa podnoszą mnie na duchu i pomagają przebrnąć przez mozół pisania. Pisanie książek to harówka, której nie życzyłbym wrogowi! A kiedy zdarzają się trudne dni, dobrze mieć przy boku kogoś – zwłaszcza przy pisaniu takiej książki jak *Kod Leonarda da Vinci* – kto zna się na sztuce, wie co trzeba o Leonardzie da Vinci, a w dodatku pasjonuje się całą sprawą. Takiemu komuś mogę zaproponować, żebyśmy poszli na spacer i pogadali sobie o tym, dlaczego wzięliśmy się za ten temat – i co jest tak fascynującego w Leonardzie i jego poglądach. Tak, pod tym względem naprawdę dopisało mi szczęście!

Wróćmy na chwilę do 11 września 2001 roku. Zapoznałem się z wywiadem, którego pan udzielił w 1998 roku. Z dzisiejszej perspektywy pańskie wypowiedzi wydają się wręcz prorocze. Komentował pan projekty, w których przewidywano konieczność wyjątkowo bacznego obserwowania obywateli USA, by zapobiec atakom terrorystycznym. Powiedział pan wówczas: „Zagrożenie jest niezwykle realne... Amerykanie nie chcą się do tego przyznać, ale mamy mnóstwo wrogów; stanowimy idealny cel dla terrorystów... a jednak procent wykrywalności terrorystów na terenie naszego państwa jest jednym z najniższych na świecie". A więc pańskie poczucie zagrożenia ocknęło się i nadawało sygnał alarmowy znacznie wcześniej niż u większości ludzi. Dlaczego?

Chyba z racji szoku, którego doznałem... Zapewne słyszał pan o pracownikach tajnych służb, którzy zjawili się na szkolnym kampusie w Exeter?

Owszem, przypominam sobie. Jeden z pańskich wychowanków napisał coś – ich zdaniem – podejrzanego w e-mailu i ci ludzie zjawili się, żeby go przesłuchać.

To było moje pierwsze spotkanie z National Security Agency. Im więcej o nich czytałem, tym ciężej mi się robiło na duszy. Nie mogłem uwierzyć, że światli obywatele Stanów Zjednoczonych opracowują specjalne programy szpiegowania reszty obywateli. Wydawało mi się to absolutnie bezsensowne, dopóki nie zrozumiałem, czemu tak się dzieje i czemu nadal będzie się działo, bez względu na to, co mówimy i czego pragniemy. Na zakończenie dostałem listę ataków terrorystycznych, do których nie doszło dzięki NSA. Wreszcie do mnie dotarło: „O mój Boże! Jesteśmy pod ostrzałem, prawie każdego dnia coś nam grozi, a w ogóle o tym nie wiemy!" Warto pamiętać, że zadaniem terrorystów jest nie tylko zabijanie ludzi, ale ich zastraszanie. Jeśli ktoś podłoży bombę pod Białym Domem albo w centrum Nowego Jorku, NSA może udaremnić wybuch dosłownie w ostatniej sekundzie, a potem zabrać i ukryć rozbrojoną bombę, a całą sprawę zatuszować... Bo gdyby ludzie dowiedzieli się, że o mały włos nie doszło do katastrofy, byliby niemal równie przerażeni jak wtedy, gdyby bomba eksplodowała. Wobec tego trzymanie nas w nieświadomości zagrożenia ma sens!

Zaraz po 11 września wyruszył pan w trasę promującą książkę Zwodniczy punkt*?*

Tak.

Jak się udało?

Było okropnie. Prawdziwy koszmar. Rankiem 11 września pracowałem nad *Kodem Leonarda da Vinci.* W moim gabinecie nie ma telefonu ani komputera z dostępem do sieci – niczego, co mogłoby oderwać mnie od pracy. Idę tam, gdy chcę być absolutnie sam. Nagle weszła moja żona i powiedziała: „Dzieje się coś strasznego!" A ja od razu zrozumiałem: to najgorsze właśnie się wydarzyło! Przez następne dwa miesiące było mi niesłychanie trudno zabrać się do pracy. Spisywanie wymyślonych historyjek wydawało mi się bezsensowne. Kiedy na świecie dzieją się takie przerażające rzeczy, jak można bawić się beztrosko, przesuwając papierowych bohaterów jak pionki po szachownicy papierowych krajobrazów?... Czy takie bzdury mają sens? Czy mogą pomóc rodakom w trudnej godzinie?! Okazało się, że mają sens i pomagają. Dzięki nim ludzie choć na chwilę zapominali o tragicznej rzeczywistości. Ale niełatwo do tego dojść.

Od dzieciństwa miał pan kontakt z muzyką. Czy myślał pan kiedyś o wykorzystaniu w którejś ze swych książek tematów muzycznych?

I owszem! Intryga jednej z planowanych przeze mnie powieści będzie obracać się wokół osoby pewnego sławnego kompozytora i jego kontaktów z tajnym stowarzyszeniem. Wszystko oparte na konkretnych faktach!

Chodzą słuchy, że akcja pańskiej następnej powieści będzie się rozgrywać w Waszyngtonie.

Istotnie.

...i że będzie pan pisał o wolnomularstwie...?

Taaa... chce pan, żebym się wygadał? [śmieje się]

No, cóż... Miałem nadzieję, że jeśli zarzucę przynętę, dowiemy się czegoś więcej... ale chyba się pomyliłem?

Na razie nic ponad to nie mogę panu zdradzić.

Czy wieczory autorskie i podpisywanie książek dają panu poczucie kontaktu z czytelnikami?

To jest najbardziej satysfakcjonujący aspekt trasy promującej powieść: widzi się stosy książek i gromady ludzi: mężczyzn, kobiet i tłumy nastolatków! Dzieciaki fantastycznie reagują – zwłaszcza na *Kod Leonarda da Vinci* i *Anioły i demony*. Uważają je za coś w rodzaju przygód Harry'ego Pottera, tylko trochę doroślejszego... Młodzież fascynują zwłaszcza starożytne tajemnice, podobne do tych, którymi się zachwycają, czytając Harry'ego Pottera.

Zauważyłem to samo porównanie w materiałach prasowych otrzymanych od pańskiego wydawcy.

Na to podobieństwo pierwsza zwróciła uwagę Janet Maslin na łamach „The New York Times". To była po prostu cudowna recenzja! Ludzie wydzwaniali do mnie i dopytywali się: „Czy Janet Maslin jest twoją matką?! Ona nigdy nie pisuje takich recenzji!" Pisuje czy nie, Harry'ego Pottera wspomniała w dobrą godzinę, jako pierwsza ze wszystkich. Nie czytuję innych powieści, chyba że mój wydawca prosi, żebym coś przejrzał i zrecenzował. Prawie codziennie ludzie przysyłają mi swoje powieści z liścikiem: „Czy zechciałby pan przeczytać to i napisać entuzjastyczną recenzję?" Harry'ego Pottera nie czytałem. Ale sądząc z tego, jak dzieciaki trudno oderwać od tej serii, muszą to być fantastyczne książki.

Czy któreś z pańskich książek mają być ekranizowane?

Dostałem już wiele rozmaitych propozycji. Ale waham się z odsprzedaniem praw do filmowania, zwłaszcza że Langdon ma być bohaterem całej serii. Jeden z uroków lektury polega na tym, że każdy może sobie wyobrażać Langdona po swojemu. Od momentu, gdy książka przemieni się w film, widzowie zawsze będą już mieli przed oczyma Bena Afflecka, Hugh Jackmana czy innego aktora, którego obsadzą w roli głównej. Waham się więc. A poza tym w Hollywood każdy scenariusz zmieniają w film akcji, z wyścigiem samochodowym przy wtórze strzałów z broni maszynowej i z dodatkiem wyczynów kilku mistrzów karate. Tym trudniej jest mi podjąć decyzję. Ale kontaktuję się z kilkoma osobami, które być może potrafią nakręcić na podstawie książki film dla myślących widzów – bo tylko pod tym warunkiem się zgodzę, zastrzegając sobie prawo do kontroli w trakcie realizacji filmu.

Słowa łacińskie lub wywodzące się z łaciny w *Kodzie Leonarda da Vinci*

DAVID BURSTEIN

David Burstein jest studentem college'u.
Uczy się łaciny i pisuje sztuki teatralne.

Niezwykle obecnie popularne książki, łączące w sobie elementy eposu i fantastyki – jak seria opowieści o Harrym Potterze czy *Kod Leonarda da Vinci* – cechują zazwyczaj bogactwo słownictwa, zapożyczenia z języków starożytnych oraz ciekawe gry słów. Dan Brown z kilku ważkich powodów zamieścił w swej powieści tyle łaciny. Po pierwsze, najwyraźniej odpowiada mu bogate słownictwo i lubi gry słów, a przy tym zdaje sobie sprawę z tego, jak dalece język angielski bazuje na łacinie. Po drugie, był przez pewien czas wykładowcą w Exeter, jednej z naszych najznakomitszych prywatnych szkół średnich. Po trzecie, cała fabuła jego książki koncentruje się na problemach historyczno-teologicznych, zgodnych z poglądami Kościoła katolickiego albo wręcz odwrotnie, tak więc słowa łacińskie lub wywodzące się z łaciny odgrywają w niej szczególnie ważną rolę.

Łacina uchodzi za martwy język. Brown jednak sprawia, że słowa łacińskie tętnią życiem i wydają się całkiem na miejscu w jego – współczesnej przecież! – powieści. (Podobnie zresztą jest ze zwrotami greckimi, francuskimi, nawet małymi próbkami innych języków, które znalazły się w tej książce). Dla zrozumienia wielu zwrotów wystarczy zajrzeć do najzwyklejszego słownika łacińskiego – i czytelnik wie już, że *Opus Dei* to Boże Dzieło, a *crux gemmata* – to wysadzany klejnotami krzyż. Jednakże inne słowa czy wyrażenia wymagają specjalnej interpretacji.

Uwagę wszystkich czytelników przykuwa albinos imieniem Sylas, mnich i morderca, gorliwy katolik i członek Opus Dei. Łatwo go zapamiętać choćby ze względu na kolor skóry. Brown bardzo często posługuje się zwrotem „mnich albinos", idąc w ślady Homera, który łączył z imieniem swych bohaterów jakiś epitet i nieustannie go używał. Ale osobowość Sylasa znacznie lepiej oddaje określenie „pokutnik" (ang. *penitent*). Słowo to wywodzi się od łacińskiego *paenitet*, to zaś od *paean*, które mówi o „chwale bogów". Podobnie jak członkowie Opus Dei w rzeczywistości, Sylas wierzy, iż najlepszym oddawaniem czci Bogu jest zadawanie bólu samemu sobie*.

Ciekawe, że słowo okrycie, płaszcz, po łacinie *paenula*, pochodzi od tego samego rdzenia co *paenitet*. Wydaje się zatem, że habit mnisi ma coś wspólnego z chwałą Boga**.

Umartwiający pas, który nosi Sylas, nazywa się *cilice*, co być może pochodzi od łacińskiego słowa *cicatrix*, czyli blizna. Oczywiście taka była rola tego pasa: miał sprawiać fizyczny ból (a więc prawdopodobnie na ciele powstawały za jego sprawą blizny), by ułatwić żal za grzechy***.

Ale jeszcze bardziej interesujące jest podobieństwo słów *cilice* i *chalice*. *Chalice* to, oczywiście, jeszcze jedna nazwa świętego Graala – i kluczowe słowo w książce, której tematem jest poszukiwanie nie tylko Graala, ale także nowego jego zrozumienia. *Chalice... cilice...* Sylas: choć duchowym przywódcą jest „Mistrz", całą mokrą robotę i wszystkie inne ciężkie obowiązki wykonuje Sylas****.

Większość łacińskich słów pojawia się w tej książce w związku z osobą Sylasa. Biczując się, albinos mówi: „*Castigo corpus meum*". Po łacinie *castigare*

---

* *Pean* (*paian*) to greckie słowo oznaczające pieśń pochwalną na cześć boga, jednak bez elementów umartwiania.

** Trudno potwierdzić wspomniane pokrewieństwo między tymi słowami.

*** *Cilicium* to szorstka tkanina z koziej wełny (pochodząca z Cylicji w Azji Mniejszej), nadająca się na przykład na włosiennicę.

**** Angielskie słowo *chalice* (kielich mszalny – niekoniecznie święty Graal) pochodzi od greckiego *kalyx*, czyli kielich kwiatu.

znaczy naprawiać albo karać, a więc: „Poprawiam (lub karcę) swoje ciało". To oczywisty komentarz pokutnika. Jednakże zdumiewające, iż słowo *castigo* ma wspólne korzenie z *castitas* (czystość, dziewictwo), co wiąże się oczywiście z czystością Jezusa i Maryi Panny, a także z jednym z głównych problemów tej książki: czy Jezusa Chrystusa łączyły stosunki seksualne z Marią Magdaleną, a jeśli tak, to jak przyjęliby to ich współcześni i przyszłe pokolenia? Jeśli Brown się nie myli co do małżeństwa Jezusa, to nie jest on taki czysty, jak zakłada tradycja historyczna, i zwrot *castigo corpus meum* może być ironiczną aluzją do tego zagadnienia.

O draconian devil! O lame saint! (O, drakoński diable! O, kulawy święty!) to jedna ze wskazówek, którą pozostawia umierający starzec, podczas ostatnich 15 minut swojego życia, usiłując naprowadzić Roberta Langdona i Sophie Neveu na trop w pościgu za świętym Graalem. Jest to anagram słów *Leonardo da Vinci! Mona Lisa!* – podpowiadający, gdzie są ukryte dalsze wskazówki. Interesującą częścią tego anagramu jest słowo „drakoński", które kojarzy się z bardzo srogim traktowaniem. W rzeczywistości Drakon nie był wcale bezlitosnym barbarzyńcą, tylko antycznym ateńskim prawodawcą, który rozumiał konieczność spisania praw i stosowania kar za ich złamanie. Drakon wniósł wielki wkład w cywilizację grecko-rzymską. Choć jednak zmuszał obywateli do przestrzegania prawa, jego imię kojarzy się ze złem i brakiem miłosierdzia. Langdon daje nawet do zrozumienia, że te słowa Saunière'a są gwałtownym atakiem na Kościół, gdyż łączą się w nich drakońskie srogie prawa i postać diabła.

Kiedy Langdon i Sophie dumają nad tajemniczą wskazówką, którą właśnie otrzymali, i dochodzą do wniosku, że ma jakiś związek z Zakonem Syjonu, Langdon zwraca uwagę na osobliwy kształt krzyża: wszystkie cztery ramiona są równej długości. Skłania to symbologa do rozważań na temat wywodzących się z łaciny słów „krzyż" i „krucyfiks" i ich związku ze słowem *cruciare* – torturować. Słowo *cruor* (krew) ma podobne korzenie.

W *Kodzie Leonarda da Vinci* znajdujemy liczne anagramy, z których wiele wychodzi na jaw dzięki ostatnim wskazówkom Saunière'a dla Sophie Neveu i Roberta Langdona. Brown, który widocznie przepada za anagramami, zwraca uwagę na łaciński zwrot *ars magna*, czyli „wielka sztuka", z którego po przestawieniu liter otrzymujemy angielskie słowo *anagrams*.

Z biegiem lat słowo „heretyk" nabrało bardzo negatywnego znaczenia. W istocie Dan Brown kojarzy to słowo z łacińskim *haereticus*, które oznacza „wybór"*. Tych, którzy nie uznali standardowych tekstów ewangelii oraz zasad, jakie

---

* *Hearesis* (z gr. *hairesis*) to po łacinie metoda lub szkoła filozoficzna.

rzymski cesarz Konstantyn narzucił siłą na soborze nicejskim, zwano heretykami, gdyż wybrali inną drogę. Wkrótce zaczęto ich wyszydzać, atakować i torturować za taki wybór, ale z początku byli nazywani po prostu poszukującymi.

Brown włącza do swej książki również rozważanie na temat słowa „poganin". Niektórzy dziś utrzymują, że słowo to miało zawsze wydźwięk religijny, oznaczając czczących szatana wrogów chrześcijaństwa. Brown sugeruje jednak, że poganie byli po prostu niewykształconymi wieśniakami, którzy trzymali się dawnych wiejskich tradycji religijnych: kultu przyrody. Słowo pochodzi od łacińskiego *paganus,* czyli wieśniak. Mieszkańcy wsi w Cesarstwie Rzymskim późno nawracali się na nową wiarę, nadal zachowując grecko-rzymskie obrzędy i czcząc wielu bogów i wiele bogiń. Z czasem słowo „poganin", początkowo obojętne, podobnie jak „heretyk", nabrało innego zabarwienia, kojarząc się z nieczystą siłą i kultem szatana.

Podobne skojarzenia budzi pochodzące z łaciny słowo *villain* (łotr), które jest przedmiotem jeszcze jednej etymologicznej dyskusji w *Kodzie Leonarda da Vinci.* Słowo *villa* oznacza po łacinie „wiejski dom". Były to domy mieszkańców wsi, zwanych *pagani.* Według Browna Kościół obawiał się tych, którzy mieszkali w wiejskich *villae.* W rezultacie słowo oznaczające mieszkańca wsi zaczęło oznaczać grzesznika*.

Jednakże interpretację Dana Browna zakwestionował William Safire w artykule *On language* (Na temat języka), który ukazał się na łamach „The New York Times". Safire pisze: „Wieśniacy nie stali się łotrami, gdyż Kościół się ich obawiał; znacznie bardziej prawdopodobne jest to, że właściciele ziemscy spoglądali ze swych dworów niechętnym okiem na niższe klasy i utożsamiali ich brak ogłady z brakiem moralności". Istnieje tu rzeczywiście rozróżnienie klasowe. Feudalnych panów mieszkających na wsi nikt nie nazywał „łotrami". Wcześniejsza francuska forma *vilein* odnosi się do chłopów pańszczyźnianych w średniowiecznym systemie feudalnym.

Brown wygłasza też krótką pogadankę lingwistyczną na temat słowa „weneryczny", sugerując, że ma ono coś wspólnego z Wenus (Wenerą), boginią miłości. Wydaje się to całkiem logiczne, ale według *Oxford English Dictionary* także etymologia jest niepewna; zdaniem OED termin pochodzi od łacińskiego słowa *venerabilis*, czcigodny*.

Brown robi również interesującą uwagę na temat słowa *sinister.* Wywodzi się ono z łaciny i oznacza „lewy". Leworęczność często uważano za upośledzenie

---

* *Villa* to rezydencja bogacza, wieśniacy mieszkali w *casae* (chatach). Słowo *villain* pochodzi od przymiotnika *vilis, vile* – nędzny, podły, tani.

lub zły znak. Zdaniem Browna ma to wiele wspólnego z decyzją Kościoła chrześcijańskiego, który bardzo wcześnie zaczął identyfikować pojęcie „lewy" z kobietami. Wskutek domniemanych starań wczesnochrześcijańskiego Kościoła, by jak najpóźniej wyeliminować pierwiastek żeńskiej świętości i utorować drogę kulturze patriarchalnej, słowo *sinister* zyskało nowe, bardzo negatywne znaczenie. (Wielu ekspertów uważa, iż Leonardo da Vinci był mańkutem. Sporo drobnych wzmianek w tekście powieści stwarza wrażenie, że był nim również Jacques Saunière).

Zwrot *sub rosa* zajmuje również ważne miejsce w *Kodzie Leonarda da Vinci*. Sophie opowiada Langdonowi o spotkaniach, które jej dziadek odbywał „pod znakiem róży", co według Saunière'a miało oznaczać „w tajemnicy". Jednak William Safire wykazuje znów, że Dan Brown myli się, informując czytelników, że wyrażenie *sub rosa* i symboliczny znak róży oznaczający tajne spotkanie pochodzą z czasów starożytnych. Safire mówi:

> Najwcześniejszy dowód używania tego zwrotu pochodzi z 1546 roku z czasów Henryka VIII. W aktach państwowych znajduje się wzmianka: „Rzeczone pytania były zadawane za specjalnym zezwoleniem i powinny pozostać *sub rosa* (w tajemnicy), żeby już nigdy do nich nie wracano".

Podobnie jak w innych aspektach, również w sprawie łacińskich zapożyczeń Dan Brown czasem popełnia błędy. Mimo to powieść skłania do dyskusji na interesujące tematy z zakresu filozofii, religii, historii, a także łaciny.

---

* Przymiotnik *venerabilis* pochodzi od czasownika *venerari*, czcić, wywodzącego się z podobnych korzeni co imię Wenus.

Część III

Pod Piramidą

12. Biblioteka Sofii

Imiona i nazwiska postaci *Kodu Leonarda da Vinci* kryją szereg zagadek i tajemnych znaczeń.

Zacznijmy od osoby, która w książce występuje tylko we wspomnieniach (na s. 16 amerykańskiego wydania w twardej oprawie). Postać ta stanowi jednak jeden z filarów świątyni Roberta Langdona: Vittoria Vetra, jedna z dwóch kobiet w jego życiu i jedyna, z którą – o ile wiemy – łączył go związek inny niż platoniczny. Do historii przygód Vittorii i Langdona w *Aniołach i demonach* czytelnicy *Kodu Leonarda da Vinci* znajdą tak wiele odniesień, że warto zatrzymać się przez chwilę nad tą postacią, która w nowej powieści została jedynie na chwilę przywołana przez głównego bohatera.

Róża pod jakimkolwiek innym imieniem

Kto jest kim w Kodzie Leonarda da Vinci

David A. Shugarts

Vittoria Vetra

Vittoria jest włoską formą imienia Wiktoria, rzymskiej bogini zwycięstwa, będącej odpowiednikiem greckiej Nike. Piazza Vetra to plac w Mediolanie, na którym w 1300 roku została spalona przez inkwizytorów Maifreda, kobieta-papież sekty guglielmitów. W Mediolanie znajduje się *Ostatnia Wieczerza* Leonarda da Vinci.

W poprzedniej książce Dana Browna, *Anioły i demony*, poznajemy Vittorię Vetrę jako adoptowaną córkę Leonarda Vetry, wybitnego fizyka z CERN (Conseil Européen pour la Recherche Nucléaire – Europejskiej Rady Badań Nuklearnych). Również ona zajmuje się fizyką i współpracuje z ojcem w jego prywatnym laboratorium. W *Aniołach i demonach*, książce, której akcja, podobnie jak akcja *Kodu Leonarda da Vinci*, rozgrywa się w kwietniu, Vittoria i Langdon krążą po Rzymie, rozwiązując zagadki i walcząc z wrogami Watykanu. W rozgrywającym się nieco ponad rok później *Kodzie Leonarda da Vinci* Langdon wciąż wspomina zapach i pocałunki Vittorii – dopóki nie spotka Sophie Neveu.

Na samym początku *Aniołów i demonów* Leonardo Vettra jest torturowany i zostaje zamordowany na tydzień przed swoimi 58. urodzinami. Badacz ten, uważający się za teofizyka, znalazł przekonujący dowód istnienia jednej siły łączącej wszystkie cząsteczki. Wraz z Vittorią odkryli sposób na wytwarzanie i przechowywanie antymaterii. Vittoria została wezwana z Balearów, gdzie prowadziła badania; używając synchronizowanych zegarem atomowym kamer do obserwacji ławicy tuńczyków, obaliła jedną z teorii Einsteina.

Brown opisuje ją jako smukłą i pełną wdzięku, wysoką kobietę o orzechowej skórze i długich czarnych włosach. „Jej twarz była typowo włoska – niezbyt piękna, ale o pełnych, wyrazistych rysach, które nawet z odległości 20 metrów zdradzały wielką zmysłowość". Miała „głębokie, czarne oczy". Również Roberta Langdona uwiodły jej „szczupła sylwetka i małe piersi". Była rygorystyczną wegetarianką i etatowym guru CERN do spraw hatha jogi.

Kiedy miała 8 lat, spotkała swego przybranego ojca, Leonarda Vetrę, wówczas młodego księdza, który z wielkim powodzeniem studiował fizykę na uniwersytecie. Vittoria przebywała w Organotrofio di Siena, katolickim sierocińcu w pobliżu Florencji, „porzucona przez rodziców, których nigdy nie znała".

Vetra otrzymał grant na studia na Uniwersytecie Genewskim i adoptował Vittorię tuż przed jej 9. urodzinami. Dziewczynka chodziła do międzynarodowej szkoły w Genewie. Trzy lata później, gdy Vittoria miała 12 lat, Vetra został zatrudniony w CERN.

Gdy pod koniec *Aniołów i demonów* Vittoria i Robert lądują w łóżku, Vittoria pyta: „Nigdy nie byłeś w łóżku z mistrzynią jogi, prawda?" W *Kodzie Leonarda da Vinci* Langdon przypomina sobie, że on i Vittoria obiecali sobie widywać się co sześć miesięcy – ale minął już rok od ostatniego spotkania.

Nazwisko „Vetra" wywodzi się od słowa *vetraschi*, określającego garbarzy z Mediolanu, którzy mają swoje sklepy na jednym z placów – Piazza Vetra. W XIII wieku, kiedy wśród gnostyków i w innych sektach kobiety pełniły funkcje kapłańskie, pewna Guglielma przybyła z Czech do Mediolanu i zaczęła głosić kazania. Gdy zmarła w 1281 roku, jej szczątki – jak to się często zdarzało – zaczęto otaczać kultem. Jej fanatyczni zwolennicy wierzyli, że Guglielma – będąca wcieleniem Ducha Świętego – powróci, aby obalić papieża mężczyznę, ustanowi linię papieży kobiet i zapoczątkuje Epokę Ducha.

W końcu fanatycy wybrali młodą mediolańską kobietę, Maifredę di Pirovano, ustalili datę powrotu Guglielmy na Zielone Świątki 1300 roku. Kiedy ów dzień nadszedł, wojska papieża Bonifacego VIII pojmały Maifredę di Pirovano i członków sekty. Spalono ich na stosie na Piazza Vetra.

Jacques Saunière

Według legendy gdy Bérenger Saunière, ubogi proboszcz z Rennes-le-Château na południu Francji, remontował w 1891 roku swój wiejski kościół, znalazł kilka pergaminów, które zabrał do proboszcza kościoła Saint-Sulpice w Paryżu, aby ten je odcyfrował.

Ponieważ Saunière w tajemniczy sposób zdobył bogactwo, opowiadano, że pergaminy zawierały informacje o ukrytych skarbach. Inny Francuz, Pierre Plantard, sfabrykował – jak twierdzi większość ekspertów – dokumenty dostarczające dowodów na związek między legendami Rennes-le-Château, Saunière'em i Zakonem Syjonu. Dokumentami Plantarda zajął się Henry Lincoln, między innymi w filmie dokumentalnym dla telewizji BBC.

W 1981 roku Lincoln wraz z dwoma innymi pisarzami przygotowali książkę *Święty Graal, święta krew*, w której snuli spekulacje, że relikwie strzeżone przez Zakon Syjonu stanowiły szczątki Marii Magdaleny, żony Chrystusa i matki dynastii Merowingów – królów Francji. Dan Brown, pisząc *Kod Leonarda da Vinci*, obficie czerpał z książki *Święty Graal, święta krew*.

Wioska Rennes-le-Château leży w południowo-wschodniej Francji, w regionie, z którego wywodzili się Merowingowie, a także późniejsi katarzy.

Robert Langdon

W podziękowaniach zamieszczonych w *Aniołach i demonach* Dan Brown wymienia Johna Langdona, autora zdumiewających ambigramów zamieszczonych w tej książce. Prezentuje też dzieła Johna Langdona na stronie internetowej poświęconej *Kodowi Leonarda da Vinci*.

Ambigramy to słowa-obrazy, które mogą być czytane tak samo po odwróceniu górą do dołu. O ile Dan Brown nazywa je „starożytnymi i mitycznymi" symbolami, John Langdon jest przekonany, że uprawia dziedzinę sztuki, którą sam wynalazł. Inny artysta, Scott Kim, niezależnie od niego, mniej więcej w tym samym czasie również zaczął rysować „ambigramy". Kim uważa, że to Langdon wcześniej wpadł na ten pomysł, ale – jak mówi, określenie *ambigram* wymyślił Douglas Hofstadter. John Langdon ma swoją stronę w Internecie, www.johnlangdon.net, gdzie można zobaczyć niektóre z jego dzieł.

Nazwisko Langdon ma związek z Langwedocją, częścią Francji, w której rozegrała się większa część historii Marii Magdaleny i templariuszy. Langdon jest również profesorem Harvardu (ang. *don*). Oprócz tego można rozważać wiele innych konotacji.

Bezu Fache

Mont Bezu to góra położona bardzo blisko Rennes-le-Château. Podobno w przeszłości znajdowała się na niej twierdza templariuszy. Ponadto wierzchołek tej góry wraz z innymi pięcioma szczytami w okolicy tworzą idealny pentagram. Grande Fache jest górą w Pirenejach, niedaleko Andory (gdzie Aringarosa spotkał Sylasa) i Rennes-le-Château, wioski, w której zaczyna się historia Saunière'a.

Słowo *fache*, wymawiane z odpowiednim akcentem (*fâché*), znaczy po francusku „rozgniewany" – i z pewnością dobrze charakteryzuje tego funkcjonariusza policji.

Sophie Neveu

Jak zostało wyjaśnione w *Kodzie Leonarda da Vinci*, *sofia* po grecku znaczy „mądrość". W mitologii greckiej i innych mitologiach Mądrość miała postać kobiety. Kilku dziennikarzy sugerowało, że nazwisko Neveu, oprócz tego, że brzmi podobnie do francuskiego słowa „nowy", może też mieć związek ze zwrotem „nowa Ewa" – ze wszystkimi jego odwołaniami do postaci Ewy w Biblii i mitach. Drugie przyjście Ewy, odrodzenie żeńskiej świętości, kobiecej bogini mądrości – wszystkie te skojarzenia pasują do postaci Sophie Neveu. Ponadto jej imię i nazwisko tworzą anagram angielskich słów *Oh! Supine Eve* („O, bezwolna Ewo").

Sofia, przedstawiona jako mistyczna małżonka Chrystusa, występuje w jednej z ksiąg z Nag Hammadi, uważanej przez gnostyków za tekst święty. Księga ta jest zatytułowana *Sofia Jezusa Chrystusa.* W tym źródle Sofia, żeńska połowa androgynicznego Chrystusa, występuje jako „Pierwsza Rodzicielka Sofia, Matka Wszechświata. Niektórzy nazywają ją Miłością".

Według *Kodu Leonarda da Vinci* samą Sophie Neveu można uważać za świętego Graala, naczynie zawierające krew Chrystusa. Autor sugeruje czasem, że Sophie i jej przebywający w Szkocji brat są rzeczywiście potomkami Jezusa i Marii Magdaleny. Gdzie indziej jednak, dla równowagi, czytamy, że to nieprawda. Ta sprawa, podobnie jak wiele innych, pozostaje tajemnicą.

Biskup Manuel Aringarosa

Aringa rosa to po włosku „czerwony śledź". O ile mózgiem i siłą napędową spisku jest Teabing, to działanie Aringarosy i jego pomocnika Sylasa są „czerwonym śledziem" [ang. idiom: element odwracający uwagę od głównego wątku] fabuły. Nazwisko to zawiera też w sobie słowo *rosa* (róża). Imię i nazwisko biskupa są anagramem słów *nausea or alarming* („mdłości lub zaniepokojenie") – są to dwie prawdopodobne reakcje na jego poczynania.

Sir Leigh Teabing

Dan Brown, pisząc *Kod Leonarda da Vinci*, czerpał wiele informacji z książki *Święty Graal, święta krew* Michaela Baigenta, Richarda Leigha i Henry'ego Lincolna. Leigh pochodzi od nazwiska Richarda Leigha, Teabing zaś jest anagramem nazwiska Baigent. Teabing był autorem filmów dokumentalnych dla BBC, podobnie jak trzeci z autorów. Istnieje też wiele innych zbieżności między tymi postaciami.

André Vernet

André Vernet, szwajcarski dyrektor banku, nosi prawdopodobnie nazwisko prawdziwej osoby, wymienionej w podziękowaniach w *Kodzie Leonarda da Vinci.* Według jednego ze źródeł Vernet był członkiem Phillips-Exeter Academy, gdzie w 1982 roku ukończył studia i później uczył Dan Brown.

Rémy Legaludec

Rémy to popularne francuskie imię. Nazwisko Legaludec może nawiązywać do Langwedocji (fr. Languedoc), regionu w południowej Francji, z którym związanych jest wiele nazwisk z *Kodu Leonarda da Vinci*. W nazwisku tym, będącym anagramem zwrotu *a glad clue* („pomyślna wskazówka"), możemy też znaleźć słowa *legal* (prawny, legalny) i *duce*.

Jonas Faukman

Jonas Faukman jest wydawcą Roberta Langdona w *Kodzie Leonarda da Vinci*. Wydawca Dana Browna nosi nazwisko Jason Kaufman. Kaufman pracował w Pocket Books – które wydało dwie wcześniejsze książki Dana Browna, *Cyfrowa twierdza* i *Anioły i demony* – do 2001 roku. Potem przeniósł się do Doubleday (części Random House), gdzie jego pierwszym zakupem był *Kod Leonarda da Vinci*, podobno pierwsza z dwóch książek objętych umową opiewającą na 500 000 dolarów.

Fikcyjny Faukman wypowiada jedne z ważniejszych słów w *Kodzie Leonarda da Vinci*, kiedy w rozmowie z Langdonem komentuje jego zamiar napisania książki o żeńskiej świętości: „Jesteś historykiem z Harvardu, na miłość boską, a nie mistrzem popularnego kiczu, który chce łatwo zarobić trochę grosza". Słowa Faukmana mogą być głosem sumienia Dana Browna, który zdaje sobie sprawę, że sprowadza poważne idee leżące u podstaw *Kodu Leonarda da Vinci* do poziomu New Age'owej, okultystycznej popkultury.

Uwagi dodatkowe

△ Pamela Gettum*, bibliotekarka. Przy jej gotowości do służenia pomocą, Pamela Gettum może być dla Roberta Langdona tym, kim Pussy Galore dla Jamesa Bonda.

△ Edouard Desroches to nazwisko pojawiające się na liście ludzi, z którymi konwersacje cenił sobie Teabing; jeden z byłych członków Phillips-Exeter Academy nazywał się Edouard Desroches.

---

* Jej nazwisko brzmi jak *get them* („zdobądź je/ich").

- △ Colbert Sostaque, inne nazwisko z tej samej listy, jest anagramem słów *cobalt rose quest* („poszukiwanie kobaltowej róży"). Tajemniczy pergamin odkryty przez Bérengera Saunière'a w Rennes-le-Château zawiera wzmiankę o „niebieskich jabłkach w południe". Rozszyfrowanie tej nonsensownej frazy stało się jednym z najważniejszych celów w legendzie Zakonu i Graala. Być może Dan Brown bawi się z nami w ten sposób. Jednym z nieosiągalnych celów hodowców kwiatów jest stworzenie niebieskiej róży, nazywanej świętym Graalem ogrodników. Pewien zespół w Australii pracuje nad wyhodowaniem tej odmiany od ponad 17 lat.
- △ Sylas, którego imię [w wymowie angielskiej] jest niemal homonimem jego pasa dyscypliny *cilice*, to również postać biblijna, człowiek, którego trzęsienie ziemi uwolniło z więzienia.

Glosariusz

ADONAI Jedno z określeń Boga w języku hebrajskim. Pierwotne imię Boga – zapisywane hebrajskimi literami YHWH – było tak święte, że nigdy nie wypowiadano go głośno. Z czasem „Adonai" stało się jednym z imion zastępczych, a zapis samogłoskowy „Adonai" dodawano do YHWH, żeby przypomnieć ludziom, by zastępowali święte imię tym właśnie słowem. Wyraz YHWH odczytywano jako „Jehowa". Księga Rodzaju nazywa Boga imieniem Elohim (jest to słowo hebrajskie w liczbie mnogiej). W Księdze Rodzaju, a również w innych księgach Tory znajdujemy także imię Adonai. Badacze spierają się, czy „Elohim" to pojęcie Boga przed pojawieniem się człowieka, a Adonai – imię Boga w świecie po jego stworzeniu. Niektórzy uczeni bibliści uważają, że „Elohim" to słowo starsze niż „Adonai", i sądzą, że część Księgi Rodzaju napisał lub zredagował tzw. elohista, część jahwista, a pozostałe inni autorzy.

ALBINOS Albinosem jest Sylas, sługa Opus Dei w *Kodzie Leonarda da Vinci*. Albinosi odznaczają się bardzo małą ilością lub zupełnym brakiem pigmentu we włosach, oczach i skórze. Ludzie cierpiący na bielactwo (inna nazwa albinizm) z reguły mają słaby wzrok, a wielu z nich w ogóle nie widzi. Sylas nie wydaje się dotknięty takim upośledzeniem; biskup Aringarosa twierdzi nawet, że albinizm czyni Sylasa kimś wyjątkowym, a nawet świętym: „Czy rozumiesz, że dzięki temu jesteś kimś bardzo szczególnym? Wiesz, że sam Noe był albinosem?" W Stanach Zjednoczonych działa krajowa organizacja obrony praw albinosów, która nosi nazwę NOAH (National Organization for Albinism and Hyperpigmentation).

AMON Chociaż w *Kodzie Leonarda da Vinci* Amon jest przedstawiany jako „egipski bóg płodności", w rzeczywistości miał on o wiele szerszą rolę, a w pewnym okresie był nawet najwyższym bóstwem. We wczesnym okresie historii Egiptu kolejne dynastie przejmowały władzę, wprowadzając własnych bogów. W późniejszych stuleciach opowieści o bogach ulegały modyfikacjom i łączyły się. Imię Amon (lub „Amen", czy też „Amun") spotykamy we wczesnych tekstach, wymieniane zaraz po Nau i Nen, bóstwach wodnej otchłani, z której powstał świat. Tym samym Amen i jego małżonka Amaunet znajdują się w niewielkiej grupce ośmiorga najstarszych bogów, stworzonych przez boga Tota. Mniej więcej do czasów XII dynastii Amon był lokalnym bogiem Teb, ale gdy tebańscy książęta pokonali rywali i uczynili swą siedzibę nową stolicą Górnego Egiptu, Amona zaczęto nazywać „królem bogów".

Słowo „Amon", oznaczające „to, co ukryte", odnosi się do niewidocznego ducha. Amon znany był także jako strażnik sprawiedliwości, opiekun biednych, a ponadto jako bóg wiatru i płodności. Przedstawiono go w postaci człowieka, zwykle z dwoma długimi piórami na czerwonej ozdobie głowy, jako człowieka z głową żaby albo z głową ureusza, czyli kobry, a także jako małpę i jako gotującego się do skoku lwa.

ANAGRAMY Anagramy, czyli słowa lub zdania utworzone przez poprzestawianie liter innego słowa czy też zdania, odgrywają znaczącą rolę w *Kodzie Leonarda da Vinci*. Wiadomość, jaką Saunière zapisał na obrazie *Mona Lisa* brzmi: *So dark the con of man* – i jest anagramem angielskiego tytułu Leonarda ***Madonna wśród skał*** – *Madonna of the Rocks*. Saunière, kierując poszukiwaniami Sophie, kilkakrotnie używa anagramów, między innymi anagramu liczbowego – poprzestawianego ciągu Fibonacciego.

ANDROGYNE W tej greckiej nazwie łączy się element męski (*andro-*) i żeński (*gyne-*). Oznacza ona istotę o nieokreślonej płci. Pod koniec *Kodu Leonarda da Vinci*, podczas lotu nad kanałem La Manche Langdon wciąga Sophie w rozmowę na temat rytuału, którego była świadkiem wiele lat temu i który przeraził ją i spowodował zerwanie stosunków z dziadkiem. „Mieli maski? – spytał, starając się, by jego głos brzmiał spokojnie. – Maski w kształcie ludzkich twarzy?" „Tak. Każdy miał identyczną maskę. Białe maski na twarzach kobiet. Czarne na twarzach mężczyzn". Androgyne symbolizuje, zdaniem wielu uczonych zajmujących się archetypami i mitami, połączenie rozdzielonej natury ludzkiego ciała i duszy, bogów i bogiń.

APOSTOŁOWIE Słowo „apostoł" pochodzi z greki i oznacza „ten, który został posłany". Apostołowie głosili naukę Chrystusa. Fakt, że po swoim zmartwychwstaniu Jezus jako pierwszej ukazał się **Marii Magdalenie** (o czym czytamy w ewangeliach) i właśnie ją poprosił o przekazanie innym Wielkiej Nowiny, potwierdza jej rolę jako apostołki apostołów – jak bywa nazywana w przekazach historycznych. Niektórzy uczeni uważają, że 12 apostołów odpowiada 12 plemionom Izraela.

ARIUSZ Ariusz był twórcą zwalczanej przez Kościół herezji, zwanej arianizmem. U podstaw sporu legło pytanie o naturę Chrystusa: czy jest on tym samym, co Bóg Ojciec, czy też jest od Niego niższy jako istota stworzona do istnienia na Jego życzenie, a w związku z tym niemogąca dzielić z Nim boskości? Ariusz twierdził, że Chrystus nie był tym samym, co jego Ojciec. Po latach teologicznych dysput przedstawił swoje credo na **soborze nicejskim**. Jego herezja została odrzucona, a dostojnicy kościelni przyjęli jako obowiązujące **nicejskie wyznanie wiary**. Jednak arianizm w dalszym ciągu zyskiwał zwolenników; w ciągu 30 lat odbyły się jeszcze dwa sobory, pod czas których starano się doprowadzić do ostatecznego rozstrzygnięcia sporu. W *Kodzie Leonarda da Vinci* Wizygoci, wczesnośredniowieczne plemię wyznające arianizm, wymienieni są jako przodkowie dynastii **Merowingów**. W miejscu, w którym później powstało **Rennes-le-Château**, znajdowała się twierdza Wizygotów.

ATBASZ Szyfru atbasz używają Robert Langdon, Sophie Neveu i Leigh Teabing do otwarcia pierwszego krypteksu Saunière'a (w rozdziale 72 *Kodu Leonarda da Vinci*), który z kolei odsłania następną tajemnicę – drugi krypteks, zawierający wskazówki, jak dotrzeć do świętego Graala.

בפומת

[taw] [mem] [waw] [pe] [bet]

שופיא

[alef] [jod] [pe] [waw] [szin]

Atbasz jest jednym z najwcześniejszych i niezwykle prostym szyfrem, stworzonym przez skrybów żydowskich, którzy przepisywali księgi Starego Testamentu. Sekwencję liter odwraca się tak, iż ostatnia litera alfabetu zastępuje pierwszą, drugą – druga od końca i tak dalej. W językach zapisywanych alfabetem łacińskim zastępuje się literę „a" literą „z" (i odwrotnie), litera „b" = „y", „c" = „x" i tak dalej. W ten sposób np. „wz ermxr" to tłumaczenie na szyfr atbasz słów „da Vinci". Nazwa „atbasz" powstała z połączenia dwóch pierwszych liter alfabetu hebrajskiego („alef" i „bet" = „a" i „b") z ich szyfrowymi odpowiednikami („taw" i „szin" = „t" i „s"). Zarówno atbasz, jak i inne szyfry oparte na podobnej zasadzie nazywa się szyframi podstawiającymi. Langdon, czekając, aż Sophie złamie kod krypteksu, rozmyślał o tym, jak zastosowano szyfr atbasz do odkrycia tajemnicy „Szeszak", słowa użytego w **Księdze Jeremiasza** (Jr 25,26 i 51,41). Słowo „Szeszak" stanowiło poważny problem dla badaczy tekstów biblijnych i dopiero zastosowanie szyfru atbasz wyjaśniło jego ukryte znaczenie: „Babel", czyli zdaniem wielu naukowców Babilon, stolica państwa babilońskiego i miejsce pobytu wielu jeńców żydowskich po zdobyciu przez Babilończyków Jerozolimy w roku 587/586 p.n.e.

BAFOMET Bożek, podobno z głową kozła; według niektórych opisów na jego głowie znajduje się pentagram. Mówi się, że czcili go **templariusze**, ale tę informację wydobywano z nich na mękach, przez co jej wiarygodność staje się wątpliwa. Wielu członków zakonu templariuszy na torturach inkwizycji wyznawało (zgodnie z prawdą lub nie), że otaczali czcią to bóstwo, najczęściej opisywane jako stwór „z głową kozła i ciałem osła". Niektórzy współcześni zwolennicy pogaństwa wierzą w Bafometa, uważając go za boga czarowników, pokrewnego Panowi, bóstwu sił natury.

BOAZ I JACHIN Boaz i Jachin to nazwy dwóch filarów podtrzymujących strop starożytnej Świątyni Salomona. Langdon i Sophie natrafiają na ich repliki w kaplicy Rosslyn. Sophie ma wrażenie, że już je kiedyś widziała. Langdon wyjaśnia, że te filary są „najczęściej kopiowanymi fragmentami architektury świata" i że „w każdej świątyni masońskiej na świecie znajdują się takie dwa filary". Ich nazwy pochodzą z biblijnego opisu budowy świątyni w Jerozolimie. Salomon pisał do Hirama z Tyru, prosząc o przysłanie mu zdolnego rzemieślnika, umiejącego obrabiać złoto, srebro, brąz i żelazo, i umiejącego farbować tkaniny na niebiesko, fioletowo i czerwono. W zamówieniach dla rzemieślników znalazły się dwa precyzyjnie rzeźbione filary. Stojący po prawej stronie nazywa się Jachin („wyrobiony", „stabilność"), a po lewej – Boaz („siła" lub „jest w nim siła"). Legenda głosi, że jeden z przodków Salomona nosił imię Boaz; pochodzenie nazwy „Jachin" nie jest jasne. Boaz i Jachin stały się ważnymi symbolami dla masonów, którzy uważali je za symboliczne przedstawienie potęgi boskiej. Brązowe kapitele na szczytach kolumn miały kształt ***fleur-de-lys***, często spotykany w masońskich miejscach kultu. Inni identyfikują filary z wielkimi kolumnami, które według starożytnych podtrzymywały świat – jedna wznosiła się na Gibraltarze, druga na Ceucie. Niektórzy traktują je jako przedstawienie wielu starożytnych dwoistości: światła i ciemności, kobiecości i męskości, aktywności i bierności, a w przypadku żywiołów – ognia i wody.

BOSKA PROPORCJA Znana także jako złoty podział, złoty stosunek czy złoty środek; jest to proporcja geometryczna, otrzymana poprzez podział jakiegokolwiek odcinka w taki sposób, że mniejsza część jest w takim stosunku do większej części, jak większa część do całości (patrz **FI**). Przypuszcza się, że podział ten odkryto w IV wieku p.n.e. Niektóre starożytne źródła przypisują jego wynalezienie tajnemu stowarzyszeniu pitagorejczyków, których znakiem był **pentagram**.

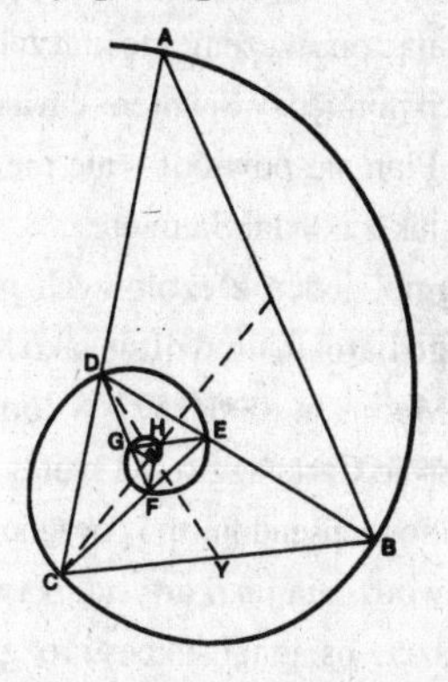

Zasada złotego podziału/ϕ pojawia się w sztuce i występuje w naturze. Mistyczne nawiązania do geometrii i złotego podziału są nadal żywe w naukach współczesnych tajnych stowarzyszeń i bractw.

BOTTICELLI W książce Dana Browna ten włoski malarz został wymieniony jako członek Zakonu Syjonu, którego nazwisko znajduje się **w *Dossiers Secrets***. Najsłynniejszy obraz tego twórcy to chyba *Narodziny Wenus*, niewątpliwie mające związek z żeńską świętością. Malarz, prześladowany przez florenckich inkwizytorów i fundamentalistów pod wodzą Savonaroli, i w końcu uległ im*. W obliczu tego faktu oraz jego artystycznej rywalizacji z Leonardem trudno go sobie wyobrazić jako członka tego samego supertajnego stowarzyszenia. Z pewnością jednak jego dzieła, między innymi *Narodziny Wenus*, wprowadziły w malarstwo odrodzenia silny wątek erotyczny.

CARAVAGGIO Desperacko starając się osłonić przed atakującym go mordercą, Jacques Saunière ściąga ze ściany w Luwrze obraz Caravaggia, uruchamiając alarm i powodując opuszczenie się krat zabezpieczających pomiędzy Saunière'em a napastnikiem. Plan się powiódł – ale nie w taki sposób, jak zakładał Saunière.

Caravaggio, jeden z czołowych malarzy włoskiego baroku, urodził się jako Michelangelo Merisi w roku 1571 w lombardzkim mieście Caravaggio (od którego przyjął zawodowy pseudonim) i początkowo nie miał powodzenia jako artysta. Nawet kiedy nareszcie osiągnął sukces i rozgłos, nie potrafił całkowicie opanować gwałtownego temperamentu. Jego życie to ciąg bijatyk i awantur; podobno w końcu zamordował swojego partnera w czasie gry w piłkę**. Uciekał potem z miasta do miasta, często ledwie unikając więzienia. Zatrzymawszy się na Malcie, został **kawalerem maltańskim**. Zmarł w roku 1610, oczekując na przebaczenie papieża, które nadeszło w trzy dni po zgonie malarza.

Caravaggio stosował efekt silnego oświetlenia celem podkreślenia dramatyzmu scen i oddanie jakby zatrzymanej chwili. Słynny jest niezwykły sposób, w jaki przedstawiał błysk światła w ciemnej przestrzeni. W ten sposób podkreślał momenty nawrócenia, objawienia, szoku czy przemocy. Nic dziwnego, że najsłynniejsze obrazy Caravaggia przedstawiają sceny równocześnie gwałtowne i pełne uniesienia: *Ukrzyżowanie św. Piotra*, *Nawrócenie św. Pawła*, *Natchnienie św. Mateusza* i *Złożenie do grobu*. Postaci religijne i mitologiczne malował w „wulgarny" sposób – jakby to byli prości robotnicy czy prostytutki; istotnie, w początkach kariery mógł sobie pozwolić tylko na takich modeli.

CASTEL GANDOLFO Castel Gandolfo pojawia się w *Kodzie Leonarda da Vinci* jako miejsce obu spotkań biskupa Aringarosy z urzędnikami watykańskimi. Castel Gandolfo jest słynne z dwóch powodów – jako letnia rezydencja papieży oraz centrum badań astronomicznych Watykanu. Kiedyś mieściła się tam letnia rezydencja rzymskiego cesarza Domicjana (panował w latach

---

* W latach 90. XV wieku z Florencji wygnano mecenasa Botticellego, a Girolamo Savonarola próbował wprowadzić rodzaj teokracji, nawołując do ascezy i pokuty, co doprowadziło do palenia dzieł sztuki na ulicznych stosach. W tym czasie artysta przeżywał kryzys, a pod koniec życia w ogóle przestał tworzyć i oddał się medytacjom religijnym, co mogło mieć związek z atmosferą panującą we Florencji.

** Historycy podają, że kłótnia podczas gry zakończyła się pojedynkiem, w którym Caravaggio śmiertelnie ranił malarza Ranucia Tommasiniego.

81–96 n.e.). Domicjan wybudował okazały pałac z własnym akweduktem, teatr, w którym wystawiano sztuki oraz recytowano poezje, a także kryptoportyk we wnętrzu jednego z otaczających wzgórz, w którego cieniu i chłodzie cesarz chronił się w upalne dni. Po śmierci Domicjana pałac popadł w ruinę. Kilkakrotnie burzony i odbudowywany w ciągu następnych czterech wieków, stał się przedmiotem zaciekłych walk między kilkoma szlacheckimi rodami a Kościołem. W końcu Watykan wykupił pałac od ostatniego właściciela w początkach XVII wieku. Urban VIII (papież w latach 1623–1644) przeprowadził renowację i w roku 1626 pałac stał się oficjalną letnią rezydencją papieży. Znany jest ze swego prostego i gustownego wystroju i pięknych ogrodów. Jedno z najstarszych centrów astronomicznych na świecie, Obserwatorium Watykańskie – zwane Specola Vaticana – zostało przeniesione do Castel Gandolfo w latach 30. XX wieku. Kiedy światła Rzymu zaczęły zaćmiewać blask gwiazd nad Castel Gandolfo, powstało kolejne obserwatorium założone przez Watykan – w Tucson w Arizonie. Castel Gandolfo pozostaje w dalszym ciągu letnią rezydencją papieża.

CEZARA SZYFR Szyfr podstawiający (podobny do **atbasz**), który wymyślił Juliusz Cezar, by komunikować się ze swoimi generałami w czasie wojny. Używając łacińskiego alfabetu, w szyfrze tym podstawia się trzecią kolejną literę alfabetu na miejsce pierwszej – w ten sposób „d" zastępuje „a", „e" zastępuje „b", „f" zastępuje „c" i tak dalej. „Dan Brown" w tym szyfrze to „Gdq Eurzq".

CHÂTEAU VILLETTE Wytworna rezydencja Leigha Teabinga we Francji, Château Villette to bezpieczna przystań, do której chronią się Sophie i Robert po ucieczce ze szwajcarskiego banku z „kluczem sklepienia". Château Villette rzeczywiście istnieje. Ten leżący pod Paryżem pałac został zaprojektowany przez François Mansarta w roku 1668 dla Jeana Dyela, hrabiego d'Aufflay i ambasadora Francji w Wenecji. Bratanek słynnego architekta, Jules Hardouin-Mansart, dokończył budowy w roku 1696. W architekturze i wystroju Villette widać podobieństwa z Wersalem, który w tym samym czasie projektował Hardouin-Mansart. W Villette znajduje się 11 sypialni i łazienek, kaplica, dom gościnny, stajnie, ogrody, korty tenisowe, a także dwa stawy. Obecnie posiadłość można wynajmować na wakacje, spotkania i wesela.

CILICE Francuskie słowo *cilice* oznacza „szorstką tkaninę, włosiennicę". W *Kodzie Leonarda da Vinci* jednak *cilice* to nabijany kolcami łańcuch, noszony na udzie przez Sylasa, członka **Opus Dei**, który został wysłany do zabicia Saunière'a i jego towarzyszy. Noszenie *cilice* jest praktykowane przez niektórych etatowych członków Opus Dei. Ten zwyczaj to kontynuacja zalecanych przez Kościół katolicki „umartwień ciała": karząc własne ciało, wierny przypomina sobie cierpienia Jezusa i tym samym oddala od siebie pokusy i rozwija się duchowo. Josemaria Escrivá, założyciel Opus Dei, uważał, że tylko ból umożliwia grzesznikowi skruchę. W książce *Droga*, podstawowym podręczniku dla członków

Opus Dei, napisał: „Błogosławiony niech będzie ból. Ukochany niech będzie ból. Uświęcony niech będzie ból. Pochwalony niech będzie ból" i „Za to, co zostało utracone za sprawą ciała, ciało powinno odpłacić: bądź hojny w karaniu siebie". Wśród bardziej tradycyjnych przykładów umartwiania się można wymienić takie praktyki, jak post i celibat.

CLEF DE VOÛTE Francuskie określenie „klucza sklepienia", czyli zwornika – bloku umieszczanego na szczycie ciągu kamieni (zwanych *voussoirs*), tworzących łuk. Położony centralnie zwornik przejmuje nacisk innych kamieni i utrzymuje łuk. Klucze sklepienia często pokrywano ozdobami. W *Kodzie Leonarda da Vinci* kluczem sklepienia jest legendarna „mapa kamienia", stworzona przez **Zakon Syjonu**, która – podobno – prowadzi do **świętego Graala**. Langdon najpierw wypytuje Sophie, czy dziadek powierzył jej tajemnicę klucza sklepienia, a kiedy okazuje się, że ona tego określenia nie zna, robi jej krótki wykład, objaśniając, że klucz sklepienia – zwornik, element techniki kamieniarskiej, stosowany w konstruowaniu kamiennych łuków, jeden z najpilniej strzeżonych sekretów pierwszych bractw wolnomularskich, jest ważnym i starym symbolem masońskim. Niektórzy interpretują „królewski łuk" masoński jako graficzne przedstawienie Zodiaku, położonego w opozycji do łuku, z rzucającym się w oczy kluczem sklepienia na szczycie.

COCTEAU, JEAN Słynny francuski artysta, pisarz, poeta, i reżyser (*Piękna i bestia*). Jeana Cocteau uważa się za „wielkiego mistrza **Zakonu Syjonu**" na podstawie dokumentów sfałszowanych prawdopodobnie przez **Pierre'a Plantarda** i Philippe'a de Chérisey, tak zwanych ***Dossiers Secrets***. Czy Cocteau, człowiek o wszechstronnych zainteresowaniach, był XX-wiecznym neo**templariuszem**, czy praktykował ***hieros gamos*** – pozostaje zagadką. W *Kodzie Leonarda da Vinci* występuje jako ostatni wielki mistrz Zakonu Syjonu; jego nazwisko pojawia się także na liście znalezionej przez funkcjonariusza policji podczas przeszukiwania Château Villette.

CRUX GEMMATA „Krzyż z gemmami", wysadzany 13 kamieniami szlachetnymi, to chrześcijański symbol Chrystusa i jego 12 apostołów. Zwyczajny **krzyż** symbolizuje ukrzyżowanie (i często bywa przedstawiany z wiszącym na nim ciałem Jezusa), podczas gdy *crux gemmata* jest symbolem zmartwychwstania. Langdon dostrzega go na spince do krawata kapitana Bezu Fache, kiedy spotykają się w Luwrze w związku z niespodziewaną śmiercią Saunière'a. *Crux gemmata* podkreśla dumę kapitana policji z religii, którą wyznaje.

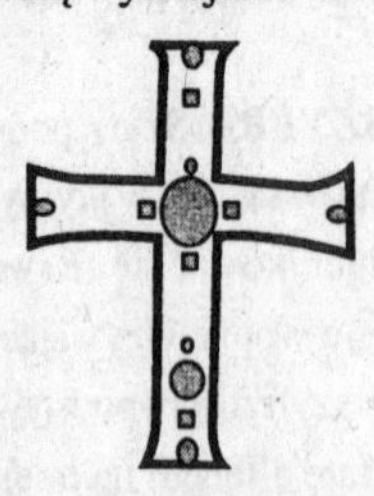

DAGOBERT II Król z dynastii **Merowingów** (650–679). Imię Dagoberta pojawiło się w czterech pergaminach, odkrytych rzekomo w **Rennes-le-Château** przez **Bérengera Saunière'a**, a znanych pod nazwą *Dossiers Secrets*. Jeden z pergaminów podobno zawiera zaszyfrowaną wiadomość, która po rozkodowaniu brzmi: „do Dagoberta II i do Syjonu należy ten skarb". Brown wspomina o związku Dagoberta z Zakonem Syjonu, a także o zabójstwie władcy, „któremu wbito nóż w oko w czasie snu", jak mówi Sophie. To wydarzenie oznaczało koniec dynastii Merowingów* uważanych bardziej za zwolenników herezji niż papieża**. Brown pisze, że potomkiem syna Dagoberta, Sigisberta, któremu udało się uciec, był **Godfryd de Bouillon** – prawdopodobny założyciel bractwa templariuszy i Zakonu Syjonu. Powiązania obu legend idą nawet dalej: podobno Dagobert wraz z żoną zamieszkał w Rennes-le-Château.

Dagoberta II zamordowano na zlecenie Pepina Grubego. Pepin występuje także jako Pippin (nazwa odmiany jabłka), główna postać powieści Steinbecka*** i broadwayowskiego musicalu z roku 1972, sfilmowanego następnie przez Boba Fosse'a. Jakby pragnąc zagęścić jeszcze atmosferę tajemnicy – czy pomyłek – **Walt Disney** wymyślił postać o imieniu Wujek Dagobert, kaczkę ze Szkocji, czyli miejsca, w którym znajduje się kaplica Rosslyn. A, jak zauważa Langdon w dalszej części książki, „to nie przypadek, że Disney stworzył *Kopciuszka*, *Śpiącą Królewnę* i *Królewnę Śnieżkę* – bo wszystkie te historie mówią o uciemiężeniu żeńskiej świętości". Czy jest to dowód, że Walt Disney istotnie był członkiem Zakonu Syjonu, jak przez wiele lat głosiła plotka?

DCPJ, Direction Centrale Police Judiciare (Centralne Kierownictwo Policji Sądowej) Francuska organizacja służb ścigania, której pracownikami są kapitan Bezu Fache oraz porucznik Jerome Collet. Według Langdona DCPJ to odpowiednik FBI. Do zadań DCPJ należy koordynacja działań innych organizacji policyjnych, technicznych i naukowych. Według Franco-British Council (Rady Francusko-Brytyjskiej) DCPJ „jest odpowiedzialna za przeciwdziałanie kradzieży, terroryzmowi, przestępczości zorganizowanej, handlowi ludźmi, handlowi narkotykami, kradzieży i dalszej sprzedaży dzieł sztuki, a także podrabianiu i dystrybucji pieniędzy". Wydaje się więc niemożliwe, by Bezu Fache, wysokiej rangi oficer DCPJ, osobiście – jak w powieści – prowadził dochodzenie.

DIDACHE (*Nauka dwunastu Apostołów*) to najstarszy zachowany dokument literatury

---

* W tym sensie, że władzę w państwie przejęli majordomowie królewscy. W 751 roku kolejny z nich, Pepin Mały, kazał zamordować Childeryka III, kładąc kres dynastii Merowingów i umożliwiając wstąpienie na tron Karolingów.

** W zamian za pomoc w walce z Longobardami papież Stefan II uznał prawa Pepina Małego do tronu frankijskiego za wieczne i nienaruszalne. Na ziemiach odebranych przez Pepina Longobardom i przekazanych papieżowi powstało Państwo Kościelne.

*** *The Short Reign of Pippin IV* (Krótkie panowanie Pippina IV), 1957.

niekanonicznej, datowany na około 70–110 rok n.e.*. *Didache* jest przewodnikiem dla chrześcijan. Chociaż tekst ostatecznie nie został włączony do Nowego Testamentu, wysoko ceniono go jako świadectwo wiedzy i zapis nauk 12 apostołów, chociaż wydaje się nieprawdopodobne, by byli jego bezpośrednimi autorami. *Didache* zawiera wiele praktycznych rad, a także duży fragment poświęcony wędrownym kaznodziejom, których należało przyjmować jak samego Jezusa. Mogli zatrzymać się w jakimś miejscu na dzień lub dwa. Jeśli zostali gdzieś przez trzy dni, uznawano ich za fałszywych proroków lub szarlatanów, podobnie jak wówczas, gdy odchodząc, zabierali coś więcej niż chleb.

DISNEY WALT Langdon podaje – jako stwierdzony fakt – że słynny autor filmów rysunkowych „nie czyniąc wokół tego wielkiego szumu, poświęcił całe życie na opowiadanie historii Graala" i porównuje go do **Leonarda** w tym, że „z upodobaniem wplatał w swoje dzieła ukryte przekazy i symbole", z których wiele dotyczyło cierpiących bogiń. Wśród filmów z wytwórni Disneya wymienionych przez Browna/Langdona są: *Kopciuszek*, *Śpiąca Królewna*, *Królewna Śnieżka*, *Król Lew* i *Mała Syrenka*. W pałacu Ariel, bohaterki tego ostatniego filmu, znajduje się, jak zaznacza Langdon, obraz XVII-wiecznego twórcy, Georges'a de la Tour, *Pokutująca Magdalena*; Langdon twierdzi, że „cały ten film to dziewięćdziesięciominutowy kolaż wyraźnych odniesień symbolicznych do utraconej boskości **Izydy**, Ewy, bogini świata podwodnego, którą symbolizują zodiakalne Ryby, i oczywiście **Marii Magdaleny** (de la Tour, który podobno namalował Marię Magdalenę w ciąży, figuruje jako jedna z głównych postaci w tajemniczych legendach otaczających **Rennes-le-Château**). Nie ma wątpliwości, że ku czci Disneya Robert Langdon, elegancki pan w tweedowym stroju, zamiast rolexa nosi zegarek z Myszką Miki. Niedawno wydana książka *The Gospel in Disney* (Ewangelia Disneya) to wykład najważniejszych prawd chrześcijaństwa poprzez filmy rysunkowe Disneya. Pamiętajmy jednak, że w czasie, kiedy powstały filmy *Król Lew* i *Mała Syrenka*, słynny rysownik od dawna już nie żył. Czyżby następcy podzielali jego religijne przekonania? Czy przykładem tego jest sprawa wystąpienia rady dyrektorów przeciwko prezesowi zarządu Michaelowi Eisnerowi?** Czy jedynie przypadkiem jest, że pochwałę Disneya, którą wygłasza Langdon, przerywa jakże realistyczny i zimny stukot kul Teabinga na posadzce wielkiego holu?

DOSSIERS SECRETS Sposób, w jaki *Dossiers Secrets* (tajne zapisy) zostały

---

* Według niektórych źródeł polskich na początek II wieku n.e.

** Michael Eisner jest najdłużej zarządzającym prezesem Walt Disney Co.; swoją funkcję sprawuje od prawie 20 lat. Od około roku pozostaje w otwartym konflikcie z członkami rady dyrektorów, którzy domagają się jego odejścia ze względu na fatalne wyniki i spadek zainteresowania inwestorów.

przedstawione w *Kodzie Leonarda da Vinci*, a także w książce Michaela Baigenta, Richarda Leigha i Henry'ego Lincolna *Święty Graal, święta krew* (z której Dan Brown czerpał z pewnością inspirację do swojej powieści) może spowodować, iż czytelnik uzna je za imponujące dzieło, obejmujące drzewa genealogiczne, skomplikowane mapy i dzieła poezji alegorycznej. Część *Dossiers Secrets*, które mają dotyczyć dynastii **Merowingów**, **Zakonu Syjonu** i **templariuszy**, została zdeponowana we francuskiej bibliotece narodowej w latach 50. i 60. XX stulecia. Badacze z rozczarowaniem stwierdzają, że są to pisane na maszynie XX-wieczne teksty, pełne dziwacznych szczegółów i odniesień do okultyzmu. Większość specjalistów sądzi, że *Dossiers Secrets*, podobnie jak sam Zakon Syjonu, to część żartu wymyślonego przez **Pierre'a Plantarda**, który ogłosił się w połowie XX wieku wielkim mistrzem Zakonu.

EFEZ Miasto o wielkim znaczeniu w czasach Nowego Testamentu, leżące na terenie dzisiejszej Turcji, zwane „bramą do Azji". W Efezie znajdowała się wspaniała świątynia Artemidy o 127 kolumnach wysokich na 20 metrów, uważana za jeden z siedmiu cudów świata starożytnego. Niektórzy badacze utrzymują, że pod koniec życia do Efezu przybyła Maryja w towarzystwie świętego Piotra (w latach 37–45 n.e.). Można tam dzisiaj oglądać jej rzekomy dom. Istnieją również legendy, według których do Efezu udała się ukrzyżowaniu Jezusa **Maria Magdalena**.

ESCRIVÁ, OJCIEC JOSEMARÍA Hiszpański ksiądz (1902–1975), którego Sylas nazywa Nauczycielem Nauczycieli. 28 października 1928 roku założył **Opus Dei** – organizację katolicką, papieską prałaturę personalną, której członkowie wprowadzają postać i nauki Jezusa Chrystusa do najbardziej nawet prozaicznych momentów życia codziennego. Opus Dei bywało krytykowane za metody kojarzące się ze stosowanymi przez sekty; organizacja nie zgadza się z tymi zarzutami. Escrivá kładł nacisk na wierność papieżowi, kult Matki Boskiej oraz wzywał do zbliżania się do Boga w każdym dniu życia – poprzez samopoświęcenie, wyrzeczenia, a nawet umartwienia. Podobno sam Escrivá umartwiał swoje ciało, stosując między innymi biczowanie. Związki między Opus Dei a Watykanem nie są jasne. Wydaje się, że Opus Dei pomogło papiestwu w opanowaniu skandali finansowych w latach 80., kiedy to Kościołowi groziło bankructwo. Wiadomo też, że tę szczególną prałaturę bardzo wysoko ceni papież Jan Paweł II. Escrivę ogłoszono świętym w niezwykle krótkim czasie po jego śmierci.

FI Niewymierna liczba 1,61803390-87... Niematematykom jest lepiej znana jako złoty stosunek, złoty podział czy, w terminologii Browna, boska proporcja. Pojawia się w *Kodzie Leonarda da Vinci* jako główny temat wykładu, który Langdon przypomniał sobie, wraz z Sophie uciekając z Luwru (nie przypadkiem fi pojawia się w środku imienia Sophie).

Langdon wyjaśnia studentom, że fi pełni rolę „podstawowej cegiełki, którą posługuje się natura" i występuje powszechnie – od stosunku liczby pszczół męskich i żeńskich w ulu przez układ ziaren na tarczy słonecznika do ciała ludzkiego (np. w stosunku długości całego ciała do długości od pępka do podłogi). Jako echo naturalnego piękna i proporcji, liczba fi była szeroko stosowana w sztuce (*Ostatnia Wieczerza* Salvadora Dali), architekturze (Partenon) i muzyce (Mozart, Bartok).

Chociaż Brown generalnie ma rację, myli się w kilku szczegółach. Powieściopisarz pisze dużymi literami PHI (fi), podczas gdy w praktyce angielskojęzyczni matematycy używają nazwy „Phi" do określania boskiej proporcji, a „phi" (małymi literami) oznacza jej odwrotność. Znawcy symboli – tacy jak Langdon – napisaliby odpowiednio Φ i ϕ. Langdon mówi też, że „liczba fi wywodzi się z **ciągu Fibonacciego**", lecz liczba ta znana była dużo wcześniej, zanim Fibonacci wyprowadził ją ze swojego słynnego ciągu.

Pierwszą definicję tego, co o wiele później nazwano złotym środkiem, sformułował około 300 roku p.n.e. twórca geometrii, Euklides z Aleksandrii. Grecy oznaczali ten stosunek literą ł (tau). Nazwy „złoty podział" czy „złoty środek" prawdopodobnie weszły w użycie dopiero w XIX wieku. O fi czytamy po raz pierwszy u matematyka amerykańskiego, Marka Barra, w początkach XX wieku – miał to być wyraz hołdu dla greckiego rzeźbiarza, Fidiasza, twórcy projektu dekoracji Partenonu i posągu Zeusa w świątyni w Olimpii.

Złoty stosunek podobno stosował **Leonardo** w swych najsławniejszych dziełach, choć nie wszyscy badacze są tego zdania. Matematyczny model boskiego podziału nie był znany we Włoszech do czasu jego opublikowania przez Lukę Paciolego w ostatniej dekadzie XV wieku, w czasie kiedy wiele z najważniejszych prac Leonarda już istniało.

FIBONACCIEGO CIĄG Ciągu Fibonacciego użył Saunière w zakodowanej wiadomości, którą pozostawił tuż przed śmiercią. Ciąg Fibonacciego składa się z liczb, z których każda kolejna jest sumą dwóch poprzednich. Tak więc kolejno następują po sobie: 0, 1, 1, 2, 3, 5, 8, 13, 21, 34... Langdon w swoim wykładzie dla studentów Harvardu wyjaśnia, że liczba **fi** wywodzi się z ciągu Fibonacciego: wynik dzielenia każdego z elementów przez poprzedzający go daje około 1,618 – czyli **fi**. Ciąg Fibonacciego i liczba fi występują zarówno w dziełach rąk ludzkich, jak i w naturze (patrz FI). Nie tylko zresztą one, np. liczby Lucasa są efektem tego samego dodawania, co w ciągu Fibonacciego, z wyjątkiem tego, że pierwsze cyfry to 1 i 3; ciąg wygląda zatem tak: 1, 3, 4, 7, 11, 18, 29, 47, 76, 123 (...). Istotnym problemem jest jednak, czy liczba fi występuje jako reguła. Jak stwierdza H.S.M. Coxeter w swoim *Introduction Geometry* (Wprowadzeniu do geometrii): „Trzeba otwarcie stwierdzić, że w [zasadach wzrostu] niektórych roślin nie należy stosować ciągu Fibonacciego, lecz raczej ciąg Lucasa, a nawet bardziej nietypowe ciągi: 3, 1, 4, 5, 9... lub 5, 2, 7, 9, 16... Musimy liczyć się z faktem, że występowanie [ciągu Fibonacciego] to nie ogólnie obowiązujące prawo, lecz jedynie niezwykle szeroko rozpowszechniona tendencja".

FILIP IV PIĘKNY Postać Filipa IV, króla Francji (nazywanego Pięknym ze względu na niezwykłą urodę) wspomina Langdon w swoim krótkim omówieniu prześladowań templariuszy, kiedy wraz z Sophie jadą przez **Lasek Buloński**. Langdon utrzymuje, że to papież **Klemens V** obmyślił plan doprowadzenia do upadku **templariuszy**, gdyż zgromadzili zbyt wiele bogactw i doszli do zbyt wielkiej władzy. Filip Piękny (Langdon nazywa go królem Filipem IV), działając w porozumieniu z papieżem, w wyznaczonym dniu, w piątek 13 października 1307 roku, nakazał zatrzymać rycerzy i postawić ich i przed sądem. Oskarżono ich o herezję i bałwochwalstwo, poddano torturom i palono na stosach.
Langdon raczej się myli: to Filipa Pięknego, a nie Klemensa V powszechnie uważa się za inicjatora aresztowań templariuszy; Filip rozpoczął też prześladowania – wielu historyków jest zdania, że pierwszą falę aresztowań w piątek trzynastego przeprowadzono bez wiedzy papieża. Klemens ostro skarcił wtedy Filipa, ale, będąc słaby politycznie i zależny od króla, nie mógł powstrzymać jego kampanii przeciwko templariuszom.

FLAMEL, NICHOLAS Z *Kodu Leonarda da Vinci* dowiadujemy się, że Flamel przewodził **Zakonowi Syjonu** w latach 1398–1418 n.e. Ten znany w średniowieczu alchemik od niedawna ponownie stał się sławny. Został wspomniany w książkach o Harrym Potterze, jego imię nosi firma biotechnologiczna, a coraz więcej turystów odwiedza bar w Paryżu, który stoi na miejscu jego domu.

FLEUR-DE-LIS, FLEUR-DE-LYS Znak ten w sensie politycznym symbolizuje zarówno Francję (w szczególności monarchię francuską), jak i miasto Florencję. W symbolice chrześcijańskiej oznacza on Świętą Trójcę. Specjaliści dyskutują, czy kwiat na nim przedstawiony to lilia czy irys, jako że każdy z tych kwiatów w symbolice kojarzy się inaczej. Dan Brown wspomina o nim kilkakrotnie w *Kodzie Leonarda da Vinci*: tłumaczy na przykład – niezgodnie z prawdą – że nazwa oznacza „kwiat Lisy", co z kolei prowadzi do skojarzenia z *Moną Lisą*. *Fleur-de-lys* jako symbol pojawia się też na kluczu, który przekazał Sophie dziadek ze słowami: „To otwiera skrzynkę (...) w której chowam wiele tajemnic".
Dosłowne tłumaczenie brzmi „kwiat lilii", ale *lys* to w rzeczywistości irys. Tradycyjnie w heraldyce francuskiej *fleur-de-lys* ma kolor żółty, jak niektóre odmiany irysów, podczas gdy lilie są białe – i w naturze, i w heraldyce. Heraldyczny *fleur-de-lys* składa się z trzech „płatków", połączonych poziomą pałeczką. Czasem dolna część jest odcięta lub zastąpiona zwykłym trójkątem. *Fleur-de-lys*, który został symbolem monarchii francuskiej około roku 1200, to także, przypomnijmy, symbol Świętej Trójcy. Według legendy jeden z pierwszych królów Franków, Chlodwig, nosił kwiat irysa na hełmie podczas zwycięskiej bitwy w roku 507*. (Istnieje też konkurencyjna

* W 507 roku n.e. Chlodwig pokonał Wizygotów pod Vouillé i podbił ich państwo.

legenda, głosząca, że kiedy król Chlodwig przyjął chrzest, ofiarował ten kwiat jako symbol oczyszczenia zarówno siebie samego, jak i całego kraju).

Symbol ten często występuje w kulturze antycznej i współczesnej – na cylindrycznych pieczęciach z Mezopotamii, egipskich reliefach na bazach kolumn, ceramice mykeńskiej, monetach galijskich, emblematach japońskich itd. – będąc symbolem lub ozdobą znaną wielu społecznościach zarówno Starego, jak i Nowego Świata.

GNOSIS *Gnosis* to termin grecki, oznaczający połączenie wiedzy, zrozumienia i mądrości. *Gnosis* (gnoza) jest wiedzą otrzymaną z łaski Boga, intuicyjną i osobistą – w przeciwieństwie do wiedzy intelektualnej w jakiejś określonej dziedzinie czy dyscyplinie. *Gnosis* jako doświadczenie stanowi ostateczny cel dyscypliny duchowej prowadzącej do zjednoczenia z bogiem, z nieskończonością, z absolutem. *Gnosis* niemal zawsze bywa opisywana jako osobiste objawienie lub osobista droga.

Niektóre stowarzyszenia obecnie określone jako gnostyczne mogły wyznawać teorię, że jedyna droga do osiągnięcia *gnosis* prowadzi poprzez rytuał ***hieros gamos***, czyli święte zaślubiny. Jak Langdon objaśnia Sophie podczas lotu nad kanałem La Manche, „fizyczne zjednoczenie z kobietą było dla mężczyzny jedynym sposobem osiągnięcia duchowego spełnienia i ostatecznego uzyskania *gnosis* – poznania boskości".

Uczona i historyczka Elaine Pagels w swojej książce *The Origin of Satan* (Pochodzenie Szatana) tłumaczy: „Tajemnicą *gnosis* jest, że kiedy ktoś dochodzi do najgłębszego poznania samego siebie, dochodzi do poznania Boga jako źródła bytu". Dociekania na temat *gnosis* i innych mistycznych kontaktów z bóstwami uznane instytucje religijne, które przedstawiały siebie jako jedyny kanał łączący człowieka z boskością, uważały za zagrożenie i zwalczały.

GNOSTYCZNE EWANGELIE Popularna nazwa nadana tekstom znalezionym w **Nag Hammadi** w Egipcie w roku 1947. Najbardziej znany spośród nich, *Ewangelia Marii Magdaleny*, został wspomniany przez sir Leigha Teabinga w łańcuchu argumentów, które mają przekonać Sophie, że Graal to coś więcej niż święty kielich: ewangelia ta, mówi Teabing, potwierdza, że Jezus powierzył założenie Kościoła **Marii Magdalenie**, nie zaś Piotrowi.

Wnioski, jakie Teabing wyciąga z *Ewangelii Marii Magdaleny* – jeśli jest to jego główne źródło – są jednak mylące. W przeciwieństwie do tego, co twierdzi Teabing, Jezus nigdy nie dawał Marii Magdalenie szczegółowych wskazówek, jak przekazywać dalej naukę Kościoła po jego odejściu – w każdym razie nie znajdujemy ich w tej ewangelii. Czytamy w niej, że Maria Magdalena pozostawała w „szczególnym związku" z Jezusem, o co inni apostołowie bywali czasem zazdrośni. Nie ma jednak żadnych przesłanek, by sądzić, że Jezus wybrał Marię do kierowania Kościołem czy też dawał jej jakieś specjalne nauki, jak to robić.

Na *Ewangelię Filipa* powołuje się Teabing w dyskusji na temat istoty **świętego Graala** jako na źródło potwierdzające małżeństwo Jezusa z Marią Magdaleną. Teabing opiera się na tłumaczeniu, w którym Maria Magdalena nazwana jest „towarzyszką" Jezusa, a także na zdaniu: „[zwykł był] całować ją w u... [brak dalszego tekstu]", co ma potwierdzać ich wielką zażyłość. Kilku uczonych i komentatorów zgadza się z tą interpretacją, choć inni uważają ów pocałunek raczej za metaforę związku duchowego.

Ewangelia Tomasza zawiera liczne wypowiedzi i przypowieści znane z kanonicznych ewangelii Nowego Testamentu. Wiele jednak fragmentów nie ma swojego odpowiednika w ewangeliach ortodoksyjnych; na przykład: „Jeśli dwóch zawrze pokój jeden z drugim w tym domu, powiedzą górze »przesuń się«, a góra się przesunie". Inny zagadkowy brzmi: „Szymon Piotr powiedział do nich: »Niech Maria [Magdalena] nas opuści, kobiety nie są godne życia«". A Jezus odpowiedział: „Oto poprowadzę ją, by uczynić ją mężczyzną, aby stała się ona sama duchem żywym, podobnym do was, mężczyzn. Gdyż każda kobieta, która uczyni się mężczyzną, wejdzie do królestwa niebios". *Ewangelia Tomasza* podkreśla również znaczenie samowiedzy w słowach, które nieco przypominają analekta buddyjskie.

Przesycona mistycyzmem *Sofia Jezusa Chrystusa* opowiada o stworzeniu bogów, aniołów i wszechświata. Niektórzy uczeni twierdzą, że jest to zapis rozmowy pomiędzy Jezusem Chrystusem i jego uczniami po zmartwychwstaniu. Prawdziwość tej teorii zależy od czasu powstania tego źródła. Jeśli tekst został spisany w I wieku n.e., może zawierać prawdziwe słowa Jezusa, jeśli później, autorami tego zestawu powiedzeń i przypowieści mogą być po prostu późniejsi filozofowie i gnostycy.

Elaine Pagels, uczona z Princeton, której książka *The Gnostic Gospels* pozwoliła zapoznać się z tym tematem szerokiemu gronu czytelników w Ameryce już ponad 20 lat temu, obecnie nie nazywa już tych dokumentów gnostycznymi z uwagi na złe skojarzenia, jakie gnostycyzm budzi dzisiaj. Pagels oraz inni uczeni, w ich liczbie James Robinson i Bart Ehrman, podkreślają, że znaleziska z Nag Hammadi dostarczają nam wielu szczegółów i faktów z historii wczesnego chrześcijaństwa, a także potwierdzają istnienie różnic w myśleniu na tematy religii i filozofii w pierwszych wiekach tej religii.

GNOSTYCYZM Gnostycyzm to określenie przekonań rozmaitych odłamów religijnych i sekt, głównie chrześcijańskich, ale także żydowskich i egipskich, przyjmujących *gnosis* jako główną zasadę wierzeń i praktyk. Gnostycyzm jako potęga religijna prawdopodobnie zrodził się przed chrześcijaństwem. James Robinson, znawca tekstów z **Nag Hammadi**, stwierdza: „Gnostycy byli bardziej ekumeniczni i synkretyczni w stosunku do innych tradycji religijnych niż ortodoksyjni chrześcijanie, dopóki uważali je za zgodne ze swymi poglądami". We wczesnej epoce Kościoła gnostycyzm stał się głównym rywalem apostolskiego chrześcijaństwa. Osobiste połączenie z bóstwem, o którym mówili gnostycy, luźna struktura sekt, mistyczne wytłumaczenie wyższej, tajemnej wiedzy sprawiały, że gnostycyzm nie mógł wtopić się w nurt ortodoksyjnego chrześcijaństwa. Skutkiem tego były coraz częstsze pomówienia i oskarżenia o herezję, tak skuteczne, że w V wieku n.e. gnostycyzm znalazł się całkowicie na uboczu.

Jednym z podstawowych założeń gnostycyzmu jest to, że bezpośrednia, intymna i absolutna znajomość boskości i prawdy (*gnosis*) stanowi konieczny wizerunek spełnienia duchowego. Gnostycy wierzyli w zjednoczenie lub odkrycie „wyższego ja", identyfikowanego z boskością lub z nią identycznego; a także w to, że świat został stworzony przez gorszego boga, demiurga, odpowiedzialnego za pojawienie się zła na ziemi. Za jedyną ucieczkę przed złem uważali kontemplację i samopoznanie. Gnostycyzm przetrwał do dziś, na przykład wśród członków Gnosis Society (Towarzystwa Gnostycznego).

GODFRYD DE BOUILLON Francuski rycerz, przywódca pierwszej wyprawy krzyżowej, który podobno doprowadził do powstania **Zakonu Syjonu** w Jerozolimie w roku 1099. Zgodnie z genealogiami stanowiącymi część ***Dossiers Secrets*** Godfryd de Bouillon pochodził z rodu **Merowingów**. Jak wyjaśnia Sophie Langdon w czasie ich przejazdu taksówką przez Lasek Buloński, „król Godfryd podobno był w posiadaniu wielkiej tajemnicy, którą jego ród przechowywał od czasów Chrystusa". Strzec tej tajemnicy miało tajne bractwo, Zakon Syjonu, którego zbrojnym ramieniem zostali **templariusze**. Szczegółowo przedstawiwszy wszystkie szczegóły tej historii, Langdon wyjawia, że de Bouillon wysłał templariuszy, by wydobyli dokumenty potwierdzające jego „wielką tajemnicę" spod ruin dawnej **Świątyni Salomona** w Jerozolimie, gdzie natrafili na bardzo ważne znalezisko, przypuszczalnie informację o **Sangreal**, czyli **świętym Graalu**. Podobno templariusze znaleźli świętego Graala – dokumenty, zapisy, relikwie, **kości Marii Magdaleny** itd. – i przewieźli go do Francji.

GRZEGORZ IX Urodzony w roku 1145 jako hrabia Ugolino z Segni, przez cały okres, gdy dzierżył klucze świętego Piotra, toczył zażarty spór z cesarzem Świętego Cesarstwa Rzymskiego, Fryderykiem II Hohenstaufem. Zasłynął jako gorliwy przeciwnik wszelkich herezji; zwołał wyprawę krzyżową, na skutek której z Langwedocji niemal całkowicie zniknęli **katarzy** (albigensi).

HANSSEN, ROBERT Były agent FBI, potem szpieg rosyjski, który przez niemal 22 lata w okresie zimnej wojny sprzedawał ZSRR największej wagi tajne informacje. Hanssen, który należał do **Opus Dei**, stał się problemem nie tylko dla kraju, ale także dla tej organizacji. Podczas procesu wyszło na jaw, że oddawał się nietypowym praktykom seksualnym: na przykład fotografował siebie i żonę w trakcie odbywania stosunku, by później pokazywać te zdjęcia przyjaciołom. W maju 2002 roku Hanssen został skazany na dożywocie bez możliwości amnestii. Jak twierdzi Dan Brown, sędzia miał powiedzieć: „Dla tak pobożnego katolika będzie to zaledwie chwilka".

HIEROS GAMOS Pojawiają się w *Kodzie Leonarda da Vinci* jako starożytny rytuał seksualny, który Sophie, ujrzawszy własnego dziadka uprawiającego seks podczas tajemniczych obrzędów, zapamiętała jako niezwykle traumatyczne przeżycie. W podziemiach domu, w którym mieszkał, **Saunière** i kobieta należąca do **Zakonu Syjonu** uprawiali seks, podczas gdy inni członkowie Zakonu, w maskach i w płaszczach, śpiewem czcili święte zespolenie. Zszokowana Sophie ucieka z domu i zrywa kontakt z dziadkiem.
Prawdopodobnie Sophie była świadkiem rytuału *hieros gamos*, czasem nazywanego teogamią lub hierogamią, czyli „świętym małżeństwem" czy też „boskim małżeństwem". Według słów uczonego Davida H. Garrisona jest to „święte małżeństwo, zjednoczenie bogini i boga, przykład dla ludzi". Rytuał świętego małżeństwa pojawia się wielokrotnie, mniej lub bardziej dosłownie, we wczesnej historii religii; pozostałości tych praktyk dotrwały aż do naszych czasów, co przedstawiono na przykład w filmie *Oczy szeroko zamknięte**. W niektórych religiach Wschodu istnieją analogiczne praktyki, jak choćby tantryczne rytuały seksualne.

HUGO, WIKTOR Wymieniony został w *Kodzie Leonarda da Vinci* jako jeden z wielu znakomitych autorów i artystów, których dzieła w sekretny sposób przekazywały zapomnianą wiedzę o **świętym Graalu**, o **żeńskiej świętości**, a także o małżeństwie Jezusa i **Marii Magdaleny**. Langdon wspomina *Dzwonnika z Nôtre Dame* Hugo (wraz z *Zaczarowanym Fletem* Mozarta) jako dzieło „przepełnione symboliką masońską i tajemnicami świętego Graala". Hugo zalicza się często do grona członków **Zakonu Syjonu**.

HYZOP „Pokrop mnie hizopem, a stanę się czysty" – albinos Sylas cytuje ten fragment z Psalmów (Ps 51,9), modląc się i ścierając krew z pleców po biczowaniu. Jan (J 19,29), opisując ostatnie chwile Jezusa na krzyżu, mówi: „Stało tam naczynie pełne octu. Nałożono więc na hizop gąbkę pełną octu i do ust Mu podano". Hyzopu używano zarówno do potraw, jak i w celach medycznych. Obecnie bywa czasem dodawany do sałat w restauracjach. To biblijne ziele jest też składnikiem likieru chartreuse.

IKONA Słowo pochodzi z greckiego *eikon*, co oznacza „wizerunek", obraz, symboliczne oddający coś rzeczywistego. W religii ikona to artystyczne przedstawienie pojęcia świętego czy boskiego. Chrześcijanie otaczają szacunkiem święte wizerunki, ale ich nie czczą; takie bałwochwalstwo zostało zakazane przez drugi **sobór nicejski**.

INNOCENTY II Papież w latach 1130–1143, który – jak pisze Dan Brown – dał templariuszom *carte blanche*, by mogli sami

* W reżyserii Stanleya Kubricka

stanowić swoje prawo, wolni od wpływów władz politycznych czy religijnych. Według niektórych hipotez **templariusze** zostali przekupieni, by zatrzymali w tajemnicy kłopotliwe dla Kościoła dokumenty, które rzekomo odnaleźli w ruinach **Świątyni Salomona**. Inni są zdania, że to templariusze przejęli inicjatywę i szantażowali Innocentego II.

IRENEUSZ Jeden z ważniejszych teologów chrześcijańskich, wiodący spór z **gnostykami** w drugiej połowie II wieku n.e. Przyczynił się do sformułowania doktryny Kościoła katolickiego: wyznania wiary, kanonu pism oraz apostolskiego następstwa biskupów. Ireneusz, obok innych historyków Kościoła, takich jak Euzebiusz czy **Tertulian**, wymieniony jest w *Kodzie Leonarda da Vinci* jako uczestnik spisku mającego na celu stworzenie nowej historii chrześcijaństwa, „wielkiego kamuflażu".

IZYDA Jedna z najstarszych i najbardziej znanych bogiń egipskiego panteonu. Dan Brown w *Kodzie Leonarda da Vinci* podkreśla jej wysoką pozycję jako uosobienia **żeńskiej świętości**. Izydę uważano za patronkę rodziny, kobiecej płodności, medycyny i magii. Poczęci przez Boga Ziemi i Boginię Nieba, Izyda i jej bliźni brat Ozyrys pobrali się i panowali jako król i królowa nad egipskim kosmosem.

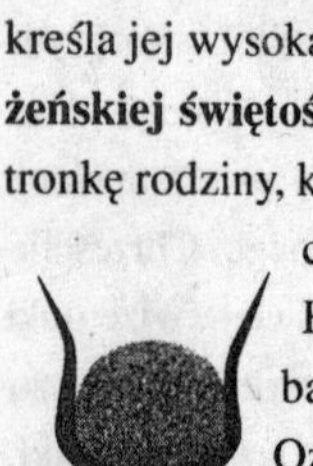

Langdon zauważa obszerną kolekcję statuetek Izydy, zgromadzoną przez Saunière'a w Luwrze (istotnie jest ich tam bardzo wiele), i wyciąga wniosek, że ma to związek z jego wiarą w żeńską świętość. Izyda pojawia się także w dyskusji na temat ***Mony Lisy***. Imię jej to rzekomo anagram starożytnego piktograficznego imienia Izydy – L'ISA – oraz imienia jej męskiego partnera, boga Amona. (L'isa + Amon = Mona Lisa). Niektórzy twierdzą, że Leonardo początkowo namalował Monę Lisę z przedstawiającym Izydę wisiorem z lapis-lazuli na szyi, który potem zamalował. Czy to prawda, czy nie, z pewnością Izyda lub aluzje do niej pojawiają się w wielu słynnych obrazach przedstawiających żeńską świętość.

Historia Izydy i Ozyrysa została po raz pierwszy opisana w *Tekstach Piramid*, traktacie religijnym z 2600 roku p.n.e. Jej kult przetrwał do późnych czasów rzymskich, ponieważ, jak przypuszczają uczeni, ten romantyczny i oczyszczający mit tworzył tak bardzo potrzebny ludziom kontrast z sztywną i odległą od wiernych oficjalną religią państwową. Kult Izydy szerzył się ponadto w sensie geograficznym: posągi Czarnej Madonny w wielu kościołach we Francji mogły być w rzeczywistości figurkami Izydy. Starożytne świątynie Izydy odkryto na wybrzeżach Dunaju i Tamizy. Podobno także w miejscu, w którym obecnie w Paryżu znajduje się opactwo St Germain-des-Prés, istniała przedtem świątynia Izydy. St Germain-des-Prés miał zostać wzniesiony przez **merowińskiego** władcę Childeberta w celu przechowywania świętych relikwii.

Echa mitu Izydy odnajdujemy w mitologii i symbolice epoki chrześcijańskiej. Bogini ta jest prawdopodobnie archetypem Wielkiej Kapłanki w **tarocie**. Popularne przedstawianie Madonny z Dzieciątkiem w zaskakujący sposób przypomina niezliczone wizerunki Izydy karmiącej piersią spoczywającego na jej łonie Horusa. Matka Boska przejęła ponadto wiele z dawnych określeń Izydy: Stolica Mądrości, Gwiazda Morza, Królowa Niebios. Wreszcie śmierć i zmartwychwstanie Ozyrysa bywają uważane za prototyp zmartwychwstania Chrystusa, choć w tym przypadku to Izyda – pierwsze wcielenie żeńskiej świętości – powoduje zmartwychwstanie boga i umożliwia przedłużenie istnienie jego rodu.

Kult Izydy, nadal żywy wśród licznych wyznawców New Age, istnieje już ponad 5000 lat.

JABŁKO Kiedy przetniemy jabłko w poprzek, odkryjemy w środku wzór przypominający kształtem **pentagram**. W *Kodzie Leonarda da Vinci* fragment wiersza, który doprowadza Sophie i Roberta do grobu Newtona, brzmi: *In London lies a knight a Pope interred/His labor's fruit a Holy wrath incurred* („W Londynie leży rycerz, którego chował papież (ang. *pope*)/owoc jego pracy wywołał boży gniew). To właśnie jabłko spadające z drzewa naprowadziło podobno Newtona na odkrycie zasady grawitacji.

Jabłko to często spotykany symbol. Jabłoń należy do rodziny różowatych, podobnie jak róża, kolejna roślina o wielkim znaczeniu symbolicznym w tradycji chrześcijańskiej. Jabłko jest, oczywiście, symbolem pokusy i zła. W raju Adam i Ewa zjadają owoc zakazany z drzewa wiadomości dobrego i złego; według legendy było to jabłko (chociaż pisma tego nie potwierdzają). Jabłko pojawia się w „rajach" wielu innych religii, na przykład w greckich ogrodach Hesperyd i świętych gajach Celtów. Złote jabłko z napisem „Dla najpiękniejszej" stało się powodem sporu między Herą, Afrodytą i Ateną.

Pommes bleues (błękitne jabłka) odegrały ciekawą rolę w kontrowersyjnym okresie historii Kościoła katolickiego, o którym często wspomina *Kod Leonarda da Vinci*: jeden z zakodowanych pergaminów, podobno znalezionych w **Rennes-le-Château**, kończy się wzmianką o „błękitnych jabłkach".

Pod koniec *Kodu Leonarda da Vinci* Teabing w końcu znajduje rozwiązanie ostatniej zagadki Jacques'a Saunière'a – wiersza poddającego słowo, które otwiera drugi krypteks. Kulą, która „powinna być" na grobie słynnego fizyka, nie jest ani gwiazda, ani planeta, lecz jabłko. „Teabing (...) nie mógł wyjść ze zdumienia. Popatrzył ponownie na klucz sklepienia i wreszcie zrozumiał, że układ pięciu dysków krypteksu nie był przypadkowy. Odczytał słowo JABŁKO" (ang. APPLE). Osłupiały i pognębiony Teabing przypomina sobie ostatnie linie wiersza Saunière'a i pojmuje, dlaczego trop wiódł do grobu Newtona: *His labor's fruit! The Rosy flesh with a seeded womb!* (Owoc jego pracy! Brzemienne ciało róży!).

JAHWE *IHWH* to imię Boga w Starym Testamencie, składające się z hebrajskich

liter jod, he, waw i he (tzw. tetragrammaton – patrz Adonai). Imię Boga uważano za tak święte, iż nie wolno go było wypowiadać; zastępowano je słowem Adonai. Zakaz ten wywodził się z interpretacji trzeciego przykazania, które zakazywało „wzywać imienia Pana do czczych rzeczy".
Wyraz ten może służyć za przykład trudności, z jakimi wiąże się odczytywanie języka, którym nie mówiono od ponad 2000 lat, a zapisywano go bez samogłosek.
Według Dana Browna YHWH to w rzeczywistości hebrajski akronim, który łączy męskie i kobiece imiona Boga (HAVEH jest hebrajską wersją imienia Ewa).

JAMBICZNE STROFY Jamb to stopa wiersza, w której pierwsza sylaba jest nieakcentowana/druga akcentowana. Jeśli wers składa się z 5 jambów, metrum to nazywa się pentametrem jambicznym. Metrum jambiczne powstało w starożytnej Grecji. Niektórzy uważają, że na jego rozpowszechnienie wpływa fakt, że przypomina ono bicie ludzkiego serca.

KATARZY Heretycka sekta chrześcijańska, która powstała na przełomie XII i XIII wieku. Nazwa pochodzi od greckiego wyrazu *katharos*, co znaczy „czysty". Katarzy działali w całej południowej Europie – szczególnie tam, gdzie kontrola Kościoła katolickiego była najsłabsza – lecz ze szczególną aktywnością w Langwedocji, zamożnych terenach Francji południowej, zawsze znanych z niezależności politycznej i religijnej.
Początki herezji katarów toną w niepamięci, ale niektórzy uczeni uważają, że dualizm, który leży u podstaw ich wiary, zrodził się wśród heretyków z Bizancjum. W każdym razie katarzy podzielali **gnostyczny** pogląd, że świat został stworzony przez boga zła, boga świata materialnego, który od początku znieprawił swoje dzieło. W konsekwencji wszystkie rzeczy materialne, w tym ciało człowieka, uważali za zło, a wydostanie się, ucieczkę z więzienia własnego ciała – za zbawienie. Wierzyli, że duch – czy dusza – jest uwięziony pomiędzy duchowym dobrem a materialnym złem i jeśli jednostka potrafi opanować pokusy świata materialnego, duch będzie się odradzać znowu i znowu, aż osiągnie doskonałość.
Katarzy byli ponadto pierwszymi „feministami". Dusza – ich zdaniem – nie ma płci, a ciało uważali jedynie za jej więzienie. W sensie duchowym nie widzieli żadnej naturalnej przewagi jednej płci nad drugą, toteż kobiety należące do sekty mogły zostać kapłankami.
Herezja katarów budziła lęk w ortodoksyjnym Kościele, który zniesławiał ich oszczerstwami, podobnymi do tych, jakie rzucano przeciw **templariuszom** – iż czczą szatana, zjadają popioły spalonych niemowląt i są homoseksualistami. Gdy te oszczerstwa nie zmniejszyły rozszerzającej się popularności kataryzmu, Rzym zorganizował krucjatę przeciwko albigensom (katarów nazywano tak od miasteczka Albi, ich głównego ośrodka). Podczas krucjaty trwającej od roku 1209 do 1229 siłą zdławiono rosnącą wiarę. Plądrowano i niszczono całe miasta i osiedla pomawiane o dawanie schronienia heretykom.

KATEDRA KODÓW Nieformalna nazwa kaplicy **Rosslyn**.

KAWALEROWIE MALTAŃSCY Jedyni poważni konkurenci **templariuszy**, kawalerowie maltańscy (zwani też Szpitalnikami Św. Jana z Jerozolimy i Rycerzami z Rodos) to zakon rycerski powstały w XII wieku n.e. w Ziemi Świętej. Zajmowali się leczeniem chorych i rannych, zakładali szpitale w Ziemi Świętej, by zapewnić wygodę i pomoc pielgrzymom. Rycerze uważali się za wasali swoich pacjentów: w niektórych szpitalach chorzy spali na lnianych prześcieradłach i jedli na srebrze. Jednocześnie kawalerowie maltańscy zyskali sławę walecznych rycerzy. Szpitalnicy działali w basenie Morza Śródziemnego, zakładając bazy na Cyprze, Rodos i w końcu na Malcie, gdy Ziemia Święta wpadła w ręce muzułmanów. Z wyspy tej wyruszali, by nękać statki muzułmańskie i pustoszyć nadbrzeżne miasta.
Zagarnięcie posiadłości szpitalników w okresie reformacji i rewolucji francuskiej pozbawiło kawalerów ich niezależności finansowej. Osłabiony zakon w roku 1798 oddał Maltę Napoleonowi. Zakon, restytuowany w rozmaitych formach na przestrzeni całego XIX wieku, powrócił w końcu do swych najwcześniejszych zadań. Kawalerowie Maltańscy budowali sale operacyjne i organizowali opiekę pielęgniarską w czasie I wojny światowej. Zakon funkcjonuje dzisiaj jako niezależna jednostka państwowa, podobnie jak Watykan. Jego główna siedziba w Rzymie jest eksterytorialna. Kawalerowie mogą wydawać własne paszporty i wymieniać ambasadorów z innymi krajami (z 40 na dzień dzisiejszy), tworząc najmniejsze na świecie niepodległe państwo.

KIELICH W sztuce chrześcijańskiej kielich symbolizuje Ostatnią Wieczerzę, ofiarę Jezusa i wiarę chrześcijańską. Langdon objaśnia Sophie różne znaczenia kielicha w czasie ich krótkiego pobytu w rezydencji Leigha Teabinga. Kielich jest najprostszym znanym człowiekowi symbolem kobiecym, symbolem łona i kobiecości. **Święty Graal** to bardziej skomplikowany wariant symboliczny kielicha, kojarzony z **Marią Magdaleną** w jej roli osoby przechowującej świętą krew. 
Przeciwnym, ale uzupełniającym symbolem, obok którego często kielich bywa wymieniany, jest ostrze. Ostrze, przedstawiane w postaci fallusa, noża lub włóczni, to symbol męskości i agresji. Ostrze i kielich połączone tworzą gwiazdę Dawida, którą Langdon utożsamia z doskonałym połączeniem mężczyzny i kobiety i z najwyższą zasadą boskości.
Symbole kielicha i ostrza towarzyszą nam zawsze, występując w rozmaitych formach w kulturze Zachodu.

KLEMENS V Papież ten wspomniany został w historii prześladowań **templariuszy**, którą krótko streszcza Langdon podczas przejazdu wraz z Sophie przez **Lasek Buloński**. Langdon zapewnia, że papież opracował plan likwidacji templariuszy, ponieważ rycerze zyskali wielką potęgę i bogactwa. Filip IV Piękny (Langdon nazywa go królem Filipem IV), działając w porozumieniu z papieżem, w wyznaczonym dniu – w piątek, trzynastego października 1307 roku – rozkazał schwytać templariuszy, których torturowano, osądzano i skazywano jako heretyków, bluźnierców i sprawców innych grzesznych i ohydnych czynów.

Choć opowieść Langdona wydaje się przedstawiać wiernie tę historię, niektóre szczegóły są dyskusyjne. Król Filip znany jest jako inicjator prześladowań templariuszy, lecz niektórzy uczeni twierdzą, że w rzeczywistości pierwszych aresztowań templariuszy dokonano bez wiedzy papieża; Klemens był wręcz zaszokowany i rozgniewany, że zatrzymano rycerzy, którzy odpowiadali jedynie przed papieżem. „Twoje pochopne postępowanie wszyscy słusznie uznali – pisał do Filipa – za obrazę i lekceważenie nas samych i Kościoła rzymskiego". Klemens w końcu przyjął konieczność aresztowań, szczególnie, jak się uważa, w świetle wymuszonych na torturach wyznań Jacques'a de Molay, ostatniego wielkiego mistrza templariuszy. Posiadając takie uzasadnienie, Klemens publicznie przyłączył się do akcji rozpoczętej przez króla Filipa.

KLUCZ SKLEPIENIA Langdon opisuje klucz sklepienia jako „najlepiej strzeżoną tajemnicę wczesnych bractw masońskich", zarówno dosłownie, jak i w przenośni: jest to kamień zwieńczający szczyt sklepienia łuku, który utrzymuje pozostałe bloki i przejmuje na siebie ciężar (patrz ***CLEF DE VOÛTE***), symbolicznie zaś to, co otwiera tajemnice **Zakonu Syjonu**.

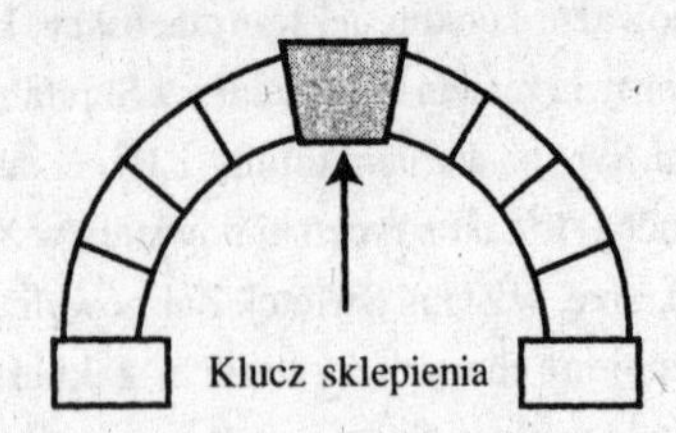

KODEKS Słowo *codex*, kojarzące się ze słowem „kod", a przez to z rozmaitymi szyframi i łamigłówkami, w rzeczywistości ma związek z prawdziwą rewolucją w zapisywaniu i przechowywaniu tekstów: kodeks to książka, złożona z pojedynczych kartek papieru, w przeciwieństwie do wcześniejszych zwojów. W rozważaniach nad *Kodem Leonarda da Vinci*, trzeba wspomnieć o dwóch kodeksach.

Kodeks Berliński, znany oficjalnie jako Papyrus Berolinens 8502, zawiera najbardziej kompletną zachowaną kopię *Ewangelii Marii Magdaleny*. Zakupiony na egipskim targu staroci w roku 1896 przez niemieckiego uczonego Karla Reinhardta, nie był publikowany aż do roku 1955, kiedy to odkryto, że dwa takie same teksty znajdują się w zbiorze z **Nag Hammadi**. Dwa inne małe fragmenty *Ewangelii Marii Magdaleny* w dwóch osobnych tekstach w języku greckim wykopano później w północnym Egipcie.

Kodeks Leicester nie zawiera treści religijnych, lecz przykłady artystycznego geniuszu i dowody zainteresowań technicznych **Leonarda da Vinci**. Został napisany pomiędzy rokiem 1506 a 1510 w średniowiecznym języku włoskim, w stosowanym przez artystę zapisie „lustrzanym". Nazwę swą zawdzięcza pierwszemu właścicielowi, księciu Leicester, który nabył go w roku 1717. Aktualny właściciel Kodeksu, Bill Gates, kupił go na aukcji za 30 800 000 dolarów. Próbując podczas lotu z Francji do Anglii odczytać zaszyfrowaną wiadomość od Saunière'a, Langdon przypomina sobie, jak oglądał Kodeks Leicester w Fogg Museum w Harvardzie. Pamięta swoje rozczarowanie na widok tekstu, który na pierwszy rzut oka wydał mu się całkowicie nieczytelny. Pracownica biblioteki za pomocą ręcznego lusterka pomogła mu odczytać strony, pisane odwróconym jak w lustrze pismem, którym Leonardo posługiwał się, by zaszyfrować notatki*.

KONSTANTYN I Znany jako Konstantyn Wielki, cesarz rzymski w latach 306–337 n.e. Zwołał **sobór nicejski**. Za jego sprawą Kościół zyskał ogromne znaczenie w późnym Cesarstwie Rzymskim**.
Czy Konstantyn przyjął chrześcijaństwo jako swoją własną, prawdziwą wiarę – pozostaje przedmiotem dyskusji. Z pewnością przyczynił się do zunifikowania chrześcijaństwa i sprawił, że stało się on ważną siłą w państwie. Jednak Konstantyn nadal kazał wybijać na monetach **pogańskie** symbole, a także czcił Sol Invictus – „Niezwyciężone Słońce", pogańskie bóstwo pochodzące z Syrii, ale popularne w cesarstwie już 100 lat przed panowaniem Konstantyna. Wielu uczonych uważa, że chciał zaspokoić oczekiwania i jednej, i drugiej strony, aby zapewnić sobie jak najszersze poparcie.
Brown w *Kodzie Leonarda da Vinci* posuwa tę teorię nawet dalej. Leigh Teabing mówi Sophie i Langdonowi, że Konstantyn „żył w pogaństwie, a ochrzczono go na łożu śmierci, kiedy był zbyt słaby, by zaprotestować". Cesarz wybrał, a następnie narzucił wszystkim poddanymi chrześcijaństwo jako oficjalną religię rzymską, ponieważ był, wedle określenia Teabinga, „człowiekiem interesu". Większość uczonych podkreśla rolę Konstantyna w rozstrzygnięciu pewnych zagadnień religijnych – na przykład problemu natury Chrystusa. Don Brown przedstawił Konstantyna jako uczestnika spisku, mającego na celu zniszczenie żeńskiej świętości, zatarcie śladów małżeństwa Jezusa z **Marią Magdaleną**, likwidację **gnostycyzmu** oraz napiętnowanie przeciwników głównego nurtu Kościoła jako heretyków.

KOPTYJSKI JĘZYK Język koptyjski wywodzi się z języka starożytnych Egipcjan. Zaczął powstawać w III wieku p.n.e., gdy Egipt znalazł się pod panowaniem Greków. *Ewangelia Marii Magdaleny* i większa

* Być może Leonardo miał skłonność do pisania „pismem lustrzanym" jak wiele osób leworęcznych.
** W 313 roku n.e. na mocy tzw. umowy mediolańskiej zapewnił swobodę religijną m.in. chrześcijanom. Konstantyn zezwolił na przejście na chrześcijaństwo dotychczasowym wyznawcom religii rzymskiej i zwrócił Kościołowi skonfiskowane dobra.

część tak zwanych **ewangelii gnostycznych**, napisanych oryginalnie po grecku, przetrwały tylko w tłumaczeniach koptyjskich, odkrytych w **Nag Hammadi**. Język ten jest ciągle używany przez wyznawców katolickiego kościoła koptyjskiego.

KOŚCIÓŁ SAINT-SULPICE Sceną jednego z najbardziej interesujących wydarzeń, opisanych w pierwszej części *Kodu Leonarda da Vinci*, jest kościół Saint-Sulpice, który początkowo był kościołem parafialnym podległym opactwu St-Germain-des-Prés. Sylas, przekonany, że znalazł miejsce ukrycia klucza sklepienia, wchodzi do kościoła pełen nadziei, lecz zaraz okazuje się, iż padł ofiarą okrutnego żartu. Niektórzy badacze twierdzą, że na tym miejscu już wcześniej znajdował się kościół. Obecnie istniejąca budowla została wzniesiona w roku 1646, a kamień węgielny położyła Anna Austriaczka, żona Ludwika XIII, jedna z bohaterek *Trzech Muszkieterów* Dumasa. Kościół rozbudowywano i wykańczano przez następne 70 lat, choć gdy zakończono prace w roku 1721, jedna wieża była o prawie 6 metrów niższa od drugiej. Interesujące zabytki w tym kościele to linia południka (**linia róży**), wzdłuż której Sylas podąża, by znaleźć **klucz sklepienia**; osiem posągów apostołów, ustawionych wokół chóru, wreszcie piękna kaplica poświęcona Matce Boskiej Loretańskiej.

Znamy wiele przykładów związku kościoła Saint-Sulpice z Zakonem Syjonu. **Bérenger Saunière** z pewnością odwiedzał ojca Bieila, dyrektora seminarium w Saint-Sulpice, z dokumentami z kościoła w **Rennes-le-Château**. Francis Ducaut-Bourget, rzekomo wielki mistrz Zakonu (po **Jeanie Cocteau**), ukończył to samo seminarium. Pod koniec XIX wieku seminarium było ogniskiem katolickiego ruchu modernistycznego, którego twórcy pragnęli unowocześnić naukę o religii katolickiej i dostosować ją do współczesnych wymogów krytyki naukowej.

„KRÓL ŻYDOWSKI” Teabing, zawsze gotów uzupełniać luki w wiedzy o dawnych religiach w taki sposób, by potwierdzić własne poglądy, przytacza tradycję, zgodnie z którą Jezusa Chrystusa uważano za następcę króla Salomona i króla Dawida, a w związku z tym za prawowitego króla żydowskiego. Gdy Jezus związał się z Marią Magdaleną – jak czytamy w *Kodzie Leonarda da Vinci* – wszedł poprzez małżeństwo do **plemienia Beniamina**, linii, która następnie przez Marię Magdalenę i jej dziecko wiodła aż do dynastii **Merowingów**. Legendy **Zakonu Syjonu** głoszą, że potomkowie w prostej linii Jezusa (na przykład Sophie) są prawowitymi władcami Izraela/Palestyny czy też Francji – zależy, w jaki sposób interpretować będziemy te liczące 2000 lat historyczne tajemnice.

KRZYŻ Historyk sztuki Diane Apostolos-Cappadona pisze zwięźle: „Starożytny, uniwersalny symbol połączenia przeciwieństw: ramię poziome reprezentuje pozytywne siły życia i duchowości, a ramię pionowe – negatywne siły śmierci i świata materialnego. Istnieje ponad 100 rodzajów tego symbolu”. W *Kodzie Leonarda da Vinci* czytamy, że krzyż istniał jako symbol na długo przed ukrzyżowaniem Jezusa; autor podkreśla też różnice pomiędzy krzyżem równoramiennym (używanym przez **templariuszy**) i tradycyjnym krzyżem Chrystusa o wydłużonym ramieniu pionowym.

LA PYRAMIDE Szklaną piramidę, zaprojektowaną przez I.M. Peia jako nowe wejście do muzeum **Luwru**, widzi Robert Langdon, zdążając na miejsce morderstwa. Piramida ma także swoją odwróconą bliźniaczkę, *la Pyramide Inversée*, która odgrywa ważną rolę w końcowej scenie książki Browna.

Piramida jest podpisem pod przeróbkami dokonanymi w Luwrze i jednocześnie symbolem zmian, których autorem był Chińczyk z urodzenia, architekt I.M. Pei. Piramida to jedyne wejście do muzeum – ze znajdującej się pod nią nowej podziemnej sali wiodą przejścia do galerii, restauracji, sklepów, nowych magazynów i innych pomieszczeń samego muzeum. Plany wniesienia piramidy, teraz już powszechnie akceptowanej i nawet podziwianej przez paryżan, wywołały burzliwą dyskusję i ostre ataki prasy.

Piramida składa się z 698 bloków hartowanego, lekkiego szkła, czyli nie z 666 („liczby szatana", jak twierdzi Brown/Langdon i wielu innych). Panele, połączone stalowymi podporami, tworzą piramidę wysokości zaledwie 24 metrów, lecz jednocześnie wyniosłą i potężną. W szkle odbijają się wszystkie kolory paryskiego nieba.

LASEK BULOŃSKI Przez Lasek Buloński Langdon i Sophie skracają sobie drogę na rue Haxo 24, adres, który dziadek Sophie pozostawił na tajemniczym kluczu o nacięciach wykonanych laserem. Langdon stara się zebrać myśli, by opowiedzieć Sophie o **Zakonie Syjonu**, ale rozpraszają go nocni mieszkańcy parku – prostytutki wszelkiego autoramentu i inni pracownicy seks biznesu.

Lasek Buloński to rozległy (ponad 850 hektarów), porośnięty bujny lasem park w Paryżu, na terenie którego znajduje się wiele terenów wypoczynkowych, między innymi tory jeździeckie, ścieżki dla rowerzystów i dla spacerowiczów, a także piękne ogrody. Nocą w Lasku gromadzą się prostytutki. Lasek Buloński jest zaledwie skromną pozostałością po znacznie większym lesie Forêt de Rouvray. Ciągnął się on wiele kilometrów na północ od obecnego parku w czasach najazdu Galów w I wieku p.n.e. Król Childeryk II (**merowiński** monarcha z VII wieku n.e.) przekazał tę ziemię w spadku opactwu Saint-Denis, które miało w planach budowę klasztorów i opactw na tym terenie. Podczas wojny stuletniej las – już wtedy niezbyt bezpieczny – był ulubionym miejscem przebywania rabusiów, zanim został splądrowany przez paryżan. W czasach Ludwika XI teren ponownie zalesiono i przeprowadzono przezeń dwie drogi.

Brown wspomina, że niektórzy paryżanie określają ten teren jako „ogród rozkoszy ziemskich" – to aluzja do tryptyku Hieronima Boscha, znanego ze sprośnych treści i tajemniczego symbolizmu. Sam tryptyk przedstawia Raj przed upadkiem pierwszych ludzi na lewym skrzydle, Ogród

Rozkoszy Ziemskich w części środkowej, wreszcie Piekło na prawym skrzydle. Chociaż na każdej z części tryptyku malarz wyobraził miejsca odległe w sensie teologicznym, łączy je pewna cecha wspólna: niepokojący surrealizm.

W Piekle, siedzibie dziwacznych stworzeń, postaci o ludzkich ciałach i głowach zwierząt pożerają grzeszników. Jaskinia kaźni potępionych ma kształt ogromnego ciała, a wszędzie widzimy dziwne symbole (na przykład uszy przebite nożem). Surrealistycznych przedstawień nie brak także w Ogrodzie Rozkoszy Ziemskich i Raju na lewej: nagie kobiety i mężczyźni baraszkują wewnątrz fantastycznych, żyjących budowli w Ogrodzie, a nawet w Raju żyją dziwne, tajemnicze stworzenia.

Bosch (1450–1516), flamandzki mistrz malarstwa, żył niemal współcześnie z **Leonardem da Vinci**. Zasłynął także głębokim zainteresowaniem alchemią i tajnymi stowarzyszeniami. Większość jego obrazów jest pełna symboli i zakodowanych przesłań wszelkiego rodzaju, jak również niezwykłych odniesień do seksualizmu i do **żeńskiej świętości**, w stopniu o wiele większym niż jakiekolwiek z dzieł Leonarda. Podobnie jak w przypadku Leonarda trudno ustalić, czy Bosch był człowiekiem głęboko wierzącym, radykalnym wolnomyślicielem czy heretykiem. Niektórzy historycy sztuki i biografowie przypisują mu przynależność do ruchu adamitów, tajnego stowarzyszenia, które prawdopodobnie praktykowało obrzędy zbliżone do ***hieros gamos***.

Choć dyskusje na temat znaczenia symboli wciąż trwają, jedno wydaje się oczywiste: malarz dostrzegał ukryte niebezpieczeństwa w miejscach, które uważamy za rajskie; a to oznacza, że Brown trafnie nazwał Lasek Buloński „ogrodem rozkoszy ziemskich".

LEONARDO DA VINCI Malarz, rzeźbiarz, architekt, inżynier, pisarz, badacz natury, matematyk, geolog, anatom – wszystkich tych określeń można użyć, by opisać niezwykle szeroki wachlarz zainteresowań i umiejętności Leonarda da Vinci. Największą sławę zyskał jako malarz, choć zachowało się bardzo niewiele jego obrazów. Leonardowi przypisuje się nie więcej niż 13 zachowanych dzieł.

Znamy bardzo niewiele szczegółów z życia Leonarda, zwłaszcza z okresu jego młodości. Urodził się w roku 1452 jako nieślubny syn chłopki i członka zamożnej florenckiej rodziny. Terminował u florenckiego mistrza, Andrei Verrochia, być może razem z innym terminatorem, który miał stać się sławny, Sandro Botticellim, autorem obrazu *Narodziny Wenus* (podobnie jak Leonardo, **Botticelli** był podobno związany z **Zakonem Syjonu**, a jego obrazy pełne są najrozmaitszych symboli).

Leonardo przewyższał swoich współczesnych niemal we wszystkim, czego się podjął. Przez następne 40 lat oferował swoje usługi władcom Mediolanu, Florencji, królowi Francji i Kościołowi. Zmarł – prawdopodobnie na skutek ataku apopleksji – w roku 1519 we Francji.

Niektóre z pomysłów Dana Browna dotyczących Leonarda zostały ostro skrytykowane przez znawców jego sztuki. Na ogół uczeni wątpią, by w swych obrazach umieszczał zaszyfrowane informacje, należał do tajnych stowarzyszeń, a nawet by był homoseksualistą. Nikt jednak nie kwestionuje mistrzostwa jego obrazów.

LUWR W Luwrze rozpoczyna się i kończy *Kod Leonarda da Vinci*. W Wielkiej Galerii Luwru zostaje zamordowany Saunière. Przed śmiercią kustosz pozostawia zaszyfrowane wskazówki na kilku najsławniejszych dziełach znajdujących się w tym muzeum. W końcu, po pogoni za coraz to głębiej zakonspirowanymi tajemnicami, Robert Langdon doznaje objawienia dotyczącego prawdziwej natury największego skarbu Luwru.

Historia Luwru jest niezmiernie skomplikowana. Przez niemal 800 lat na jego kształt wpływali kolejni monarchowie i rządy; cierpiał długie okresy zaniedbania, a także przeżywał chwile sławy. Powstał w roku 1190 jako forteca Filipa II Augusta. Król wzniósł mur obronny wokoło Paryża, a na wybrzeżu Sekwany zbudował zamek, który chroniła twierdza – Luwr. Wieża Luwru mieściła skarbiec królewski i równocześnie służyła jako więzienie. Na przestrzeni wieków, jak opisują Catherine Chaine i Jean-Pierre Verdet w książce *Le Grande Louvre* (Wielki Luwr): „Luwr był więzieniem, arsenałem, pałacem, ministerstwem (...) mieściły się w nim menażeria, drukarnia, poczta, loteria państwowa, warsztaty i akademie; był miejscem zamieszkania królów, artystów, oficerów policji, strażników, kurtyzan, naukowców – nawet koni (...). Jego komnaty – których żaden widok już nie zaskoczy – stały się świadkami życia i jego przemian, uroczystości, rozpraw sądowych, spisków i zbrodni".

Wielkie osiągnięcie prezydenta **François Mitterranda** stanowiło przekształcenie tego masywnego, przypominającego labirynt budynku w muzeum narodowe z prawdziwego zdarzenia. Kiedy rozpoczęto prace przy przebudowie, Luwr nie był dobrze przygotowany do roli instytucji kulturalnej o największym znaczeniu. Administracja kulała, brakowało funduszy. Choć muzeum szczyciło się posiadaniem ponad 250 000 dzieł sztuki, galerie zaprojektowano w sposób, który zaskakiwał nawet najlepiej obeznanego ze sztuką zwiedzającego. Cierpiały także dzieła: nie wycierano nawet kurzu nagromadzonego na obrazach; niektóre prace, nigdy niewystawiane, niszczały w magazynach. Okna Luwru były tak brudne, że nie przepuszczały już w ogóle światła – czyszczeniem okien od zewnątrz zajmowało się inne ministerstwo, a stroną wewnętrzną – inne!

Mitterrand zreorganizował administrację i przeznaczył fundusze na renowację Luwru – był to jeden z „wielkich projektów" tego prezydenta, który miał na celu odnowienie pomników kultury i cywilizacji Francji. Ministerstwo Finansów opuściło północne skrzydło muzeum, robiąc miejsce dla zbiorów. Zaangażowano architekta I.M. Peia, który zaprojektował nowe i odtąd jedyne wejście do muzeum (patrz ***LA PYRAMIDE***), zmienił wystrój wielu istniejących galerii i powiększył przestrzeń ekspozycji.

MADONNA WŚRÓD SKAŁ Tytuł jednego z dwóch obrazów – obu oficjalnie określanych *Dziewica wśród skał* – namalowanych przez **Leonarda da Vinci**. *Madonną wśród skał* potocznie nazywa się obraz wiszący w Luwrze. Druga – „ugładzona" – wersja dzieła znajduje się w National Gallery w Londynie.

Powiązawszy anagram *So dark the con of man*, Sophie w poszukiwaniu wskazówek od dziadka bada tylną stronę obrazu i znajduje tam klucz z wygrawerowanym znakiem ***fleur-de-lys*** oraz inicjałami P.S. – co jest spełnieniem obietnicy dziadka, który często mówił, że pewnego dnia otrzyma „klucz" do wielu tajemnic. Ścigani przez strażników Sophie i Langdon wskakują do jej **smarta** i pędzą do domu dziadka. W drodze Langdon, poruszony znaleziskiem, mówi że „jest to kolejne, pasujące do całości ogniwo w łańcuchu połączonych ze sobą symboli".

Langdon w powieści, a uczeni w rzeczywistości zastanawiają się nad skomplikowaną historią tego obrazu i zawartymi w nim, być może, ukrytymi znaczeniami, także tymi, które Langdon nazywa „groźnymi i kłopotliwymi szczegółami": jak św. Jan błogosławiący Jezusa oraz Matka Boska, czyniąca wyraźnie groźny gest nad głową św. Jana.

MAGDALA Miasteczko w Galilei, z którego, jak twierdzą uczeni, miała pochodzić **Maria Magdalena** (znana też jako Maria z Magdali). Wielu uczonych identyfikuje je z wioską znaną z Talmudu jako Magdala Nunaja lub Magdala Rybna, nazwana tak prawdopodobnie ze względu na bliskość Jeziora Galilejskiego. Magdala po hebrajsku znaczy „wieża" czy też „forteca". Jezus miał udać się do Magdali po cudzie rozmnożenia chleba i ryb.

MALLEUS MALEFICARUM Czyli *Młot na czarownice*, wspomniany przez Langdona w jego dialogu wewnętrznym, kiedy zastanawia się nad znaczeniem anagramu *So dark the con of man*, nabazgranego na płycie z pleksiglasu, która chroni ***Monę Lisę***. *Malleus Maleficarum*, wydany w roku 1486, stał się dla inkwizytorów podręcznikiem rozpoznawania czarownic (patrz rozdział 5), które chwytano, torturowano i palono na stosie.

MARCJON Heretyk z II wieku n.e., syn biskupa z Synopy. Nauczał, że bogiem ze Starego Testamentu był w rzeczywistości demiurg, który powołał do istnienia świat materialny i wyposażył go we własne wrodzone zło. Jezus – według herezji Marcjona – jest synem innego boga, większego niż ten, który stworzył świat w 7 dni. Ten większy bóg posłał Jezusa między ludzi, by uwolnił ich od zła świata materialnego; w związku z tym Jezus w ogóle nie mógł być człowiekiem ani istotą materialną i nie miał ludzkiego ciała.

Aby rozwiązać sprzeczności pomiędzy swymi poglądami a treścią uważanych wówczas za kanoniczne ewangelie, Marcjon opracowywał własną redakcję Nowego Testamentu: stworzył skróconą wersję Ewangelii według św. Łukasza, usuwając wszystkie odniesienia do narodzin Chrystusa, i dodał do Listów św. Pawła, którego uważał za jedynego prawdziwego tłumacza słów Chrystusa. Namawiał wiernych do wegetarianizmu, a także do abstynencji seksualnej. Marcjonizm, który przetrwał aż do V wieku n.e., przejął wiele elementów gnostycyzmu.

Tertulian, jeden z ojców kościoła, walczący z herezjami, daje nam pojęcie, jak wielki gniew musiały budzić teorie Marcjona w Kościele wczesnochrześcijańskim, pisząc, że jest on głupszy niż Scyta, błądzący bardziej niż Sarmata, bardziej nieludzki niż Massageta, bardziej zuchwały niż Amazonki, zimniejszy niż sama zima, bardziej kruchy niż lód, bardziej podstępny niż Ister, bardziej niedostępny niż Kaukaz. Tertulian pyta: „Która z pontyjskich myszy byłaby zdolna gryźć tak jak on, który pogryzł Ewangelie na kawałki?"

MARIA MAGDALENA Uczennica Chrystusa, uważana także za jego „towarzyszkę". Odpowiedź na pytanie, co oznacza to słowo, stało się głównym tematem *Kodu Leonarda da Vinci*. Tradycja kościelna przedstawia Marię Magdalenę jako grzesznicę i często jako prostytutkę; według nowszych interpretacji – w których posłużono się tekstami **ewangelii gnostycznych**, znalezionych w Nag Hammadi – była bliską towarzyszką Jezusa, może nawet jego żoną (patrz rozdział 1).

MEROWINGOWIE Dynastia władców państwa Franków, do której poprzez małżeństwo weszli rzekomo potomkowie Jezusa i **Marii Magdaleny**, przedłużając w ten sposób święty ród. Z Merowingów wywodził się podobno **Godfryd de Bouillon**, założyciel **Zakonu Syjonu**.

Merowingowie pochodzą od Meroweusza, półmitycznej postaci, syna dwóch ojców: króla imieniem Klodion i potwora morskiego, który uwiódł matkę Meroweusza, kiedy kąpała się w morzu. Meroweusz i jego potomkowie podobno odznaczali się nadnaturalną siłą i niezwykle długim życiem. Inne legendy wyprowadzają ten ród od Noego i innych patriarchów żydowskich lub od mieszkańców starożytnej Troi. Inne hipotezy – jakoby Merowingowie byli potomkami „obcych" *nefilim* (biblijnych gigantów, półbogów) czy też upadłych aniołów, a także że George Bush i Jeb Bush pochodzą od Meroweusza – są mniej popularne. Hołd rudowłosym monarchom złożyli twórcy filmu *Matrix*, w którym jedna z postaci nosi imię Merowing.

Historyczna prawda jest taka: król Chlodwig w końcu V wieku n.e. zdołał osiągnąć jedynowładztwo nad Frankami. Chlodwig przysiągł przyjąć wiarę katolicką, jeżeli uda mu się zwyciężyć w bitwie z innym plemieniem*. W ten sposób Francja została zdobyta dla Kościóła katolickiego. Władztwo Merowingów uległo następnie rozdrobnieniu na małe państewka. Ostatnim faktycznie panującym Merowingiem był **Dagobert II**. W okresie kilku zaledwie pokoleń władzę przejęli Karolingowie, z których najbardziej znanym był Karol Wielki. W niesławnych ***Dossiers Secrets*** czytamy, że syn

* Chodzi o bitwę z Wizygotami pod Vouillé w 507 roku n.e.

zamordowanego Dagoberta II przeżył, Merowingowie zaś przetrwali aż do naszych czasów – ich potomkiem jest **Pierre Plantard**.

MIRIAM Inna wersja imienia **Marii Magdaleny**.

MITRA Teabing wspomina Mitrę jako „boga przedchrześcijańskiego", z którym związane są mity przypominające przekazywaną przez Kościół legendę o Chrystusie. Kult Mitry, bóstwa popularnego w starożytnym Rzymie, kwitł od II do IV wieku n.e. Mitra pochodził z terenów Azji Środkowej, czczono go zwłaszcza w Persji i Indiach. Z początku należał do pomniejszych bóstw i służył bogu Ahura-Mazdzie.

Mitrę identyfikowano ze światłem słonecznym i często czczono go razem z Sol Invictus (Niezwyciężonym Słońcem), innym popularnym bóstwem rzymskim, lub wręcz pod jego imieniem. Kult Mitry był szczególnie rozpowszechniony w garnizonach rzymskich, gdyż przedłużające się pobyty żołnierzy poza domem czyniły ich podatnymi na wiarę w nowego boga. Mitra stał się najpopularniejszym spośród „importowanych" do Rzymu bogów.

Wiele tradycji związanych z Chrystusem i jego kultem wywodzi się z praktyk kultu Mitry, do których należało uroczyste obchodzenie przesilenia zimowego – narodzin słońca – 25 grudnia. Część wiernych wierzyła, że Mitra urodził się z dziewicy i że należał do świętej trójcy bogów. Rytualny chrzest i Ostatnia Wieczerza także mają odpowiedniki w mitraizmie. Niektórzy uczeni twierdzą, że wyznający rodzącą się wiarę chrześcijańską przejęli wiele praktyk i wierzeń kultu Mitry, by upodobnić do istniejącej od dawna i popularnej religii.

MITTERRAND, FRANÇOIS Jadąc do Luwru w towarzystwie porucznika Colleta, Langdon wspomina François Mitterranda, byłego prezydenta Francji, którego uwielbienie dla kultury egipskiej zyskało mu, jak sądzi symbolog, przydomek „Sfinksa". Później, już wewnątrz Piramidy (patrz **LA PYRAMIDE**), zastanawia się, czy powiedzieć kapitanowi Fache, że Mitterrand zarządził, by do jej budowy użyto 666 kawałków szkła (patrz rozdział 11) – co nie jest prawdą, bo powierzchnia piramidy składa się z 698 szyb.

Urodzonego w roku 1916 Mitterranda uważa się za jednego z najważniejszych polityków francuskich XX wieku. W czasie II wojny światowej walczył w piechocie, był ranny i trafił do niewoli niemieckiej. Uciekłszy, wrócił do Francji i wstąpił do francuskiego ruchu oporu. Po wyzwoleniu wszedł w skład nowego rządu Republiki Francuskiej jako najmłodszy minister. Stopniowo odchodził od poglądów konserwatywnych, by w 1981 roku zostać pierwszym socjalistycznym prezydentem Francji.

Jeden z „wielkich projektów" Mitterranda – obejmujący odrestaurowanie pomników kultury narodowej – zwieńczyła renowacja Luwru.

Przydomek Sfinks nadano Mitterrandowi prawdopodobnie ze względu na enigmatyczne i pokrętne zachowanie jako polityka, nie zaś z powodu jego miłości do sztuki egipskiej. Najczęściej nazywano go Lisem lub Florentyńczykiem, gdyż słynął z mistrzowskiej – niektórzy powiedzieliby: „makiawelicznej" – umiejętności manipulowania oponentami. **Pierre Plantard** rozpuszczał pogłoski, że Mitterrand był także członkiem **Zakonu Syjonu**.

MONA LISA Prawdopodobnie ulubione dzieło Leonarda (z którym przez lata się nie rozstawał) uważane jest przez wielu za najsłynniejszy obraz świata. W *Kodzie Leonarda da Vinci* Jacques Saunière przed śmiercią zostawia anagram, nabazgrany na pleksiglasowej osłonie obrazu. Kiedy Sophie i Langdon zbliżają się do płótna, by przeczytać wiadomość, Langdon przypomina sobie wykład na temat sekretów i popularności tego obrazu, jaki wygłosił kiedyś przed grupą więźniów.

Wielu znakomitych uczonych zgadza się co do tego, że obraz przedstawia młodą florentynkę, niejaką Lisę Gherardini del Giocondo, żonę kupca. Od nazwiska Giocondo (które kojarzy się ze słowem „szczęśliwy", „radosny") obraz otrzymał nazwę *Gioconda*. Pod koniec życia Leonarda obraz został sprzedany czy też podarowany francuskiemu królowi Franciszkowi I, opiekunowi malarza. Królewska rodzina francuska umieściła go w **Luwrze**.

Langdon wydaje się umniejszać artystyczne mistrzostwo obrazu, twierdząc, że sławę zawdzięcza on tajemniczemu – rzekomo – uśmiechowi. Wielu uczonych i historyków sztuki snuło rozważania na temat tego uśmiechu i tajemnicy, jaką ukrywa. Niektórzy utrzymują, że obraz jest autoportretem malarza w damskim przebraniu – Langdon w swoim wykładzie wspomina o takiej możliwości. Inni sugerują, że Mona Lisa to w rzeczywistości księżniczka z rodu Medyceuszów, hiszpańska księżna czy jakaś inna dama znana z historii. Uczeni odrzucają hipotezę Langdona, że nazwa *Mona Lisa* jest anagramem imion egipskiego boga płodności **Amona** i bogini **Izydy** (Izis). Być może prawdziwą tajemnicę *Mony Lisy* stanowi jej dyskrecja. Możliwe, że zawdzięcza swoją stałą popularność faktowi, że istotnie ma jakąś tajemnicę, jaką – nigdy się nie dowiemy; jednak nie wiedzieć – to zawsze o wiele bardziej intrygujące niż wiedzieć.

Kradzież *Mony Lisy* zorganizował w roku 1911 słynny Argentyńczyk Eduardo de Valfierno. Utalentowany konserwator dzieł sztuki, Yves Chaudron, miał wykonać jak najwięcej kopii, które Valfierno planował sprzedać kolekcjonerom, by następnie zwrócić oryginał do Luwru. Na wieść o zniknięciu *Giocondy* w Paryżu wybuchła panika; zatrzymano wielu podejrzanych, między innymi większość pracowników Luwru i zaskoczonego Pabla Picassa (malarz kupił kiedyś dwie skradzione rzeźby od przyjaciela, który wyniósł je z Luwru). Plan przez jakiś czas działał dobrze. Valfierno sprzedał wiele kopii; jednak jeden z pracowników Luwru, którego zaangażował do pomocy w kradzieży oryginału, usiłował zainteresować nim paryskiego handlarza dzieł sztuki. Kiedy handlarz oddał przestępcę w ręce władz, *Monę Lisę* odnaleziono pod podwójnym dnem drewnianego kufra w jego mieszkaniu, niedaleko Luwru. Valfierno, który nie zdradził swojej tożsamości pomocnikom, za pieniądze ze sprzedaży kopii żył przyjemnie i w dostatku do końca swoich dni, być może dając Monie Lisie nowy powód do uśmiechu.

MONTANUS Neofita chrześcijański z II wieku n.e., który około roku 156 wyjawił swoim uczniom, że jest prorokiem i jedynym posłańcem Boga. Montanus przepowiadał ponowne przyjście Chrystusa i głosił potrzebę surowej ascezy i kary za przewinienia. Miał wielu zwolenników, lecz gdy jego popularność rosła, jeszcze szybciej rosły szeregi jego przeciwników. Niektórzy uważali, że Montanus został opętany przez demona i pragnęli poddać go egzorcyzmom. W końcu Montanus wraz ze swymi uczniami odstąpił od Kościoła.

MOZART, WOLFGANG AMADEUSZ Słynny XVIII-wieczny (1756–1791) kompozytor był oddanym członkiem ruchu wolnomularzy, a motywy masońskie pojawiają się w wielu jego dziełach; jeden utwór nosi nawet tytuł *Mularska muzyka żałobna**. Mozart, który jakoby miał być wielkim mistrzem Zakonu Syjonu, jest także znany dzięki swojej operze *Czarodziejski flet*. Zachwycając się muzyką, wielu melomanów nie zdaje sobie sprawy, że libretto opowiada o walce pomiędzy ciemnością i światłem, nawiązując do symboliki chrześcijańskiej, egipskiej i hermetycznej.

NAG HAMMADI W okolicy Nag Hammadi w roku 1947 odkryto szereg bardzo ważnych tekstów, pochodzących z okresu wczesnego chrześcijaństwa (patrz **GNOSTYCZNE EWANGELIE**, a także rozdziały od 1 do 5). Teksty mają formę z połączonych stron (w przeciwieństwie do dawniejszych zwojów: np. zwojów znad Morza Martwego) w okładkach skórzanych (który to materiał po raz pierwszy zastosowano wówczas w tym celu). Chociaż owe kodeksy znacznie wzbogaciły naszą wiedzę o tamtych czasach, niektórzy uczeni sądzą, że ze wszystkich tekstów wczesnochrześcijańskich, o których istnieniu wiemy, odnaleziono tylko 15%. Być może wiele innych źródeł dotyczących Marii Magdaleny oczekuje, by je odkryto i uczyniono tematem kolejnego bestsellera.

NEWTON, SIR ISAAC Pełen zestaw tytułów, jakimi Newton (1642–1727) mógłby się pełnoprawnie posługiwać – matematyk, fizyk, filozof, badacz historii naturalnej, teolog, filozof polityczny, że wymienimy tylko część – uczyniłby z niego wiodącą postać życia intelektualnego w każdej epoce. Jednak w gronie największych myślicieli w historii ludzkości znalazł się za sprawą rewolucji, jakiej dokonał w dziedzinie fizyki i matematyki. Osiągnięcia Newtona często są traktowane jako triumf wartości oświecenia, rozumu i nauki nad ciągle jeszcze w jego czasach dominującym średniowiecznym rozumieniem nauk fizycznych. Choć uważany za oświeceniowego racjonalistę, Newton był głęboko zaangażowany w nauki tajemne i w okultyzm. Zanim w połowie 60. lat

* *Maurerische Trauermusik*, K.477 (1785).

XVII wieku doszedł do swych odkryć, był naukowcem swoich czasów – alchemikiem, który spędzał lata nad rozszyfrowaniem boskich sekretów przyrody na drodze chemicznych eksperymentów. Alchemię w jego czasach uznawano za naukę bliską magii, nic dziwnego więc, że swoje badania prowadził w tajemnicy.

W *Kodzie Leonarda da Vinci* Newton wymieniony jest jako jeden z wielkich mistrzów **Zakonu Syjonu**, prawdopodobnie w oparciu o kontrowersyjne ***Dossiers Secrets***. Chociaż jego przynależności do Zakonu nie można potwierdzić, wiemy, że miał bliskie związki z ważniejszymi masonami, a jego poglądy wykazują znaczne podobieństwo do doktryny wolnomularskiej. W praktyce był heretykiem, gdyż zaprzeczał istnieniu świętości. Uzyskał od Karola II zgodę na prowadzenie badań bez kontroli Kościoła anglikańskiego. Starał się rozszyfrować sekrety Biblii i pragnął zrekonstruować plan **Świątyni Salomona**, którą uważał za kryptogramatyczny symbol wszechświata. Co zaskakujące, w ostatnich czasach odkryto rozliczne chrześcijańskie i heretyckie symbole w diagramach zamieszczonych w *Principiach* – koronnym dziele Newtona w dziedzinie nauk fizycznych.

NICEJSKIE WYZNANIE WIARY Krótkie wyznanie wiary sformułowane w czasie **soboru nicejskiego***, które podsumowywało ortodoksyjną doktrynę i stało się ostoją nauk Kościoła. Tekst ten jest wyraźnym do wodem odrzucenia arianizmu (patrz Ariusz).

> Wierzę (...) w jednego Pana Jezusa Chrystusa, Syna Bożego jednorodzonego, który z Ojca jest zrodzony przed wszystkimi wiekami – Bóg z Boga, światłość ze światłości, Bóg prawdziwy z Boga prawdziwego. Zrodzony, a nie stworzony, współistotny Ojcu, a przez niego wszystko się stało.

Nicejskie wyznanie wiary odmawiane jest w czasie nabożeństw chrześcijańskich.

ODAN, OPUS DEI AWARENESS NET Sieć Świadomości Opus Dei, grupa przeciwników **Opus Dei**, która, o czym wspomina Dan Brown w *Kodzie Leonarda da Vinci*, stara się ostrzegać ludzi przed „przerażającą" działalnością tej organizacji. ODAN ma swoją stronę w Internecie.

O'KEEFE, GEORGIA Kiedy Teabing wyjaśnia Sophie i Langdonowi, że **różę** od dawna uważa się, podobnie jak Opus Dei, za „podstawowy symbol seksualności kobiety", podaje obrazy Georgii O'Keefe jako najlepszy przykład tego, że „rozkwitająca róża przypomina kobiece narządy płciowe". Sama malarka jednak uparcie zaprzeczała, jakoby w jej pracach była jakaś symbolika i twierdziła, że patrząc na jej obrazy, skojarzenia seksualne, a często erotyczne, mieli tylko ci, którzy chcieli je mieć.

OLIMPIJSKIE IGRZYSKA Pierwsze odbyły się w roku 776 p.n.e. jako święto religijne na cześć najwyższego boga greckiego, Zeusa (patrz **POGAŃSTWO**).

* W 325 roku n.e.

Odbywały się w Olimpii, w pobliżu świątyni Zeusa. Starożytne igrzyska jednoczyły na czas swego trwania wiecznie skłócone miasta-państwa. Towarzyszyły im obrzędy religijne, podczas których składano ofiary rozmaitym bóstwom. Ten schemat przetrwał 12 wieków, aż do roku 393 n.e., kiedy cesarz Świętego Cesarstwa Rzymskiego Teodozjusz położył kres olimpiadom. Igrzyska przywrócono do życia w roku 1896 dzięki staraniom francuskiego barona Pierre'a de Coubertina. To właśnie de Coubertin w roku 1913 zaprojektował pięć połączonych ze sobą kółek – oznaczających pięć uczestniczących w igrzyskach kontynentów – w kolorach flag narodowych wszystkich narodów świata. Niektórzy dostrzegają w symbolice olimpijskiej hołd złożony politeistycznym wiarom przedchrześcijańskim.

OŁTARZ Po łacinie *altus* oznacza „wysoki". Ołtarze w oczach przedchrześcijańskich były stołami do składania ofiar, a w początkach chrześcijaństwa służyły do powtórzenia Ostatniej Wieczerzy.

OPUS DEI Aby uatrakcyjnić fabułę powieści, Dan Brown w sensacyjny sposób opisał przeciwstawne bieguny wierzeń religijnych od czasów Jezusa. Tajemnice, które główne postaci powieści usiłują odkryć, związane z osobą dziadka Sophie, należą do dziedzictwa „radykalnej" gałęzi **gnostycyzmu**, której przedstawiciele wierzyli w małżeństwo Jezusa i Marii Magdaleny i kultywowali tradycje **pogaństwa**. Na przeciwnym biegunie znajduje się ortodoksyjny katolicyzm, reprezentowany przez organizację uważaną za najbardziej konserwatywną z możliwych – Opus Dei. Obie strony szukają świętego Graala, chociaż z różnych powodów.

Opus Dei, jak twierdzą jego członkowie, istnieje po to, by „przyczynić się do misji ewangelizacji Kościoła. Zachęca chrześcijan wszystkich klas społecznych do życia w zgodzie z wiarą w normalnych warunkach życia codziennego, szczególnie poprzez uświęcenie swojej pracy". Założona w roku 1928 przez Josemarię Escrivę de Balaguera organizacja przekonuje, że nawet świecki katolik może osiągnąć świętość, o ile udoskonali codzienne życie i każde swoje działanie z radością poświęci Bogu. Od członków Opus Dei wymaga się rygorystycznego przestrzegania wszystkich reguł Kościoła katolickiego.

Opus Dei zyskało potężnego sojusznika w osobie papieża Jana Pawła II, który uczynił tę organizację personalną prałaturą papieską: jego członkowie podlegają prałatowi, który z kolei jest zależny jedynie od Kongregacji Biskupów. Papież kanonizował ojca Escrivę w 2002 roku. Powszechna uwaga, jaką zwraca ta organizacja, nie wiąże się wyłącznie z konserwatyzmem, wspólnym Janowi Pawłowi II i św. Josemarii, ale także z jej ciągle rosnącą popularnością oraz potęgą. Oblicza się, że do Opus Dei należy obecnie od 80 000 do 90 000 członków na całym świecie, z tym że ich liczba w Stanach Zjednoczonych waha się od 3000 do 50 000 w zależności od źródła.

Grupa wzbudza silne kontrowersje, zwłaszcza w kwestii umartwień cielesnych oraz kontroli, jaką organizacja – podobnie jak sekty – sprawuje nad członkami. Są dwa rodzaje członków Opus Dei: etatowi (właściwi) i nieetatowi. Członkowie nieetatowi (około 70%) oddają się uświęcaniu swojej pracy i żyją w rodzinach. Członkowie etatowi natomiast często mieszkają w ośrodkach Opus Dei, odizolowani od przedstawicieli innej płci, ślubują bezżenność i przekazują swoje zarobki grupie. By oczyścić się z grzechów i odegnać złe popędy, które do nich prowadzą, umartwiają się też cieleśnie za pomocą włosiennicy (*cilice*) lub dyscypliny.

Opus Dei walczy z bezpodstawnymi, jak twierdzą jego członkowie, zarzutami. Organizacja założyła stronę internetową, na której umieszcza artykuły krytykujące interpretację Biblii, której dokonał Dan Brown oraz wykreowany przez niego wizerunek Opus Dei.

OSTATNIA WIECZERZA Obok ***Mony Lisy*** jest jednym z najsławniejszych dzieł Leonarda. Leigh Teabing używa przykładu *Ostatniej Wieczerzy* dla zilustrowania wykładu o **świętym Graalu** i o zaszyfrowanych odniesieniach do niego w zachodnioeuropejskiej sztuce, literaturze i historii. Teabing opisuje zagadkowe elementy tego obrazu – kobiecą postać **Marii Magdaleny**, zwykle uważaną za św. Jana, siedzącą po prawej ręce Chrystusa, nienależącą do żadnego ciała rękę trzymającą sztylet, skierowany groźnie w stronę Marii, zarys kielicha i litery M, w jaki układają się ciała Marii i Jezusa. Żaden z poważnych uczonych nie poparłby teorii Teabinga; Brown prawdopodobnie zaczerpnął ją z książki Lynn Picknett *Templariusze. Tajemni strażnicy tożsamości Chrystusa* i pracy Margaret Starbird *Kobieta z alabastrowym flakonem*. Maria Magdalena i święty Graal.

PAPIEŻYCA W rozmowie z Sophie na temat talii **tarota** Langdon wyjaśnia, że ta średniowieczna gra w karty była „pełna ukrytych symboli heretyckich" Karta Papieżycy reprezentuje ukrytą czy ezoteryczną wiedzę. Przedstawia siedzącą kobietę w stroju księdza i w tiarze, trzymającą na kolanach otwartą księgę.

Podstawowym źródłem naszej skromnej wiedzy o kobiecie-papieżu jest dominikanin, Marcin Polak (Martin Polonus), który twierdził*, że pewien XIII-wieczny papież Jan był w rzeczywistości kobietą. Płeć papieżycy Joanny odkryto, gdy wydała na świat dziecko podczas procesji papieskiej z katedry św. Piotra na Lateran. Polonus mówi, że historycy Kościoła w późniejszych czasach wykreślili jej imię „zarówno ze względu na to, że była kobietą, jak i na obrzydliwość całej sprawy". Według innych przekazów została ona ukamienowana przez tłum na miejscu, kiedy wykryto jej oszustwo. Niektórzy podają, że była Angielką, wykształconą w Niemczech, i że ubierała się po męsku, gdyż chciała zostać mnichem; w innej wersji przybyła z Aten, gdzie zasłynęła niezwykłą wiedzą i znajomością

* W dziele *Chronicon pontificum et imperatorum*, napisanym w XIII wieku na zamówienie papieża Klemensa IV.

języków i teologii. Brak jednak pełnego potwierdzenia źródłowego w pełni legendy kobiety-papieża Joanny, którą podał w wątpliwość XVII-wieczny protestancki historyk. Legenda mogła również powstać jako satyra antypapieska, uderzająca w lęki Kościoła przed oszustwami, przed kobietami o zbyt dużym autorytecie i przed aktywnością seksualną wysokich dostojników kościelnych. Sprawie tej poświęcili książkę Rosemary i Darroll Pardoe*.

PENTAGRAM Pentagram po raz pierwszy pojawia się w *Kodzie Leonarda da Vinci* jako krwawy znak, który Jacques Saunière nakreślił na własnym brzuchu na krótko przed śmiercią. Langdon, sprowadzony na miejsce zbrodni, wyjaśnia, że figura ta to symbol Wenus, bogini miłości i seksualności ludzkiej, związany także z kultami przyrody.

Pentagram jest jednym z najstarszych symboli znanych człowiekowi. Jego najłatwiej rozpoznawalna forma to pięcioramienna gwiazda o równych ramionach. Wpisana w okrąg staje się pentaklem, powszechnie znanym jako znak Wenus oraz Isztar. Pochodzenie pentagramu sięga bardzo odległych czasów. Pierwsze dowody jego używania znamy dzięki zabytkom sumeryjskim. Pierwotne znaczenie pentagramu i jego przemiany są obecnie przedmiotem domysłów. Uczeni uważają go za najwcześniejszy symbol ludzkiego ciała, na które składają się cztery żywioły i duch, a także za symbol wszechświata. Pitagorejczycy używali go jako znaku zapoznawczego i prawdopodobnie kojarzyli z boginią Hygeią (grecką boginią zdrowia). Pentagram pozostaje symbolem stosowanym do dzisiaj, między innymi przez wiccan** oraz inne tajne stowarzyszenia. Pojawia się na orderach i rangach wojskowych, symbolizuje pięć kolumn islamu oraz kult diabła i innych demonicznych sił – co, zdaniem Langdona, nie jest historycznie uzasadnione.

PIĄTEK TRZYNASTEGO W *Kodzie Leonarda da Vinci* Dan Brown tłumaczy, skąd wziął się szeroko rozpowszechniony przesąd, że piątek trzynastego zawsze jest pechowym dniem. W piątek 13 października 1307 roku papież **Klemens V** „wydał tajne rozkazy, na których pieczęć miano złamać jednocześnie w całej Europie". Dokumenty opisywały widzenie papieża, którego sam Bóg nawiedził, by ostrzec, że **templariusze** to heretycy oddający cześć diabłu, winni homoseksualizmu, świętokradztwa wobec **krzyża**, sodomii i innych grzesznych czynów. Zbrojni – którzy w gruncie rzeczy służyli francuskiemu królowi **Filipowi IV** – otrzymali nakaz pojmania templariuszy i torturowania ich tak długo, aż wyznają wszystkie winy wobec Boga. Brown pisze, że templariuszy „schwytano,

* Rosemary i Darrol Pardoe *The Female Pope*, 1988.

** Wicca to przekazywana z osoby na osobę neopogańska religia misteryjna Kult Bogini Magii i Boga śmierci i Odrodzenia; zawiera elementy białej magii.

torturowano bezlitośnie, a potem palono na stosach jako heretyków", sugerując, że wszystko to odbyło się w ciągu 24 godzin, podczas gdy te wydarzenia trwały kilka lat. Prawdziwym przestępstwem templariuszy była ich siła. Ów bardzo bogaty i wpływowy zakon łączył protekcję papieską i potęgę finansową, a ponadto rzekomo posiadł tajemnicę **świętego Graala**. Papież uznał, że templariusze są zagrożeniem dla jego władzy i musi się ich pozbyć. Istotnie większość z nich – ale nie wszyscy – została otoczona i pojmani owego dnia. Ci, którzy przeżyli, najprawdopodobniej strzegli w dalszym ciągu sekretów świętego Graala.

Chociaż Brown podaje ten incydent jako źródło żywego przez wiele wieków przesądu, zabobon dotyczący piątku i trzynastki ma znaczenie głębsze korzenie. W mitologii nordyckiej 13 osób zebrało się na uczcie w Walhalli, podczas której został zabity Baldur (syn Odyna), co pociągnęło za sobą „zmierzch bogów". Na przełomie VIII i VII wieku p.n.e. Hezjod w swoich *Pracach i dniach* pisał, że trzynasty dzień nie jest korzystny dla zasiewów, ale dobry do sadzenia. Piątek uważają chrześcijanie za dzień nieszczęśliwy jako ten, w którym ukrzyżowano Chrystusa, a liczba 13 ich zdaniem przynosi pecha, ponieważ w Ostatniej Wieczerzy uczestniczyło 13 osób, wliczając trzynastego apostoła – zdrajcę.

PIOTR APOSTOŁ (ŚW. PIOTR) Kiedy św. Piotr spotkał Jezusa, miał jeszcze na imię Szymon. Jezus potem nazwał go „Kefasem" (skałą); wersja łacińska tego imienia to Petrus – Piotr. W ewangeliach Nowego Testamentu Jezus wydaje się szczególnie wyróżniać Piotra, który pojawia się w kilku ważnych epizodach jego życia. W słynnych słowach Jezus zwraca się do Piotra, nazywając go opoką, na której zbuduje swój Kościół.

W *Kodzie Leonarda da Vinci* Piotr pojawia się w czasie długiego wykładu Teabinga na temat natury **świętego Graala**. Teabing przytacza fragment z *Ewangelii według Marii Magdaleny*, w którym Piotr wyraża niewiarę w to, że Jezus rozmawiał z **Marią Magdaleną** bez wiedzy innych **apostołów** i że mógłby ją przedkładać nad swych uczniów. Teabing idzie jeszcze dalej, twierdząc, że Piotr był zazdrosny o Marię Magdalenę, bo Chrystus w rzeczywistości jej, a nie jemu powierzył losy swojego Kościoła. Chociaż, jak czytamy w *Ewangelii Marii Magdaleny*, Piotr mógł istotnie być zmartwiony, że Jezus mówił na osobności z Marią, tekst ten jednak nie zawiera żadnej wskazówki, że tematem ich rozmowy była przyszłość Kościoła.

PLANTARD, PIERRE Chociaż Pierre Plantard nie został wspomniany w *Kodzie Leonarda da Vinci*, jest on postacią bardzo ważną dla tematyki, której dotyczy książka. Pierre Plantard (1920–2000), obywatel Francji, był samozwańczym wielkim mistrzem Zakonu Syjonu od 1981 roku. Stał się sławny, kiedy Michael Baigent, Richard Leigh i Henry Lincoln napisali o nim w swej bestsellerowej książce *Święty Graal, święta krew*. Ich dociekania zainspirowały Dana Browna, który stworzył analogiczną do Plantarda postać Jacques'a Saunière'a –

ostatniego wielkiego mistrza Zakonu Syjonu i potomka dynastii Merowingów.
W przypadku Plantarda często z trudem przychodzi rozgraniczenie między tym, co stwierdzone, a fikcją. Z ***Dossiers Secrets***, zdeponowanych w Bibliothèque National w Paryżu, wynika podobno, że Pierre Plantard jest potomkiem Jeana de Plantarda wywodzącego się z rodu **Merowingów**. Baigent, Lincoln i Leigh twierdzą, że gdy badali legendy o **świętym Graalu** „wszystkie ślady w końcu wiodły do [Plantarda]". Wydaje się on podstawowym źródłem informacji wielu opowieści, związanych z **Rennes-le-Château**. Często udzielał enigmatycznych wyjaśnień na temat Zakonu Syjonu, które wywoływały jeszcze większe zamieszanie. Kiedy o Zakon wypytywali go dziennikarze z francuskiego pisma „Le Charivari", powiedział tylko: „Towarzystwo, do którego należę, jest wyjątkowo stare. Ja nastąpiłem po innych, jestem tylko ogniwem w łańcuchu. Strzeżemy pewnych rzeczy. Działamy bez rozgłosu". W *Świętym Graalu, świętej krwi* opisano go jako „pełnego godności, uprzejmego mężczyznę o dyskretnie arystokratycznym wzięciu, nierzucającym się w oczy wyglądzie, wysławiającego się z polotem, ale poprawnie". Plantard publicznie stwierdził, że nie popiera teorii Baigenta, Lincolna i Leigha, niemniej zaofiarował się poprawić francuskie wydanie książki. Na temat rzekomego pokrewieństwa między Jezusem a rodem Merowingów wyrażał się jednak zawsze wymijająco.
Być może istnieje też ciemna strona w życiu Plantarda. Został on oskarżony o sympatyzowanie z nazistami i o antysemityzm, wiązano jego osobę z kilkoma prawicowymi publikacjami i organizacjami sprzed i z czasu II wojny światowej. Trafił jakoby do więzienia za sprzeniewierzenie i oszustwo w latach 50.; miał też ponoć sprzedać historię **Bérengera Saunière'a** autorowi, który spopularyzował tajemnice Rennes-le-Château. Jego twierdzenia, jakoby pochodził z linii Merowingów, zostały zdyskredytowane; wiele dokumentów, jakimi potwierdzał swój rodowód, wykonał sam lub sporządzili je jego przyjaciele; następnie złożył je anonimowo w Bibliothèque National.
Wydaje się, że przeciw każdemu twierdzeniu Plantarda i członków Zakonu można od razu wysunąć twierdzenie przeciwne; to zaś z kolei może zostać podważone przez dalsze oskarżenia. Szyfry wewnątrz szyfrów, historie wewnątrz historii. Z krętactwa i oszustw związanych z legendą **Pierre'a Plantarda** wyrósł w rzeczywistości *Kod Leonarda da Vinci*.

PLEMIĘ BENIAMINA Jedno z 12 plemion Izraela, pochodzące od syna Jakuba, Beniamina, który odziedziczył po nim, według Biblii, miasto Jerozolimę. Plemię występuje w wykładzie Teabinga na temat prawdziwej natury **świętego Graala**. **Maria Magdalena**, mówi Teabing, pochodziła z plemienia Beniamina i dlatego jej związek z Jezusem – potomkiem królewskiego domu Dawida i plemienia Judy – miał ogromne znaczenie polityczne. W Księdze Sędziów czytamy, że plemię Beniamina zostało zaatakowane przez inne plemiona

Izraela za to, że zapewniło opiekę złoczyńcom i „synom Beliala". Zdziesiątkowane plemię przetrwało, lecz jak wynika z *Dossiers Secrets*, jego część przeniosła się do Europy Wschodniej, początkowo do greckiej Arkadii, potem nad Dunaj i Ren. Autorzy książki *Święty Graal, święta krew* sądzą, że plemię to mogło dać początek Frankom i ich królewskiej dynastii – **Merowingom**.

POGAŃSTWO W największym uproszczeniu pogaństwo to szereg wierzeń wywodzących się z pogańskich kultów politeistycznych. Pogaństwo istniało przed chrześcijaństwem i uważa się, że systemy te przeplatały się ze sobą, przynajmniej w początkach ery chrześcijańskiej. Wielka część historii chrześcijaństwa to walka o przetrwanie z siłami pogaństwa. Sophie Neveu odsunęła się od własnego dziadka po tym, gdy jako młoda kobieta przypadkiem ujrzała, że brał udział w pogańskiej ceremonii. Nie rozumiejąc, czego jest świadkiem – a był to pogański rytuał ***hieros gamos*** – wpadła w rozpacz na widok dziadka, uprawiającego publicznie seks. Langdon wyjaśnia jej później, że „stosunek to akt, przez który mężczyzna i kobieta doświadczają Boga (...). Zjednoczenie fizyczne z kobietą było jedynym środkiem, dzięki któremu mężczyzna mógł się duchowo spełnić i ostatecznie uzyskać ***gnosis*** – poznać boskość. Od czasów Izydy uważano, że rytuały seksualne są dla mężczyzny jedynym pomostem prowadzącymi z ziemi do nieba".

POKŁON TRZECH KRÓLI Leonardo da Vinci otrzymał zamówienie na *Pokłon Trzech Króli* we wczesnym okresie swojej twórczości, gdy pracował we Florencji. Powstały w roku 1481 *Pokłon* jest pracą niedokończoną. Części obrazu zostały jedynie „podrysowane" – to szkic, na który artysta nanosił farby. Badacze sądzili, że Leonardo przerwał pracę nad płótnem, zanim zdążył je wykończyć. Jednak w roku 2001 „diagnostyk sztuki" Maurizio Seracini przeprowadził badanie ultrasonograficzne, które wykazało, że „farby na obrazie *Pokłon* nie położył Leonardo". Dokonał tego, jak uważa Seracini, o wiele niższej klasy artysta, który specjalnie pozacierał niektóre elementy kompozycji i dodał inne. Dan Brown w *Kodzie Leonarda da Vinci* sugeruje, jakoby ów anonimowy malarz, który pokrył farbą wstępny rysunek Leonarda, naumyślnie starał się ukryć tajne przesłanie oryginału. Robert Langdon wspomina o artykule na temat odkrycia Seraciniego, opublikowanym w „The New York Times" 21 kwietnia 2002 roku.

POPE, ALEKSANDER Jedną z zagadek, jakie muszą rozwiązać Sophie i Langdon, jest wiersz, zapisany przez dziadka Sophie, którego fragment brzmi: *In London lies a Knight a Pope interred* (W Londynie leży rycerz, którego chował papież – ang. *pope*). W **King's College** dochodzą do wniosku, że ów *pope* to nie papież katolicki, ale słynny XVIII-wieczny poeta Aleksander Pope (1688–1744), a rycerz to sir **Isaac Newton**. Jak mówi Brown, Aleksander Pope, przyjaciel i współpracownik Newtona, „wygłosił poruszającą serca mowę pogrzebową, po czym rzucił na trumnę grudkę ziemi". To prawda, że Pope podziwiał i znał Newtona, ale, chociaż niewątpliwie przybył na jego pogrzeb, nie ma żadnych dowodów, że go poprowadził – Newton był tak ważną postacią, że jego trumnę nieśli lord, dwaj książęta i trzej rycerze. Mszę odprawił biskup Rochester.

Pope stworzył epitafium dla Newtona, któremu w 4 lata po śmierci postawiono pomnik. Jest to jedno z najsłynniejszych epitafiów w historii, napisane częściowo po łacinie, częściowo po angielsku:

ISAACUS NEWTONUS
Quem Immortalem
Testantur, Tempus, Natura, Caelum:
Mortalem
Hoc marmor fatetur.
(Tego, którego nieśmiertelność głoszą
czas, natura i niebo,
śmiertelność potwierdza ten marmur).

Natura and Nature's laws lay hid in Night.
God said, Let Newton be! And All was Light.
(Natura i prawa natury leżały skryte w nocy.
Bóg rzekł: Niech stanie się Newton!
I stała się światłość).

POUSSIN, NICHOLAS Uważany za jednego z największych malarzy francuskich XVII wieku zdobył rozgłos w Rzymie romantycznymi, poetycznymi obrazami o tematyce mitologicznej. Sophie zapamiętała Poussina jako drugiego po Leonardzie ulubionego malarza jej dziadka. Występuje on w niektórych opracowaniach, którymi Dan Brown posłużył się przy pisaniu *Kodu Leonarda da Vinci*. W powieści Poussin pojawia się jako bohater kilku książek autorstwa Jacques'a Saunière'a. Wydaje się, że te dzieła na temat ukrytych kodów w pracach Poussina i holenderskiego malarza **Davida Teniersa** to ulubione książki Langdona. Jeden z obrazów Poussina, *Pasterze z Arkadii*, namalowany w roku 1638, przedstawia grupę pasterzy stojących przed grobem. Na grobie znajduje się napis łaciński: *Et in Arcadia ego* (I w Arkadii ja [jestem]). Zdanie to często tłumaczono jako aluzję do obecności śmierci nawet w idyllicznym otoczeniu. Istnieją są też powiązania pomiędzy tym obrazem a tajemnicą **Rennes-le-Château**. Jeden z pergaminów, rzekomo odkryty przez Bérengera Saunière'a w kościele parafialnym w Rennes-le-Château, zawierał następującą zaszyfrowaną wiadomość:

SHEPARDESS NO TEMTATION THAT POUSSIN
TENIERS HOLD THE KEY; PEACE 681 BY THE
CROSS AND THIS HORSE OF GOD I COMPLETE
[DESTROY] THIS DAEMON OF THE GURDIAN
AT NOON BLUE APPLES

PASTERKA BEZ KUSZENIA
ŻE POUSSIN TENIERS POSIADAJĄ
KLUCZ; POKÓJ 681 PRZEZ KRZYŻ
I TEN KOŃ BOGA JA SKOŃCZYŁEM
[ZNISZCZYŁEM] TEGO DEMONA
STRÓŻA W POŁUDNIE
BŁĘKITNE JABŁKA

Wydaje się, że tekst ten dotyczy *Pasterzy z Arkadii*. Kilku autorów badających tajemnicę Rennes-le-Château twierdziło, że grób leżący w sąsiedztwie wioski przypomina grób z obrazu. Czy Poussin miał jakieś powiązania z tajemnicami **Rennes-le-Château**? Baigent, Leigh i Lincoln w książce *Święty Graal, święta krew* przytaczają list wysłany przez ojca Louisa Fouqueta do jego brata, intendenta Ludwika XIV. List opisuje wizytę Fouqueta u Poussina w Rzymie:

On i ja omawialiśmy pewne sprawy, które będę ci mógł z łatwością szczegółowo wyjaśnić – sprawy te przyniosą ci, poprzez pana Poussin, korzyści, które nawet królowie z wielką chęcią wyciągnęliby z niego, i których, jak on twierdzi, nikt inny nie odkryje ponownie w przyszłych stuleciach.

Niedługo po otrzymaniu tego zagadkowego listu Nicolas Fouquet został aresztowany i zamknięty w więzieniu na resztę życia.

Q, DOKUMENT O dokumencie Q wspomina Teabing w rozmowie z Sophie i Langdonem na temat tajemnej historii chrześcijaństwa i „wielkiego kamuflażu", jest to „rękopis, którego istnieniu podobno nie przeczy nawet Watykan, (...) księga nauk Jezusa, pisana prawdopodobnie jego własną ręką". Jakby wbrew ostrzeżeniu, które przed chwilą wygłosił, Teabing zadaje Sophie pytanie retoryczne: „Dlaczego Jezus miałby nie pozostawić świadectwa swojej posługi?"

Pytanie to zadawali sobie badacze od 1801 roku, kiedy Anglik, Herbert Marsh, po raz pierwszy wysunął hipotezę źródła typu Q – aramejskiego zapisu wypowiedzi Jezusa, który nazwał „bet", literą hebrajską przypominającą kształtem dom. Kilku niemieckich uczonych podjęło temat w XIX wieku, doprowadzając do dalszych kontrowersji. Ewangelie Mateusza i Łukasza wykazują pewne różnice, lecz czy może istnieć inne źródło słów Jezusa niż zestawione z sobą ewangelie? A jeżeli tak, które z nich jest „właściwe"? Uczony niemiecki Johannes Weiss nadał hipotetycznemu tekstowi bardziej neutralną nazwę Q – od niemieckiego wyrazu *Quelle*, oznaczającego „źródło". W latach 60. XX wieku naukowcy zwrócili uwagę na jeden z tekstów odkrytych w **Nag Hammadi** w roku 1947 – *Ewangelię Tomasza*, którą przetłumaczyli James Robinson i Thomas Lambdin.

Czy *Ewangelia Tomasza* to istotnie źródło słów Jezusa? Odpowiedź leży częściowo w ustaleniu daty powstania dokumentu. Jeżeli pochodzi on z połowy I wieku, może być poszukiwanym źródłem. Jeżeli zaś – jak uważają bardziej konserwatywni uczeni – *Ewangelia Tomasza* została napisana już po I wieku, prawdopodobnie skompilowano ją ze zgromadzonych wspomnień. Profesor Robinson, „ojciec chrzestny" tej dyskusji, odpowiada w ten sposób: „Oczywiście, że Jezus nie napisał sam dokumentu Q. To jeszcze jedna z bredni Dana Browna, który stara się uczynić swą książkę jak najbardziej sensacyjną". Dyskusja toczy się dalej, a badacze mają nadzieję, że uda się odnaleźć więcej tekstów z okresu wczesnego chrześcijaństwa, które pomogą wyjaśnić tę i wiele innych kontrowersji.

RENNES-LE-CHÂTEAU Zaledwie kilka miejsc na ziemi, między innymi Stonehenge i Trójkąt Bermudzki, stało się przedmiotem tak wielu teorii spiskowych jak Rennes-le-Château, małe francuskie miasteczko w górach na wschodnim krańcu Pirenejów. Chociaż nie pojawia się ono w *Kodzie Leonarda da Vinci*, leży w samym centrum tajemnicy, o której opowiada książka.

Historia Rennes-le-Château, podobnie jak większości europejskich miast i miasteczek, sięga głęboko w przeszłość, do czasów rzymskich. W przededniu rewolucji francuskiej miasteczko trafiło – poprzez skomplikowany ciąg małżeństw – w ręce rodziny Blanchefort. Krążyły pogłoski, że Marie markiza d'Hautpol de Blanchefort, dziedziczka tytułu wielkiego mistrza **templariuszy** Blancheforta, na łożu śmierci przekazała tajemnicę swojemu spowiednikowi. Ów ksiądz, ojciec Bigou, którego rewolucjoniści skazali na wygnanie do Hiszpanii niedługo po zgonie markizy, był poprzednikiem najbardziej intrygującego mieszkańca Rennes-le-Château: **Bérengera Saunière'a**.

ROSSLYN, KAPLICA Pod koniec *Kodu Leonarda da Vinci* wskazówki z drugiego kryptekstu Saunière'a prowadzą Roberta Langdona i Sophie Neveu do kaplicy Rosslyn w pobliżu szkockiego Edynburga. Badacze tajemnic i zwolennicy nauk New Age przez lata wierzyli, że **święty Graal** znajduje się właśnie w Rosslyn, gdzie trafił po masakrze **templariuszy** we Francji w początkach XIV wieku. Szkockie grupy masońskie uważano za dziedziców tradycji templariuszy.

Prace nad budową kaplicy Rosslyn – znanej także jako Katedra Kodów – rozpoczęto w roku 1446 na zamówienie sir Williama St Claira, czy Sinclaira, dziedzicznego wielkiego mistrza Masonów Szkockich i rzekomego potomka dynastii **Merowingów**. Sir William osobiście nadzorował budowę kaplicy, którą wstrzymano krótko po jego śmierci w roku 1484. Wykończony został tylko chór – miejsce przeznaczone dla chórzystów i kapelana w czasie mszy. Kaplica pełna jest szyfrów, obrazów, liter i znaków, które każą myśleć o jakimś uniwersalnym języku symboli. Współistnieją w niej symbole chrześcijańskie i żydowskie, a także napisy w języku greckim, łacińskim, hebrajskim i innych. Znajdujemy odniesienia do historii nordyckiej, celtyckiej i do dziejów templariuszy. Pod koniec wizyty w Rosslyn Robert i Sophie dowiadują się, że świętego Graala, jeśli nawet został kiedyś ukryty w kaplicy, już stamtąd zabrano.

RÓŻA Róża jako symbol ma wiele znaczeń. Dan Brown wyjaśnia zaledwie kilka z nich. Pudełko z różanego drzewa, które trzyma Sophie, gdy wraz z Langdonem uciekają z banku szwajcarskiego w opancerzonej furgonetce, zdobi róża. Sophie kojarzy ją z wielkimi tajemnicami, a Langdon z łacińskim określeniem *sub rosa* (pod różą), oznaczającym, że wszystko, co powiedziano, powinno pozostać w sekrecie. **Zakon Syjonu** uważał też różę za symbol **świętego Graala**. Jeden z rodzajów róży ma pięć płatków, co kojarzy się z symetrią pentagonalną, ruchem planety Wenus po niebie i z **żeńską świętością**. „Róża wiatrów" wskazuje „właściwy kierunek".

Wyjaśniwszy wszystko, Langdon dochodzi do wniosku, że Graal został ukryty „pod różą", czyli pod znakiem róży w jakimś kościele z różami na witrażach, reliefami z rozetami w kształcie róż i z „pięciopłatkowymi dekoracyjnymi kwiatami, często spotykanymi na zwieńczeniu łuków świątyni, bezpośrednio na kluczu sklepienia". W dalszej części książki Teabing przypisuje różę płci kobiecej, a pięć płatków reprezentuje „pięć etapów życia kobiety – narodziny, pokwitanie, macierzyństwo, menopauzę i śmierć". Mówi on też Langdonowi i Sophie, że słowo „róża" brzmi identycznie w językach: angielskim, francuskim, niemieckim i w wielu innych i że anagram tego słowa to „Eros" – grecki bóg miłości cielesnej. Róży nadawano także wiele innych znaczeń – była symbolem Chrystusa, narodzin i proroctw mesjanistycznych. W kulturze grecko-rzymskiej róża wyobraża piękno, wiosnę i miłość. Kojarzona jest też z upływem czasu, a przez to ze zbliżającą się śmiercią i przejściem do innego świata. Rzymskie święta Rosalia były poświęcone zmarłym. Nad trzema wejściami do gotyckich katedr widzimy witraże z różami i przedstawieniem Chrystusa. W tym kontekście róża symbolizuje zbawienie. Poczynając od XIII wieku często portretowano Marię Magdalenę trzymającą różę albo w ogrodzie różanym, albo też przed gobelinem przedstawiającym róże. Róża symbolizuje tu połączenie Chrystusa i jego Kościoła oraz Boga i jego ludu. Wreszcie róża ma ten sam kolor co **jabłko** i występuje jako jeden z motywów *Kodu Leonarda da Vinci*. W ostatniej części wiersza spisanego przez dziadka Sophie, a będącego „przewodnikiem" do grobu Newtona, czytamy słowa: *You seek that orb that ought to be on his tomb/It speaks of rosy flesh and Seeded womb* (Szukaj kuli z jego grobu, mówi ona o ciele róży i brzemiennym łonie). Langdon uznaje to za wyraźną aluzję do Marii Magdaleny.

RÓŻOKRZYŻOWCY Doktryna różokrzyżowców została po raz pierwszy przedstawiona w *Uniwersalnej i powszechnej reformacji całego szerokiego świata* w roku 1614. Zgodnie z tym dziełem Christian Rosenkreuz, niemiecki szlachcic, jako młodzieniec podróżował na Wschód, gdzie zdobył wiedzę i stał się adeptem tajnych mądrości. Owe mądrości urosły aż do wymiaru prawdy ekumenicznej, będącej pochwałą prostego, moralnego życia i kultu najwyższego bytu czy boga. Dzieło zawierało metafory alchemiczne, które symbolizowały magiczną przemianę ludzkiej duszy.

Niektórzy uczeni są zdania, że Rosenkreuz został wymyślony przez teologa niemieckiego, Johanna Valentina Andreae, wielkiego mistrza **Zakonu Syjonu** w latach 1637–1654. Wielu z nich twierdzi, że Andreae napisał pod nazwiskiem Rosenkreuza *Chemiczne zaślubiny Christiana Rosenkreuza* jako satyrę na charakterystyczną dla swojej epoki obsesje tajemnic. Czy była to postać fikcyjna, czy nie, różokrzyżowcy do dzisiaj istnieją jako tajne stowarzyszenie, posługujące się tekstem Rosenkreuza. W XVIII wieku masoni przejęli wiele ich symboli, przede wszystkim **różę** i **krzyż**.

(Wcześniej te same symbole znalazły się na pochwie broni należącej do Marcina Lutra). Zakon istnieje po dziś dzień, chociaż w rozmaitych formach.

SANGREAL/SANGRAAL Sangreal – zdaniem Langdona – to inna forma nazwy święty Graal, które to pojęcie obejmuje rozmaite dokumenty i relikwie. Teabing wyjaśnia potem, że słowo to zostało podzielone, tak że powstały dwa wyrazy: San Greal, czyli **święty Graal**. Jeżeli jednak dokonamy podziału w innym miejscu słowa, przeczytamy je jako Sang Real – królewska krew. Autorzy książki *Święty Graal, święta krew*, Baigent, Leigh i Lincoln, twierdzą, że Graal zwany był Sangrealem lub Sangraalem. Podział tych słów może dać zarówno San Greal lub San Graal (święty Graal), jak i Sang Real lub Sang Raal (królewska krew). Jednakże sir Thomas Malory, autor *Le Mort d'Arthur* (Śmierć Artura) i pierwszy autor, który użył terminu święty Graal w języku angielskim, posługuje się słowami Sangreal i *Sang Royal* (z dawnego angielskiego *real* lub *rial*) osobno, w dwóch odmiennych znaczeniach: Sangreal to święty Graal, a Sang Royal – święta krew. Podważa to wywody Teabinga i Langdona.
Oxford English Dictionary podaje, że etymologia podwójnego znaczenia, po raz pierwszy wyprowadzona w XVII wieku, jest fałszywa.

SAUNIÈRE, BÉRENGER Proboszcz parafii **Rennes-le-Château** (1852–1917), którą objął w roku 1885. Jego nazwisko nosi Jacques Saunière. Podczas rutynowego remontu kościoła w miasteczka Saunière podobno odnalazł we wnętrzu kolumny podtrzymującej ołtarz cztery pergaminy z zaszyfrowanymi tekstami. Okazało się, że zawierają one niewyraźne aluzje do pozornie niepowiązanych ze sobą osób, organizacji i pojęć: malarzy **Poussina** i **Teniersa**, króla **Dagoberta II** z dynastii **Merowingów**, **Zakonu Syjonu**, „błękitnych **jabłek**". Zaintrygowany proboszcz pokazał dokumenty swoim przełożonym, którzy polecili mu pojechać do Paryża i przedstawić pergaminy innym dygnitarzom kościelnym, między innymi ojcu Bieilowi, dyrektorowi seminarium Saint-Sulpice. Nie wiadomo, co zdarzyło się podczas wizyty Saunière'a w Paryżu (wielu uważa, że w ogóle tam nie pojechał), lecz po powrocie do Rennes-le-Château proboszcz podobno zaczął wydawać ogromne sumy na renowację kościoła i budowę wielkiego domu dla siebie. Zatarł napis na grobie Marii markizy d'Hautpol de Blanchefort (inskrypcja, autorstwa ojca Bigou, była doskonałym anagramem jednej z zaszyfrowanych wiadomości, jakie Saunière znalazł w kolumnie). Zbudował wieżę, zwaną Tour Magdala od imienia **Marii Magdaleny**. Wystawił obszerną i wytworną rezydencję wiejską, Villa Bethania, w której nigdy nie zamieszkał. Odnowił i na nowo udekorował kościół, wykazując się dość nieortodoksyjnym gustem: naczynie ze święconą wodą podtrzymywał posąg demona; nad wejściem do kościoła wyryto napis „Oto straszne miejsce"; w stacjach Drogi Krzyżowej, wymalowanych na ścianach, można dostrzec wiele niestosownych i niepokojących szczegółów.

Pensja proboszcza Rennes-le-Château, prowincjonalnej mieściny, była bardzo skromna. Skąd więc Saunière wziął pieniądze na renowacje i budowy? Dlaczego wydał je właśnie w taki sposób? Odpowiedzi na te pytania zabrał ze sobą do grobu.

Bogactwo Saunière'a, jak mówią jedni, mogło mieć źródło w odkrytym przez niego skarbie starożytnych Wizygotów; inni twierdzą, że tajne stowarzyszenie zapłaciło mu za ukrycie czegoś w tej okolicy; inni, że odnalazł **świętego Graala**; inni wiążą jego wzbogacenie się ze słynną Kopalnią Pieniędzy na Oak Island* w Nowej Szkocji. Opowiadano o powiązaniach między Saunière'em, **Zakonem Syjonu**, masonami i **templariuszami**. Astronomowie i geometrzy skatalogowali niewiarygodną liczbę figur o znaczeniu ezoterycznym – trójkątów, **pentagramów**, pentagonów – które wytropili w miasteczku i w okolicach Rennes-le-Château. Wiązano ze sobą Stonehenge, Rennes-le-Château i niezliczone zabytki megalityczne na kontynencie i w Wielkiej Brytanii, a niektórzy zapaleńcy twierdzili, że miasteczko kryje matematyczne wrota do innego wymiaru.

Pergaminów Saunière'a nigdy ponownie nie odnaleziono; **Pierre Plantard**, rzekomy wielki mistrz Zakonu Syjonu, twierdził, że dla bezpieczeństwa zostały umieszczone w sejfie w Londynie. Saunière i jego tajemnice stali się tematem spekulacji i wywodów takich autorów, jak Henry Baigent, Richard Leigh i Henry Lincoln (autorzy książki *Święty Graal, święta krew*), Lynn Picknett i Clive Prince, wreszcie Tom Wallace-Murphy.

Niewątpliwie jest coś niezwykłego w atmosferze Rennes-le-Château, ale czy to prawdziwa tajemnica, czy tajemnica owych teorii? Czy już doszliśmy do punktu, w którym rozdmuchane wywody przyćmiewają to, co mogłaby dać wiedza o prawdziwych wydarzeniach? Cóż, Bérenger Saunière niczego nam nie powie.

SENESZALOWIE Francuskie słowo *senechal* oznacza urzędnika lub administratora, któremu powierza się ważne obowiązki, zwykle związanego z kościelnymi lub feudalnymi społecznościami czy grupami. W *Kodzie Leonarda da Vinci senechaux* to trzej wyżsi urzędnicy **Zakonu Syjonu**, podlegli Jacques'owi Saunière'owi, wielkiemu mistrzowi Zakonu Syjonu, prawdopodobnie zaufani z „wewnętrznego kręgu". Seneszalowie zostali zamordowani przez Sylasa, agenta Opus Dei. Wszyscy czterej – trzej seneszalowie i Saunière – byli powiernikami tajemnicy miejsca złożenia **świętego Graala**. W sytuacji zagrożenia mieli podać mylne informacje, aby, nawet, jeżeli ich tożsamość zostanie rozpoznana, Graal pozostał bezpiecznie ukryty. Siostra Sandrine telefonuje do nich, wszystkich po kolei, kiedy orientuje się, że Sylas przyszedł do Sant-Sulpice, by odkryć **klucz sklepienia**; za każdym razem dowiadujemy się, że

* Tzw. *Money Pit* (Kopalnia Pieniędzy) to rzekome miejsce ukrycia skarbów piratów, którego legenda żyje od 1775 roku. Mimo wielu prób skarbu – lub relikwii templariuszy czy złota Inków – nie udało się wydobyć.

seneszal nie żyje. Pomysł z seneszalami Brown wziął z podawanej w wątpliwość listy autorstwa **Plantarda**, umieszczonej w Internecie.

SMART Langdon i Sophie, uciekając z **Luwru**, wskakują do należącego do Sophie smarta i odjeżdżają. To malutkie auto powstało w roku 1994 jako wspólny projekt szwajcarskiej firmy produkującej zegarki Swatch i firmy Mercedes-Benz. Zegarek Swatch stał się inspiracją kształtu tego wozu, którego cena wynosi około 20 000 dolarów. Smarty można kupić w całej Europie i w wielu innych częściach świata.

SOBÓR NICEJSKI Pierwsza rada ekumeniczna w Kościele chrześcijańskim. Podczas soboru nicejskiego, zwołanego przez cesarza **Konstantyna** w roku 325 n.e., miało dojść do rozstrzygnięcia sporów teologicznych różnej wagi, ponieważ praktyki i doktryny kościelne nie były jeszcze ujednolicone. Zebranym udało się wyjaśnić większość problemów, poczynając od dat Wielkanocy i innych świąt aż do najważniejszej kwestii, mianowicie – czy Chrystus był tym samym co Bóg Ojciec, czy też był od Niego niższy jako istota stworzona do istnienia na Jego życzenie, a w związku z tym niemogąca dzielić z Nim boskości, jak twierdzili **arianie**. Doszło do tak gorącej debaty, że, jak głosi legenda, święty Mikołaj (postać historyczna) fizycznie zaatakował Ariusza za jego herezje.
Niemniej w końcu wszyscy oprócz trzech biskupów przyjęli nicejskie wyznanie wiary, potwierdzające ortodoksję Kościoła i odrzucenie arianizmu. Uczony Stringfellow Bart w swojej książce *The Mask of Jove* (Maska Jowisza) utrzymuje, że „Konstantyn (...) instynktownie przeczuwał, że *polis* chrześcijańska, wokół której planował odbudować [Cesarstwo Rzymskie], musi, by jego plany się powiodły, zyskać jedność duchową".

SOFIA To greckie słowo oznacza mądrość. Epitetem tym określono boginie-dziewice, na przykład Atenę. Sophia to także alegoria mądrości w Duchu Świętym i mądrość **Marii Magdaleny**.

SUB ROSA Dosłownie „pod **różą**". Powiedzenie to wywodzi się prawdopodobnie z czasów rzymskich, kiedy podczas oficjalnych przyjęć stoły ustawiano w kształt litery U, gość honorowy i gospodarz zajmowali miejsce naprzeciw wejścia, a nad środkiem U zawieszano różę. Miała ona przypominać, że Eros ofiarował różę Harpokratesowi, bogu milczenia, by powstrzymać go od rozpowszechniania dyskredytujących informacji o matce Erosa, Wenus. Powiedzenie *sub rosa* oznacza „w sekrecie".

ŚWIĄTYNIA SALOMONA Dawid, pierwszy król Izraela, pragnął zbudować świątynię dla Króla królów – Boga, usłyszał jednak od Niego we śnie, że nie może tego zrobić jako wojownik, który przelał zbyt wiele krwi. Świątynię będzie mógł wznieść jego syn, Salomon, za którego rządów zapanuje pokój.
Dawid przygotował plany przybytku i zgromadził wiele materiałów. Po śmierci ojca

Salomon wydał rozkaz budowy pierwszej świątyni. Zadanie to powierzył Fenicjanom, wówczas słynącym jako najlepsi budowniczowie, toteż świątynia przypominała święte budowle fenickie. Przy wznoszeniu świątyni na górze Moria – na której teraz leży Jerozolima – pracowały dziesiątki tysięcy ludzi. Budowa trwała 7 lat i ukończono ją w 953 roku p.n.e.

Świątynia Salomona różniła się od innych świątyń świata starożytnego tym, że nie stał w niej posąg bóstwa. Izraelici uważali, że nie potrzeba posągów, by Bóg był obecny w przybytku; świątynię zbudowano dla potrzeb ludzi, nie Boga.

Pierwszą świątynię zburzył Nabuchodonozor w roku 586 p.n.e. Siedemdziesiąt lat później na tym samym miejscu wzniesiono drugą świątynię, rozbudowaną potem w 19 roku p.n.e. przez króla Heroda. Zniszczyli ją Rzymianie w roku 70 n.e.

W Kodzie Leonarda da Vinci Langdon mówi Sophie, że pierwszym zadaniem **templariuszy** w Ziemi Świętej nie była opieka nad pielgrzymami, ale wydobycie tajnych dokumentów spod ruin Świątyni. Langdon stwierdza, że nikt nie wie na pewno, co templariusze znaleźli, ale że „dało im to bogactwo i władzę, którą trudno sobie wyobrazić".

Dzisiaj wznosi się meczet al-Aksa, trzecie z najświętszych miejsc islamu.

ŚWIĘTY GRAAL Istnieje wiele teorii, w jaki sposób zrodził się mit świętego Graala, jako że jest wiele Graali: naukowcy powiązali już z tym motywem przedchrześcijańskie legendy celtyckie i zachodnioeuropejskie, opowieści bizantyjskie i tradycje ortodoksyjnego kościoła wschodniochrześcijańskiego, zakamuflowane wieści o tajemniczym pochodzeniu Chrystusa, praktyki obrzędowe starożytnej Persji, ceremonie ubóstwienia przyrody na przedchrześcijańskim Środkowym Wschodzie, symbolikę alchemiczną i tak dalej i dalej, w nieskończoność.

Współczesna wersja historii świętego Graala powstała na przełomie XII i XIII wieku i opisana została w zadziwiająco wielu językach, między innymi francuskim, angielskim, niemieckim, hiszpańskim i walijskim. Najwcześniejszym znanym nam romansem o świętym Graalu był *Perceval* autorstwa Chrétiena de Troyes.

Święty Graal bywa opisywany rozmaicie przez różnych autorów: jako kamień, jako przedmiot wykonany ze złota i ozdobiony drogimi kamieniami, jako relikwiarz i jako kielich. Poszukiwania świętego Graala także mają rozmaite scenariusze: w jednej wersji Graala strzeże Król Rybak, a znalezienie Graala przywróci jego królestwu szczęście i pomyślność. Poszukiwanie świętego Graala bywa też pojmowane w bardziej osobisty sposób jak wewnętrzna, duchowa „podróż" do oświecenia i połączenia się z Bogiem.

Niezależnie od historii świętego Graala, jego postaci duchowej czy materialnej, każdy z bohaterów powieści *Kod Leonarda da Vinci* bierze w jakiś sposób udział w jego poszukiwaniu. Opowiadając jego legendę, Brown posuwa się tak daleko, jak żaden jego z poprzedników. „Największy kamuflaż w historii ludzkości!" – wykrzykuje

Teabing. Jezus nie tylko był żonaty, ale został również ojcem. **Maria Magdalena** stała się Świętym Naczyniem, **kielichem**, który nosił królewską krew Jezusa Chrystusa.

SYMBOLOGIA Symbol to – według antropologa Lesliego White'a – „arbitralne nadanie znaczenia formie". Używanie symboli odróżnia człowieka od niższych zwierząt. Symbole to abstrakcje. Biblia i – oczywiście – *Kod Leonarda da Vinci* są przepełnione symbologią: od **człowieka witruwiańskiego**, którego pozę przybiera przed śmiercią Saunière, przez **krzyż** do **jabłka** – rzeczywiste przedmioty zastępują tu nierzeczywiste i czasem skomplikowane pojęcia.
Symbole są skrótowym sposobem porozumiewania się. Tak jak róża nad rzymskim stołem symbolizowała dar Erosa dla Harpokratesa i przez to mówiła o utrzymywaniu tajemnicy, inne symbole – jak krzyż – w prosty sposób przypominają ludziom o złożonej rzeczywistości.
W *Kodzie Leonarda da Vinci* Langdon pracuje nad artykułem o symbolach **żeńskiej świętości**. Na końcu książki, stojąc w kaplicy Rosslyn obok Marie, wdowy po Saunièrze, trzyma w ręku papirus z tekstem: *The Holy Grail'neath ancient Roslin waits The blade and chalice guarding o'er Her gates* (**Święty Graal** czeka pod starożytną Roslin, ostrze i kielich strzegą jej bram). Marie rysuje we wnętrzu dłoni Langdona trójkąt skierowany wierzchołkiem do góry, starożytny symbol ostrza i męskości. Potem rysuje trójkąt z wierzchołkiem u dołu – równie dawny symbol kielicha i kobiecości. Prowadzi go do kościoła, gdzie w końcu dostrzega on w gwieździe Dawida połączenie ostrza i kielicha – męskości i kobiecości; Znak Salomona – oznaczający Święte Świętych, miejsce, gdzie przebywa zarówno **Jahwe**, jak i **Szechina**.

SZECHINA To hebrajskie słowo oznacza „obecność Boga". Zdaniem wielu badaczy ma ona aspekt kobiecy. Najbliższe szechiny pojęcie chrześcijańskie to Duch Święty. Szechina była fizyczną manifestacją obecności Boga w miejscu świętym, a następnie w **Świątyni Salomona**. Kiedy Pan wyprowadził lud Izraela z Egiptu, szedł przed nim „w postaci kolumny z chmur" – szechiny.

SZESZAK W *Kodzie Leonarda da Vinci* Sophie mówi o szyfrze **atbasz**, kodzie podstawiającym, w którym pierwsza litera alfabetu jest zastępowana ostatnią, druga – drugą od końca itd. Litery hebrajskie tworzące słowo *Szeszak*, odczytane zgodnie z tym kodem, dają słowo Babel (po dodaniu samogłosek, których brak w zapisie hebrajskim).

TAROTA KARTY Pochodzenie kart tarota jest przedmiotem dyskusji. Niektórzy uczeni twierdzą, że powstały w północnych Włoszech w początkach XV wieku. Początkowo używano ich prawdopodobnie do gry zbliżonej do naszego brydża. Jako że alchemia, astrologia i wiedza hermetyczna stanowiły nieodłączną częścią średniowiecznego życia intelektualnego, ilustratorzy kart mogli w ich ikonografii szyfrować rozmaite tajne przesłania.
Okultyści, miłośnicy tajemnic i nawet autorzy modnych bestsellerów uważają natomiast, że karty mają o wiele dłuższą historię

(miałyby pochodzić ze starożytnego Izraela lub starożytnego Egiptu) i głębsze znaczenie. Przypisuje się im związek z Kabałą, żydowską formą mistycyzmu. Robert Langdon zaręcza, że tarot „wymyślono po to, by przekazywać w sekrecie pewne ideologie zakazane przez Kościół" i że znak pentagramu w tarocie „wskazuje na żeńską świętość".

Badacze demaskują te teorie, dowodząc, że tarot służył jedynie „niewinnym grom". „Pomysł, jakoby kara reprezentowały pentagramy, to umyślne oszustwo" – twierdzi Sandra Miesel, autorka długiego artykułu, w którym ostro skrytykowała „tak zwane fakty" w *Kodzie Leonarda da Vinci*.

Nie istnieją pewne dowody na to, że początki tarota sięgają starożytności. Wydaje się, że karty tarota pojawiają się jako usystematyzowany system okultystyczny dopiero w końcu XVIII wieku we Francji. Wciąż jednak można snuć spekulacje na temat „zbieżności", takich jak układ Wielkich Arkanów: Najwyższa Kapłanka (**Papieżyca**) ma zwykle numer 2, a karta numer 5, Papież, jest jej logicznym przeciwieństwem; tak jak Cesarzowa i Cesarz (karty 3 i 4) stanowią wzajemną przeciwwagę.

TEMPLARIUSZE Po raz pierwszy templariusze są wspomniani w *Kodzie Leonarda da Vinci*, kiedy Sophie i Langdon jadą przez **Lasek Buloński**. Langdon opowiada w skrócie historię zakonu i opisuje jego powiązania z **Zakonem Syjonu**. Templariusze odgrywają zasadniczą rolę w książce: Zakon, jak utrzymuje Dan Brown, powołał templariuszy jako swoje zbrojne ramię, powierzając im zadanie zdobycia i ochrony dokumentów i relikwii świętego Graala.

W roku 1119 dziewięciu rycerzy zakonu, nazywających się „ubogimi żołnierzami Jezusa Chrystusa", podjęło się opieki nad pielgrzymami udającymi się do świętych miejsc w Jerozolimie i Palestynie. Stworzyli zakon nowego rodzaju, gromadzący wojowników-mnichów, dla których szczęściem było przelewanie krwi w służbie Boga.

Król Baldwin II przydzielił im kwaterę w meczecie al-Aksa, który, jak uważali krzyżowcy, zbudowano na miejscu dawnej **Świątyni Salomona** (dyskusja na ten temat trwa do dzisiaj). Od tego miejsca zamieszkania pochodzi ich nazwa: rycerze *templum*, czyli świątyni – a więc templariusze.

Jak zauważa Langdon, tak skromne początki nie wróżyły templariuszom ogromnej potęgi, do jakiej doszli. Historycy nie wiążą jej z tajemniczymi skarbami odnalezionymi rzekomo pod al-Aksa; wszyscy są zgodni, że zarówno władcy, jak i Kościół, pragnąc utrzymać Ziemię Świętą w chrześcijańskich rękach, wspierali templariuszy dużymi sumami pieniędzy i nadaniami ziemi. **Innocenty II** wydał bullę, czyniącą templariuszy podległymi jedynie papieżowi. Uwolnienie od zależności od świeckiej i większości kościelnej władzy – a także od płacenia podatków – pozwoliło templariuszom zgromadzić bogactwo i zyskać potężne wpływy.

Los templariuszy związany był z losami Ziemi Świętej, której zagrażały wschodnie państwa muzułmańskie. Kiedy w 1291 roku Królestwo Jerozolimskie wpadło w ręce muzułmanów, nadszedł kres szczęśliwych czasów templariuszy. Szesnaście lat później wielu członków zakonu we Francji zostało zatrzymanych i oskarżonych przez króla **Filipa Pięknego** o herezję, bałwochwalstwo, homoseksualizm, a także inne zbrodnie przeciw Kościołowi i Bogu. Chociaż zarzuty prawdopodobnie były fałszywe, templariusze przyznawali się, dobrowolnie lub na torturach; jeśli odwołali przyznanie się do winy, palono ich żywcem. Zakon przestał istnieć w roku 1314, kiedy na stosie zginął ostatni wielki mistrz, Jacques de Molay, który odwołał potwierdzające winę zeznania i zapłacił za to najwyższą cenę.

TENIERS, DAVID MŁODSZY Holenderski malarz, syn Davida Starszego, również malarza. Urodzony w roku 1610, malował sceny historyczne, mitologiczne i alegoryczne, między innymi serię obrazów z życia świętego Antoniego. Langdon wspomina o nim na początku *Kodu Leonarda da Vinci* jako o bohaterze – obok innego malarza, **Poussina** – kilku książek napisanych przez Jacques'a Saunière'a.
W książkach tych, jak się wydaje, ulubionych przez Langdona, Saunière zajął się przede wszystkim tajnymi kodami w pracach obu malarzy. Dan Brown wspomina o zaszyfrowanych tekstach odnalezionych przez historyczną postać, która użyczyła nazwiska Saunière'owi – Bérengera Saunière'a, proboszcza parafii Rennes-le-Château. Jeden z pergaminów, rzekomo odkryty przez **Bérengera Saunière** w kościele parafialnym w **Rennes-le-Château**, zawierał następującą zaszyfrowaną wiadomość:

PASTERKA BEZ KUSZENIA
ŻE POUSSIN TENIERS POSIADAJĄ
KLUCZ; POKÓJ 681 PRZEZ KRZYŻ
I TEN KOŃ BOGA JA SKOŃCZYŁEM
[ZNISZCZYŁEM] TEGO DEMONA
STRÓŻA W POŁUDNIE
BŁĘKITNE JABŁKA*

Bérenger Saunière, który podobno pojechał z odnalezionymi dokumentami do Paryża, ponoć podczas podróży kupił reprodukcję portretu papieża Celestyna V pędzla Teniersa oraz obrazu Poussina *Pasterze z Arkadii*.

TERTULIAN Piszący po łacinie autor chrześcijański, który w swych dziełach poruszał tematy pogaństwa i judaizmu, ustroju państwowego, stronnictw, moralności i przemiany ludzkiego życia zgodnie z doktryną chrześcijańską. Był zdecydowanym zwolennikiem ścisłej dyscypliny i surowego trybu życia – uważał, że kobieta powinna zrezygnować z błyskotek, które służą kuszeniu mężczyzny do grzechu, najlepszy stan zaś to celibat i bezżenność.

TODGER „Oczy Teabinga rozbłysły. – Uniwersytecki klub teatralny w Oksfordzie. Do dzisiaj mówi się tam o moim Juliuszu Cezarze. Jestem pewien, że nikt nigdy nie zagrał pierwszej sceny trzeciego aktu z większym poświęceniem (...) kiedy upadłem, rozsunęła mi się toga i musiałem leżeć na scenie przez pół godziny z *todger* (fajfusem) na wierzchu". *Todger* to slangowe brytyjskie określenie penisa, popularne w latach 50.

WATYKAŃSKA BIBLIOTEKA Biskup Aringarosa podczas odwiedzin w **Ca-**

* Patrz s. 434

stel Gandolfo przechodzi przez Biblioteca Astronomica, bibliotekę Obserwatorium Watykańskiego. Choć niektórzy twierdzą, że zorganizowana biblioteka istniała tam już od IV wieku, Biblioteka Watykańska, jaką znamy dzisiaj, została założona za papieża Mikołaja V, który wstąpił na tron Piotrowy w roku 1447. Mikołaj powiększył bibliotekę z kilkuset do ponad 15 000 ksiąg, co uczyniło z niej największą wówczas bibliotekę w Europie. Obecnie zawiera ona ponad 1 000 000 książek i 150 000 rękopisów, między innymi najstarsze znane teksty greckie Starego i Nowego Testamentu oraz wczesne egzemplarze dzieł Dantego, Wergiliusza i Homera.

WENUS – PENTAGRAM Jedną z najbardziej intrygujących teorii wyjaśniających pochodzenie **pentagramu** jest teoria astronomiczna, zgodnie z którą Wenus w swojej drodze rysuje na nocnym niebie znak pentagramu. Rzeczywiście, jeśli zaznaczymy ruch tej planety w stosunku do gwiazd, wydaje się, że kreśli ona na niebie linię idealnego pentagramu. Starożytni wyobrażali sobie, że gwiazdy, które widzą na niebie, są „umocowane" na stałe, z Ziemią pośrodku. Używali tych gwiazd jako punktów odniesienia do mierzenia ruchów planet, które poruszają się niezależnie od nieruchomych gwiazd. Jeśli obserwator będzie oznaczał Wenus w stosunku do stałych gwiazd tego samego dnia przez 8 lat, a następnie połączy punkty, otrzyma podobno pentagram (Wenus wraca do pierwotnej pozycji co 8 lat i cykl rozpoczyna się na nowo). To prawda, że oglądana z obszaru Bliskiego Wschodu planeta kreśli zarys zbliżony dość luźno do pentagramu. Kształt ten wygląda inaczej w innych częściach świata; ponadto prawa ruchów planet nie obowiązują od czasu, gdy wiemy, że Ziemia nie jest środkiem wszechświata.

WITRUWIAŃSKI CZŁOWIEK Słynny rysunek **Leonarda** przedstawiający człowieka z przodu i z boku, stojącego w kwadracie i kole. Pierwszą zapowiedzią tajemnicy w *Kodzie Leonarda da Vinci* jest to, że Saunière, umierając, ułożył swoje nagie ciało w podobnej pozycji. Rysunek nazwano „człowiekiem witruwiańskim" na cześć Marka Witruwiusza Polliona, rzymskiego pisarza, architekta i inżyniera, działającego w I wieku p.n.e. Ów twórca akweduktów napisał *O architekturze dziesięć ksiąg*, być może pierwszą systematyczną pracę na temat architektury w ogóle. Swoje studia nad proporcjami ludzkiego ciała omawia w trzeciej księdze, w której pozostawił artystom następujące wskazówki:

> 4 palce czynią 1 dłoń, a 4 dłonie 1 stopę, 6 dłoni to 1 „kubit"; 4 „kubity" to wysokość człowieka. 4 kubity dają 1 krok, a 24 dłonie to wysokość człowieka. Długość wyciągniętych rąk człowieka jest równa jego wysokości. Od linii włosów do czubka podbródka – to 1/10 wysokości człowieka; od czubka podbródka do szczytu głowy – to 1/8 wysokości; od linii szczytu piersi do linii włosów to 1/7 wysokości całego człowieka. Od sutek do szczytu głowy – 1/4 człowieka. Długość od łokcia do końca ręki odpowiada 1/5 człowieka; a od łokcia do pachy – 1/8 człowieka.

Dłoń powinna mierzyć 1/10 długości człowieka. Odległość od czubka podbródka do nosa i od nasady włosów do brwi jest w każdym przypadku taka sama i wynosi, podobnie, jak długość ucha, 1/3 długości twarzy*.

Leonardowi udało się rozwiązać „kwadraturę koła", czyli za pomocą linijki i cyrkla skonstruować okrąg i kwadrat o tej samej powierzchni. Teoretycznie proporcjonalny człowiek powinien pasować do takiej figury i, podczas gdy wysiłki Witruwiusza wyraźnie pozostawiają wiele do życzenia, rozwiązanie Leonarda jest doskonałe, stanowi więc dzieło tak matematycznego, jak i artystycznego geniuszu.

ZAKON SYJONU Dan Brown informuje już na pierwszych stronach *Kodu Leonarda da Vinci*, że Zakon Syjonu istnieje naprawdę, powstał w roku 1099 i na liście jego członków z dokumentów przechowywanych w Bibliothèque Nationale w Paryżu znajdujemy nazwiska wybitnych ludzi literatury, sztuki i nauki. Zakon to w rzeczywistości prawdziwa organizacja, ale trudno powiedzieć o nim coś więcej. Dokumenty potwierdzające jego istnienie pochodzą z roku 1956, kiedy to Zakon zarejestrował się jako organizacja we Francji. Jego rzecznikiem od tego czasu był **Pierre Plantard**, człowiek, którego opowieści na własny temat wydają się równie dziwne jak to, co członkowie Zakonu opowiadali o tej organizacji.

Z ***Dossiers Secrets*** oraz publicznych wypowiedzi Plantarda i jego towarzyszy można wykroić najwyżej szkicową historię Zakonu. Według pewnych źródeł ta tajna organizacja została założona w ostatniej dekadzie XII wieku przez **Godfryda de Bouillon**. Wydaje się, że wszyscy są zgodni co do tego, iż to Zakon Syjonu powołał zakon templariuszy i następnie odłączył się od nich około 100 lat później, rozpoczynając własną linię swoich wielkich mistrzów. Mniej więcej w tym czasie Zakon zaczął też podobno nazywać siebie L'Ordre de la Rose-Croix Veritas (Zakon Prawdy Róży-Krzyża), wiążąc się w ten sposób z zakonem **różokrzyżowców**. Członkowie Zakonu utrzymują, że na rozkaz tej organizacji **Bérenger Saunière** przedstawił dokumenty z **Rennes-le-Château**. Podają też listę wielkich mistrzów od rozdziału z templariuszami w roku 1188 do Thomasa Plantarda, syna Pierre'a.

Na tym mętnym szkicu, pisanym poetyckim, pełnym aluzji językiem i w quasi-historycznym stylu, setki autorów oparło swoje spekulacje i teorie dotyczące Zakonu i jego miejsca w historii. Jest ich zbyt wielu, by wszystkich wymieniać. Brown oparł *Kod Leonarda da Vinci* na jednej z najbardziej znanych hipotez, wyczerpująco opisanej w książce *Święty Graal, święta krew*, według której Zakon od wieków ochrania ród potomków Chrystusa i **Marii Magdaleny**. Inni utrzymują, że Zakon to przednia straż dla kilku innych tajnych organizacji; jeszcze inni twierdzą, że jest to grupa zwolenników teokratycznych „Stanów Zjednoczonych Europy".

Każda krytyczna wypowiedź na temat prawdziwych początków czy charakteru

* Witruwiusz *O architekturze dziesięć ksiąg*, tł. K. Kumaniecki, Warszawa 1956.

Zakonu, niezależnie od swej wagi, spotyka się natychmiast z reakcją ze strony Zakonu lub jego obrońców. Wydawałoby się, że Zakon istnieje w tym, co jeden z komentatorów nazwał „piekłem hermeneutycznym" – zamkniętej krainie sprzecznych interpretacji, hipotez i dowodów – co wydaje się uniemożliwiać odkrycie jakiejkolwiek prawdy. Może w tej właśnie krainie leży to, co stale przyciąga ludzi do Zakonu: jego istota, o ile wiemy, jest tak nieokreślona, że każdy może wnieść tam własne nadzieje, lęki i fantazje.

ZWOJE ZNAD MORZA MARTWEGO Tą wspólną nazwą określa się 800 rękopisów odkrytych w wapiennych jaskiniach nad Morzem Martwym w okolicach Qumran. W 1947 roku na zwoje natknęli się Beduini, którzy sprzedali kilka z nich handlarzom staroci i uczonym, i oznaczyli trasę, by odnaleźć jak najszybciej następne dokumenty z tej samej jaskini. W latach 1948–1956 odkryto jeszcze 10 jaskiń, w których ukryte były zwoje. Zwoje znad Morza Martwego zawierają zapisy i teksty odnoszące się do życia społecznego – komentarze, zasady itp. Jeden manuskrypt – zwany „Miedzianym Zwojem", ponieważ, inaczej niż inne manuskrypty, został zapisany na cienkich płytkach miedzianych – to instrukcja, jak znaleźć jakiś wielki skarb. Podobnie jak teksty z **Nag Hammadi**, zwoje znad Morza Martwego okazały się niezwykle istotne dla zrozumienia problemów wczesnego chrześcijaństwa oraz judaizmu. Podczas gdy teksty z Nag Hammadi rzucają światło na rozmaite oblicza wczesnego ruchu chrześcijańskiego, zwoje znad Morza Martwego przynoszą bezcenne informacje na temat nieortodoksyjnej grupy żydowskiej, żyjącej w okresie szczytowej potęgi Rzymu i w początkach chrześcijaństwa. Autorstwo tekstów przypisuje się członkom ascetycznej sekty esseńczyków. Napotkane w tych tekstach odchylenia od tradycyjnej nauki żydowskiej i ich podobieństwo z nauką Chrystusa wywołały zacięte dyskusje między uczonymi i teologami obu tych religii. Do dziś nie rozstrzygnięto ostatecznie, jakie było tło polityczne oraz teologiczne tekstów znad Morza Martwego, a także nie ustalono, dlaczego zostały ukryte.

ŻEŃSKA ŚWIĘTOŚĆ Żeńska świętość jest w *Kodzie Leonarda da Vinci* klamrą łączącą wszystkie poszukiwania **świętego Graala**. Wierzy w nią i czci ją **Zakon Syjonu** w osobie Saunière'a, Langdon studiuje ją, a fanatyczni słudzy Opus Dei walczą o to, by nadal – jak za czasów pierwszych ojców kościoła – była stłumiona. Według Browna Jezus otaczał czcią żeńską świętość, którą przejął od Egipcjan, Greków i innych kultur wschodniej części Morza Śródziemnego. Cała wojna o rolę **Marii Magdaleny** wśród **apostołów** i w późniejszej historii Kościoła ukazana została w powieści jako „wielki kamuflaż" faktu, iż chrześcijaństwo wywodzi się ze świata bogów i bogiń.

Pierwsza uwaga na temat żeńskiej świętości pada w chwili, gdy Langdon, przybywszy na miejsce zamordowania Saunière'a, wypytywany przez kapitana Fache, stara się wyjaśnić ikonografię, jakiej Saunière użył do „udekorowania" sceny swojej śmierci.

Źródła internetowe
Zagłębiając się w *Kod Leonarda da Vinci*

BETSY EBLE

Podnieście rękę, jeżeli przyglądaliście się, kto siedzi po prawej stronie Jezusa w *Ostatniej Wieczerzy*!? Ręka do góry, jeśli nigdy nie słyszeliście o Opus Dei! Co to jest „królewski rodowód"? A Zakon Syjonu? Czy jako jedyna osoba na świecie nie wiesz nic na ten temat? Na szczęście odpowiedzi na wszystkie te pytania i jeszcze wiele innych są dostępne przez wyszukiwarkę, opracowane w bazach danych i spisane przez setki poprzednich użytkowników. Jeżeli właśnie wchodzisz na nieznany teren, Internet to najlepsze miejsce, by zacząć.

Dziś rano, wpisawszy w Google hasło „Da Vinci Code", otrzymałam 460 000 wyników wyszukiwania*. Nietrudno więc znaleźć informacje pozwalające potwierdzić lub obalić każde stwierdzenie na świecie.

W ciągu lata 2003 badałam fakty i wydarzenia, o których mowa w *Kodzie Leonarda da Vinci*. Zgromadziłam wówczas materiały dostępne w Internecie i opublikowałam je pod tytułem: *Depth & Details, A Reader Guide to Dan Brown's Da Vinci Code* (Głębiny i szczegóły – przewodnik dla czytelnika *Kodu Leonarda da Vinci* Dana Browna). Treść opracowania ujęłam w hasła związane z poszczególnymi rozdziałami książki Dana Browna. Dalej przytaczam streszczenie kilku najbardziej interesujących haseł.

* 10 sierpnia 2004 roku było ich 753 000.

Da Vinci

O ile większość zagadnień poruszonych w *Kodzie Leonarda da Vinci* jest w jakiś sposób kontrowersyjna, o tyle temat Leonarda da Vinci był wszechstronnie badany już od stuleci. Bill Gates nabył kilka lat temu Kodeks Leicester – szkicownik Leonarda da Vinci, kupowany i odkupywany przez bogaczy tego świata przez całe wieki. Dzieła i prace inżynierskie Leonarda są też dobrze udokumentowane w Internecie. Bardzo wyczerpujące informacje o życiu i twórczości Leonarda znajdziesz na stronie www.lairweb.org.nz. Strona zawiera też wiele interesujących „niby-faktów", na przykład twierdzenie, że da Vinci wynalazł nożyczki albo że usta Mony Lisy malował przez 10 lat.

Galeria Olgi

Internetowe muzeum sztuki, www.abcgallery.com, to miejsce, w którym znajdziesz wysokiej jakości reprodukcje obrazów sławnych artystów. Jedyny kłopot, że nie wszystkie są dostępne za darmo – aby zobaczyć pełną, obszerną kolekcję dzieł sztuki, trzeba zapłacić niewielką sumę. Większość dzieł jest opatrzona przypisami i odniesieniami do innych źródeł. Możesz tam obejrzeć wszystkie dzieła, o których mowa w *Kodzie Leonarda da Vinci*: *Madonnę wśród skał*, *Ostatnią Wieczerzę* czy *Monę Lisę*, a także prace innych malarzy: Moneta, Caravaggia, Picassa czy Boscha.

Kościoły

Wiele scen w *Kodzie Leonarda da Vinci* rozgrywa się w świątyniach – Saint-Sulpice, kaplicy Rosslyn, kościele Temple i Opactwie Westminsterskim – z których większość ma własne strony internetowe z opisami i zdjęciami. Templariusze z Rosslyn przygotowali stronę z wyczerpującymi informacjami o architekturze i symbolice kaplicy Rosslyn pod adresem www.rosslyntemplars.org.uk/rosslyn.htm. Fascynujący wywód, iż Świątynię Salomona wzniesiono na planie ludzkiego ciała, wraz z diagramami znajdziesz na stronie home.earthlink.net/~tonybadillo/.

Chociaż obrazki są trochę za małe, by dostrzec wspomniane w *Kodzie Leonarda da Vinci* grobowce rycerzy, na stronie kościoła Temple na Fleet Street w Londynie (www.templechurch.com) znajduje się sekcja poświęcona historii tej świątyni. Saint-Sulpice to niewątpliwie miejsce często fotografowane i opisywane. Strona www.pbase.com zawiera kilka widoków kościoła i Paryża. Wpisując do tamtejszej wyszukiwarki hasła Paris, Louvre, Sulpice znajdziesz wiele pięknych fotografii. Picsearch (www.picsearch.com) również stanowi cenne źródło zdjęć.

Królewski rodowód – Merowingowie

Na stronie www.wikipedia.com czytamy o Merowingach: „Zgodnie z ezoteryczną wersją historii, rozpropagowaną przez autorów książki *Święty Graal, święta krew* (M. Baigenta, R. Leigha, H. Lincolna), królowie z dynastii Merowingów byli bezpośrednimi potomkami Marii Magdaleny i Jezusa Chrystusa, którzy po ukrzyżowaniu i zmartwychwstaniu Chrystusa udali się do Florencji". Autorzy twierdzą dalej, że Kościół rzymski wyeliminował wszystkich potomków „świętej krwi" (*sang real*) – katarów i templariuszy – aby władzę mogła przejąć „duchowa" dynastia Piotra. Większość historyków nie zgadza się z tymi teoriami. W rzeczywistości Merowingowie panowali w królestwie Franków między V a VIII wiekiem n.e. Na stronie templariuszy użytkownik znajdzie drzewo genealogiczne Merowingów pod adresem: www.ordotempli.org/the_merovingians.htm.

Kryptologia

Jeżeli chcesz dowiedzieć się czegoś więcej o kryptologii i szyfrach, pod adresem www.murky.org/cryptography/index.shtml znajdziesz informacje o klasycznej i współczesnej kryptologii i o układankach (puzzlach). Własny anagram czy kryptogram możecie stworzyć na następujących stronach: www.wordsmith.org/anagram/advanced.html (anagramy) www.wordles.com/getmycrypto.asp (kryptogramy).

Luwr

Jeśli masz ochotę podszlifować swój francuski, wejdź na stronę www.louvre.org. Jeżeli – jak w moim wypadku – szkolna znajomość francuskiego pozwoliła ci przebrnąć przez większość francuskojęzycznych zwrotów w *Kodzie*

Leonarda da Vinci, ale korzystanie ze strony Luwru okaże się ponad twoje siły, wybierz angielską wersję pod adresem www.louvre.org/louvrea.htm. Możesz tam zobaczyć Wielką Galerię i *Monę Lisę*. Bez trudu wyobrażam sobie Roberta Langdona i Sophie Neveu, jak w ciemnościach skradają się ukradkiem przez Wielką Galerię, szukając wskazówek zostawionych przez Jacques'a Saunière'a.

Obejrzawszy Luwr, odwiedź stronę z widokami z 25 wirtualnych kamer zamontowanych w Paryżu, między innymi w miejscach, o których mowa w *Kodzie Leonarda da Vinci*: www.parispourvous.net/index.php3?wpe=c3.

Maria Magdalena

Autorka *Kobiety z alabastrowym flakonem*, Margaret Starbird, wspomniana w *Kodzie Leonarda da Vinci*, jest główną twórczynią strony www.magdalene.org, na której znajdują się artykuły, teksty religijne, poezje itd. Na www.beliefnet.com także poświęcono jedną podstronę osobie Marii Magdaleny: www.beliefnet.com/index/index_10126.html. Na szczególną uwagę zasługuje link do galerii portretów Marii Magdaleny. Na www.beliefnet.com znajdziesz także sekcje „Gnostycyzm" i *Kod Leonarda da Vinci*. Strona ta przedstawia temat – na przykład rolę Marii Magdaleny w historii chrześcijaństwa, jak i treść *Kodu Leonarda da Vinci* – rozmaitych punktów widzenia.

Matematyka, sztuka i architektura

Twórca ciągu Fibonacciego – kodu ze sceny morderstwa w *Kodzie Leonarda da Vinci* – został pięknie i szczegółowo opisany na stronie www.-groups.dcs.st-and.ac.uk/~history/mathematicians/fibonacci.html. Większość linków w Internecie dotyczących Fibonacciego odsyła użytkownika do tego miejsca, co dowodzi, że stronę uważa się za dobrze przygotowaną.

Boska proporcja, znana też jako złoty środek (lub fi), także jest szczegółowo udokumentowana. Każdy kurs historii sztuki lub historii architektury zawiera wykład na temat złotego środka w planie Partenonu i w dziełach Leonarda da Vinci czy Dürera. Dobra strona z wieloma linkami znajduje się pod adresem www.mcs.surrey.ac.uk/Personal/R.Knott/Fibonacci/fibInArt.html. Strona nie przedstawia się atrakcyjnie pod względem wizualnym – co trochę śmieszne, jako że traktuje o pięknie złotego podziału w dziełach sztuki – jest jednak bardzo czytelna i uzupełniona wieloma linkami.

Opus Dei

Opus Dei, prałatura Kościoła katolickiego, odgrywa znaczną rolę w *Kodzie Leonarda da Vinci*. Podstawowe informacje na temat Opus Dei zawiera strona organizacji www.opusdei.org. Sekcja FAQ pomoże szybko odnaleźć to, co cię interesuje. Jeśli chcesz pogłębić swoją wiedzę na temat Opus Dei, zapoznaj się z dziejami jej założyciela, Josemaríi Escrivy, pod adresem www.escrivaworks.org.

Bardziej obiektywne poglądy na rolę Opus Dei znajdziesz na stronie www.rickross.com/groups/opus.html, na której Ross Institute zgromadził kolekcję artykułów i felietonów na temat Opus Dei. Większość pochodzi ze znanych źródeł, takich jak „US News", „The New York Daily News", „Guardian" czy „Associated Press", i prezentuje wyważone opinie na temat działalności Opus Dei.

Biografia członka Opus Dei – szpiega Roberta Hanssena, o którym czytamy w *Kodzie Leonarda da Vinci* – jest dostępna na stronie internetowaj Court TV: www.crimelibrary.com/terrorists_spies/spies/hanssen/5.html?sect=23.

Strony internetowe dotyczące *Kodu Leonarda da Vinci*

Kiedy zaczynałam przygotowywać przewodnik dla czytelnika, istniało parę stron na ten temat, na przykład strony wydawnictwa Random House poświęcone książce i występujących w niej postaciom (www.danbrown.com) oraz treści książki (www.randomhouse.com/doubleday/davinci). O ile strona www.danbrown.com zawiera linki do zdjęć, wyników badań historycznych itd., nieco mniej wygładzona strona www.darkprotocols.com/darkprotocols/id36.html także oferuje ciekawy zbiór linków. Całość jest nieuporządkowana, lecz można tam znaleźć wiele ilustracji oraz przekierowanie do materiałów dodatkowych.

Symbole

Polecam oglądanie strony www.symbols.com z filiżanką kawy w dłoni, w spokoju i bez pośpiechu, by powoli nasiąknąć informacjami o ważnych badaniach i ich piękną prezentacją. Chociaż nie jestem całkowicie pewna, kto opisuje symbole z punktu widzenia symetrii, subtelności linii itd., warto sprawdzić, co oferują nam twórcy strony. Najlepiej rozpocząć poszukiwania od indeksu słów. Czytelnik *Kodu Leonarda da Vinci* znajdzie tam symbole kielicha, Wenus, pentagram, pogański i chrześcijański krzyż, symbole masońskie i wiele innych.

Templariusze

Autorzy pisma „Templar History" stworzyli bardzo czytelną stronę www.templarhistory.com, która zawiera poważne artykuły na różne tematy powiązane z templariuszami, poczynając od opartej na faktach dyskusji historycznej po wszystkie mity i bajeczki, jakie narosły wokół tego zakonu. Na stronie znajduje się też spis książek o templariuszach.

Zakon Syjonu

Zakon Syjonu jest quasi-tajnym europejskim stowarzyszeniem, którego członkowie twierdzą, że są w posiadaniu ważnych tajemnic dotyczących początków chrześcijaństwa. Mieli oni stworzyć zakon templariuszy i być może wolnomularstwo. Wśród wielkich mistrzów Zakonu wymienia się Isaaca Newtona i Leonarda da Vinci. Wszechstronne informacje na temat templariuszy i Zakonu Syjonu znajdziesz na stronie www.ordotempli.org/priory_of_sion.htm. Jest to oficjalna strona Międzynarodowego Zakonu Templariuszy.

Autorzy i współautorzy

DAN BURSTEIN (REDAKTOR) Założyciel i członek zarządu Millenium Technology Ventures Advisors, spółki kapitałowej z siedzibą w Nowym Jorku, inwestującej w firmy wprowadzające nowe technologie. Jest też dziennikarzem, zdobywcą wielu nagród i autorem sześciu książek na temat globalnej ekonomii i technologii.

Książka Bursteina *Yen!* (Jen!) z roku 1988 o wzroście potęgi finansowej Japonii stała się bestsellerem w ponad 20 krajach. W roku 1995 w książce *Red Warriors* (Czerwoni wojownicy) jako jeden z pierwszych analizował wpływ Internetu i technologii cyfrowej na biznes i społeczeństwo. W książce z roku 1998 *Big Dragon. China's Future – What it Means for Business, the Economy and the Global Order* (Wielki Smok: przyszłość Chin – co oznacza dla biznesu, ekonomii i porządku na świecie), napisanej wspólnie z Arne de Keijzerem, przedstawił kompleksowe spojrzenie na rolę Chin w XXI wieku. Burstein i de Keijzer niedawno otworzyli własne wydawnictwo Squibnocket Press i pracują obecnie nad cyklem *The Best Things Ever Said* (Najlepsze, co kiedykolwiek powiedziano), który będzie obejmował książki na temat przyszłości Internetu, blogów i nanotechnologii.

Pracując jako niezależny dziennikarz w latach 80., Burstein opublikował więcej niż 1000 artykułów w ponad 200 pismach, między innymi w „The New York Times", „Boston Globe", „Chicago Tribune", „The New York Magazine", „Rolling Stone" i wielu innych w USA, Europie i Azji. Pracował też jako konsultant dla ABC News, CBS News, „Time" i innych wiodących firm medialnych.

W ciągu ostatnich 10 lat Burstein aktywnie wspomógł ponad 25 firm wprowadzających nowe technologie. Od roku 1998 do 2000 był szefem doradców Blackstone Group, jednego z wiodących prywatnych banków handlowych na Wall Street. Jest także doradcą strategicznym i konsultantem prezesów, menedżerów wyższego stopnia oraz korporacji, takich jak Sony, Toyota, Microsoft, Boardroom Inc., Sun Microsystems.

ARNE DE KEIJZER (REDAKTOR NACZELNY) Pisarz, były konsultant biznesowy do spraw Chin, a także partner Dana Bursteina w Squibnocket Press. Jest autorem pięciu książek, między innymi świetnie sprzedającego się przewodnika po Chinach i dwóch książek napisanych wspólnie z Bursteinem: *The Rise, Fall, and Future of the Internet Economy* (Powstanie, upadek i przyszłość ekonomii internetowej) – w serii *The Best Things Ever Said* Squibnocket Press – oraz *Big Dragon: China's Future – What It Means For Business, the Economy, and the Global Order*. Pisuje do rozmaitych magazynów, od „The New York Times" do „Powerboat Reports".

DIANE APOSTOLOS-CAPPADONA Wykładowca sztuki religijnej i historii kultury w Center for Muslim-Christian Understanding oraz na Wydziale Sztuki i Kultury Liberal Studies Program na Georgetown University. Doktor Apostolos-Cappadona była kuratorem i autorką katalogu do wydawnictwa *In Search of Mary Magdalene: Images and Traditions* (W poszukiwaniu Marii Magdaleny: portrety i tradycja) w 2002 roku. Przygotowuje wstęp do reprintu *Sacred and Profanum Beauty: The Holy Art* (Piękno sacrum i profanum: święta sztuka) Gerardusa van der Leeuwa; wydała dwa tomy źródeł i dokumentów z historii sztuki chrześcijańskiej oraz źródła i dokumenty z historii sztuki religijnej XIX-wiecznej Ameryki, a także książkę *The Art of the World's Religions* (Sztuka religii świata). Wykłada na temat sztuki, twórczości i świętości ortodoksyjnego chrześcijaństwa wschodniego, historii i teologii oraz sztuki i religii w średniowieczu. Wraz z Deirdre Good prowadziła warsztaty i specjalne wykłady na temat wiarygodności *Kodu Leonarda da Vinci*.

MICHAEL BAIGENT Urodzony w Nowej Zelandii w roku 1948, ukończył studia psychologiczne na Canterbury University w Christchurch. Od roku 1976 mieszka w Anglii. Jest autorem *Starożytnych tropów* i *From the Omens of Babylon* (Ze znaków Babilonu). Wspólnie z Richardem Leighem i Henrym Lincolnem napisał dwa międzynarodowe bestsellery: *Święty Graal, święta krew* i *Testament Mesjasza*. Wraz z Richardem Leighem wydał: *The Dead Sea Scrolls Deception* (Oszustwo: zwoje znad Morza Martwego), *Tajne Niemcy: Klaus von Stauffenberg i mistyczna krucjata przeciw Hitlerowi* oraz *Eliksir i kamień*. Jego ostatnia książka, również napisana wspólnie z Leighem, to *Inkwizycja*.

AMY D. BERNSTEIN Pisarka i naukowiec. Specjalizuje się w literaturze odrodzenia. Jaka pracę doktorską przygotowała nowe wydanie sonetów Jacquesa de Billy de Prunay, benedyktyna, znakomitego autora oraz tłumacza Grzegorza z Nazjanzu i innych ojców kościoła.

PETER W. BERNSTEIN Partner Annalyn Swan w A.S.A.P Media, wydawca-konsultant tej książki. Był redaktorem w „US News" i pismach „World Report" oraz „Fortune", a także w wydawnictwach Times Books i Random House. Napisał *Ernst & Young Tax Guide* (Przewodnik podatkowy firmy Ernst & Young), jest współautorem *The Practical Guide to Practically Everything* (Praktycznego przewodnika praktycznie po wszystkim). Wraz z żoną Amy wydał *Quotations from Speaker Newt, The Red, White and Blue Book of the Republican Revolution* (Cytaty przewodniczącego Newta*: czerwono-biało-niebieska księga rewolucji republikańskiej).

DAVID BURSTEIN Uczeń średniej szkoły łacińskiej i autor mającej się ukazać książki *Harry Potter and the Prisoner of the „The New York Times" Bestseller List* (Harry Potter i więzień listy bestsellerów „The New York Times"). Napisał tomik poezji, siedem sztuk teatralnych i występował w głównych rolach w szkolnych przedstawieniach *Wiele hałasu o nic, Kopciuszek* czy *Skrzypek na dachu*. Przewodniczy też festiwalowi filmowemu Westport Youth Film Festival.

ESTHER DE BOER Studiuje teologię na Wolnym Uniwersytecie w Amsterdamie i jest ministrem w holenderskim Kościele reformowanym w Ouderkerk aan de Amstel.

DENISE BUDD Ukończyła Rutgers University w Nowym Brunszwiku (magisterium) i Columbia University (doktorat). W roku 2002 napisała pracę doktorską o Leonardzie da Vinci, poświęconą nowej interpretacji dokumentów z pierwszej połowy kariery artysty. Doktor Budd wykłada na Rutgers University i kontynuuje prace badawcze.

JOHN CASTRO Pisarz mieszkający w Nowym Jorku, wydawca i badacz. Współpracował przy publikacjach na rzecz praw obywatelskich Jesse Jacksona, dziennikarza Marshalla Loeba i przedsiębiorcy internetowego Charlesa Fergusona. Jest też reżyserem teatralnym, aktorem i autorem sztuk teatralnych, szczególnie kocha Szekspira. Ukończył St John's College w Annapolis w stanie Maryland.

MICHELLE DELIO Pisze na różne tematy z dziedziny technologii, jest stałą współpracowniczką pisma „Wired". Publikowała na stronie www.salon.com artykuły na różne tematy – od spamu po motocykle Harley-Davidson.

JENNIFER DOLL Współpracowała przy wydaniu tej książki; robi to zresztą stale, wydaje książki i pisma. Obecnie jest konsultantem wydawniczym „Reader's Digest". Użycza swoich talentów także McKinsey & Company, pismu „Continental" i Teaching Commission (Komisji Nauczycielskiej). W wolnych chwilach pisze, obecnie pracuje nad swoją pierwszą powieścią.

DAVID DOWNIE Niezależny pisarz mieszkający w Paryżu, wydawca i tłumacz. W ciągu ostatnich 20 lat pisał o kulturze europejskiej, o podróżach, o jedzeniu – dla pism i gazet amerykańskich i angielskich oraz, od czasu do czasu, dla wydawnictw francuskich, włoskich i holenderskich. Ostatnią książkę *Cooking the Roman Way: Authentic Recipes from the Home Cooks and Trattorias of Rome* (Gotowanie po

* Chodzi o Newta Gingricka, republikańskiego polityka amerykańskiego, który sprawował funkcję ptrzewodniczącego w Izbie Reprezentantów.

rzymsku: autentyczne przepisy domowych kucharzy i rzymskich gospód) poświęcił kulturze kulinarnej współczesnego Rzymu. Teraz opracowuje zbiór esejów o podróżach zatytułowany *Paris, Paris* (Paryż, Paryż).

BETSY EBLE Od kiedy pamięta, zawsze była osobą twórczą – już jako dziecko sama robiła lalki. W ciągu dnia tworzy architekturę systemów informacji i interfejsy aplikacji on line. Nocami i w weekendy maluje, pisze bloga i gromadzi dane na temat fikcji historycznej. Jej *Depth & Details – A Reader's Guide to Dan Brown's* The Da Vinci Code była pierwszym zbiorem opracowań na temat zagadnień poruszonych w powieści.

BART D. EHRMAN Profesor studiów religijnych University of North Carolina, gdzie wykłada od roku 1988. Autorytet w sprawach Nowego Testamentu i historii wczesnego chrześcijaństwa, występuje w CNN, w History Channel, A&E i wielu programach radia i telewizji. Przygotował kilka serii popularnych wykładów dla The Teaching Company i jest autorem oraz redaktorem 13 książek, z których ostatnia to *Lost Christianities: the Battles for Scripture and the Faiths We Never Knew* i *Lost Scriptures: Books That Did Not Make It Into the New Testament* (Zaginione Pisma: księgi, które nie weszły do Nowego Testamentu).

RIANE EISLER Naukowiec, historyk kultury i teoretyk ewolucji. Wśród jej książek znajdują się: bestseller *The Chalice and the Blade: Our History, Our Future* – wielokierunkowe studium kultury humanistycznej; *Sacred Pleasure, Tomorrow's Children* (Święta przyjemność, dzieci jutra) i *The Power of Partnership: Seven Relationships That Will Change Your Life* (Potęga partnerstwa: siedem związków, które zmienią twoje życie). Eisler jest prezeską Center for Partnership Studies, wykłada na UCLA i daje gościnne wykłady na całym świecie.

GLENN W. ERICKSON Wykładał filozofię na Southern Illinois University, Texas A&M University, Western Carolina University i Rhode Island School of Design, a także na pięciu uniwersytetach w Brazylii i Nigerii; czasem jako stypendysta Fulbrighta. Jest autorem tuzina prac z zakresu filozofii, m.in. *Negative Dialectics and the End of Philosophy* (Negatywne dialektyki i koniec filozofii); logiki, np. *Dictionary of Paradox* (Słownik paradoksu), napisany wraz z Johnem Fossą: krytyki literackiej, np. *A Tree of Stories* (Drzewo opowiadań), napisane wraz z żoną, Sandrą S.F. Erickson, poezji, krótkich opowiadań, książek z dziedziny historii sztuki, np. *New Theory of the Tarot* (Nowa teoria tarota), i historii matematyki.

TIMOTHY FREKE Ukończył studia filozoficzne, jest autorem ponad 20 książek i światowym autorytetem w dziedzinie spirytualizmu. Wraz z Peterem Gandym napisał 5 książek, między innymi *The Jesus Mysteries: Was the „Original" Jesus a Pagan God?* oraz *Jesus and the Lost Goddess* (Jezus i zaginiona bogini). Wykłada i organizuje seminaria na całym świecie, tłumacząc zagadnienia *gnosis* i oświecenia duchowego. Więcej informacji na temat książek i seminariów Freke'a i Gandy'ego można znaleźć na stronie: www.timfreke.demon.co.uk.

PETER GANDY Magister w dziedzinie cywilizacji klasycznych; specjalizuje się w tajemnicach religii starożytnych pogan. Znany zwłaszcza z prac o Jezusie, napisanych wraz z Timothym Frekiem: *Jesus and Lost Goddess* oraz *The Jesus Mysteries: Was „Original" Jesus the Pagan God?*

DEIRDRE GOOD Wykładowca wiedzy o Nowym Testamentem w General Theological Seminary Kościoła episkopalnego w Nowym Jorku. Publikowała teksty i wykładała na temat tradycji maryjnych i na temat kobiet w tekstach koptyjskich i gnostycznych. Jej ostatnia książka to *Mariam, the Magdala, and the Mother*.

SUSAN HASKINS Pisarka, redaktorka, badaczka i tłumaczka. Dawała wykłady na całym świecie, wystąpiła w różnych programach telewizyjnych, omawiając postać Marii Magdaleny. Obecnie tłumaczy *Three Marian Writings* (Trzy pisma o Marii), teksty o życiu Matki Boskiej trzech XVI-wiecznych włoskich autorek. Jest też autorką książki *Mary Magdalen: Myth & Metaphor* i tłumaczką oraz redaktorką pracy *Three sixtenth-Century Mariam Writings* (Trzy XVI-wieczne teksty o Marii).

COLLIN HANSEN Stały pracownik redakcji „Christian History". Posiada wykształcenie akademickie w dziedzinie dziennikarstwa i historii Kościoła. Pisze na takie tematy, jak sekularyzm europejski, wojna w Iraku czy wyższe wykształcenie chrześcijańskie.

STEPHAN A. HOELLER Doktor filozofii, biskup Ecclesia Gnostica i główny właściciel English Gnostic Transmissions. Autor kilku książek, m.in. *Gnosticism, Jung and Lost Gospels* (Gnostycyzm, Jung i zaginione ewangelie) i *Freedom: Alchemy for a Voluntary Society* (Wolność: alchemia dla dobrowolnego społeczeństwa). Doktor Hoeller prowadził przez 16 lat katedrę religii porównawczych w College of Oriental Studies.

KATHERINE LUDWIG JANSEN Profesor historii na Catholic University. Napisała *The Making of the Magdalen: Preaching and Popular Devotion in the Later Middle Ages*.

KAREN KING Wykładowca historii kościelnej na uniwersytecie w Harvardzie, autorka *What is a Gnosticism?* (Czym jest gnostycyzm?) i *The Gospel of Mary of Magdala: Jesus and the first Woman Apostle* (Ewangelia Marii z Magdali: Jezus i pierwsza kobieta-apostoł). Studiowała religioznawstwo porównawcze i historię, prowadzi wykłady i badania na temat historii chrześcijaństwa i historii kobiet. Jej ostatnie książki cieszą się wielkim powodzeniem. Interesuje się szczególnie formowaniem tożsamości religijnej, tematyką ortodoksji i herezji oraz problemami płci kulturowej.

DAVID KLINGHOFFER Jest autorem *The Lord Will Gather Me In* (Pan mnie sprowadzi) i *The Discovery of God: Abraham and the birth of monotheism.* Jest też stałym współpracownikiem „National Review".

RICHARD LEIGH Autor powieści i opowiadań. Wraz z M. Baigentem napisał szereg książek, w tym *The Dead Sea Scrolls Deception*, *Testament Mesjasza*, *Świątynia i loża*, *Tajne Niemcy: Klaus von Stauffenberg i mistyczna krucjata przeciw Hitlerowi* i ostatnio *Inkwizycja.*

HENRY LINCOLN Zaczął karierę jako aktor, ale już w początkach lat 60. pisał dla telewizji; stworzył ponad 200 scenariuszy. Zainteresowanie egiptologią (sam nauczył się odczytywać hieroglify) doprowadziło go do badań nad tajemnicami historii, mitologią i religiami świata. Zgłębiał zagadkę Rennes-le-Château. Nakręcił dla BBC szereg filmów dokumentalnych na tematy innych tajemnic przeszłości, między innymi Człowieka w żelaznej masce, Nostradamusa i klątwy Tutenchamona. Jest, wraz z Michaelem Baigentem i Richardem Leighem, współautorem książki *Święty Graal, święta krew.*

JAMES MARTIN, S.J. Jezuita, współwydawca pisma katolickiego „America". Autor wielu książek na temat religii i spirytualizmu, między innymi pamiętnika *In Good Company: The Fast Track from Corporate World to Poverty, Chastity and Obedience* (Dobra firma, dobre towarzystwo: szybka droga od świata korporacji do ubóstwa, czystości i posłuszeństwa).

RICHARD P. McBRIEN Profesor teologii i były dyrektor Wydziału Teologii (1980–1991) na Uniwersytecie Notre Dame. Był też prezesem Catholic Theological Society of America (Amerykańskiego Towarzystwa Teologii Katolickiej). Jego zainteresowania naukowe obejmują eklezjologię, stosunki między religią a polityką oraz teologiczny, doktrynalny i duchowy zasięg tradycji katolickiej. Ostatnia książka ojca McBriena to *Lives of the Saints: From Mary and St. Francis of Assisi to John XXIII and Mother Teresa* (Żywoty świętych: od Marii i Franciszka z Asyżu do Jana XXIII i Matki Teresy). Jest księdzem w archidiecezji Hartford w Connecticut.

CRAIG M. McDONALD Dziennikarz i redaktor, zdobywca wielu nagród, przeprowadzał wywiady z licznymi autorami, takimi jak James Ellroy, Anne Rice, Dennis Lehane, Walter Mosley, Alistair Macloed, Dan Brown. Wywiady, które zamieszcza we „Writers and Writing", dostępne są w Internecie pod adresem www.modestyarbor.com.

BRENDAN McKAY Profesor informatyki na Australian National University. Kilka lat temu stał się znany dzięki obaleniu teorii „kodu Biblii".

LAURA MILLER Pisze do gazet i pism teksty o filmach, książkach, teatrze, kulturze elektronicznej i o tematach społecznych. Jej artykuły drukuje „The New York Times", „San Francisco Chronicle", „Harper's Bazaar", „Wired". Regularnie umieszcza teksty na stronie www.salon.com.

SHERWIN B. NULAND Autor książki *Leonardo da Vinci*, a także bestsellera *How We Die*, za który otrzymał w roku 1994 National Book Award for Nonfiction. Jego inne książki to: *The Mysteries Within: a Surgeon Reflects on Medical Myth* (Tajemnice wnętrza: refleksje chirurga nad mitem medycznym); *Doctors: The Biography of Medicine* (Lekarze: biografia medycyny) i *The Wisdom of the Body* (Mądrość ciała), wydane w popularnej wersji pod tytułem *How we live* (Jak żyjemy). Jest profesorem chirurgii na Yale University, gdzie wykłada też historię medycyny i bioetykę.

LANCE S. OWENS, dr. med. Lekarz praktyk i równocześnie ksiądz Ecclesia Gnostica. Ukończył studia na Georgetown University i Utah State University, a uzyskał doktorat na Columbia University. Założył stronę internetową www.gnosis.org.

ELAINE PAGELS Wydała bestsellerową książkę *The Gnostic Gospels*, za którą otrzymała National Book Critics Circle Award i National Book Award. Obecnie ukazała się nowa edycja książki. Posiada bakalaureat z historii i magisterium ze studiów klasycznych na Stanford University oraz doktorat z Harvardu. Jest także autorką kolejnego bestsellera *Beyond Belief: The Secret Gospel of Thomas* – oraz książek *Adam, Eve, and the Serpent* (Adam, Ewa i wąż) oraz *The Origin of Satan*. Wykłada religioznawstwo na Princetown University.

LYNN PICKNETT i CLIVE PRINCE Pisarze i badacze, prowadzący wykłady na temat okultyzmu, zjawisk paranormalnych, a także tajemnic historycznych i religijnych. Ich bestsellerowa książka *Templariusze. Tajemni strażnicy tożsamości Chrystusa* była ważnym źródłem Dana Browna. Autorzy napisali wspólnie książkę *Turin Shroud: In Whose Image? The Truth Behind the Centuries-Long Conspiracy of Science* (Całun Turyński: Na czyje podobieństwo? Prawda poza trwającą stulecia zmową milczenia), w której głoszą tezę, że to Leonardo dla żartu zainscenizował sprawę całunu. Picknett wydała też książkę *Mary Magdalene*. Picknett i Prince mieszkają w Londynie.

JAMES M. ROBINSON Profesor nauk religijnych w Claremont Graduate University i główny wydawca tekstów z Nag Hammadi. Jako jeden z wiodących światowych autorytetów w dziedzinie wczesnego chrześcijaństwa przewodniczył grupie uczonych i tłumaczy, którzy przygotowali angielskojęzyczne opracowanie znalezisk z Nag Hammadi.

DAVID A. SHUGARTS Dziennikarz z 30-letnią praktyką, reporter, fotograf i redaktor oraz redaktor naczelny wielu gazet i magazynów. Interesuje się m.in. lotnictwem i żeglugą. Otrzymał pięć nagród od Aviation/Space Writers Association (Stowarzyszenia Autorów Piszących na temat Awiacji/Przestrzeni Kosmicznej). Był redaktorem-założycielem pisma „Aviation Safety" (1981) i „Powerboat Reports" (1988).

MARGARET STARBIRD Ukończyła studia na uniwersytecie w Maryland i na Uniwersytecie Christiana Albrechta w Kilonii w Niemczech oraz w Vanderbildt Divinity School. Zajmuje się tematem żeńskiej świętości. Wydała książki: *Magdalen's Lost Legacy: Symbolic Numbers and the Sacred Union in Christianity* (Zaginione dziedzictwo Magdaleny: liczby-symbole i święte zjednoczenie w chrześcijaństwie); *The Goddess in the Gospel: Reclaiming the Sacred Feminine*, *The Feminine Face of Christianity* (Kobieca twarz chrześcijaństwa) oraz *Kobieta z alabastrowym flakonem: Maria Magdalena i święty Graal*.

KATE STOHR Pomagała w badaniach i opracowaniu redakcyjnym książki. Jest niezależną dziennikarką i producentką filmów dokumentalnych. Jej teksty ukazują się w „The New York Times", „U.S. News & World Report", „Christian Science Monitor", „Time Digital", „People", „Rosie", „In Style". Ostatnio pisuje reportaże na temat rolnictwa miejskiego, migracji emerytów, marnotrawnego kierownictwa, pracy i prawnej ochrony środowiska.

ANNALYN SWAN Partnerka Petera Bernsteina w A.S.A.P. Media, konsultowała i redagowała książkę. Zawodowa pisarka i redaktorka, była redaktorem w „Time", krytykiem muzycznym i redaktorem działu sztuki w „Newsweeku", redaktorem naczelnym „Savvy". Wraz z krytykiem sztuki Markiem Stevensem napisała biografię artysty Willema de Kooninga, która ukaże się w USA jesienią 2004 roku.

DAVID VAN BIEMA Starszy redaktor pisma „Time", specjalizuje się w tematach religijnych.

BRIAN WEISS Od około 30 lat pisze książki i artykuły na rozmaite tematy: od technologii i handlu, po lotnictwo i farmakologię. Był głównym redaktorem kilku publikacji całego kraju, pisywał na temat związków zawodowych w piśmie o ogólnokrajowym zasięgu, współpracował przy powstawaniu wielu książek. Jego firma Word'sworth mieści się w Pasadenie w Kalifornii, zajmuje się kontaktami marketingowymi i konsultingiem dla wielu firm.

DAVID WILK Jeden z redaktorów tej książki. Od lat pracuje przy wydawaniu książek jako pisarz, wydawca, redaktor i dystrybutor. Był dyrektorem programu literatury w National Endowment for the Arts (Narodowym Programie Dotacji dla Sztuki), a obecnie zasiada w zarządzie CDS w Nowym Jorku.

KENNETH L. WOODWARD Współpracuje z „Newsweekiem", często pisze o religii. Jest autorem *The Book of Miracles: the Meaning of the Miracle Stories in Christianity, Judaism, Buddhism, Hinduism and Islam* (Księga cudów: znaczenie cudów w chrześcijaństwie, judaizmie, buddyzmie, hinduizmie i islamie).

NICOLE ZARAY Prowadziła badania i służyła pomocą przy redagowaniu tej książki. Jest nowojorską pisarką i filmowcem, produkuje i reżyseruje niezależne filmy dokumentalne, m.in.: *Work Life and the Unknowable* (Życie zawodowe a nieznane), współtworzyła film fabularny *Monopolis* i przedstawienie off-off Broadway *Bread and Circus 3099* (Chleb i cyrk 3099).

Podziękowania

Specjalne podziękowania i wyrazy głębokiego uznania należą się wspaniałej grupie ludzi, którzy zapalili się do projektu wydania tej książki, przebrnęli z nami przez wszystkie trudności, sprawili, że książka powstała w rekordowo krótkim czasie.

Po pierwsze i przede wszystkim przekazujemy podziękowania Gilbertowi Perlmanowi i Steve'owi Blockowi oraz ich kolegom z CDS – za ich wizję, pomoc i ducha partnerstwa. Oni to ruszyli ziemię z posad i doprowadzili do tego, że książka rodziła się tak sprawnie, jak nigdy nam się nie zdarzyło w ciągu 20 lat pracy. David Wilk wyszukał najlepszych spośród zaprzyjaźnionych autorów i z niezliczonych nitek – efektu ich starań – utkał solidną tkaninę. Podziękowania należą się także Kari Stuart, Hope Matthiesen, Kiptonowi Davisowi, Lane Jantzen, Elizabeth Whiting i Kerry Liebling.

Książka ta nie powstałaby, gdyby nie pomoc świetnego zespołu konsultantów i współpracowników, jak również badaczy i redaktorów. John Castro, David Shugarts i Brian Weiss służyli nam radą i wsparciem w niezliczonych kwestiach związanych z książką.

Wielką pomoc zapewniła nam też firma A.S.A.P. Media, a w niej: Peter Bernstein, Annalyn Swan, Kate Stohr, Jennifer Doll i Nicole Zaray.

Zespół techniczny gorączkowo pracował, by książka przyjęła postać materialną. Specjalne podziękowania pragniemy przekazać: George'owi Davidsonowi, Jaye Zimet, Leighowi Taylorowi, Lee Quarfoot, Nan Jernigan, Grayowi Cutlerowi, Suzanne Fass, Davidowi Kesslerowi, Mike'owi Kingcaidowi, Rayowi Fergusonowi i Jane Elias.

Nasze rodziny wspierały nas intelektualnie, artystycznie i duchowo, nie szczędząc pomysłów, wiadomości i inspiracji. Wyrazy miłości i podziękowania należą się Julie O'Connor, Helen de Keijzer, Hannah de Keijzer, Joan O'Connor i Davidowi Bursteinowi.

Wielu przyjaciół i kolegów poparło nasze zamiary, zakasywało rękawy i wspomagało nas w trudnych chwilach, dostarczało ważnych informacji, poddawało nowe pomysły lub po prostu pomagało w sprawach codziennych, gdy my staraliśmy się złożyć książkę w całość. Dziękujemy Ann Malin, Davidowi Kline'owi, Samowi Schwerinowi, Peterowi Kaufmanowi, Mary Edelston, Susan Friedman, Carterowi Wisemanowi, Stuartowi Rekantowi, Benowi Wolinowi, Bobowi Steinowi, Gregory'emu Rutchickowi, Cynthii O'Conner, Petrze Talvitie, Ilene Lefland, Jen Prosek. Serdeczne życzenia życia – wolnego od raka – składamy Craigowi Buckowi i Philowi Bermanowi.

Elaine Pagels, jedna z najznakomitszych znawczyń gnostycyzmu i alternatywnych ewangelii, zachęcała nas i pomagała nam od samego początku tego przedsięwzięcia. To prawdziwa kobieta renesansu!

Chcielibyśmy także podziękować wszystkim autorom i współautorom, którzy byli doprawdy filarami całego projektu. Oto oni: Diane Apostolos-Cappadona, Michael Baigent, Amy Bernstein, Esther de Boer, Denise Budd, Michelle Delio, David Downie, Betsy Eble, Bart D. Ehrman, Riane Eisler, Glenn W. Erickson, Timothy Freke, Peter Gandy, Deirdre Good, Susan Haskins, Collin Hansen, Stephan A. Hoeller, Katherine Ludwig Jansen, Karen L. King, David Klinghoffer, Richard Leigh, Matthew Landrus, Henry Lincoln, James Martin, Richard P. McBrien, Craig McDonald, Brendan McKay, Laura Miller, Anne Moore, Sherwin B. Nuland, sieć informacyjna Opus Dei, Lance S. Owens, Elaine Pagels, Lynn Picknett, prałatura Opus Dei, Clive Prince, James Robinson, Margaret Starbird, David Van Biema i Kenneth Woodward.

Dan Burstein i Arne de Keijzer

WYDAWNICTWO AMBER Sp. z o.o.
00-060 Warszawa, ul. Królewska 27, tel. 620 40 13, 620 81 62
Warszawa 2004. Wydanie I
Druk: Wojskowa Drukarnia w Łodzi